▲ 1996年在马来西亚砂捞越

▲ 1996在北京香山赏红叶

▲ 刘心武自画像（油画）

刘心武/著

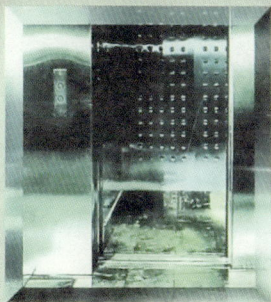

栖凤楼

人民文学出版社

▲ 长篇小说《栖凤楼》（1996年）封面

刘心武文存3

[1958—2010]

长篇小说　第三卷
栖凤楼

刘心武◎著

江苏人民出版社

图书在版编目(CIP)数据

栖凤楼／刘心武著. — 南京：江苏人民出版社，
2012.11

（刘心武文存；3. 长篇小说. 第3卷）
ISBN 978-7-214-07999-2

I. ①栖 … II. ①刘… III. ①长篇小说-中国-当代
IV. ①I247.5

中国版本图书馆CIP数据核字（2012）第036739号

书　　　名	栖凤楼
著　　　者	刘心武
责 任 编 辑	刘　焱
统 筹 编 辑	李　丹
特 约 编 辑	朱　鸿
文 字 校 对	陈晓丹　郭慧红
装 帧 设 计	门乃婷工作室
出 版 发 行	凤凰出版传媒股份有限公司
	江苏人民出版社
出版社地址	南京湖南路1号A楼　邮编：210009
出版社网址	http://www.book-wind.com
经　　　销	凤凰出版传媒股份有限公司
印　　　刷	三河市金元印装有限公司
开　　　本	700毫米×1000毫米　1/16
印　　　张	23.25
字　　　数	365千字
彩　　　插	4
版　　　次	2012年11月第1版　2012年11月第1次印刷
标 准 书 号	ISBN 978-7-214-07999-2
定　　　价	48.00元

（江苏人民出版社图书凡印装错误可向本社调换）

《刘心武文存》出版说明

　　《刘心武文存》收录刘心武自 1958 年 16 岁至 2010 年 68 岁公开发表的文字约 900 万字。《文存》共 40 卷，按文章门类收录，计有长篇小说 5 卷、中篇小说 4 卷、短篇小说 5 卷、小小说 1 卷、儿童文学 1 卷、建筑评论 2 卷、《红楼梦》研究 4 卷、散文随笔 11 卷、杂文 1 卷、海外游记 1 卷、多品种（图文交融文本、报告文学、诗歌、剧本、足球评论、译述）1 卷、创作谈 1 卷、理论批评 1 卷、早期（1958 年至 1976 年）作品 1 卷、自述 1 卷。因跨越时间达半个世纪以上，收录定有遗漏，但其此期间的主要作品，相信均已收入。

　　《刘心武文存》各卷均附有《刘心武文学活动大事记》及《刘心武著作书目》，可备检索。

　　编辑出版《刘心武文存》的目的，意在供各方面人士阅读欣赏、分析研究、批评批判、收藏保存。

……从我还记得的时候起，我就在这么走，要走到一个地方去，这地方就在前面。

——鲁迅:《野草》

刘心武文存
03

———

目录

刘心武文存

03

第一卷

1

是钉木条的声音。锤头重重敲击铁钉，木窗框和木条同时震动，在楼前的院落里发出沉闷的回响。

那声音使他不由驻足。他望过去，看到五短身材的老霍，正在钉那两扇窗户。老霍身上的背心紧紧箍在他皮肉上，背心已被汗水和灰尘浸污，抡锤的短胳臂因不断迸出爆发力而显得格外雄健。老霍快把最后一根木条钉妥了。

他记得很清楚，没有人围观。他也仅仅驻足不到半分钟，便继续往前走——他是路过那里，他要经过那地方，去后院自己的宿舍。

他在离老霍最近时，忍不住下死眼把老霍又望了一下。老霍满脸的皱纹并未抖动，只是上下嘴唇都紧张地前伸，显示出一种虔诚的专注。这面容从此就永远粘在了他的记忆里，甩也甩不掉。

2

进到自己宿舍，关上门后，他是坐在了书桌前，还是靠到了床上？他有很深刻的思维吗？

是的，他有一种不能容忍的情绪。他知道金殿臣出事了。金殿臣被隔离审查。退回 1967 年，怎样审查一个人，是把他倒吊起来，还是扔进粪坑里，似乎都不算离奇。但是现在美国总统尼克松已经来过，并且像前门大街、王府井大街那些地方，不但街名已经恢复，商店名称也已由一律的"革命化"——如"红旗服装店"、

"东方红食品店"、"立新文化用品商店"——改称了一部分,例如有的粉饰一新后,叫做"云峰服装店"、"金枫食品店"、"春香茶叶店",等等。在这样的大气氛下,虽然各单位里还会有新揪出的牛鬼蛇神,一般来说,似乎都不至于为他们特设监狱了……

然而在他所在的这个小单位,却有老霍的钉窗户,有老霍紧张地伸出的嘴唇,上下一齐伸出,显示出一种奉命的虔诚……

老霍所钉的,是金殿臣所住的那间宿舍的窗户。窗户这么一钉死,宿舍便形同监狱了。其实现在想来,那样地钉上木条——或许不该说是木条,因为都有五公分以上宽,可以称为木板了吧——如果关在里面的人奋力突破,也还是有可能成功逃逸的。当然,革命委员会派出了男性革命群众,昼夜轮流在金殿臣那间屋门口值班。不过,既然有人看守,即便他金殿臣就是逃出了那间屋子,又怎能顺利逃出整个大院呢?他反正是插翅难飞,又何必派老霍钉他的窗户呢?

他当时推敲到这个逻辑了吗?只模糊记得,他只是腹诽。他的心不能接受这一钉窗户的事实。他并不同情金殿臣。他相信对金殿臣隔离审查必有根据。他知道革命委员会以革命的名义所做出的这一决定,是不可反对的。但他心的深处,虽经革命一次次的洗礼,却固执地不能对"就地监囚"的这种做法认同。他并且不能接受老霍那紧张地伸出双唇的表情。

3

回想这些事,他觉得很吃力。

不是因为事过境迁,难以追索。而是,他面对着一堵墙。这是一堵无形的墙。由现在的群体心理所筑构。筑墙的砖都很坚硬。"回忆这些干什么?"这是一种砖。"早知道了!都回忆烂了!"这又是一种砖。"回忆是不可靠的!任何已经发生过的事都不堪回忆,尤其是企图将其用文字还原,那就仿佛在流沙上建塔,永无成功的可能!"这是更巨大的砖。并且,还有他自己心理上的砖——我为什么要这样地讨人嫌?!

可是他心里搅着那么一团丝麻。总不能不试一试,将它们抽出捋顺。

然而，回忆与想象互相冲突。越认真回忆，便越要排斥想象。想象是艺术的灵魂。回忆弄不好会成为蜡像展览。

于是，他决定，回忆，要忠于已发生过的那些事的原始面貌；但又一定要想象那些原始面貌下勃动激荡的心灵。

4

金殿臣低着头，被看守他的人押着，手里端着饭盒，去食堂打饭。

他记得，金殿臣的整个面貌，整个神态，整个生命，显示出没有丝毫的反抗，他显然不但决不打算突破老霍所钉上的那些木条，更绝无趁看守者晚上打盹，冲出那牢房的意念。

他憬悟，那些老霍所钉的木条，其实只是一种符码，体现着一种无可遁逃的权威。既镇压着金殿臣，也向单位里其他人，比如并没有被揪出来的他，宣示着毋得抗拒。

在食堂里，金殿臣默默地打饭。老霍的老婆是卖饭的，她默默地收过金殿臣递上的饭票，谨慎地往金殿臣的饭盒里舀了一勺丙菜（怕给多了），又往里面搁了两个窝头。金殿臣捧着那饭盒，依然低着头，由另一位吃完饭的看守押回他的宿舍——也是他的监狱。

食堂里的其他人都自己吃自己的饭，或聊他们的天，或竟管自打情骂俏，或吃完饭去水槽那儿洗碗，或用火柴棍剔着牙往外走 …… 所有的人，真的都对金殿臣被隔离，无动于衷吗？

不知道。也许是的——除了那几个必欲置金殿臣于死地的人——没有人关心金殿臣的命运。

现在回想起来，他很惊异，虽然经历了"文化大革命"，特别是急风暴雨的"破四旧"阶段，金殿臣却并未更名改姓。他那姓名，不是十分地封建、反动吗？为什么他竟未改，而外界对他的打击，也并未落到他那该死的姓名上？他记得很清楚，金殿臣被隔离后，很被折腾了一番，也开过批判会，后来更被开除公职、遣送回乡，但并没有人在批判他时扭住他的名字做文章，比如这样说："…… 他的富农老子,给他取这个名字,就是希望他不仅做一个剥削阶级的孝子贤孙,而且,还要他登上封建皇帝的金殿,成为皇帝的大臣,充当维护封建统治、镇压农民的急先锋!金殿臣果然秉承他反动老子的意志,丧心病狂地反党反社会主义,是可忍,孰不可忍?!……"

是的,没有人拿金殿臣的姓名开刀。把他揪出来的人,也对此兴味索然。

金殿臣确实是一个很乏味的人。把他揪出来,往他住的那间宿舍窗户上钉木条,也许倒是无形中抬高了他。他原来在单位里一点不起眼。

金殿臣属于那种虽然进城生活多年,却一望而可称之为"乡下人"的一类。他体态微胖,胳膊很粗,身胚很圆,胸部却是平的;他的鼻子有些酒糟,红得不算严重,几根血丝却很明显。他大学毕业后分配到这个单位,没再调动过。他对现实很满足。出身富农,能上大学,能留在北京工作,这多不易!"文化大革命"的头几年,他随大流混过来了,本来似乎也还可以就那么混下去,没想到,尼克松都访华了,"反帝茶叶供应站"又都改成"春光茶叶店"了,他却被隔离,就有那单位里的木工老霍,奉命往他住的宿舍窗户上钉木条。

5

金殿臣因"诱奸未成年女子"而被揪出。

为什么不说是"诱奸幼女",或干脆说他是"强奸幼女"?

显然,刻意将他揪出的人,在定他的罪名上,颇费心思。

被指认是他所诱奸的那个女子,是当时单位里的一个临时工,搞卫生的。说是只有16岁,但那发育得鼓鼓胀胀的模样,望上去实在会以为是个小媳妇了。像那么大的青年人,当时不是都要到农村插队或到边疆当"兵团战士"吗?为什么她却留在城里,当了个临时工?说不清,也不必搞得那么清楚。关键是,她在单位外面犯了事儿,被公安部门抓获,让她写材料交代,她写了好几大篇,在那几大篇里,有几行——也许只有一行——提到了金殿臣,说是金跟她"乱搞"过。这就够了!

于是在金殿臣被隔离审查期间,单位里几乎每天晚上就都搞一次夜审。

他回忆起，那时晚上，他在后院自己的宿舍里，隔着门窗，也能听见前面传过来的提审声。常常是在一阵"坦白从宽"、"放老实点！"的咆哮后，出现一段寂静，这时他的耳朵眼儿就会产生出一种惶恐等待的刺痒，仿佛雨夜里闪电划过，而疾雷却迟迟未响，那份焦虑与悚然，实难忍受。后来突然响起一片浑浊的呵斥，夹杂着拍桌子以及难以判断的钝音，他才松下一口气，知道不过是老戏再现。

金殿臣接受窗上所钉的木条，接受 24 小时的轮流监管，接受押解着去食堂和厕所，接受最低劣的饭菜，接受人们或鄙视或冷漠的目光，甚至也接受夜审，接受吆喝、斥骂与体罚，但他就是不承认与那女子"乱搞"过。

揪他、整他的人，为什么非得要他自己承认罪行？在那个时期，就是他死不认账，不也可以硬给他安上罪名吗？为什么不惮其烦地搞那么多次夜审？

是一种什么样的游戏规则？为什么双方，以及差不多所有的人，都进入了那个约定俗成？

6

有一天，印德钧，当时的革委会主任，来对他说："金殿臣死不招认。今晚你也来吧。也许你能起点作用。"

他当时什么心情？满心不愿意？是不愿意，但那不愿意并非"满心"；是不是还有点受宠若惊？是的，在那个时代，不，甚至不仅那时，就是在任何一朝，一个本来处于边缘的人，忽然被约往中心，多半都不会拒绝，起码不会断然拒绝。因为来自任何一方的看重，总能满足个人那与生俱来的荣耀欲。是呀，单位虽小，男职工怎么也有百十来位，能进入夜审问题人物的班子，归里包齐超不过六七个，请他参加，那不是跃入中心了吗？何况，中心风景于他来说，有一种神秘感；不错，他在自己那间小小的宿舍里听见过来自中心的风雨雷电，但隔岸听音，与身临其境，毕竟不可同日而语……和许许多多的人在许许多多的情况下所呈现出的心理状态一样——他的心绪在荡动中绕了一圈，又回到了起始状:他不大愿意，因为这对他来说，有一种朦朦胧胧的危险感。从边缘向中心移动，从来都是危险的。

他问："我能起什么作用呢？"

印主任说："你跟金殿臣同过宿舍。再说，他想不到你会在场。你来软的。他现在不吃硬的。"

他当时听了，心里滋味是又辣又甜。他一度跟金殿臣同过宿舍。不是现在金殿臣住的这间，也不是他现在住的这间，是另外的一间。当时他刚到单位，整个儿是个浑的。金殿臣在农村有老婆，常在宿舍里说些男女间的荤事。而印德钧那时的宿舍就在他们隔壁。印德钧有了对象，却还没结婚，常到他们宿舍里来坐着，抽着烟瞎聊。印德钧也是农村出来的，而且老家跟金殿臣老家离得不算远，虽然印德钧家里是贫农，可是看不出他对金殿臣的歧视。相反，他跟金殿臣的共同语言却非常之多，那些共同语言里，一多半是关于农村里男女间的荤事儿，令当时尚未开窍的他从旁听来，既新奇，又惊讶，特别是印德钧，出身好，党员，在单位里地位眼看着扶摇直上，却在他们那间小小的宿舍里，极放松、极坦率地谈论农村里种种男女间的"乱搞"，谈到兴浓处，嗤嗤地笑，两只眼睛生动地放着光，吸一口烟，眼皮又更富意味地眨动……

直到今天，他回忆起来，就印德钧和金殿臣所描绘出来的农村风情而言，那真是一个性开放的世界，乃至于天堂。那些话语在他心底的积淀，使他多少年后，一看到《红高粱》那样的电影里的男女野合场面，便立刻承认其真实，而且体味到一种超越性的审美乐趣。

……他记得，金殿臣有一回说起，他们村有个七十多岁的老头，一个晚上还能睡三个相好的，而印德钧就说，他们村有一家，三辈都是光棍，给小辈娶进一个二十多岁的寡妇当老婆，结果那妇人跟他们三个男人都睡，不是强迫的，是她自愿的，三个男人都很强壮，她丈夫18岁，公公35岁，爷爷52岁，一家子居然过得和和睦睦。那女人也不避讳他家的乱伦关系，私下还跟与其相好的妇人说，最有劲的，是那个爷爷！后来她生下一个大胖小子，你说那是她儿子，还是小叔子，甚至叔爷？……这些乱七八糟的秽闻，如今再问起来，印德钧还承认他自己扩散过吗？……他实实在在地记得，印德钧讲起这些违反伦常的事情时，并不给他以虚伪人格的感觉，甚至恰恰相反，就从那时起，印德钧对他有一种亲和力，虽然到"文化大革命"当中，印德钧最后升为了单位的革命委员会主任，他们之间拉开了距离，可是在单位的"头头"里面，唯有印德钧给他一种平和、安全的感觉。

印德钧让他参加对金殿臣的夜审,这是不是一种虚伪冷酷?至少,他清楚,你印德钧在男男女女一类事情上,与金殿臣起码是在精神上同流合污过……但他从那时到现在,都没有从这个角度对印德钧产生过反感。他当时就知道,单位里几乎所有的人都心中有数,热心于揪金殿臣、斗金殿臣并一定要把金殿臣打倒在地踏上一只脚的,是司马山而绝非印德钧。司马山当时是革命委员会委员,分工管人事保卫。

7

那是一座旧楼。楼下一角是几间宿舍,金殿臣住最靠边的一间。夜审就在楼上的一间办公室里进行。那间审讯室与那间老霍钉牢窗户形成的监牢就隔着一层地板。(也是天花板。是的,我们踩在脚下的,往往又正是罩在别人头上的。我们或许又会有意无意地与别人易位。这类的联想算得深刻吗?)

他记得,他进入那间审讯室时,司马山似乎连招呼都没跟他打。其他的人也都给他些含含糊糊的表情。他拣了个最靠边的椅子坐下。印德钧倒分明给了他一个微笑。他清醒地意识到,他不是这个圈里的人,他与这个圈子的唯一联系,也就是印德钧递过的一根丝线。他看出,司马山等人甚至于没有工夫对他表露轻视,就连往窗户上钉木条的那个老霍,霍木匠,也一副将他忽略不计的表情,倒是他心里不禁蔑视地问:你老霍算个什么呢?你什么也不是!他们让你在这儿,不过是要你充当打手罢了!哼!

……把受审者提上来时,参与审问的人们要先商量这一回合的战略与战术,或者说是磋商“斗争的艺术”。除了他,其他人已经多次研讨过了,但这一晚依然兴致勃勃,你一句我两句的,互相把昂扬的斗志挑逗得更其鲜活火暴。他听着很觉新奇,又不免悚然。因为不禁暗想:如果有一天,是研讨如何地与我奋斗、其乐无穷呢?……

在逐步提得高锐的声浪中,司马山一声低音断喝:“小声点!别让他听见!”研讨戛然而止,显示出他在这场斗争中的直接领导者地位。司马山的脸庞,正所谓“天圆地方”,俨然福相。只是一双眼睛小了点,又够不上“丹凤”。不过他那双眼睛盯人时，还是令人感到锋利，有大头针别纸片的一股子狠劲儿。

在场的人，也许只有印德钧不怵司马山。这不仅因为印德钧当着一把手，还因为印德均这人在单位里人缘好，明里好不难，他却暗里也好，也就是说，单位里的人，背地里提起他来，也是感恩戴德、称善颂慈的多（当时的话语叫做"特掌握政策"）。司马山在人们背地里的舌头上怎么样，那就难说了。

他记得，那一晚，当人们闹嚷嚷地研讨"斗争艺术"时，唯有印德钧，意态弛然地坐在侧座上，用纸片卷着烟丝，并不参与；那神情分明地显示出，他是来支持司马山的，然而他自己并没有什么斗争的热情，他也知道司马山于他，要的也只是"放手"，而非"积极领导"，更非冲锋陷阵。只是在司马山的一声断喝出来，诸人噤口后，稍过了片刻，他才闲闲地说："今天小雍来了，小雍不会嚷嚷，小雍会文词儿……小雍跟殿臣同居过，他们关系不错……"虽然那"同居"一词令他很觉刺耳（他知道印德钧并无恶意，甚至是为了幽默），但印德钧那样称谓揪出来的坏人（简直是昵称），更令他暗暗称奇。这就是印德钧的风格。也只有他，这样地"放肆"却无人指责，连司马山亦不以为忤逆了原则。现在回想起，他仍认为，印德钧是个难得的人物，尤其是在"文化大革命"当中，能够在一个相对封闭的小单位里，那么样地处于安全地位，心态能那么松弛闲适，真真是"几生修得到此"！

……金殿臣被押了上来，站在坐成弧线状的审问者面前，他自动低下头、弯下腰。因为好多天没有刮胡子，他脸上乱糟糟的胡须，跟他一头乱莲蓬的头发，联合成一只刺猬的模样，而他那酒糟鼻，便仿佛是刺猬惶急缩藏的小尖脸。

他记得，司马山站起来，手里握着一个沏好茶的盖瓶，声情并茂地说："姓金的，告诉你，你魔高一尺，我们道高一丈！"（他听到这两句迸出时，心里本能地纠正着：应是"道高一尺，魔高一丈"！但他望望别人，连印德钧也都并无所谓。）"……你以为你今天再不老实，再死磨硬泡，我们就没有办法了吗？告诉你，我们一是不怕，不怕跟你耗时间！你抬头看看，我这儿沏好了酽酽的香茶，我还特地准备了一把皮沙发椅呢！你有能耐，你就跟我们对抗一夜！……二是，我们二是不软，听懂了吗？别以为我们跟你讲政策，不给你挂黑牌子、戴高帽子、坐'喷气式'……就软弱可欺了！告诉你，党的政策是坚定不移的，坦白才能从宽，抗拒是一定要从严！……"

是的，他至今记得，并在重温时依然活现着司马山那晚的声气表情，还有他那杯釅釅的香茶 …… 平心而论，司马山那是进入了一种难得的境界，一种享受"斗人之乐"的审美境界，并且很雷同于十多年后时髦起来的那种理论：目的是次要的，乐趣在于过程之中；贵在参与，而不必算计代价 …… 特别是，司马山强调了"讲政策"，"我们可是掌握政策的啊"，在他来说，那是真心话，因为不难找出别的单位的例子来做对比，那可是些对揪出来的敌人——特别是坏分子——仍实行严酷体罚与人格污辱的例子，他司马山可并没那么厉害啊，他手下留情呢 …… 在"掌握政策"的前提下细细地咀嚼"斗人之乐"，司马山在那些个夜晚里，其人生滋味，也是"几生修得到此"啊！

他当时很觉疑惑，明明已经认定了被揪出者的罪行，又何必一定要他承认？既然你永远认定被揪出的敌人"不老实"，那么即便他承认了，又有多大意义？他终于承认了，也未必就给从宽，那又为什么并不爽快地以抗拒罪给他立马从严？……

后来他憬悟，那是逐渐形成的一种斗人文化，并且，并不一定该由一定的组织与理论负责，那是一种在许许多多的司马山那样的积极分子，通过你一点我一滴的无文字非理论并且也不一定都是那么自觉的积累中，逸出组织与理论的规范与约束，却又往往得到宽容与默认，最后成型的。

他记得，那一晚折腾了很久。审问者重复了若干旧问题，又甩出了若干新问题，而金殿臣虽有问必答，低头弯腰过久以致几次晕眩欲倒，却极顽固地拒绝承认他把那女子勾进他宿舍，实行了诱奸，他只承认，在他们一起配合着挖防空洞时，他对她开过一些"低级下流的玩笑" ……

…… 司马山呷一口新冲上水的香茶，反复地问："那你为什么光着膀子？"

"天热 …… 光膀子的男同志不止我一个 ……"

"谁是你同志？！"一片呵斥，几个声音跟上去问："说！你是怎么捏她手的？"

"我没故意捏她 …… 我管挖土，抡镐，她管运土 …… 她推不好独轮车，我帮她一把，手碰手，那是有的 ……"

"啊，你倒成好人了！"司马山逼近问，"自己说，老实说，那几天，你裤腰带是怎么系的？"

"用了根布条 ……"

"系在肚脐眼儿上头，还是下头？"

"…… 下头吧 ……"

"系那么低干什么？！"

"不为什么 …… 那样干活得劲儿 ……"

"废话！ …… 问你，那几天，你文明扣扣没扣齐？！"

确实问了这样一个问题。在那场景中，这问题显得很自然，也很关键。

金殿臣不出声了。在一片"说！说呀！"的吼声中，就是拒绝回答。他记得，他也随着众人喊过。在那种情境下不由你不跟着喊。

他记得，大约就是在金殿臣坚持不回答这个问题，在喊声中如木雕般蠢然弯在那里几分钟后，老霍忽然从座位上冲出，嘴里嚷着："兜火！真他妈的兜火！"便过去一把抓起金殿臣的头发，将他的头先猛提又猛按，然后又一个人抓起金殿臣两只小臂，在他背后给他一个"喷气式"。金殿臣未必是抗拒，很可能只是晕眩，往地上瘫。老霍便就势将他踢倒，待金殿臣倒地后，老霍又使劲踹了他几脚 ……

老霍的这些武斗动作其实也算不了什么，记下来并无多少的文本价值。他之所以还要回忆，是因为，在老霍冲出座位，嘴里嚷着"真他妈兜火"时，一双眼睛，很快地往司马山，又往印德钧那儿，送去了含义明确的表情，那表情类似儿童向母亲撒娇，解读起来，是这样的一些话语：我当然知道应该讲政策，你们都是极按政策办事的，可是这阶级敌人也太可气了，他就是钻我们政策的空子，跟我们耍死狗嘛！我这个革命群众，实在是忍无可忍了，我这可是朴素的无产阶级感情啊，我可顾不得那么多的政策了，我憋不住了，我要冲上去煞煞他的反动气焰，我去了啊！谁也拦不住我啦！……

他永难，也永不能忘记，老霍那晚的那一瞬间的丰富表情。

…… 老霍不待别人劝告，也便归位。金殿臣不待人们吆喝，也便自己爬起，依然弯腰低头，脑袋依然活像个脏兮兮的大刺猬 ……

在一刹那静寂中，忽然印德钧柔柔地说："小雍，你跟他说说吧 ……"

大家就都望向他。记得，司马山的目光空前友善，而老霍的目光里居然流溢着艳羡 …… 那时他心里，便突然有了一种荣耀感 …… 乃至于使命感！

进入到一种文化。

不要赖到别人头上。进入的原动力（元动力），来自自我人性的深处……

他望向金殿臣。他感到自己洞若观火了。你金殿臣在宿舍里聊过那么多的色情故事，把你们村里的淫棍荡妇的秽行全嚼烂多少遍了，你满脑子淫秽思想，干出流氓勾当，这是必然的事儿，还用得着别人费劲儿查证，犯得上这么死磨硬泡地抵赖吗？

他记得自己那果不其然，如印德钧所评价的，与众不同，显得极文雅也极和蔼的声音："金殿臣，何必呢？你就承认了吧……"

他记得，听到他的声音，金殿臣竟微微直起了腰，微微抬起了头，仿佛膨胀起了胆子，翻起眼睛，用目光寻找他的所在……显然他的在场，出乎于金殿臣的意料，金殿臣被押进来时，并没有瞥见他，忽然现在是他一个人的声音，并且充满了"文斗"的魅力，仅仅出于本能，金殿臣也不免顿改死狗之态……

他不记得那晚是怎么收场的了。只记得他在一瞬间膨胀于中心后，终于又复归于边缘。金殿臣到头来还是不承认他诱奸了那个女子。

8

这个饭店的大堂被称做"罗马广场"。据说目前是"东亚第一大堂"。它有近3000平方米。大堂的形状方方正正，造型并无奇特之处。但你乘着滚梯升至堂口，头一眼望去，还是会有震撼感。它不仅平面铺开，气势夺人，而且很高，四面的楼体撑着一个硕大的玻璃顶棚，当中绝无一根支柱。堂心有一个喷水池。堂里分布着几个石膏制作的西洋古迹模型，有古希腊的神殿，法国巴黎的凯旋门，以及格外引人注目的意大利罗马古斗兽场——"罗马广场"的称谓即由此而来。"罗马广场"一侧，是咖啡座。典雅的桌椅，错落地分布在大型盆栽绿色植物之中。

雍望辉还在滚梯上，就听见大堂里传来钢琴伴奏下的弦乐五重奏的悠扬乐音。滚梯升至堂口，乐音更加清爽亮丽。

他穿过划分活动区的盆栽鱼尾葵，在咖啡座中选择了一张紧挨着喷水池的空桌。喷水池的溅水声，把大堂一隅演奏台上飘散回荡的乐音衬托得更为魅惑。

服务小姐飘然而至，躬身细嗓问："您来点什么？"

　　他很内行地吩咐："CAPPUCCINO！"

　　他点的是一种掺热奶油的咖啡。咖啡送上来，他加了些粗粒的黄砂糖，用小勺从容地搅拌……

　　他暂时什么也不想，且让那飘进耳朵的乐音渗进肺腑、融入魂魄。

　　忽然有人招呼他。他一定神，才看出桌子对面站着一个年轻人，笑眯眯的。那人在叫他"雍叔叔"。

　　他一时没认出，对面的晚辈究竟是谁。像这样地西服革履，用现代化名牌把自己"武装到牙齿"的年轻人，除非特别熟的亲友，他总是认不大清。

　　但他很洒脱地给予幽默的呼应："哈，难道我真让人感到庸俗吗？"

　　对方笑了，这一笑，激活了他的记忆。

　　对方笑着改口："望辉叔叔……"

　　他释然："闪毅啊！……"

　　闪毅就坐到了他对面："您……放松一下？……等人？"

　　"等一个朋友……你呢？……我印象里，你还是一个小孩子啊！……'向阳院'的儿童委员啊！……"

　　闪毅脸上的笑容抖动了一下，但没有敛去。他不禁后悔自己的"脱口而出"。那记忆的闸门，是不是开启得太迅急了？而迸出的头一股水流，竟是"向阳院"，这也太刺激……

　　闪毅递过一张名片，他接过。也不是太惊奇。现在到处是经理。闪毅的头衔是"总经理"，这也并不值得恭维，不过，他那家公司似乎是……"当买办了啊！"闪毅敲定着他的判断：那是一家西方的独资公司。这就颇出人意料了。

　　"到这儿谈生意？"

　　"啊，不在这儿……我是恰好乘电梯下来，路过这儿，不想一眼看见了您……我现在在七楼包了个套间……706……很高兴见到了您……欢迎您有空到我那儿，就是706，坐坐，真的……当年院里的大人，也就是您，让我觉得能放心地接近……您能给我您的名片吗？说真的，虽然好多年一直没见，您的书，我可是见着一本买一本……读起来特别的亲切……您又有什么新作？……"

　　他怀疑闪毅当着总经理还能有时间、有兴致读他写的书。他淡淡一笑："我没

有名片 …… 不过我常常到这儿来坐坐 …… 其实，你既然就在这上头包房，我们遇上的机会还是很多的 ……"

…… 闪毅告退后，他呷着咖啡，有好一阵，竟完全没听见弦乐五重奏的乐音 ……

记忆是个讨厌的东西。尤其是那些琐屑的、破碎的、只存在于私人心灵里，而正在被群体记忆净化、剔除、淘汰的记忆。在这个"罗马大堂"里，他本来是完全不必为那些记忆的残渣所困扰的。却偏冒出来个闪毅！

…… 是的，那时候，已经是"文化大革命"的尾巴上了，出版了一本小说，叫《向阳院的故事》。其实只是一本儿童文学作品，情节简单而生动，语言流畅而活泼。那时候书少，这样一本书出来，流布很广，本不稀奇，但大概连作者和出版者都始料未及，由这本书，引出了一场从城市到农村，普遍成立"向阳院"的风气 …… 那时候，他所在的那个单位，把原是既有办公室又有单身职工宿舍的东院，隔出来，完全作为了职工宿舍，办公都集中到西院里去了 …… 东院又分前院和后院，那前院，有一座旧楼，是很旧的楼，大概建造于 20 年代，是当时盛行的东西合璧的样式，楼有地下室，地上三层，每层都有很宽阔的明廊，廊柱用青砖砌成，开至三分之二处便两两呈圆润的曲线相衔接，构成若干视觉上很跳眼的西洋风味的圆拱壁；粗壮的砖柱间，是精致的中式木栅栏，栅柱上雕有简洁而典雅的花纹；一道楼梯隐于楼内，另一道楼梯明露于楼侧，都是木制；廊后是大大小小的房间，大房间的门窗，当年都镶着西洋式的彩色玻璃；楼顶四周有类似中式女儿墙的突起，屋顶则是英国式的尖坡状，覆盖着涂以绿漆的波纹铁板 …… 他的生命史与那楼相遇时，楼已"徐娘半老"，不过"风韵犹存" …… 砰砰砰的敲击声，霍木匠在钉窗户，那是小小的一间偏屋，当年楼主给仆人住的吧？里面有个酒糟鼻，为什么默不做声？似乎也并非是准备着"在沉默中爆发" …… 在楼上，当年的那间办公室里，他曾对酒糟鼻说："…… 你就承认了算啦！"更是说给在场的其他人听的 …… 没多久办公室全迁到西院，两个院完全用墙隔断了 …… 东院那天就宣布"向阳院正式成立"，"我们政治生活中的一桩大事"，"…… 向阳院儿童委员：红小兵闪毅！ ……"

但是，为什么偏偏要在这时候，这最应忘记过去的地方，在舌蕾上溢满CAPPUCCINO 的当口，却"沉渣泛起"？该死的闪总经理！ …… 包房多少号？

7······70······ 几？

······ 费了好大劲，他才又吸回了弦乐五重奏的乐音 ······ 莫扎特 ······ 到底是莫扎特！这么永恒 ······ 但那是尾音，一曲终了，演奏台上的乐师们下来休息了 ······ 喷水池的溅水声却一派世俗气 ······

他等的人来了。等的只是一位，却到了两位。

他并未等的那位，似乎比所等的那位更有道理出现。她叫卢仙娣，玫瑰红的长袍裙外套了一件牛仔风格的无袖黑坎肩，还没走拢就跟他大声地"Hi——"上了。他所等候的杨致培倒落在她身后。

卢仙娣落座后并不解释她与杨先生同时出现的缘由。也确实不必解释。她有道理出现在任何场合。

倒是杨致培说："到头来还是没跟林奇联络上 ······ 卢小姐帮我想了许多的办法 ······"算是提供了一个"背景材料"。

他跟杨致培是几年前在美国认识的。他和杨那时恰巧由同一所美国大学接待，相处了一个多月，有过几次开诚布公的长谈。杨致培跟他是一代人，却长期生活在全然不同的环境之中。杨出生在台湾，他祖父一代便定居台湾了。因此，他在台湾，又有着与那些 1945 年以后，特别是 1949 年随蒋氏政权溃退到台湾的那些家庭的子女，很不相同的家庭影响，更有着他本人相当独特的心理历程。

他不敢说自己哪怕是粗略地理解了这位朋友（严格而言，他们或许还算不上朋友），但至少，他听杨致培讲述过其在台湾的心理历程，能听到这种讲述的大陆人士，他敢说至今还属少数。

杨致培被认为是亲共的。他在二十啷当岁的时候，因为偷听大陆的对台广播，并且传布了听来的内容，被国民党政权抓进了监狱。刑满释放以后，他不但绝不"痛改前非"，反而"变本加厉"地尽一切可能学习马列主义和毛泽东思想，只是更隐蔽也更机警而已。他说，他在 60 年代末终于确立起了社会主义的光辉理想，并且坚信"无产阶级专政下继续革命"的理论与实践，是通向那光辉理想的最优途径。他的这一理念，甚至并不因"文化大革命"被大陆所否定而动摇。

雍望辉在美国，在那座窗外一派碧绿的尖顶小楼的起居间里，曾试图用具体的例子，向杨致培证明"无产阶级专政下继续革命"的理论偏差与实践中的"适得其反"，比如说，不仅"文化大革命"初期有普遍的文物破坏、打击一大片、武斗、人格污辱、教育停顿……就是到 70 年代初，林彪摔死、尼克松访华之后，也还有一环套一环、大环挂小环、波及每一个角落、几乎无可逃遁的恶性争斗在绵延，并且，更可怕的是，少了真诚，多了虚伪；少了狂热，多了狡黠；少了信仰，多了利用；少了善美，多了恶丑……他的切身体验是，口头上共产主义的理想越来越近，而实际上却越来越远……记得他也就跟杨致培讲到当时他所在的那个单位，钉起窗户，就地监囚，搞"逼、供、信"，糟蹋普通人的情形："……最可怕的，是甚至你已经意识到那是非正当的，然而你竟难以摆脱……这不是你在海峡那边，听听广播，就能感受与理解的！……多亏有了 1976 年 10 月以后所发生的事，'文化大革命'总算结束了！……"

然而也正是在那座美国的尖顶小楼里，杨致培倚着窗台，双臂合抱，忧郁地说："哪一位母腹中出来的婴儿，不带着一身的血污呢？……"

杨致培的这一面，大陆有关人士了解得比较多，因此对他很热络，甚至很看重，但是他的另一面，也许在大陆就只有很少的人了然。雍望辉敢打赌，就是卢仙娣这样号称"万国通宝"的人物，其实也根本不清楚杨致培在非同小可的那个问题上的真实倾向。

也是在美国，一次由美国朋友开车，奔驰在高速公路上，雍望辉和杨致培肩并肩坐在后座上，杨致培忽然主动启动了那个话题，议论中，他竟然说："……我们台湾其实遭受过三次入侵，第一次是荷兰人，第二次是日本人，第三次是国民党！……"

这话脏兮兮地粘在了雍望辉的心上，很多天以后，他才将那黏糊糊的东西剥离开来。他解读开了杨的心语，却不禁悚然。难道这是一个规律：人因为不满身处的环境，便痛恨那体制，便因此对那体制的对立面充满好奇，便由偷食"禁果"而向往彼岸世界，便确立出一个更多地依赖于自身想象而造就的理想……但随着事态的发展，却又不断地失望，既失望于所反对的体制变形，更失望于所皈依的体制的失态……

"第三次是国民党！"切齿之声犹在耳畔。但既把国民党溃退台湾看做是又一次"外来入侵"，这逻辑又怎么能不顺到"台独"上去呢？怪道杨致培的"哥儿们"里，有好几位就是公开的"台独"分子。杨致培在两岸统一问题上持有他个人的态度，这只好由他，问题是，这边有的人一听说他蹲过国民党的大牢，并且坚持社会主义的信念，便恨不能久久地紧紧地拥抱着他，以"同志加兄弟"看待，实在是毋乃太错爱！

…… 室内乐又恢复了演奏，是九曲回肠的《二泉映月》。雍望辉尽力摆脱心中的政治性思绪。他不想在这里再跟杨致培谈论政治性话题。说实在的，不是怕谈，而是倦谈。为什么要谈？谁需要我们这样的人来谈？

他想跟杨致培谈谈《二泉映月》。这是超政治的，因此通向了全人类的心灵。是小泽征尔说过吧？"此曲实应跪着听！"

但是卢仙娣在那里给杨致培介绍"罗马大堂"的"东亚第一"，并且说："台湾也还没有吧？北京现在真是很现代化、国际化了呢！…… 昨天，人家请我到北京希尔顿饭店的德克萨斯扒房去吃牛排，连美国佬都说，真叫地道！……"

服务小姐端来了他们所点的爱尔兰咖啡，卢仙娣很内行地问："杯子用热威士忌烫过了吗？"得到肯定的答复后，遂对杨致培说："北京现在可以喝到二十几种不同类型的咖啡 …… 洋酒更应有尽有，不比台湾差吧？"

这就勾起了杨致培的政治性感叹："是呀 …… 可惜啊，可惜 …… 为什么北京，以致整个大陆，要这样子去照着西方的葫芦画瓢呢？！"

雍望辉忙把话题引开："林奇不在北京吗？怎么找不到？"

卢仙娣说："保准就在北京，肯定又躲起来了，这回连我也找不到他，你说他是不是得了狂傲型自闭症了？"

林奇是时下圈内许多人所格外崇敬的独行侠。如果说卢仙娣是述而不作却在圈内获得了稳定的名声，那么，林奇近几年，却是以作而不述名声更噪。所谓作而不述，就是都知道他在从事某种神秘的"行为创作"，但究竟进行得如何，他自己固然守口如瓶，专事刺探圈内秘密的如卢仙娣之流，也只能靠想象力去猜测。

"确实很想会会他。不仅是看了他前几年写的东西，很感兴趣，也不是想听他透露现在的大作为 …… 令我心仪的，还是28年前的他，以及保持至今的纯正！"

"我想总有机会的，"雍望辉也不想再谈林奇了，他再引开说，"大江健三郎的书台湾译没译，多不多？大陆这边，倒好像不大有人想读他似的 ……"

其实这个话题也很容易政治化。不过卢仙娣抢过话茬，说其实如果非要把今年的诺贝尔文学奖给日本作家，那就与其给大江，不如给阿部公房，那技巧该有多好！写实与变形，荒诞与深邃，传统与现代，东方风情与西方格调，糅合得多漂亮！其实詹姆逊还没提出后现代这一概念时，阿部就早百分之一百地自觉地进入后现代了！……

杨致培也便谈了些他对日本当代文学的印象。他能直接读日文书，他说总的印象，是日文越来越"失贞"了。不过，就文学语言而论，"守身如玉"未必就好，问题是，应该"为爱而破瓜"。由此他又议及大陆王蒙、王朔的小说语言，认为"二王"语言的"杂芜化"恰恰激活了文本的张力……杨致培谈起小说语言问题如此兴致盎然，显示出他人格的另一侧面。卢仙娣听得咯咯咯地笑，说是大陆这边可还没人把王蒙和王朔这两个全然不同的作家并称为"二王"的……

雍望辉原本打算请杨致培吃晚饭，可是卢仙娣说已为杨先生安排了晚上到天桥乐茶园，那边经理已经说好要招待晚饭……雍望辉便由他们告辞而去了。他只站起来握别，称自己还想再在那大堂里坐一坐。

一个人重新坐下来以后，他又点了一杯威士忌。听着弦乐五重奏，还有喷水池的溅水声，呷着酒，他心中旋升起一缕浓似一缕的忧郁。

认知自己，已殊不易，还想认知杨致培那样的人吗？他在心里喃喃自语……

9

他去了趟洗手间。方便完，他走拢洗手池，专在洗手间为客人服务的那个人，没等他俯身，已为他开启了水龙头，待他洗完，又及时递上了一块带香味的小毛巾……他只感到洗手间里的大理石镶砌色调雅谐，镀铬的部件全都闪着银光，而鼻息里不仅没有秽气，倒氤氲着淡淡的芳香……服务员穿着暗紫色镶黑边的西装，雪白的衬领下似乎还有黑色的领结。他的目光没有扫描到那服务员的脸上，但能意识到那是个头发已然花白的老头……一瞥中，他看到镶嵌洗手池的大理石台面一角，放着一个花插，艳红的石竹与奶白的满天星，还有鲜绿的蕨叶，显示出这个场所的星级……花插边是一个瓷盘，盘内放着一组消过毒、叠成春卷状的小毛巾，并且瓷盘边又另有一个小碟，里面有几张钞票，有一张立着的似乎还是美元。啊，"引子"，他懂，在美国见识过，那是服务员在无声地引导你，请你好自为之，扔进小费 …… 不过这里的服务确是一流的，比如，服务员不是用手递你毛巾，而是用一个亮闪闪的不锈钢夹，还小声说出一句"先生您请 ……"，总之一切都"中规中矩"——脑海里又不禁飘过杨致培伤感的面容，耳边仿佛又有他的话音，却又使用着自己心头浮出的语码："…… 为什么要去中这个规，中这个矩？这不是西方的规矩吗？这不是强势文化的入侵吗？ ……"又进出了卢仙娣的声气："…… 赛义德 …… 后殖民主义 ……"倒仿佛"后殖民主义"的理论，是她跟美国那位巴勒斯坦裔的理论家联合创建出来似的。卢仙娣就有这个本事，国门未出，却总得西方之先，在好几个相衔的圈子里，充当着引领新潮的旗手角色 …… 意识流动到这里时，他已在烘干机下面烘过了手，并已走出了洗手间的门。

一出洗手间，他就忽然遇上一双眼睛，好熟悉！眼里堆满笑意，却绝无讨好之嫌，很自然，很坦诚 …… 那双眼睛又很善意颇诙谐地眨了眨 ……

"啊！"他叫了出来，"印德钧，怎么是你！"

确实是多年不见的印德钧。如果不是先看到那双眼睛，他也许不会认出。储留在他印象中的印德钧，永远是一身或灰或蓝或黑的中山装，并且经常是戴着一顶干部帽，现在的印德钧却也是一身的休闲服，并且那件夹克衫望上去也还不俗 …… 应该还不到退休的时候，头发却几乎全白了，好在白虽白，倒还丰茂 ……

"刚才，在里头我就认出你了，你好像在想心事，根本没注意到我 …… 我就说，出来等你，看你眼睛是不是真长到脑瓜顶上去了！ ……"

…… 他把印德钧拉到咖啡座。

"几年不见了？"

"不是几年，是十几年了！"印德钧纠正他，"怕有十二三年了吧？"

"可不是 …… 自从调离以后，我再没回去过 ……"

"为什么？就忙成了那样？ …… 当年的事，怕都忘光了吧？"

"那怎么能都忘？想忘也忘不了 …… 昨天晚上梦里头还蹿出了当年的事 …… 砰砰砰，钉窗户 …… 老霍胳膊上的肌肉一紧一紧的，嘴唇，两片嘴唇，就这么着，呐，全往前使劲地伸着 …… 所谓'吃奶的力气'，就是这样吧？ …… 怎么，你倒忘了？

印主任，没有你的批准，老霍能那么干吗？把宿舍变成监狱……真可怕！"

"啊，这件事……你梦见它干什么？"

"不是我故意要梦见……梦是很奇怪的事，它总是不期而至，并且又总是非常生动！"

"生动？"

"你的梦不生动吗？一定都是非常生动的！只是你没能有意识地享受它的生动罢了！"

"我做完梦就忘。"

"就像好多小说一样，看完就忘了……"

"梦像小说？"

他忽然有了一个念头："是啊，梦……其实是最好的小说，它只保留最重要的，删去所有多余的，有时除了一个细节，它连周围所有的环境背景都省略了……并且，梦，它写实的时候，非常地写实，可是它往往又非常地'现代派'，非常地'魔幻'，非常地'拼贴'，也就是非常地'后现代'……梦决不可能'主题先行'，也不可能人为地缩短或抻长，它真是'有话则长'，'无话则短'，恰到好处，并且它也不必有头有尾，可以飘然而至，戛然而止……然而梦又恰恰都是有内涵的，没有无缘无故的梦，是不是？问题只在于，你怎么样去解读！"

他抬眼一看，对面的一双眼睛里虽然笑意宛然，却又分明不能与他的这些议论共鸣。

服务小姐过来……他问印德钧想喝点什么，印德钧拿起立在桌上花瓶边的饮品"特别推荐卡"，显然被那上面标定的价目震住了，犹豫着……他便建议"来杯咖啡？"印德钧摇摇头："咖啡洋酒，我都不行……要么，就来一杯可乐吧！"

他笑了："软饮料……一般是女士才喝那个的……既然你想喝软的，那么，建议你来一客鲜榨白兰瓜汁吧！"

服务小姐离去，他这才想起来问："你今天来这儿是——？"

印德钧感叹道："头一回啊……实对你说，进这样的大饭店，整个儿是头一遭……你当然是常客啦！"

"也还谈不上常客……不过是有时来这儿，会会朋友……比你们纯工薪族，我现在的消费水平也许强不少，可是比起那些个大款，特别是公款消费的，我这就是'小巫'里的'小巫'了 …… 毕竟我在这儿基本上都是自己埋单啊！…… 那，你今天是——"

"让你猜你也猜不出来 …… 你刚才在那个洗手间里，没认出来吗？"

"是没认出你来 ……"

"不光是我啊 ……"

"那还有谁？"

"在那里头服务的 ……"

"他是谁？"

"不知道他是不是认出你来了 …… 他是钟师傅啊！你忘啦？"

"钟师傅？哪个 …… 啊，是当年工宣队队长，钟树旺？"

"对！就是他！"

他恍然。不过倒也没怎么大感慨。算来钟师傅早该退休了，退休后能找到这么一个工作，应该说很不错。现在没人太在乎别的，在乎的是钱。干这个想必能拿不少，还有小费，合起来可能比那些演奏台上的乐师们还多 ……

"我是来找他的 …… 你知道我们是乡亲，我们两村的人鸡犬相闻，打小就来来往往 …… 他干这个也干腻了，决心辞了活，回老家去 …… 现在我们老家那儿普遍地都富了 …… 我们一直保持着联系 …… 我是要托他给我家里老人捎些东西去，约好了今天，谁知到他家他不在，说是还要来这儿补一天工。这儿的洋规矩是可丁可卯的，给他结工钱的时候，不知怎么算出来他有一天倒休还没补齐，少了这一天，这个月就只能得按半个月算。他哪儿愿遭那损失啊，就又来了 …… 我把东西搁他家，就奔这儿来了 …… 哈哈，到洗手间里告个别，倒也别致不是？他还不让我多待，怕人家说他违反了纪律 …… 没想到又遇上了你！"

他这才感叹道："真是人生如梦啊！当年，他是工宣队长，兼革委会主任，你是副主任 …… 工宣队撤了，你才当了主任 …… 那时候，你们好威严啊！"

"我们可都没作威作福啊！"

"那倒是 …… 怎么样，印主任，你现在还顺吧？"

"什么主任，早不是了！"

"什么时候下台的？你只该往上升，不该往下降啊！"

"倒也没降……是平调，去年把我调出去了……"

原来印德钧这几年并不顺。他在单位里遇到了麻烦。有人跟他闹，挤对他，结果上级单位就把他平调到另一平行单位，当了党委书记。

"说来话长，"印德钧叹了口气，"我们一个区级单位，又是清水衙门，现在又实行党政分开，我有什么戏唱？不过是天天去坐个班，等几年离休，安度晚年罢了……"

他很惋惜。真的惋惜。他说："别看离开你麾下，转了口，后来更改了行，到大号名利场上混了这么多年，没再回去看看，没跟你联系，心里头，别的人是有淡忘的，或者想起来并不愉快的，你却是个例外……你是个好人，特别是在那个阶段，你从不主动整人，得便还给被整的人松动松动，那就不容易！别看现在不以阶级斗争为纲了，有的人，手里有点权，他就还是热衷于整人……这些年我眼皮儿杂多了，什么嘴脸没见识过！比起来，你这样的还真金贵！可惜你这个好官坯子，没能让上头的慧眼发现，依我说，你就是到中央部里当个，怎么说呢，别部长，就副部长吧，就专搞政工吧，该给共产党积多少德！"

服务小姐送来了鲜榨白兰瓜汁。他让服务小姐再给他的威士忌杯里加点冰块。

10

他和印德钧谈得兴浓。

谈着谈着，话题又绕到了当年老霍钉窗户那件往事上。

"……刚才我恭维了你，说你是个难得的好人，现在我要说，你好人也做过歹事——真的，现在回想起来，我还是有点惊异……按大气候，那该已经是1973 年了吧，'文化大革命'已经过了轰轰烈烈的阶段，很少有单位再搞'牛棚'什么的了，可是你竟让老霍去钉金殿臣宿舍的窗户！这是私设监狱啊！……"

"那是司马山的主意……当然，我有责任，我点了头……"

"你为什么点头？怕人家说你跟金殿臣是同乡，以前关系也不错？怕司马山说你包庇他？"

"也许有那些个杂念吧，不过，主要是我信，信金殿臣干了那件事……司马山把公安局那儿掌握的材料拿给我过目，那姑娘是写了，金殿臣跟她乱搞……"

"那为什么不把金殿臣交公安部门处理？"

"开头是想扭送，公安部门不收。正像你说的，那时候的大气候，已经不是那么凶了……再说那姑娘，其实她本身是个女流氓，金殿臣的事儿就是坐实了，也还够不上强奸。"

"可是最后，还是通过逼、供、信，把金殿臣按坏分子处理，开除公职，吊销户口，遣送回乡了。这不明摆着太重了吗？"

"是过分点儿。不过，你该知道，这专案一直是司马山亲手抓。他最后这么定，我点头了。我不明白事隔这么多年，这么件事，算得是泼天大事吗？你怎么还耿耿于怀？"

"我不是在梦里又见着老霍钉窗户了吗？……不知道怎么搞的，粘在我心上了，我就怎么也摆脱不了了……我一直在想：为什么？"

"你想这个干什么？其实，金殿臣本人，我看他也没你这么死心眼儿……这算得了什么？自古到今，冤案多的是，以后也免不了，让谁赶上谁倒霉呗！……你知道吗，司马山亲自把金殿臣送回农村，往那儿去，下了火车，当年也没汽车通过去，交通工具是什么？叫'坐二等'，就是有那加重的自行车，人家驮着你，他骑，你坐后座上，把你送家去……后来司马山回来说，他们下车以后，需要雇两辆，可是出站慢了，只剩下一辆还在兜生意，正好是金殿臣表弟，他们就要了那一辆，说好表弟留下，他们自己骑回家去，第二天司马山再骑回车站，上火车时再还给那金殿臣的表弟……你想想看，那好几十里地，他们两个，就那么一个在前一个在后，后头的搂着前头的，密切合作，骑到金殿臣老家去……先是金殿臣驮着司马山，后来司马山在后头很不得劲，就换到前头去骑。他自己后来跟我说，当金殿臣在后头用手搂着他的腰时，他确实有点担心，路上前不见人、后不见车的时候不少，那金殿臣要来点邪的，非把他撂了不成。可是金殿臣老老实实跟他回了村，先不让回家，就跟他直接去了村里的革委会，革委会就大喇叭广播，后来就开了个批斗会，宣布金殿臣是坏分子，今后要跟村里所有'四类分子'一样，接受监督改造……你看，金殿臣他就这么认了命，人在世上，赶上这种事，不认命怎么着？拼命？自己一头撞死去？……"

"我是在想，为什么会这样粗暴、随便地处置一个人？…… 怪极左路线？司马山代表着极左路线？"

没想到印德钧反而愤激起来："他？司马山？…… 他什么路线也代表不上！什么左呀右呀，他为什么狠整金殿臣，你是真不清楚还是装糊涂？他那不是为了给韩艳菊清障吗？"

他一时没听明白："给韩艳菊…… 清什么？"

"韩艳菊你能忘了？！那个女人！…… 那时候，司马山跟她的关系，不是已经定了吗？韩艳菊跟金殿臣一个办公室，金殿臣倒不一定是故意要惹她，可是金殿臣存在一天，韩艳菊心里就别扭一天…… 你不记得啦？工宣队还没撤的时候，钟师傅就拍板定下，让金殿臣当了…… 那时候不叫科长，按部队编制，叫排长吧，因为他毕竟上过大学，搞统计，他的报表就是没碴没漏嘛，韩艳菊的报表就总是汤汤水水的，偏那一回他又改出了韩艳菊交上的报表的十多个错，那韩艳菊心里头不就跟他结上死仇啦！所以，韩艳菊非把金殿臣这个障碍清除不可！……"

"她就借着司马山的力量，果然清了障啦？"

"怎么说呢？这也是——爱情的力量吧！司马山通过这样忠心耿耿地为韩艳菊清障，露了一手，韩艳菊又感激又佩服，所以一取代金殿臣当了排长，不就跟司马山登记去了吗？"

"你既然看得这么清楚，为什么还站在司马山、韩艳菊一边，帮他们把金殿臣往死里整啊？"

"正因为我当时没能看得这么清楚，所以才纵容了司马山啊！你还不知道吧？我为什么被挤了出来，都快离休了，却还调到一个人生地不熟的新单位…… 挤对我的，恰恰就是他们两口子啊！""现在，是司马山当了那儿的一把手啦？"

"哪儿啊，是韩艳菊！司马山爬到市属单位，占据了个肥缺，如今可是得意洋洋啦！"

"那不也还是个芝麻官儿吗？不也还属公务员系列？那能肥到哪儿去？"

"你呀，这些年光在大腕、大款堆里混了，你哪里知道，再小的官儿，再小的单位，也还是有人盯准了官位，在那儿有滋有味地争来夺去啊！当官的油水，不是都体现在钱上啊！还有那当官的一份乐趣，说真的，具有不可取代性呢！"

"老印，我今后只叫你老印了——你这话出来，我心里头又热乎乎的了，你确实是好人，而且不仅是好人，你也是个有精彩思想的人，特别是现在的你！"

"叫我老印吧！不过……什么好不好的，思想不思想的……说实在的，今天遇上了你，这么一聊，倒也挺解闷儿的！"

"那咱们以后常联系！"

大堂里忽然改变了照明方式，总体上暗了下来，四壁却闪烁起钻链般的瀑布灯，一角的透明观览电梯也缀满星星般的小灯，在上下滑动中平添了更多的豪华气氛；而服务小姐又往桌上送来了蜡烛盅——那是蔚蓝色的雕花玻璃圆盅，里面有半盅水，水上漂着一个圆丘状的蜡饼，点燃后，透过盅壁发出梦幻般的幽光……

"是吃晚饭的时候了……怎么样？一起去吃天伦阁的法式自助餐，或者，到地下一层的美食街去吃点简单的？当然，还是我请你！"

印德钧坚辞。

他笑："你是不是怕我太破费？……这种地方，确实宰人！实话实说，像我这样的，一般也就只能在这儿的地下美食街吃吃，再偶尔吃吃自助餐罢了，那点菜的餐厅，如不是有人花公费请我，还真不敢往里头迈！……"

印德钧也笑："你请我在这儿坐了、喝了……就挺好！我也就知道，你小子今天混到了什么分儿上！……你我就都别画蛇添足啦！"

他就打手势招呼服务小姐：埋单。

11

他和印德钧在饭店风雨廊握别。印德钧去存车处取自行车，他等出租车开过来。

一辆出租车开进风雨廊，还没等他反应过来，车里钻出的人已经一把抓住了他的胳臂："……您别走啊！"

定睛一看，是闪毅。

"待了一下午啦！腻啦！该走啦！"

"别，别……"

"你怎么回事儿？"

惊异中，闪毅已经将他引回了前堂："我好不容易遇上您！……好不容易，这么巧……这里有天意！……今晚上，我得把别的事都推了！……我老早憋着，想找个人——就是您，跟您一吐衷肠！求求您！……来来来，先跟我到我那儿！"

他很不高兴，甚至有些气恼——"吐衷肠"？我又不是你的"接呕袋"！这些个暴发的青年！

可是又在不知不觉中随闪毅已经来到了电梯门前。他望到闪毅的一双眼睛，那眼光里流泻出的一股真稚之气让他心软了。

"我还没吃饭呢！"

"我也没有呀！"闪毅脸上放着光，"对我们这样的人来说，那也算个问题吗？"

"我还有我自己的事！"

"我看出来，您今天晚上没别的什么安排……再说，这也就是您自己的事！"

……不由分说，闪毅把他带到了706。

12

……是呀，"雍叔"听着太像"庸俗"，"望辉叔"又太拗口……您呀您的也太矫情……就称"你"吧……这样也方便我的叙述,写小说不是要重视"文本"吗？就是叙述策略，对吧？不过，别误会，不是我想写小说，跟你来讨教，也不是求你:我给你讲这些个素材，你去写吧，为我树碑立传，或者，用你的笔，抒我的情，出我的气……都不是，可我又忍不住，在大堂遇上你以后，心里面，真叫……如获至宝！也是老天安排，让我忙完一趟事，刚回来就扑上了你……你为什么那么冷冷地看着我？……你吃饱了吗？不够，再让他们送些来，我平时如果不交际，大都是这样，打电话让他们送餐进房，但多半只是要这种"公司三明治"，就着饮料，一边看报呀，翻翻杂志呀，也就营养齐全了……你不习惯？……

……你看，我把电话拔了，我希望能跟你，畅畅快快地谈一谈……说实在的我的灵魂很不安静，甚至可以说，很骚动！……我现在究竟在搞什么？这是个什么公司？我不想马上说这个……我想说什么？我忽然很怀旧！对对对，我才 30 出头，"如今 30 岁的人也怀旧？"你的疑问对其他许多 30 多岁的人也许合适，对我却不然——我偏偏怀旧，有很重要的理由怀旧！

…… 是的，你没记错，那是 1975 年吧，搞"向阳院"，我是"向阳院儿童委员"，那一年，我才 12 岁。当然，那时候我们虽然居住在一个大院里，甚至住在同一座旧楼里，可是，你不会特别注意我，我也不会特别注意你，我们各自的生命，顺着不同的沟渠流淌 …… 可是你应该记得，我是跟我姥姥，一起住在那座旧楼的三楼上头的，三楼尽东头的那两小间，原是旧社会阔人家当储藏室的 …… 对，那个高高瘦瘦，总穿着很旧的衣服，可又总显得异常整洁的老太婆，"地主婆"，你算说对了，你还记得！……

…… "地主婆"，那怎么没让"红卫兵"轰回农村去？说起来，是托了我父亲的福。我母亲是你们单位的，父亲不是 …… 说来也巧，是 1966 年 7 月吧，"红卫兵"运动刚起，他们刚刚走上街头"破四旧"。那一天，父亲骑车路过西单，一群红卫兵正在砸商店的大招牌，自然是属于"四旧"的招牌，好多的路人围着看 …… 忽然有红卫兵往人群里扔油印的传单，传单上印的大概是些"勒令"，就是让大家，各个商店什么的，自觉地把属于"四旧"的东西消灭掉 …… 什么是"四旧"？你为什么打岔？是的，也许，现在比我们更小的一茬，他们多半答不出来了 …… 我，唔，试一试，旧思想，旧意识，旧风俗，旧习惯 …… 对吗？不要打岔，对我来说，那天，是个很大的悲剧，因为，红卫兵一撒传单，我父亲就很积极地跳起来接，当时究竟是怎么回事，我长大以后，想象过很多回，甚至还到西单的大街上，去实地设想过，如果拍电影，或者电视剧，该怎么处理，才能合理？那其实是很难合理的。可是，那天出现的事实是：在人群的掀动中，父亲跳起来抓住了一张传单。但也就在那一刹那间，他摔倒了，并且恰巧就有一辆吉普车开过来，刹住车时，父亲已经在轮下 …… 是一些红卫兵把父亲送到医院抢救的，并且通知了父亲单位，单位又通知了我们家 …… 抢救无效，父亲死了，他死了，右手还紧紧攥着那张"破四旧"的传单。这个细节让当事的红卫兵很感动，他们要求父亲单位定父亲为"因公牺牲"的烈士，单位照办了 …… 父亲的死，确实不是轻若鸿毛，对我们家来说，真是太重要了！因为有了他的这个牺牲，急风暴雨地往乡下轰"逃亡地主"时，就没人来轰我姥姥，尽管有人知道她的成分是地主 ……

…… 我因此得以在姥姥身边长大。父亲死于一张传单时，我才三岁多，我对他几乎没有任何鲜活的印象。我对母亲的印象，也始终不清晰，因为她确实是继承了父亲的遗志，起码表面上看起来是这样，她狂热地投入了"文化大革命"，在群众组织里当头头，后来又到"五七"干校 …… 我当"向阳院儿童委员"的时候，她还在干校，也许，你倒还比我更了解她 …… 好，不去说我的父亲和母亲，要跟你说的，是我姥姥。

…… 姥姥很寡言。但她并不忧郁。她把我们的生活安排得井井有条 …… 我为什么能当上"向阳院儿童委员"？不是靠"烈士子弟"的身份。其实，那时候，人们或者不记得我父亲是谁，或者提起来都撇嘴认为"不值"了，人们所记得的，主要是我们家阶级成分有问题，还不仅是姥姥该算"地主婆"的问题，我姥爷呢？他在监狱里，是历史反革命，并且，我舅舅，就是我母亲的哥哥，1949 年去了台湾，你想我这是出生在一个什么家庭？你没印象吗？我母亲那么积极地投入"文化大革命"，可是后来还是被进驻的工宣队看成了一个"坏头头"，一打发到"干校"就是好几年 …… 你在同一座楼里，居然没在意，是呀，我们跟你，没什么牵扯 …… 所以我今天要特别找上你，让你懂得，当年，就在你身边，一个我，一条生命，在默默地寻求，一种可能是最好的生活方式 ……

…… 那时候，按阶级成分划分人群，对待人，渗透到社会生活的每一个缝隙。在学校里，我不能跟成分好的学生同座，跟我同桌的，是个女生，她出身是资本家，并且没有我那样一个说起来多少可以遮点丑的父亲，因此，她在班上就更受歧视。她叫吉向红。

…… 说真的，我倒很喜欢跟吉向红同桌。记得有一天，她穿了一件红毛衣来上课。那件红毛衣非常扎眼。不是红旗、红领巾的那种红色，而是一种在当时来说，显得多少有些个出格儿的红色。并且，那毛衣的领子，也挺不一般，是当时很少能见到的那么一种坠着两个小球球的样式 …… 我就悄悄问她："你妈妈给你织的？"她就悄悄告诉我："唔，今天我过生日 ……"啊！她过生日！当时，学生是不兴过生日的，而她家还给她过生日！这让我想起了我姥姥，姥姥不管在哪一年，总是认认真真地给家里人过生日，哪怕那方式只不过是下一碗打卤面、蒸几个寿桃儿 …… 我就更小声地悄悄跟她说："我们家也给我过生日的 ……"一激动，我把我那铅笔盒里的东西都倒了出来，把铅笔盒送给了她——那是一个旧铅笔盒，是"文革"前出产的，铁皮的，印着彩画，画着很漂亮的一大束鲜花，那本是我妈妈用过的……它为什么没被当做"四旧"破掉？因为它上面，不知为什么印着一行这样的字："把最美的鲜花献给亲爱的领袖斯大林！"是的，不是献给毛主席，而是献给斯大林，并且不是说"伟大的"，而是说"亲爱的"……这很奇怪吗？人生里，总有一些这类不典型的、不算太大、可是奇奇怪怪的事情……这个铅笔盒很让班上同学嫉妒，连班主任老师也总觉得它扎眼。可是因为有"亲爱的领袖斯大林"保佑，所以我也就总大摇大摆地用着它……我把它送给了吉向红，当做生日礼物，你想这是件简单的事吗？……我和吉向红的这些小动作，被坐在我们后面的同学注意到了，他们就开始打击我们……自习课上，事情发展到后面的同学，故意往吉向红的毛线衣上甩墨水点儿，吉向红哭了，我忍无可忍，就回过头，问他们凭什么欺侮人？！当然，差点儿就打起来……我冲出教室，去找班主任老师……班主任跟我还没走进教室，就听见里面乱成一团，有人笑，有人叫，有人拍手，有人跺脚……我们进了门，我一下惊呆了！……你得知道，那时候班上学雷锋，每一组发了一个大箩筐，是用来装拣拾的回收物品的……我就看见吉向红被装进了一个箩筐，横倒着，被这个一脚，那个一脚，踢得滚过来滚过去……现在我一闭眼，还能活现出吉向红那张闪动的脸上，那双眼睛里，简直要爆炸开来的，极度的恐怖……那一天是她10岁的生日。

这件事给我的刺激，是我在心里，狠狠发誓——我要拼命，拼命改变那打在我身上的"出身不好"的记号，我想我唯一的办法，就是比任何同学更努力地学雷锋……我在一个学期的时间里，便取得了辉煌的成功——你想起来了吧？连胡同里的宣传栏上，都贴上了我的相片，介绍了我的事迹，我最动人的事迹，就是全面照顾咱们院楼下那位光荣的退伍军人——我叫他潘大大——我不但帮他做几乎一切的家务事，而且，最重要的，是我帮他倒尿盆……你当然记得他吧？你叫他老潘？你没觉得他有什么特别令人尊敬的？他原是你们单位里管总务的……他一只眼睛里长了个"萝卜花"，一条腿有点跛，长得很像电影里的狗腿子，可是他却是个孤身的荣誉军人……开头，我去帮他做事，他还客气几句，后来，他习惯了，我如果偶尔没去，再去了，他就很不高兴……那座楼，现在也还没

卫生间吧？大家都要到楼后头的公共厕所去行方便，大多数人家，家里都准备了
尿盆，小便尽量就在家里 …… 给潘大大倒尿盆，我确实觉得很光荣，但是，没
多久，他就连大便也不去厕所了，我要倒的，也就不仅是尿盆了 ……

　　姥姥对我这样地学雷锋，没有任何评论，不但没有话语的评论，连表情上的
评论也没有。比如说我们吃完了晚饭，我估计潘大大也吃完了，我就跟姥姥说："我
该帮潘大大洗碗去了。"姥姥便一边收拾我们的碗，一边平静地说："去吧。"……
有一天，我正做作业，院门外传来摇铃的声音，你想起来了吗？想不起？啊，你
当时还没结婚，自己不起伙；凡家里做饭的都知道，那是收泔水的来了，当时收
泔水的推着车，挨户收，收了运到郊区，支援农民养猪 …… 姥姥就跟我说："咱
们的泔水桶实在太满了，一会儿我刷完锅，泔水没地方倒了 …… 你快提下去吧！"
我站起来说："唉呀，潘大大的泔水桶恰巧也满了，中午他特别提醒我，今天一定
要清桶呢！"说时，我的眼光跟姥姥的眼光撞到了一块儿，姥姥跟我一撞之后，
扭过头，再没说什么。我犹豫了一下，就下楼，到潘大大那儿去了，他正站在门
口等着我，很不高兴地说："你耳背吗？都摇半天铃了！"我就赶忙去给他倒泔
水 …… 等我回到家，我发现姥姥摔倒在了屋里 …… 姥姥骨折了，这以后，我再
为潘大大做一切事，就更困难了，可我还是拼命坚持 …… 我成了全区的学雷锋
典型，学校里，再没有人从出身这个角度来小看我了。我为自己，在那个时期的
中国社会上，为自己争得了正面价值，挺不小的正面价值。姥姥卧床期间，我没
通知在干校的母亲，我自己照顾她，在那些日子里，我竟能同时照顾楼上楼下两
个大人，真是一个奇迹。姥姥对我很亲切，和往常一样，但她对我在学雷锋上所
取得的成绩，仍不置一字评价，从表情上也看不出她是赞成，还是存疑。姥姥不
久也就能下床走动了。

　　我当时所达到的一个高峰，便是成为了"向阳院儿童委员"。你还记得"向阳院"
成立大会那天的情形吗？你几乎没印象了？当然，对你来说，那简直不值得记
忆 …… 我坐上了主席台，主席台啊！虽然我是坐在最边上 …… 那天工宣队钟师
傅亲自来主持大会，他介绍到我时，我站起来，向大家敬军礼。这时我就瞥见了
那个坏蛋，就是一个班上，曾经坐在我背后座位上，往我的同桌吉向红的红毛衣
上甩过墨水点的，并且后来又把她推到装废品的大箩筐里的那个家伙。他虽然出

身比我好，可是那时候他不得不随着大家给我拍巴掌 …… 我在主席台上，他在大堆轰的普通群众里头，我感到极大的心理满足 ……

…… "向阳院"的活动，自然也是"以阶级斗争为纲"，在成立大会上，马上就给大院里的"四类分子"一个下马威——挨着个点名让他们低头上台，当着所有革命群众，听"向阳院院委会"的《一号勒令》。这个议程，在我参加的"院委会"会议上，说得很笼统，我没想到，实施时，会弄成一个批斗会 …… 而且，我原来以为，因为父亲是"烈士"，我又是"院委会"委员，不至于让我姥姥也"滚出来"，谁想到往台上揪"四类分子"时，还是厉声地把我姥姥吆喝到了台上。这时，我一瞥中，看见那个同班的同学，正幸灾乐祸地望着我，并且起哄地举拳领呼口号："打倒地主老妖婆！"

…… 我受到的刺激，很难用语言表达。现在我总在想：为什么我明明是为了使自己，并且通过自己的价值提升，来改变我们家，特别是我姥姥的处境，结果却是，恰恰相反，特别是，我离姥姥，仿佛越来越远了，而在我的童年里，跟我相依为命的，只有姥姥。

…… 姥姥确实是一个很特别的人。我记事以后，就没见过她激动。她从未大笑过，更没出声哭泣过。她流过泪，但泪水从不是哗哗的，往往只是一行泪，并且流到一半，便聚为一粒很大的、晶莹的泪珠，久久地停在她那高高的颧骨上，她也久久地不去拭去它 ……

…… 那天的"向阳院"成立大会散了后，姥姥脸上的表情与往日相比，没有多出或减少什么，她提起菜篮子，平静地招呼我，一起去买菜。

…… 但是，我得说，在那些个岁月里，我耳朵边，确实有一个"另外的声音"。姥姥发出那样的声音，大多是很自然的，言简意赅的。比如说，那时候，忽然时兴评《水浒》，又很肯定《红楼梦》，说是"一部阶级斗争的教科书"，我就借了《红楼梦》来看，似懂非懂。可是，我得承认，我的潜意识里，非常羡慕大观园里的生活。原来世界上，有过那么华美典雅的生活 …… 有一天，不知怎么的，我问起姥姥，你跟姥爷结婚的时候，也坐花轿吗？姥姥就凑拢我耳朵说："就跟《红楼梦》里写的一样 ……"这真是"一句顶一万句"！姥姥再没多说一句，而我，那以后脑海里就无数次浮动起瑰丽的想象。原来，在我那罪恶的不良出身里，我的家族背景里，有过跟《红楼梦》里相通的，许许多多值得品味的东西！

　　……姥姥也有比较神秘的一面。比如说，春节前，她就总是要蒸出几笼又白又暄的大馒头，凉凉了，搁进筐里，盖上白布，走老远的路，给几户人家送去。这几户人家，并不是我家的亲戚。我也跟着去过几次。姥姥跟他们说，自己没别的条件，也没别的本事，祖籍山东嘛，就会蒸个正宗的山东馒头……人家就一个劲道谢，姥姥就说，这是我来谢您，人家就说不用不用，以后再别送来了……

　　……姥姥从不主动提起跑到台湾的舅舅。可是我记得，每当街道上绷紧阶级斗争的弦儿时，就会有管治保的，一般是好几个人，忽然在天都黑了以后，闯进我家，故意地，大声地，让左邻右舍都能听见地，一句挨一句地问姥姥，而姥姥这时，也就总是有问必答，并且，既不格外压低当然更不格外提高她的嗓门，语气从容而又平和——

　　"……你几个子女？"

　　"两个。"

　　"你儿子叫什么？"

　　"皮定边。"

　　"他在哪儿呢？"

　　"在台湾。"

　　"他什么时候去的台湾？"

　　"1949 年 8 月。"

　　"他跟谁去的台湾？"

　　"跟国民党去的台湾。"

　　"跟蒋介石跑过去的？"

　　"跟蒋介石过去的。"

　　"他还活着吗？"

　　"活着。"

　　"你怎么知道他还活着？"

　　"他今年才 48 岁。"

　　"怎么，你们还有联系？"

栖 凤 楼

"没联系。"

"没联系你怎么知道他还活着？"

"他还不到 50。"

接下去，来人往往便不让姥姥再说什么，而是你一句我一句地厉声批斗她一顿。姥姥低头站着，腰板却挺得十分的直，平静地等着对方终于觉得索然。

这种情况下，我母亲跟我，往往是待在里屋，心里塞满屈辱，背上仿佛扎满热刺。

…… 我在这种环境里长大，我一心要改变自己和一家的不利地位，我用的算是"苦肉计"吧？我坚持一天给潘大大倒两次屎盆 …… 可是我渐渐地，很自然地，开始不仅享受"学雷锋标兵"、"向阳院儿童委员"的荣誉，而且，我学会了用我所争取到的权势，来报复我的宿敌 …… 我逮住了一个机会，把那欺侮了吉向红的同学，当做参与"聚赌"的成员，给揪了出来，并且成功地召开了一次"向阳院"的批斗会。我执意要给那几个被揪出来的人挂上"反动赌徒"的黑牌子，居然成为了活生生的现实 …… 你怕早不记得这种"向阳院"里的闹剧了，可是，实跟你说，那一回，是我一生里，头一回体验到批斗会的魅力！ ……"反动赌徒"！不伦不类吗？我可是懂得了，你出身好也没什么了不起，无论什么时候，"坏分子"这顶帽子，或类似这类的罪名，总还是能罩到你头上的！

…… 可惜"好景不长"，"向阳院"没多久便不了了之了，因为粉碎"四人帮"了，社会价值标准，旋转着，变了 ……

…… 大概是 1979 年，我们家来了一个人，一个不认识的人，一个女的。我印象里是个老太太，可我母亲说那人其实不比她大多少。那时候我母亲自然也经常在家了。来的那人不说找我母亲，只说找我姥姥。她是谁？原来她是监狱里的一个工作人员。她来，是因为她退休了。她来找姥姥，是以私人的身份。她是来告诉姥姥，别再给姥爷写信了。因为姥爷早就死了，10 年前就死了，是在劳改当中。因为大夏天里，水不够喝，他渴得难受，捧起脏水洼里的水，喝了几口，回去就得急病，没几天就死了，但是 …… 她管收信，姥姥的信她都拆看过，她说半年前还收到过一封 …… 她现在是自发地来告诉姥姥，别写了，人已经死了，死了10 年了 ……

……那女人还没走，我妈就哭开了，可是直到那女人走了好久，姥姥也还是没哭。当然她的表情很凄惨，让人不敢正视。她呆呆地坐了好久，然后，她站起来，走进厨房，开始和面，准备蒸馒头……蒸好两笼馒头以后，姥姥向我和母亲宣布：明天，要给那几个"好人"家里，送最后一次馒头！……我们这才明白，这许多年来，姥姥是到邮局里，不知用什么话语，打动了几位在那里头写信的老先生和老太太，请他们代笔，给姥爷写去了一封又一封的信，内容虽然都很简短，也极雷同，却细水长流，在此以前不曾中断……她用自己蒸的"正宗山东大馒头"报答他们，这很奇怪，还是很动人？……

……你为什么抖眉毛？如果是写小说，这是不是有点"缺乏情节的合理性"？我姥姥上过学的，她有一定的读、写能力，可是她却并不自己写信，她跑到外面找别人代写，这是为什么？……你不要推敲了，事实就是这样！问题在于，我还其次，我母亲后来有很厉害的良心自责，因为她并没给她父亲写过一封信，哪怕是劝诫他好好服罪改造的信……

……粉碎"四人帮"以后，平反了许许多多的冤假错案，这给我母亲很大的启发，虽然姥爷已然不在人世，她还是非常积极地四处活动。她考证出：我姥爷虽然确是地主，并且确有国民党里的某种身份，但是他在乡里用自己的钱办了学校，给许多穷苦的学生提供了免费受教育的机会，其中有的学生，后来加入了共产党，解放后当了不小的干部……抗战期间，姥爷拉起来的地主武装，确实是打日本鬼子的，跟八路军是友好的。他的一个副官，后来干脆就去当了八路军的军需，可惜后来牺牲了……抗战胜利后，他也没有任何反对共产党的行为。共产党来了以后，他带头交田交地，还把私立学校也交出去，成了公立学校的第一任校长。那是共产党任命的校长嘛！……直到1954年，搞"镇压反革命运动"，他才一家伙成了"历史反革命"。母亲认为，姥爷也属于一个冤案，她甚至写了厚厚的书面材料，递到了什么地方，要求恢复姥爷的名誉……后来好像并未达到她预期的效果。不过，世道的变化，似乎很快也就无所谓了。因为人们不会再因为所谓出身问题，或你父辈祖辈的所谓历史问题而歧视你了……如果说，我们家原有的所谓"问题"里仍有让我们自己和某些外人牵挂的，那就是我的舅舅，不过那也逐渐不但不是一种锥心的耻辱与污点，反倒成了一种至少是有趣，乃至于值得重视的正面因素了……

　　……你听累了吗？今天你就在我这里歇吧……你先洗个澡。

　　……我很感谢你，终于留下来，听我说这些。我说这些干什么？……现在，我倒糊涂了：我为什么要这样地一吐为快？人，真是大怪物！

　　……什么？我姥姥还在吗？不，不在了，她去世有整整 15 个年头了。

13

　　有人敲门。是用食指弯儿敲。敲得很秀气。不理。还敲。稍停停，又敲。

　　他醒了，但不想动。朝闪毅床上望，闪毅也醒了，但皱眉紧唇，满脸不悦。

　　为什么不装门铃？……啊，因为这样的星级饭店，一般不时兴在客房里待客。店方为客人准备了不下五六种聚会的场所，光那"东亚第一大堂"，就设有上百个座位，店方希望客人尽量到客房外增加社交消费……

　　不会是服务员。因为早在门外的门把手上挂了"请勿打扰"的牌子。

　　所谓的"神秘女郎"？这时候来兜生意？毋乃太荒唐！……

　　谁？这么一大早，就跑来敲门？闪毅记得自己并没约过哪位……

　　倒是他先起了床。伸懒腰，打哈欠。昨夜听闪毅通宵长谈，脑子消化不良，一种难耐的饱闷感……

　　门外那位不速之客却固执地敲着。绝不变得急躁粗暴，却也绝不打算无功而返……

　　闪毅忽然如离弓之箭，"腾"地从床上直冲到外套间门边，猛地将门开启，并且狂躁地喊："他妈的我不接待没有事先约定好的混蛋，懂吗？！"

　　门外是一位女士，是一位闪毅可以称"阿姨"的女士。她似乎早预料到，这是闪毅可能采取的反应方式之一，因此她立即抛出相应的对付办法：闪毅于是似乎看到她那张化妆得很细腻的脸上浮动着完全没有怨怼却完全只有谅解并又超越于谅解的关怀与急迫，并且随之听到那女士用圆润的嗓音把这样的信息极为清晰地击进他的耳膜——

　　"闪总经理，您的大生意可要黄啦！"

还穿着内衣的闪毅竟立即清醒了过来。慌乱中他说了句"请进",便马上飞回里间床边,手忙脚乱地穿衣服。

门外女士脸上依然是宽容谅解的微笑,不紧不慢地迈进了客房的外套间。

他这时从卫生间里出来,正同进来的女士打了个照面。他们两人不禁同时惊呼——

"是你!"

那女士是卢仙娣。

闪毅穿好衣服,出来问:"怎么不先来个电话?"

卢仙娣笑得很优雅:"是你老兄把所有电话都关闭了呀……连手提你都关了!"

闪毅便去开通电话。一开通,书桌、床头柜、卫生间……包括手提全都闹腾起来,仿佛刚从母亲子宫里坠落的婴儿,那"哭声"委屈得真够可以……

闪毅到卫生间里,边洗漱边应付电话。他代闪毅请卢仙娣在沙发上落座……

原来闪毅他们公司投资了一部电影,一切前期准备都基本就绪。导演选景,选中了闪毅和他原来居住过的那个院落,特别是那座世纪初建成的中西合璧的旧楼。制片主任也同那单位拟定了合同,商定了借用拍摄的酬金;但昨晚忽来消息,另外一个拍电视剧的班子,也相中了那座旧楼,由于他们答应多给该楼的单位 10 万元,该单位便决定弃前者而取后者。并且,今天一早,拍电视剧那帮人就要去跟该楼单位的负责人韩艳菊签约……闪毅这边的制片主任,从昨晚就一直不停地给闪毅打电话,怎么也打不通;那导演说,如果不能利用那绝妙的旧楼拍摄,你就是用再多的钱给他搭景,他也没了创作的激情;也是,比如张艺谋拍《大红灯笼高高挂》,如果不是找到了那么一个现成的极富特色的乔家大院,能产生出那样有魅惑力的艺术效果吗?……为什么现在制片主任或导演自己不来找闪毅?因为他们由于一夜都找不到闪毅,以为闪毅一定是飞到外地去了,苦闷中喝起酒来,现在尚在酩酊之中……

他不由得问:"可是,这事跟你卢仙娣有什么关系呢?你是策划者之一?是编剧?是副导演?……还是将在其中客串一角?"

卢仙娣只是笑。她照例都并不是。就像她昨天一会儿陪着台湾来的杨先生,一会儿张罗着找林奇,一会儿又出现在这饭店下面的"罗马广场",一会儿又飘然于天桥乐茶园……她都并没有任何"由头"一样,她既不是台湾文学的研究者,也不是作家协会的干部，当然更不是北京民俗的导游者……

不过，也真用不着惊奇。卢仙娣是"万国通宝"嘛！

……从卫生间出来的闪毅，不再是那个童年心路的叙述者，而是一个地地道道的老板。

"要我多掏钱？"闪毅不再说什么，但满脸写着"没门儿"的字样。

他一旁看着听着闪毅与卢仙娣的对话，如饮一杯醒脑剂。

总而言之，闪毅接受了卢仙娣的建议，并在此基础上迅速制定好了"作战方案"。那就是，赶在韩艳菊去办公室之前，到她家拜访，将那楼的借用权锁定——她家就住在那座旧楼的一层。

为了争取时间，闪毅在卫生间里就电话要餐了——而送餐车也及时地推进了这 706 房间，又是"公司三明治"！

那东西主要是一股吉士味儿，令他闻见作呕。他说他还是下去，到餐厅找皮蛋瘦肉粥喝。

"那可来不及了……"闪毅劝阻他。

"我有什么来不及的？"

"你跟我们一起去！"

"我？"他眉头打结，"我自从调离他们那儿，几乎再没回去过！我不喜欢那个地方，我才不留恋那座楼哩！"

"按本心，我比你更不乐意去！我母亲搬出去以后，我再没去过！"

"再说，这是你的生意，你或者是不得不去，我凭什么也要去，这跟我有什么关系？！"

"请你帮帮我！"

"帮帮你？我能帮你什么？……你们要找的那个韩艳菊，她当年跟我的关系并不好！她害过的那个金殿臣，当年倒跟我关系不错！这些年，她排挤印德钧，居然得手，而老印可以算是我的哥儿们……我见了她，岂不是'仇人相见，分外眼红'！不去倒是帮了你，去了，非给你添乱不行！"

"要的就是你给添添乱！这叫做突出奇兵！……望辉叔，求您了！"

"叫望辉爷爷、望辉祖宗也不行！"

卢仙娣一旁劝上了:"这对你也是难得的体验嘛!肯定可以刺激创作灵感!"

"我自己知道需要什么样的体验与灵感!"

卢仙娣并不因他的出语粗鲁而抖动任何一根笑纹,依然蔼然可亲地说:"这片子拍成了,可是要拿到戛纳去夺金棕榈奖的呢,羽亮很有信心——只要能在那栋楼里实拍!"

卢仙娣提到的导演祝羽亮是时下"第六代"导演里,被普遍看好的一个。作为出品人,闪毅聘他肯定花了大价钱。

"金棕榈奖跟我有什么关系?"他的语气更加恶劣。

"那当然!不过……"闪毅停下咀嚼,望着他说,"……得个单项奖也行!……不一定是最佳导演……我更期望的,甚至只是……最佳女主角奖!"

他还没说出来"那最佳女主角奖跟我又有什么关系",卢仙娣便介绍说:"一号女主角,请的是吉虹……你没看过她最近的那部《孤舟》吗?圈里有人都把她捧成'中国的格丽泰·嘉宝'了!别的女红星,靠的是眼角、嘴角出戏,她呢,一切尽在无戏中,整个儿一个冷面女郎。可看过她《孤舟》的人,无不被她的冷无表情所打动……真真难得!这回她说不定真能蟾宫折桂!……"

他就要说出"什么冷面,什么《孤舟》,我现在根本不看任何电影"了,忽然感到闪毅的一双眼睛热辣辣地直锥向他的心口……他听见闪毅闷雷般地向他宣布:"吉虹,她原来不是这个名字,她原来叫吉——向——红——!"

卢仙娣不解地望着他俩。

他就感到心上被锥尖扎中,脑子里"嗡"的一声……

他伸手取了一块三明治,说:"好,我跟你去……"

14

那是在驶往远郊的公共汽车上,他和韩艳菊坐在一个座位上。韩艳菊一落座,便打开《毛主席语录》,学习起来;车开了,不管车子怎么颠簸,韩艳菊始终保持那样一种学习状态,并且向他提出要求:"你要抓紧学,哪怕是多学一条也好!"

这样的情节,写在小说里,事过二十多年,以及更多的时间以后,谁还相信?

并且，谁还会觉得有趣，或只是感到肉麻？

回忆起来，韩艳菊的令他难耐，倒并不是一般意义上的虚伪。你甚至可以说，她并不虚伪。因为凡她要求别人做到的，她自己确能带头做到。比如那次，革委会派韩艳菊和他去远郊外调，钟师傅找他们布置任务时，明确地说，是以韩艳菊为主，他辅助——因为所外调的对象，是女的，所以派韩艳菊；又因怕派两个女的，路上不够安全，所以派他辅助，其实是让他当韩艳菊的保镖。出发时，韩艳菊就跟他说："我们不能辜负组织上的信任，一定要好好完成这回的外调任务！我们这回不是一般的下乡，更不是春游，所以，我们一定要做到，不仅到了目的地要抓紧时间战斗，就是在路上，我们也要抓紧时间学习毛主席著作，狠斗私字一闪念！"结果她果然能在颠簸的车上学《毛主席语录》，一点不含糊！他呢，只能也打开"小红书"，凑到眼前……

……从远郊回到城里，他们分手前，韩艳菊说："我跟你暴露一个活思想：中午吃派饭时，我那碗菜汤里发现了一只苍蝇。开头，我把苍蝇拨了出去，心里很别扭，都不愿意喝那菜汤了，后来，我想起来毛主席教导我们说……我就脸红了！你没注意到吗？我那就是不能无条件地与工农兵相结合的资产阶级思想感情啊！……狠斗私字一闪念，不能过夜，所以我先跟你自我暴露、自我批判！明天我还要再跟钟师傅汇报！你呢？今天怎么样？"

他实在不能再追随韩艳菊的"境界"了，便一本正经地说："今天，真是还没逮住什么私心杂念呢……不过，从你身上，真学到不少东西！明天到钟师傅他们那儿，我也要跟他们说到这一点！"

……韩艳菊跟他讲那些话时，语气都并不生硬。甚至还总带着一种很自然的笑容。

但在当时，他已不能接受韩艳菊的这类"严格要求"，哪怕她仅仅是"自我严格"而已——韩艳菊的可怕不在她的"言行不一"，而在她履行种种的"严格要求"时，那种分明的"认真表演"性质。更可怕的是她还经常要你与她"联袂演出"。

还记得有一回，大概是庆祝"八一"建军节的活动吧，一位男同志举臂领呼"没有一个人民的军队，便没有人民的一切"这句口号时，可能是觉得两句连呼太长，便分作了两截，先带领大家呼出："没有一个人民的军队……"大家也就都跟着呼了，并且没感到有什么问题，韩艳菊恰坐在他身边。却明显地没有举臂，更没有张口，令他深感诧异，等那人领呼出"便没有人民的一切"时，他才听见韩艳菊说："反动！怎么能大喊'没有一个人民的军队'！谁说没有？！……"本来喊完这条口号就该进行下一个项目了，韩艳菊却未经布置，举臂领呼起了口号，她把那"没有……便没有……"的两句一义的革命口号，处理得非常得当，并且令绝大多数人一听，便能立即意识到刚才是盲目地跟着领呼人错喊了"反军"的口号，于是都跟上去，用她呼喊的模式正确地呼喊了一遍……

会后，那位领呼错了的人一头汗水地去找钟师傅他们检讨，钟师傅他们倒也并不以为那是多么严重的问题，只是都不得不佩服、表扬韩艳菊的"政治敏感性"，韩艳菊呢，笑吟吟地凑过去说："……是失误，不是恶攻……他本是个好同志，不要批他批得太凶！只是以后咱们大家都要注意……尤其是这样的大会，不该有这样的失误啊！……"

你说，韩艳菊当年的这些事迹，说明着什么呢？能从这些记忆里，透视清她的灵魂吗？或者，可以反照出，那个时代对人的灵魂的某种定向雕刻，真能取得出奇的效果？

……据印德钧说，原来那一年司马山出面把金殿臣往死里整，是因为，要取悦于韩艳菊，为韩艳菊拔除一根眼中钉……他们的爱情，是革命爱情？因而有那么伟大的力量？司马山奉献给韩艳菊的爱情表礼，不是鲜花，不是金项链，不是一本诗集，不是一袭华装……而是亲自完成对金殿臣的定罪与遣送还乡，并且在漫漫村道上，与金殿臣轮流骑那辆加重自行车，有好长的一段时间，还让金殿臣在自己身后搂住自己的腰，倘若金殿臣顿生恶念，那就……为爱情而英勇献身？

其实不过才二十多年。回想起来却极其怪诞。

而更令他心里难过的是，如今，未经受者不屑听取这些，已经受者不耐重温这些……

15

韩艳菊刚吃完早点，见到三位不速之客，她的头一个反应是喜出望外。特别是雍望辉的出现，竟让她脸上绽出了一朵花，不像是表演，而很可能确是出自本能，她伸出一只拳头向雍望辉砸来，几乎真要砸到雍望辉的胸脯上，并且以仍然那么锐亮的嗓音喊道："喜鹊叫，贵人到！"不等来人答言，她又扭头大声唤出女儿女婿——小两口已经穿戴好了，正要上班去——自豪地单把雍望辉挑出来，介绍说："这就是大作家雍望辉！从咱们这个鸡窝里飞出去的金凤凰！你们总说，金凤凰怎么不飞回这鸡窝来亮亮相？这不，今天飞回来啦！"

这种反应超出雍望辉的预料。

韩艳菊并不怎么出老。甚至于，离远些看她，比当年更……怎么形容呢？当年所有的女人几乎都成了一个样，而今天的韩艳菊，单她那喷了摩丝的发型，便很突出她的个性——"这个女人不寻常"……哪！

……环顾韩艳菊的这个家，虽是旧楼，但她占据着原来主楼一楼东边的那一半。现在盖的居民楼，哪有那么高的天花板，那么厚实的墙体，那么大的窗户，那么宽大的窗台，特别是——屋外那么神气的回廊！这楼已建成近 80 年，地板经过修整打蜡，居然还那么堂皇，而韩艳菊她们家显然刚刚又搞了一次 90 年代水平的内装修，加以中西合璧的全新高档家具、仿水晶大吊灯、新疆风味的大地毯、游动着七彩珍鱼的水族箱、大盆的橡皮树……那真是不折不扣的富丽！

……都落座到客厅的真皮大沙发上以后，韩艳菊望着卢仙娣，笑着说："无事不登三宝殿！明白！是为了租借外景的事吧？哈！……真没想到，这破楼倒成了个香饽饽啦！"

原来卢仙娣跟着祝羽亮和制片主任来过好几次了。

卢仙娣便朝闪毅甩下巴："现在是老板亲自出马啦！"

韩艳菊这才意识到闪毅的重要性。她双手使劲一拍，望定闪毅说："鸡窝里飞出的金凤凰，不止一个呀！你这个小鬼！你更让人想不到！怎么，你就是他们老板呀！……可不是嘛，瞧你，这老板肚都鼓起有多高啦！"

闪毅说："您说反啦，这楼才是凤凰窝呢！……瞧，您这家，够气派！"

韩艳菊愉快地谦虚着："哪儿的话呀！我们工薪族，能是什么窝儿？这点子撑面子的玩意儿，还都是闺女女婿他们小两口的投资……都在外企嘛！要靠我跟老山，连这层纸糊的面子也贴不起呢！"

雍望辉盯着沙发对面好大一堆健伍牌的视听组合，光那当中的电视机，荧屏就起码有 30 多英寸 …… 于是忍不住说:"行呀! …… 放心,我们可不是监察部派来调查你们家产的!"

…… 于是卢仙娣引入正题,闪毅单刀直入,要求韩艳菊履行原来和他们达成的协议,不要把这楼再另租给拍电视剧的那一拨人。

闪毅和卢仙娣对韩艳菊循之以理、动之以情,当然,更关键的是诱之以利——不是答应像拍电视剧那拨子那样,提高 10 万的租用费,更不是开出超过他们的价码,而是,既含蓄又明白地给韩艳菊递话:她个人,能从跟电影一方的合作中,得到绝无"副作用"的"好处"…… 韩艳菊呢,一脸笑容,但绝不轻易松口,雍望辉耳朵里滚动着韩艳菊那锐亮的声音:"…… 这楼要是我私人的,怎么都好说,可这是公家的啊 …… 也不能我一个人说了算,是不是? …… 给他们拍电视剧,你们说他们是草台班子,瞎凑的,指不定拍出什么破连续剧来 …… 我们文艺圈外的,管得了那么多吗? 我们愿意多拿 10 万,还不是为了给单位的人,大家伙儿,多谋些个福利吗? 至于我们当领导的,实在话,多一事不如少一事 …… 听上回你们那个导演说,他不光要用这楼的外表、廊子、楼梯什么的,连一些个屋子里的戏,都想就在这楼里拍。我虽不大懂拍电影的事儿,可也知道,凡要用到的房间,那住户不都得搬出去另住一阵? 屋子里原来的装修,不也得先给改个面目全非? 就说你们出钱给找招待所暂住,拍完了另给损失费,那也指不定各户都同意! 就说我这儿吧,刚装修出来没几天,一家伙给我搅乱了,我心里膈应不膈应? ……"

韩艳菊那种振振有词的口气,还有那种非常"入戏"的表演意味,使雍望辉感到:这确实还是当年的那个韩艳菊 …… 但他环顾四周,"人是物非"——整个住宅里,竟然找不到一星半点"革命符码",没有领袖像,没有红宝书,没有"样板戏"图片,甚至没有与红旗等同的"正红色"…… 当年,她所在的那间办公室,却由她带头布置,搞得几乎无处不充满"烈士鲜血染红"的颜色 …… 对了对了,那墙上不仅有毛主席的像,而且还有等大的毛主席和林彪在一起的像,记得有一回韩艳菊还指着那像,郑重其事地向钟师傅、印德钧及在场的人们说:"…… 我们也该永远记住,谁是接班人啊!"钟师傅因而还表了态,说是建议各办公室,也都挂两张像 ……

…… 不过,再望着现在的韩艳菊,听她满嘴滚出的那些话语,配合着她那些生动的肢体语言，雍望辉不得不在心里叩问：这难道也是当年的那个叫韩艳菊的人吗？怎么她现在能如此坦率而精明地，以经济利益为轴心，发挥着她的"敏感性"，显示出她的强悍与坚韧？

他提出来要去"洗手"，韩艳菊指给他洗手间。

……原来韩艳菊已将这楼里的几处房间改造成了现代化的厨房和卫生间……啊，这个卫生间……它原来不就是金殿臣住过的那间宿舍吗？对，没错儿！……砰砰砰，霍木匠胳臂上隆起的肉疙瘩……使劲向前撅出的双唇……这就是那当年被钉上了木条的窗户吗？现在这乳白的毛玻璃上，鼓出的是什么图案？西洋的长肉翅的安琪儿？！……

他恍惚起来……什么是岁月？什么是过去？什么是历史？……而最要命的是，什么是现在、此刻？什么是现实？！

……雍望辉还没有回到座位上，就听卢仙娣和闪毅几乎同时在召唤他：

"大作家！你别一言不发啊！该你一言九鼎啦！"

"来来来，全靠你的佛面啦！"

而韩艳菊的一张笑脸，仿佛正悬空地浮在那里……

16

90年代，北京的高等饭店，菜价不菲，宰客无情，而其中最甚者，有"三刀一斧"之喻，"一斧"指专营韩国烧烤的山釜餐厅，"三刀"则指的是大三元酒家、明珠海鲜酒家和香港美食城。

那天中午，在以粤菜著称的大三元酒家的包间里，有一个热闹的饭局。是闪毅请客。

韩艳菊在去隔壁院里上班前的最后一刻，答应了闪毅他们"暂不同拍电视剧的签约"。一早赶到韩艳菊他们单位的电视剧的制片主任，原以为签约不成问题，闻变，不消说气得七窍生烟……韩艳菊在临近中午十一点的时候给闪毅电话，说是通过他们领导班子集体讨论，终于决定，还是把那座楼租给他们拍"能为国争光的高档文艺片"，不过，有些"细节问题"，还需再进行磋商……闪毅便约他们到大三元吃"工作餐"。

一桌八个人。韩艳菊和她的一个副手、一个办事员,闪毅和制片主任、导演祝羽亮,以及顺理成章、不可或缺的卢仙娣,还有雍望辉。

雍望辉本不愿再卷进这桩事。他上午回到住处便倒头大睡,补觉。但闪毅中午十二点的时候打来电话,说是韩艳菊说,她那关键的副手,是雍望辉调走好久以后才来的,总听单位里的老人说,他这个现在的名流,当年也"窝"在过那么个区级小单位里,因此,说好听点是仰慕,说难听点是好奇,就提出来,既然一早都回到宿舍院里了,中午一定跟他们见见面……闪毅不容他推辞,说:"反正你中午要吃饭的嘛!你一个人过,反正是懒得做饭的嘛!大三元又离你那么近,散步过去就到了……你要不到,说不定我们的合同就签不成!你就那么愿意我们的电影开不了机吗? ……"末了又叹口气说,"非得让我再跟你重复,我的那隐私隐情吗? ……我想让吉虹,得最佳女主角奖啊!"这才令雍望辉从床上坐了起来,他不由得问:"吉虹也去吗?"闪毅忙说:"我一定让你见到吉虹!不过今天她还在无锡拍另一部戏……为了我和吉虹,你来,行吗?"雍望辉这才答应赴宴。

……满桌佳肴,觥筹交错,笑语喧哗。签约是完全不成问题了。

韩艳菊他们单位是"损失"了10万元。但他们"支持了严肃的艺术创作"而"不为金钱去将就粗制滥造的肥皂剧",良心上很是过得去。不过,韩艳菊本人,以及在场的副手还有那位办事员,以及领了"误餐费"另去吃饭的汽车司机,他们从闪毅那里,都可以得到"不会产生副作用"的好处……

什锦果盘上来,曲终即将奏雅,韩艳菊那副手,一个脸上有几道大纹路,其实年龄还不算老的中年男人,笑嘻嘻地问雍望辉:"早上没到当年住的屋子看看吗?是哪一间?嘻嘻……等你得了诺贝尔文学奖,我们是不是该把它献出来,当做文豪故居,让人参观啦?"

他很厌恶这种话,便不理睬,从果盘中用牙签扦起一片西瓜,放进嘴中。

卢仙娣却兴高采烈地说:"中国人,谁在乎文豪的故居呀!鲁迅故居,现在有几个人进去参观?郭沫若故居,好大的宅子,附带那么大的花园,就是进去找个花前柳下谈恋爱,也蛮不错嘛,可它耐心地开放着,有时候整整一天也不来一个参观者！……依我说呀，倒是闪大款将来成了中国的洛克菲勒，或者中国的哈默，或者中国的松下幸之助，他住过的那个窝儿，弄成个'巨款故居'，说不定参观者会挤破门呢！……"

韩艳菊便问闪毅："你今天既然'得胜回朝'，怎么也不上楼，看看你那故居呢？"

闪毅笑说："你那时候不给我个痛快话，我心里正起急，哪儿是'得胜回朝'，分明是'功亏一篑'的险象，我哪儿有怀旧的雅兴啊？"

雍望辉后来很失悔，但在那一刻他真是很偶然地提起来："你呀！——'向阳院'的'儿童委员'，学雷锋的模范……你是该视察一番啊！"

闪毅脸上笑着，心里掠过往事残片……他忽然问韩艳菊："对了，那个潘大……潘老头，潘国成，就是住二楼的那个……荣誉军人，他还住在那儿吗？"

韩艳菊脆亮地交代说："死了好几年啦！"

闪毅点点头，拈起一个葡萄珠放进嘴里。

如果韩艳菊也撂下这个话题，专心品尝水果，也就罢了，偏她忽来兴致，展开说明："那个潘瘸子！什么荣誉军人！是个政治骗子啊！他是伪造历史、蒙骗组织啊！……是我亲自去外调的，真是不调不知道，一调吓一跳！……他是个旧社会的混混，吃喝嫖赌，无恶不作！他那腿为什么瘸？是梅毒后遗症！唉呀呀，原来哪儿懂呀，敢情梅毒也能弄瘸腿呀！……他那梅毒一直没断根，把他查出来，撤了他的职没多久，他就发病了，那病，连大夫都不愿接近他呀！……他死的时候，眼睛烂成了两个粪坑，全身发出一股子恶臭……那可真是个地地道道的人渣！"

席间其他的人都没认真听，雍望辉听了觉得堵心，却也只是撇了撇嘴……大家眼光一时都滞留在韩艳菊脸上，没有特别注意闪毅，可是，忽然一声巨响，让所有人吃了一惊！

闪毅先是一拳捶到了餐桌上，令碗碟摇晃，大家惊惶中眼光刚移到他脸上，他已经五官大错位，并暴怒地将餐桌上的果盘抓起来，跳起身，狠狠地将果盘掼到地下，随之发出一声厉吼："我 × 他妈！"

果盘里的西瓜片四处飞溅，如血喷迸……

本已退出包间的服务小姐，紧张地跑了进来；韩艳菊等人全哑然地凝在了坐席上；雍望辉望着闪毅，心鼓被重锤猛击……

17

他又到了"罗马大堂"。大堂里回响着优美的钢琴旋律。是肖邦的 C 小调《即兴幻想曲》。

几天过去，他心中那莫名的焦虑，在缓缓地融解，此刻他的心境，恰如浮着残冰的春水。

他在琴声中走拢了洗手间。开门的一瞬，他脑际浮现出了钟师傅。他很后悔，那天怎么没意识到那递他小毛巾的人，竟是一度在他们单位位居至尊的人物。

……钟师傅作为那一历史时期的社会性因子，所起的社会性作用，已被否定。但作为一个鲜活的个体生命，他心中的评价是，那是一个好人！什么叫做好人？即使"好风频借力，送我上青云"，在乐于升腾的同时，却不失宽悯之心，除非秉承大势和"上面"的旨意，自己绝不整人，而且在秉承大势和"上面"的旨意整人时，也不把人往死里整。并且，稍有可能，便"得罢手时且罢手"，大事化小，小事化了，不了了之后，能与被整者一样，产生一种"可算过去了"的快感……

……他还记得，有一回和钟师傅、印德钧在一起，不知怎么的，钟师傅聊起了他闺女找对象的事。说是闺女"对"完了那个"象"后，一副不满意的表情，钟师傅就问她，究竟是哪条不成？出身孬？没党票？单位差？工资低？有老人，负担重？……闺女都摇头，钟师傅便问："是不是你觉着长相上差点儿？"闺女低头不言语了，于是，钟师傅便对她说："闺女呀，你抬头细瞅瞅你爹，细瞅瞅你妈，我们俩是面镜子！我们打小就都没水灵过，能生出一朵鲜亮的花吗？你细琢磨琢磨，是他真那么寒碜，还是你真那么水灵？"……

钟师傅当年的所作所为，大都忘记了、模糊了，唯独这段话，却完完整整，如刚摘下的鲜黄瓜般，久远地停放在他的记忆中。这是为什么？或，这昭示着我们，往往，不要问为什么……

钟师傅的闺女，后来嫁给了那个"真那么寒碜"的男子了吗？他们两口子，如今过得怎么样？是定居在城里，竟让钟师傅回老家去了，还是在老家盖了小楼，迎钟师傅回去颐养天年？……

可惜，那天竟没能再到这洗手间里，跟钟师傅见上一面……

他推开了洗手间的门，里面的服务员按照饭店规定，在同他照面的同时，打了一个"往里请"的姿势……

这回他的眼光完全粘到了那张脸上，他失声地叫了出来："王师傅！"

王师傅是当年随钟师傅一起到他们单位来的工宣队队员。

同当年一样，寡言的王师傅只以微笑应答着他。

"你怎么在这儿？"

"接老钟的班嘛……"

他心中顿时豁然。当然，这是顺理成章的事。就仿佛当年厂里组建工宣队，钟师傅招呼上王师傅一样，钟师傅辞了这儿，这个挺不错的位置，不荐王师傅来荐谁来？

方便完了，在王师傅麻利地为他服务时，他问："您现在还住在厂里？来这儿可够远的啊！"

王师傅说："不啦，这儿给了我一个床位……"

他为王师傅庆幸。

他掏出一张 10 元的票子，往水池边上的那个小费盘里搁。王师傅架住他的手腕，坚辞，说："你，甭！"

又进来了人，王师傅只好去迎那人。他搁下钱，朝王师傅点头告别，王师傅两眼已经离开了他。

出了卫生间，他心里忽然很乱。

他本是要直接上 706 闪毅那儿的，此刻却改变了主意。他绕进大堂的咖啡座，拣了一个凤尾竹掩映的空桌，坐了下来……照例，一杯 CAPPUCCINO……

柔美的琴音，飘进他的胸怀，他却有一种寒冷感。心中的春冰春水，有些因这突如其来的邂逅，而冰多水滞了……

18

想起这一切，鼻息里，就总有一种尚未冷却的铁砂的味道……

作为工宣队的一名队员，王师傅不起眼到常常被人们忘却的地步。他不是党员，在工宣队里分工很不明确。他在会上从不发言，在会下也很不活跃。为什么要把这样的工人派进工宣队？当时，单位里也没有人往深里推敲……

记得那一年夏天，到农村拔麦子，分住在农民家里，一个炕上睡十来个人。他和王师傅紧挨在一起，王师傅紧靠着墙，夜里，王师傅的那个枕头，便散发出一种特殊的味道来。他有一晚忍不住问："这味儿……不馊不臭，唔，挺好闻的……这是什么味儿呀？"王师傅对他说："能觉着好闻吗？我这人，也给熏成一个味儿了吧？这是翻砂车间铁砂的味儿吧！"

后来他一度把那味儿忘记了。

十多年以后，他已经调出原来的单位，并且迁到了郊区一个新的居民区住。那居民区不远，便是好几个大工厂，其中一个，便是钟师傅、王师傅他们所在的厂。有一天，他到那厂里去采访，接待他的，都不是当年去他原单位的工宣队的成员。采访完，他便问起钟师傅，人家告诉他，为小儿子进厂接班，已提前退休，另到别处看仓库去了。他也就不再问别的人……接待他的人带他在厂里走马观花，走着走着，忽然有一种似曾相识的气味，袭进了他的鼻腔，于是他下意识地问起了王师傅，对方说："怎么，他当年也是工宣队员，去过您那时候的单位吗？他倒还在，他就住在厂里，他的宿舍就在这后边，他的床位多少年没动过，他可是咱们厂的老人啦！……"接着便带他去那宿舍。

……那是一间很大的集体宿舍，里面有六七个单人床，因为离铸工车间很近，因此弥漫着尚未冷却的铁砂的气味……王师傅竟恰好在宿舍里，光着膀子，不知原来干着什么，听见招呼，转过身子，看见他站在面前，一贯缺乏表情的脸上，忽然现出一种或许是惊喜的纹路……

直到那一天，他才真算是跟王师傅认识了。

王师傅的存在状况，为他掀开了以往不曾真正了解的那部分生活的帷幕，当然，只是一角……

王师傅一直独身。为什么一直独身？不知道。在他看来，王师傅是一个很健全的男子，不会存在生理上的隐因。厂里职工宿舍多年紧张，未婚工人，哪怕是老工人，也不可能分到单独的住房，只能在集体宿舍里分配到一个床位。

王师傅作为工宣队一员，进驻到他原来那个单位时，已经三十七八岁。钟师傅特意说动当时厂领导，把这位既非党员，也非"文革"积极分子，并且寡言少语的翻砂工编进工宣队，是出于一个很朴素的动机：让王师傅能有一个好一些的床位——那是真的。工宣队进驻他们单位时，两位师傅合住一间很不小的屋子，比王师傅当时在厂里十多个人合住一屋，那可是强多了！

按说，50年代从农村来的工人，住进大工厂的宿舍，心里都知足。因为有了的不仅是一个床位，还拥有了城市户口，有了让留在村里的人听来是天文数字的工资，睡的不再是土炕而是木床，吃饭有食堂，洗澡有澡堂，看电影有礼堂……但是，绝大多数都陆陆续续地结了婚，搬出了集体宿舍，补充进来的，是一茬茬的年轻人，滞留不去的，如王师傅这样的光棍，他那床位，便越来越犹如万木春前的枯树桩……

王师傅的年龄，逼近55岁了，却还是独身。厂里后来有一条规定，独身的老职工，如男到60女到55，可以分配到一间单独的住房。但仅就他后来几次到王师傅宿舍去的所见所闻所感，心里也不禁替王师傅焦虑：哪儿能再熬到60啊！他那张床位，实在是令人见之鼻酸！

……不是同宿舍的年轻人不尊重王师傅，他们甚至于生怕引出王师傅不快，因而格外地尊重并照顾王师傅……他们总是让王师傅挑选最喜欢的位置，主动为王师傅的热水瓶灌热水，不要王师傅搞卫生，当他们感到他们一伙的嬉戏与荤话也许会让王师傅"吃心"时，他们便会缩脖吐舌，朝王师傅报以歉笑……但这反而令王师傅更尴尬。于是，后来王师傅除了睡觉，就尽量到厂内花园待着，或到厂外大街上去遛弯儿……

他有他的世界，说实在的，王师傅的世界跟他的世界重叠处不多，他没把王师傅常搁心中，他只是偶尔去厂里，到王师傅的宿舍里坐坐。有时，他只是在居民区的街道上，遇到王师傅，于是双方打个招呼，站住，聊上几句，如此而已……

那是80年代快结束时了，有一天傍晚，记得夕阳斜铺到居民区临街的大板楼上，令一面墙上的玻璃窗，全都变成了耀眼的橘红色。就在那座楼下，他又与王师傅不期而遇。两句泛泛的问答后，王师傅忽然出乎他意料地说："小雍，你现在有工夫吗？你没吃吧？我……我有点事，想……让你给我拿个主意……咱爷俩，一块儿喝点啤酒，咋样？"

　　是的，也许 20 年前，王师傅作为工宣队员，曾叫过他"小雍"，但他们重建联系后，他不记得王师傅这样称呼过他，他们见了面，王师傅总是以点头，或淡淡地微笑，来替代称呼。并且，虽是对他有问必答，却从未提出来，要跟他商议什么……

　　他们在一家小餐馆，拣了个冷座，面对面坐下，点了三个冷盘两个热菜，要了两升啤酒。他不问什么，只等王师傅说。王师傅却闷头吃菜、喝酒，良久，才抬起头来，突如其来地问："你说，这么着……成吗？"

　　他笑说："怎么着呀？我还一点不明晰呢！您倒是先跟我说搭说搭呀！"

　　王师傅脸上的几根大纹路抖了抖，这才跟他细说端详。原来，王师傅的弟弟也是那厂里的老工人。不过，王师傅平时并不怎么跟弟弟来往——人家是一大窝子人，除了弟妹，还有仨侄儿俩侄女，如今又都结了婚，生了下一辈；老大一家跟王师傅弟弟弟妹住，家里还有个岳母，王师傅因此认为，自己去那儿"添什么乱"！每年春节，弟弟总让侄儿来叫他，一起吃团圆饺子，那他去。不过，去了除了问几句好，就埋头吃饺子，蘸好些个腊八醋，吃完了，抽支烟，再坐不住，便告辞，回他那集体宿舍的床位……最近，他最小的侄儿来找他，这侄儿也是他们厂的工人，说是登记结婚了，可按厂里的规定，像他这样的青工，起码五年以后才能分上房；而王师傅他呢，也需要再等两年才能分到一间自己的房；于是，小侄儿就生出个主意：他们合起来申请住房，这样他们就有可能在最近一轮的分房中，稳分到一个两居室的新单元！开头，王师傅还没绕过弯儿来："那厂里就能答应吗？"小侄儿便叫了他一声"爹"……那就是个办法，确实是个办法！紧跟着他弟弟来了，也是这个意思，简言之，就是将小侄儿过继给他为子，这样，他就成为了一个四口之家（侄儿媳妇，过继后便是儿媳妇，已怀孕八月）的长辈，按厂里的分房方案——那是要一项项算分数的——他们这样一个三代四口之家，所得的分数，恰好符合分到一个新楼二居室单元的条件……

　　他听完了王师傅断断续续，夹杂着口吃与停顿的叙述，没有马上表态。他望着王师傅那张虽有几条大纹路，却并不能称之为苍老的脸，那一双眼睛，还很有些个精、气、神……王师傅的肩膀很圆实宽厚，浑身颇外溢着些个阳刚之气……他心里嘀咕：王师傅并不满花甲，难道就真不能找到个相当的妇人，与他结成下半生的伴侣？与其同那往日并没什么亲情的侄儿一家组合起来，莫若找个能给他情爱的寡妇去组合……

但是，在王师傅真诚期待的目光下，他感到自己实在不能"添乱"……想了想，他说："我觉着，这样挺好……您能马上有自己一间屋了……不再是光有一个床位……自己一间屋，关起门来，唯我独尊，多好的事儿呀！"

……事情就这样定下了。几个月后，他去那新楼看望王师傅。王师傅显胖了，衣衫也整洁了许多，说是现在车间领导很照顾，上班基本不动手，就是给青工们支支嘴，实际上等于技术员，这样再耗两年，到日子就办退休手续，能拿 90% 的工资额呢！要提前退就亏了，像钟师傅，只拿到 70%……

王师傅告诉他，儿子儿媳妇都挺孝顺，儿媳妇生下的胖孙子，他挺喜欢，都说过继的儿子隔一层，孙子那就不隔了，打小看大，能不是嫡亲的吗？

小两口住单元里大的那间，装修得挺时髦，他住小点的那间，虽说小点，却显得挺豁亮，他不让小两口给他装修，他说白墙水泥地就看着不闹心；他把集体宿舍里那张睡了几十年的木床，还有用了几十年的一个杂物柜和大木箱子，都搬了进来。他说那不能扔，那都是他多年的伴，有感情了！他只置办了两样新东西，一样是一台当时最新潮的 21 英寸遥控彩电，日本原装货；一样是两个单人沙发和一个茶几；这样，他关起门来，沏上一杯茶，抽上一支烟，坐在沙发上，二郎腿一跷，挑那他喜欢的电视节目一看，俨然小神仙不是！他爱看什么电视节目？一是戏，特别是评戏，京剧也爱，还有相声曲艺什么的，电视剧爱看武打的，像《霍元甲》什么的，特爱……

小两口每晚都做现成饭给他吃，还总给他买酒，他也不好别的酒，要喝，就喝二锅头。但他有时候要自己做饭吃，不是对小两口做的不满意，小两口也明白，跟他们合要这房，为的还是"终于有了自己的家"，他有时候自己弄弄饭，心里头痛快，因此也就不阻拦。他有时候也跟小两口坐在厅里，合看小两口买的那台电视，算是全家同乐。除了逗弄孙子。他平时不会进入小两口的天地，小两口更几乎不进入他那间屋；这样过着，倒也都挺自在。

王师傅渐渐喜欢在自己的屋里接待个把客人，可来访的客人可真不多，来得勤点的，一个是钟师傅，一个便是卖文为生的他……

他对王师傅，接触不可谓不多了，但往往在告辞而出时，咀嚼起他们的交往来，却还是不能理出多少深层次的东西。王师傅的内心,究竟都涌动些什么?作为一个独立的个体生命,王师傅的价值究竟何在?王师傅的精神生活,除了看《花为媒》或《霍元甲》,还有些什么? …… 他原以为王师傅不怎么识字,不会读书,但有一回,他在王师傅屋里的茶几上,看到一本捏出手印的《彭德怀自述》,颇感惊奇。他问王师傅:"您正看?"王师傅答曰:"正看得眼珠子热呢 …… 好人里头,我头一个佩服他!"这话让他心里一震。

是的,即使搬进了新楼,王师傅那间屋,他那床位上,还是发散出一股特有的味道,他确实觉得并不难闻,那是尚未冷却的铁砂气味 ……

后来就是那一年的夏天。那个晚上,王师傅的儿子,骑上自行车,看究竟去了。第二天天亮没回来,到晚上还没回来,第三天还没回来 …… 第五天厂里通知,去认尸。王师傅和媳妇一同去了,确实是他们家的人。算是"咎由自取" ……

他很多天意识里丝毫没有王师傅存在。那是酷热的夏日。一个晚上,他下楼散步。很谨慎地,不往远处走。他在楼区的林荫道上遇上了王师傅,头一眼便吃了一惊,王师傅只穿了一条短裤衩、一个汗背心,脏兮兮的,原来很丰茂的黑发,花白得扎眼,胡子拉碴,脸上除了原来的长纹路,平添了许多细琐的小碎纹,只是身板、臂膊仍很健壮 …… 是王师傅自己,用一种仿佛叙说别人家的事的口气,把那变故告诉了他。他是怎么安慰王师傅的?不记得了。那个夏天他心里很乱。谁来安慰他呢?

可是,在一个下着小雨的夜里,很偶然地,他在楼区绿地的小亭子里发现了王师傅,当时楼区旷地几无人影,幢幢居民楼的楼窗,在雨幕中闪动着幽幽的黄光 …… 王师傅没带伞,没披雨衣,只穿着皱皱巴巴的外套,蓬头垢面的,默默地抽着烟 …… 他在王师傅身边,只感到鼻息里,氤氲着尚未冷却的铁砂的味道 …… 他问:"您怎么还不回家?"王师傅反问他:"你呢?"他说:"我这就回去。您也快回去吧!猛一下雨,还真有点凉呢!小心感冒 ……"王师傅闷闷地说:"你回吧 …… 我再待会儿 ……"

又过了很多天,入秋了,他在商场门外意外地遇上了钟师傅,交谈中,才知道,王师傅竟搬回集体宿舍中住去了!"那为什么?"他问。钟师傅叹口气说:"…… 那小子一死,你想想,他跟那小媳妇在一个单元里,算怎么回事儿?原先。

有儿子在，那是个纽带吧，什么都好说，也都方便 …… 这儿子一没，媳妇还认他吗？亲儿子死了，媳妇一改嫁，也难认你爹了，何况这儿子还不是亲生的 …… 要是孙子大点儿，能叫他爷爷了，对他有个印象了，那孙子也还能成个纽带，偏那孙子还不满两周，啥事不懂 …… 那小媳妇娘家，来了个没过门的妹子，陪她姐姐住，黄花闺女一个。你想，虽说各屋另有门，他还方便吗？今年夏天又格外地热，他又爱光个膀子什么的，最起码，得经常穿汗背心吧。这些个琐琐碎碎的小事儿，如果那傻小子在，都好含糊过去，算不了啥，可没那么个纽带了，你想想，他在那单元里怎么待？所以，自那以后，一起头，他就尽量地不着家，每晚在外头瞎转悠，直到估摸着回去打不着照面了，他才回屋去睡觉！ …… 虽说厂里楼里倒没什么人闲嚼舌下闲蛆，可他自个儿得避嫌疑呀。他虽说眼看到 60 该退休了，毕竟是个童男嘛，比我们都少相不是？身子骨又奘，火力旺，整晚上跟一个小寡妇外搭一个黄花闺女睡在一个单元里，长久了，怎么个了？ …… 再后来，他和那小媳妇就都跟厂里提出来，另分他们两间单独的房子，分开住。一是厂里哪儿来的两间现成的空房？二是，那小子的死，不但不能算因工死亡，连正常死亡的份儿都不够，当干部的，谁愿为他的家属提供特殊照顾？ …… 就这么着，你那王师傅，他就自己搬回了集体宿舍，如今，他又没了单独的窝儿，只有一个床位罢了！你说说看，难道这是他命中该着吗？ ……"

得知这详情后，有一天他就找到厂里的那间集体宿舍。宿舍里的青工正在打扑克"拱猪"，闹闹嚷嚷的，不见王师傅的身影。他问，没人正眼看他、理他，只是说"那老帮子，不知道哪儿转悠去了 …… 他的床靠南窗！"他找到王师傅那个床位，坐下来，鼻腔里有着尚未冷却的铁砂的气味 …… 一扭头，看见铺着脏兮兮的枕巾的枕边，摞着一本已经卷角的书，是《彭德怀自述》！

…… 他走出那间集体宿舍，背后传来一阵或因输或因赢而爆发出的哄然怪叫，心里一酸，眼睛就潮了 ……

如今他坐在"罗马大堂"中，呷着掺热奶油的意大利热咖啡，回想完这一切，惊异于自己超常的冷静与平和。正如同有一回他看到美国《世界新闻与报导》杂志封面上所刊登的一幅关于索马里饿殍的照片，印象很深，难忘，却保持着一定心理距离，没有大惊，不生大悲 …… 这是他的一种进步，还是一种倒退？

19

706 房间的门没关拢。他原以为他比约定时间晚许多才到，闪毅会不满，但尚未走进去，便听到一个不陌生的喉咙，在里面高谈阔论……

那是野丁。一个很想出名却仍未能出名的搞文艺评论的人。他在某些作品讨论会上见到过这家伙。后来知道此人跟闪毅是大学同学。

野丁原来发表稿子比较困难。据说他读书多而杂，学问新而博，笔头急而快，投稿频而多，却奋斗几年，未能脱颖而出。最近他似乎是有了顿悟，一篇骂当代人皆尊重的文学前辈的短文，虽只是刊于外省一家发行量很小的杂志，但因其坦直与尖锐，故而在圈内颇有一传十、十传百之效。一些在渐无热点的时势下，希图以强刺激增加吸引力，以扩大销路的报刊，便对他看好，争相约稿，因此他刚刚有"贫农翻身"之喜，有人已称他为"当红 P 派批判家"，是的，每当人们对"好派"即捧派批评生腻时，"好个 P"的"P 派批评"便一定会成为时鲜……

他进到屋里，闪毅和野丁都看到他了，却都没有特意招呼他；闪毅坐在沙发上，脸上挂着一种捕捉与不屑交织而成的表情，眼光随在地毯上走动的野丁而移动；瘦削而细高的野丁，一边来回走动，一边舞着双手，以肢体语言雄壮着他的高论……

他自己坐到离他们二位稍远的一把软椅上，且作壁上观。

听出来了，野丁是在抨击闪毅他们公司所投拍的那部电影，当然，他的立论颇有高屋建瓴之势，并且正当批判的高潮，因而满脸溅朱，唾沫四溅："……你们应当扪心自问：亏心不亏心！在这样一个理想破灭、物欲横流、道德沦丧、人际疏离的世纪之交，你们，知识精英们，不是挺身而出，敢于高擎理想的火炬，攀登精神的高峰，伸张道德的光辉，构筑人文的心堡，而是在那里浅吟低唱，小桥流水，风花雪月，淡淡哀愁……甚而胡写历史，伪造民俗，唯性而上，形式游戏，媚俗媚外，饮鸩止渴……你们的良心哪儿去了？良知哪儿去了？良能哪儿去了？……看看吧，如今的中国文化人，竟都是些什么畸物？老的，养尊处优，尸位素餐，不述不作，唯求自保，最高言论，竟无非是'说真话'三个字！知识分子要说真话，这是不言自明的，是最低及格线……把最起码的 ABC，竟奉为了金玉之论，这是中国文化人的悲哀，是耻辱，拿到世界知识分子之林，即便不是侏儒言论，起码是'小儿科'，徒然令人齿冷！最古怪的，是竟还有人在报上发文章称，'说真话'的标准都还高了，能够不说假话，已属为人的高风亮节。这不是教唆我们青年一代，把灵魂蜷曲起来，苟活于世吗？！我就死不能懂，为什么当年批判胡风的时候，中国的知识分子们就不能一个一个地挺身而出，大声地宣布：No！结果弄到把胡风他们抓起来，宣布为反革命集团，投入监狱！试想，倘若情况相反，那又会怎么样？……老朽们，不说也罢！中年一代又如何呢？他们急着天女散花般创作，今天出书，明天抛文，稿费要求从优，生活追求雅致，全无曹雪芹般的志向！为什么不能蓬牖茅椽、绳床瓦灶、一箪食、一瓢饮？为什么不能耐寂寞、经磨难？更不要说他们一个个巧言善辩、嘴尖皮厚，指望他们拍案而起、为民请命，那是一点门儿也没有！至多是隔靴搔痒、小打小闹，犹抱琵琶半遮面，风雷一起各自散！哪一个是不怕把牢底来坐穿的？哪一个能'我自横刀向天笑'？让我们满眼里尽是软骨病患者！……至于所谓'新生代'，那就更等而下之！或公然游戏人生，或象牙塔里逍遥，无病也呻吟，闭门造洋车，要么俗不可耐，要么让人看不懂……至于对孔方兄的崇拜，对西方文化的跪倒，就更让人倒胃翻肠！……这绝不是我危言耸听，苛求挑剔，真真是试看今日文化场上，竟都是谁家之遗子？！……你会问我，难道'洪洞县里无好人'了吗？有是有，但确系凤毛与麟角！依我看来，也就是林奇，堪称是中流砥柱，真精英，好汉子！可惜这样的铁肩能担道义者，现在是孤军奋战，形只影单！……话题扯太远了，还是拉将回来吧——我奉劝你三思而行，不要把资金花费到你们这个破本子上，拍这种无聊的电影！你总还是中国人，你的热血总该还能沸腾，这样一笔资金，为什么不用到刀刃上，拍一部能唤起民魂的扛鼎巨片？！……"

以前他听这位"P派批评"的侃谈，总没顺耳的句子，但彼时彼刻，不知怎么的，那话语里所跳荡着的某种情绪，竟令他耳热。是的，至少，你不能把野丁的这种发泄，都视为他是在甩进入"名批"行列的敲门砖，仅属一种个人的偏执乃至诡谋……

闪毅听完野丁的一番聒噪，却耸耸眉，嘴角挂出几斤重的冷笑，闲闲地说："什么样的资金，拍什么样的电影……国家资本投资，拍'主旋律'；民间资本投资，拍武打、言情的娱乐片；我们，外资投向中国，所要的，就是顺着张艺谋拍

《大红灯笼高高挂》、陈凯歌拍《霸王别姬》的路子，拍能合西方人口味的高档艺术商业片；那标准也很简单，一是要有让西方人眼睛一亮的东方风情，一是又要让他们看了感到人性的相通 …… 拍完了，一是要力争在戛纳、威尼斯、柏林等A级国际电影节上拿奖，二是要进入西方大的电影发行网；一句话，要名利双收，有利于资本再积累、再投资！你所说的那种电影，我个人是举手赞成，不过，要在我上面所说的三种渠道以外，去求得资金！电影是大工业生产，尤其是搞大制作，那需要大成本，面对俗世的大市场！阿 P 兄！你既对我等，包括那么多老中少三辈的作家、艺术家嗤之以鼻、视为侏儒，你自己，何不联络林奇，自筹资金，拍一部高扬你们理想的样板片给我们看看？或者，你们不拍片，而是英勇赴难，把牢底坐穿给我们看，或干脆以你们英勇就义的鲜血，警醒我等的愚昧堕落，岂不是也比这样的凌空高论，更有实际意义？ …… 可是，阿 P，我倒听说，林奇已接受法国邀请，去当一年的访问学者，即将启程；而你，不是也正在跟澳大利亚方面联络吗？怎么你们可以理直气壮地去拿西方资本为背景的基金会的钱，吃洋面包，啃洋奶酪，却恨留在这里的人不敢蹲大牢、洒热血呢？ ……"

没等闪毅说完，野丁便忽然中止惶急的踱步，面对闪毅，两只瘦长的胳臂极度夸张地扬起，仿佛用指尖发电般地凝固成一个可怕的姿势，怪叫道："你这买办！你要为这些伤天害理的话付出代价的！"

闪毅却不再理野丁，转身向着他说："你怎么才来？让我受了阿 P 这么久的罪！我们要谈的，才是正经事啊！"又指着仍没改换姿势的野丁对他说："你看，像不像一根逼人去吊死的电线杆？"

闪毅忽然笑出声来，野丁以极度夸张的速度恢复为正常姿态，自己也笑了。

他却笑不出来。

20

从出租车望出去，这 90 年代初的北京，如果说不上是万丈红尘，那也总有千丈红尘了。车道边冒出了那么多新楼，虽说从建筑美学上大多了无新意，甚至只是对 80 年代乃至更往前的西方建筑物的拙劣抄袭，但所勾勒出的天际轮廓线，

的确已相当的"国际化"，令人恍惚中几不知身在何国何城……而楼顶上的巨幅
霓虹灯广告，不仅足显声光色电之威，更以大面积的滚换闪烁而夺人眼目、惑人
心魄……

他本是不愿接受闪毅的聘请，充当那部由祝羽亮执导的影片的"文学顾问"的，
但在只有闪毅和他两个人在一起时，闪毅的一番话打动了他。

闪毅说："你以为我心里，就那么平静吗？这片子，定下来在你我都住过的那
院子里拍。那座旧楼，对于我，恐怕比你，更是不忍多看、多想！我跟你讲了那么多，
其实还没讲到我母亲的死……现在我也还不想讲……你知道的已经够多的了！
我的童年、少年，我的花季，是跟那座楼连在一起的啊！……没讲过的我不愿
意再讲，讲过的我更不愿意重复。不过，你也知道，那天……你听见，也看见了……
那个潘国成！假荣誉军人！……生活不是欺骗了我，简直是强奸了我！……可
是，难道，用那座楼，拍一部电影，纪实性的，或者加上必要的虚构，再现我的
童年，我的姥姥，潘国成什么的，要么再加上你，韩艳菊什么的，就一定是最好
的题材吗？就一定是艺术的职责所在吗？就一定能通向永恒吗？……现在我觉
得，起码现在我还没有更大的悟性——我觉得人生不能总是回顾与向往，艺术也
是如此，不能那么沉重，那么死心眼儿，那么不给现在、此刻留下就属于现在和
此刻的意义，我不知道我说清楚了没有？……总之，我的回忆，我的爱，我的
恨，我要报的恩，要报的仇，要发展出的前景，要图谋的未来，当然，我都不会
忘，不会放松。可是，更重要的是，我现在能做什么，能做成什么！现在，我能
作为出品人之一，拍这样的高档文艺巨片，我的人生在现在、此刻便凸现着实实
在在的意义！……并且，我也在夜里，一个人苦想过，艺术的真谛，究竟是什么？
是再现真实？是揭示真理？是表达理想的激情？是唤起民众发动革命、参与变
革？……也许，这些都是真谛中的组成部分，但，也许，艺术真谛中更主要的部分，
却是超越现实的想象、超越理性的感情、超越喧嚣的宁静、超越变革的美感……
我知道，你的写作也正面临着极大的困惑与焦虑，那为什么不到我们这个电影里
来化解一下、调整一下？更何况，你还可以名正言顺地拿到一笔顾问费，这也是
你从事你更想进行的创作所需要的保证金！如果说林奇去拿法国人的钱，并无损
于他那'众人皆浊我独清'的高大形象，依然被许多人奉为精神教父，那么，你

当一次这部电影的文学顾问，又何碍你照走一贯的道路？……"

……出租车拐进了胡同，车窗外的光影模糊起来。

当他下了车，往院门里迈的时候，不知怎么搞的，他心里的麻团又滚动抽搐起来。

……砰，砰，砰，老霍挥动钉锤的胳膊，上臂隆起跳动的肌肉，用力向上伸出的双唇……韩艳菊忽然站起来领呼口号："没有……便没有……"两句竟衔接得那么样地恰到好处……韩艳菊同闪毅讨价还价，"在商言商"，并不显老，她那装修得如同三星级宾馆的客厅墙上，挂着大幅仿制的西洋油画，油画上打着带皱纹花边的遮阳伞的贵妇是不是在问："你今天斗私批修了吗？挖出了什么样的'私字一闪念'？"那一定是用鲸鱼骨撑起的几叠落地的大裙子，是多么华贵的宝蓝色！……洗手间的大理石墙面光洁如镜，那瓷盘里一张美元，立放着……脸上的大纹路并未大抖大动，"……这儿给了我一个床位……"那床位散发出尚未凉凉的铁砂的气味……

……进入了他的住处。那是他在城里所保留的一间屋子，他的第二书房，并且，在杂乱得可爱的书报杂志堆中，有他一个……对，床位！

……王师傅现在是不是也回归到了他的那个床位上了呢？

21

仰卧在他的那个床位上，枕着高高的枕头摞，他翻看那个电影剧本。

《栖凤楼》（暂名）……这是一个多么俗气的名字啊！原著不是这个名字，但倘若这部影片果然拍成并达到预期的效果，那么，原著再版时，一定会改署这个名字！……是的，人们将不大会注意，原著者是谁，编剧是谁，因为电影是导演的艺术，演员的艺术。也许，现在人们进化到，可以注意摄影师，乃至注意出品人……会注意文学顾问吗？一笑，再一笑……

……记得那原著中，故事的背景，是一个三进的平房院落，外带一个充满太湖石的花园——关于那花园的描写，让人联想到苏州园林狮子林，狮子林的特点不就是以堆砌的怪石取胜吗？……可是现在，背景却变成了一座中西合璧的楼房。

这显然并不是编剧的创意，而是导演祝羽亮的想法，真不能一下子吃透这个想法，这并不是一个多么出色的构想啊…… 可是投资者主要是冲着祝羽亮掏钱的，因为对他有信心，所以由他去弄…… 除了那么一座有拱形壁柱的楼房，剧本中有很多情节是发生在玻璃花棚中，玻璃花棚难道比太湖石群更具视觉刺激吗？依他想来，似乎恰恰相反，可是，祝羽亮偏让剧本这样地设置人物的命运空间……

原著中是四个主要角色，剧本亦然，但变化都不算小。

原著里那宅院的主人，是个钱庄老板，现在却是一个军阀。剧本里把他塑造成一个富于感情的儒将。宅院里的女主人，原来的身份是钱庄老板的姨太太，现在自然成了军阀的姨太太，这个角色相对来说，变化较小。原著里的厨师，现在成了花儿匠，剧本对他的塑造，相对于原著，不仅大大地丰满了，而且，有了质的变化。变化最大的，是原著中的管家，原是一个五十多岁的妇人，现在却变成了男人……

他一边读着那剧本，一边开动自己的电影思维，脑海里仿佛挂起了一个银幕，竟映出了联翩纷繁的镜头……

影片开始在一个大雪纷飞的冬日，将军凯旋归来，并且，恰是女主角凤梅的生辰，因此庭院和楼宇中都洋溢着一片喜气…… 客人们送来了各式各样的寿礼，凤梅懒懒地道着谢，她对那满眼的繁华与盈耳的喧笑都感到厌倦乃至厌烦…… 在卧室里，她扑到刚洗完澡的将军怀里，她问："这回住几天？"将军爱抚着她："为什么住几天？不是几天，是一个月！"她狂吻着将军的脖颈，将军托起她的下巴："你这把烈火，非把我这干柴烧成灰是不是？"将军是个大高个儿，很威严，但不是惯常电影里的那种大胖子，相反，他一举一动都透着儒雅…… 管家在门外揿铃，楼下大客厅里，人们都在等待他们出场……

正当人们花团锦簇地围着凤梅说吉利话时，忽报"帅爷礼到！"原来是将军的顶头上司——某大军阀——派副官送寿礼来了，那礼物实在太不一般：先是搬进了三盆蜡梅，再后是六盆白梅，然后又是九盆红梅——而九盆红梅的前八盆一样大，第九盆则口径大如水缸，其中所栽的红梅，枝条桠杈恰构成了一只凤凰模样！不消说，这是"凤梅"的寓意，众宾客无不称奇道妙，凤梅和将军更是喜不自禁，正忙道谢，管家高声报道："礼尚未尽！"众皆惊讶——还有什么可敌这"凤梅"的重礼呢？帅爷副官这才宣布："帅爷特赠花把势一人在凤梅太太麾下效劳！"
人们纷纷扭头观望，于是，镜头移向客厅门口，果然，那里肃立着一个男子，一
身短打扮，如武师然，那便是帅爷与盆梅一并送给将军爱妾的礼品 ……

…… 众人或在大客厅中，用留声机伴奏，跳西式交谊舞；或在小客厅中，由
招来的女伶唱大鼓书为"背景音"，分为几桌搓麻将 …… 凤梅两边应酬，颇为开
心；在大客厅里，有女客问起凤梅"琴练得怎么样了"？凤梅说："不怎么样！"
众女客遂要求她当场示技，她坚辞："你们非听，就让荷生按给你们听！"通过客
厅一隅两女客窃语，我们可知荷生就是那个管家，是个中年男人，不仅能理家管
事，更精通琴棋书画，又不仅通国学，兼能弄几样西洋玩意儿，如奏风琴。风琴
跟钢琴不同，钢琴要击键，风琴讲究按键；将军经常不在家，用这样一个男管家，
能放心吗？据说他是将军正配的表亲，对将军和他表妹——将军正配——极为忠
诚 …… 凤梅招呼管家："荷生！荷生！"要他来按风琴，荷生不知何处去 ……

…… 荷生带那花把势去花棚边的小屋，跟他说："帅爷想得真周到，我们的
花把势死了半年了，你看我们这府里，如今哪儿还有像样的鲜花——是帅爷今儿
个让你们拿来那么多盆梅，这才有了点活气儿 ……"荷生带花把势在花棚里转悠，
花棚里一派破败景象。花把势说："其实，我最拿手的，是养盆荷！到六月里，您
就等着看吧！"荷生便说："府里下人，都叫我荷爷 ……"花把势作揖道歉："冒
犯荷爷，恕罪！"荷生笑谅："不碍不碍，你果然能养好盆荷，倒是我的吉利 ……
我们怎么称呼你好呢？"花把势说："你们如懒得赐名，就叫我旺哥吧 ……"荷
生摇头："不妥不妥 …… 你来此府，怎么敢妄自称哥？"……

…… 凤梅给客人们按风琴，奏一曲《凤衔梅》，客问：谁谱的曲子？这么中听！
凤梅笑而不答 ……

…… 在三楼，将军正配的佛堂，荷生正告诉他帅爷送来花儿匠的事，正配
显然比将军要大许多，一副枯木死灰的模样；楼下的《凤衔梅》旋律隐约可闻 ……

…… 客散灯阑，卧室里，凤梅正欲与将军求欢，忽来电话，是帅爷急招，
没想到突发战事，将军必须出发。凤梅大失所望 …… 将军穿衣，恢复戎装，凤
梅由怨生恨，由恨生怒，大发作 …… 最后，将那盆摆进卧室的凤形红梅掼出了
窗外 ……

…… 冬去春来，鲜花不仅开放于棚中，亦不仅以盆栽陈列于室中，满院春色，春光撩人，然而将军却被困于战区，不得归来。正配倒无动于衷，仍是每日吃斋念佛，凤梅怎耐得寂寞？…… 一日，凤梅又要外出，荷生劝阻不成，只好再派马夫丫头，陪她出去；凤梅不要他跟去，说："让人看见，算怎么回事儿？还当我是你老婆呢！"荷生笑说："要去的都是熟地方，谁不知道我是大管家荷爷？……"凤梅说："今儿个我非去个生地方！"…… 他们上了车，那是一种仿西洋式样的弹簧马车，凤梅和丫头坐进车内，马车夫在车前驭马，荷生便坐在车后的一个倒座上，与车内的凤梅等脊背隔壁相对 …… 车行街上，凤梅从车的前窗中指示车夫："甭去大栅栏！给我拉天桥去！"车夫答曰："没荷爷示下，小的不敢妄改路径。"凤梅大怒："我是你主子，还是荷爷是你主子？我们俩谁个儿大？！给我往天桥拉！"车夫为难，车停道旁，荷生跳下，趋前质问："怎么一回事儿？"于是凤梅爽性推开车门，跟他大吵："我为什么老让你管着？！"……

…… 马车竟到了天桥，在天桥一隅，凤梅观看拉洋片时，被偷去了手包；荷生苦劝，不听，凤梅又偏去看拉大弓表演，在那里，遇到流氓动手动脚，这才感到此处确非善地。荷生斥退流氓，流氓弃凤梅而猥亵丫头。丫头哭叫，荷生不得不亮出将军府身份，但人群大乱，围观起哄者甚众，正当危机之时，忽有壮士大喝，挺身解围。流氓一见，顿时鼠窜，荷生定睛一看，大惊："怎么是你？！"原来那是花把势旺哥 ……

…… 凤梅和丫头狼狈地坐在马车里，马车驶离天桥 …… 但马车过大栅栏时，凤梅却要马车拐进："去瑞蚨祥！"荷生跳下车，气急败坏，要凤梅回家，并命车夫不得违令，凤梅却主动跳下了车，丫头不得不跟着跳下，凤梅命令丫头："跟着我！咱们自己走进去！"扭头便往街里走 ……

…… 荷生不得不跟着凤梅与丫头来到瑞蚨祥绸布店 …… 店主奉迎着，荷生跟他很熟，说，路上颠了车，太太要整整容 …… 来到一间极精致的接待室，丫头与店中仆妇伺候凤梅洗手匀面 …… 趁店中人都不在跟前的空当，荷生劝诫凤梅："咱们将军不爱施威，私宅不设副官、勤务兵，您出来显不出个军威 …… 既如此，咱们更应谨慎从事 ……"凤梅尖刻地说："少给他圆谎！咱们心里都明白，那是怕他不在的时候，我恋上副官，要么拿勤务兵解闷儿！…… 也怪了，他就

不怕你 …… 我也是看见你就起腻 …… 我算是当上尼姑了！"荷生说："您这话罪过了！"凤梅先瞪眼："那怎么着？"又斜眼一笑，"哼，我今儿个还真要罪过到底了 ……"店主引领伙计送来若干绸缎样品，凤梅漫不经心地挑选着："先一样来一匹，明儿个送到就成！"……

…… 出了接待室，在店堂里，店主陪着他们，遇到若干熟人，相互招呼着 …… 凤梅忽然挽起荷生胳膊，很亲热的样子，荷生大惊，店主与众熟人亦大觉意外，凤梅却朗声说："我算是终生有靠啦！去哪儿也离不了你哟！"……

…… 三楼佛堂中，荷生向表姐汇报凤梅的反常行为，将军正配谅解地说："你我之辈，当然难懂 …… 不过，他一去就这么久，音信模糊，你细想想，凤梅那么个妖精，她怎么打熬得住？连个垫背的都找不着！唉，花心痒痛啊 …… 阿弥陀佛！……"

…… 二楼卧室中，凤梅从床上跳起，春心荡漾而无可排解，跑到窗前，猛推窗扉，窗外树影婆娑、花径迷离 …… 她忽然转身披上大披风，跑下楼去 ……

…… 荷生去往花棚，旺哥不在所住的小屋，遂进大棚寻找旺哥 …… 惊讶地看到，旺哥拿着大顶，在花盆间倒立行走 …… 旺哥恢复直立，趋前问候，他上身光着膀子，荷生先责他"成何体统"！旺哥解释，因为这花棚里生着地炕，"您多待会子也穿不住衣服"，再，拿着大顶巡视盆中植株，是他的习惯，这样能看清花盆中的根须是否健康 …… 荷生问他："你今儿个怎么跑天桥去了？你出府怎么没跟我告过假？"旺哥解释说："实在是因为今天一早倒完几十个盆，这左膀子后头酸痛得狠 …… 我是去找您告假，怎奈您已经陪太太出去了 …… 我这是老毛病了，每犯，哪个大药铺的膏药也不顶用，必得到天桥，从大狗熊的摊上求，贴了方好，这不，午巴晌贴的，现在已经没事儿了 ……"转动身子让荷生看，左肩后果然贴着一贴膏药 …… 荷生手指触到旺哥皮肤，不禁说："怎么你身上这么凉？"旺哥笑说："火力壮的人，身子反比常人凉不是！"荷生已热得满头大汗，揩汗说："这儿我没法子待，快跟我出去！"旺哥这才找褂子披 ……

…… 荷生和旺哥出了花棚，夜空中传来风琴的声音 ……

…… 空荡荡的大客厅中，凤梅睡衣外罩着大斗篷，坐在风琴前，如痴如醉地奏出《凤衔梅》的旋律 ……

…… 佳音频传，帅爷一方终于大胜，将军就要回来了 …… 在预定到家的那一天，荷生让旺哥在楼前用一品红、串红、鸡冠花、大丽花等堆出了一个庆功的花山，又在大小客厅及走廊中布置了多种盆花，凤梅对旺哥培植出的英国五彩月季甚为满意 …… 餐厅中，按凤梅的意思，布置出了西餐格局 …… 但是在预定时间，到达的并不是将军而是将军派来的副官，称将军因故改在明日此时归来，"铁定归来" …… 凤梅怨怒无处发泄，呵斥丫头，责骂仆妇 …… 她回到卧室，看到一盆倒挂金钟，嚷道："是些什么钟？！一点儿都不准时！"捧起来就往窗外扔，没想到旺哥恰从楼下过，竟一把接住了那盆花，凤梅俯望，先是惊奇，然后仰颈大笑……

…… 入夜，凤梅孤身难眠……

…… 月黑风高，凤梅穿好衣服，蹑手蹑脚，走出那座楼 …… 她来到院中一隅的平房前，叩一扇门，门内警惕地问："谁？" …… 门刚开成一条缝，她便闪了进去……

…… 那是荷生住的地方，荷生大惊，凤梅搂住荷生，抖动如风中树叶，狂乱地说："我不行了，不行了 …… 救救我，救救我！ …… 我熬不过今晚上了！ …… 我这是受的什么罪啊！ ……"荷生坚决地把她从身上剥离开，扶她到一把椅子上坐下，倒了一杯热水给她 …… 凤梅捂着脸啜泣起来，荷生坐到她对面，一反常态，不是责怪，而是同情地说："我能懂，能懂 …… 你的苦处 …… 你静一静，静一静 …… 静一静，细想想，你就不糊涂了 …… 将军是真疼爱你，你也是真爱咱们将军的啊 …… 明儿个就回来了呀，你怎么能糊涂呢？ ……"凤梅喝着杯中水，忽然很是自惭形秽，很是感动，泪流满面地说："我知道我这是下贱 …… 可我没办法，没办法，真的没办法 …… 我是爱他，他要把我怎么着，都成！可你替我想想，他总这么样，回来能待几天？就算明儿个他回来，这回就长留了吗？ …… 我总这么一个人，凄凄苦苦地守在这么个空楼里，怎么算个了？ …… 我但凡有点能耐，早逃出去了！ …… 天天在我眼前晃来晃去的男人，就是你一个啊！ …… 你怎么就不爱我呢？偷偷地，也不？ …… 我怎么就总爱你爱不起来呢？你教我按风琴，是你启发了我，把一个现成的曲子改头换面，谱成了《凤衔梅》 …… 可这曲子好酸好苦啊！这曲子光让我自爱，不能填满我求男子情爱的欲壑！ ……

没办法，我是一点办法也没有了！所以，我要你——就算我们没有爱，至少，你是个男人，我是个女人——挺年轻、挺漂亮、挺风骚的女人，是不？那……为什么我们，两个寂寞的孤鬼，不能上床睡睡觉？为什么？！……"凤梅说着又站了起来，荷生赶忙也跳起来，躲开她，连连摆手说："那是不可能的！那不行！……实跟你说，我可并没感到寂寞！……你快回去吧！你回去！……你放心，今晚的事，我跟谁也不漏……"窗外忽然有响动，荷生和凤梅都悚然地凝在那里，侧耳细听……有猫叫，凤梅释然……凤梅恨了荷生几眼……荷生将她轻轻推出了门……凤梅往楼里而去……

……荷生披衣出屋，仔细地四面观望，又仔细地侧耳谛听，月高风静……

……荷生蹑手蹑脚巡视到花棚外，隔着玻璃，他朝里面望……花棚里，挂着一盏马灯，光焰微弱……旺哥光着脚丫，光着膀子，拿着大顶，在花盆间移动着……

……翌日，将军凯旋而归……是夜，卧室中，凤梅发狂地与将军变换各种姿势交合，不时发出畅快的叫床声……

……将军在超级享用中，不禁问："肉头儿……你就不能省着点吗？……我到底大你一半岁数，加上军马劳顿……我倒愿意，留些个劲头明儿，后儿，再细细享受呢！这回我一连要待十天呢！……"……凤梅大动之后，揪着将军头发，发狠地说："你们男人啊！你们一点也不懂得女人！"将军搂住她说："怎么了，乖？……"凤梅忽然跳下床，给将军一个脊背，又忽然猛转身，竟是泪流满面，她说："……我，不是明儿个，就是后儿个，就要来月经了……"将军愕然……

……将军又将出发，忽然正配派丫环来，急请他去一下……将军上到三楼，正配满脸惊惶，告诉他，忽然发现室中保险柜里，少了一样东西……原来将军虽与正配早绝床第之事，却一直尊为大姐，在重要的关键大事上，往往极言听计从……他们二人在这一场戏中的对话，让观众意识到，他们当年的结合，是一种利益交换。当年正配的父亲，即将军的岳父，灭了一个土匪团伙，缴获了土匪头子的金印，收编了该团伙，壮大了势力，临死前招赘下他这个女婿，才使他投靠帅爷时，具有自己的一方实力……他娶凤梅为姨太太后，虽情爱甚笃，重要的东西，却仍由正配保管……不想从未发生过的事，居然出现：保险箱中丢失了

栖 凤 楼

若干首饰，与那秘藏的金印！丢首饰事小，丢金印事大！……在这场戏里，将军正配显示出她的性格棱角，她对将军说："只有荷生知道保险箱的密码，可荷生我给他担保！凤梅在我眼里是个妖精，可这金印失窃，与她无关！至于我身边的丫头仆妇，不能不疑，却也难寻蛛丝马迹……"将军问："那会是谁呢？"正配便指出："花把势旺哥甚有嫌疑！一是，前天他曾上楼，送来一盆刚好开花的佛兰；二是听荷生说过，曾在天桥见到过他，他去前也未曾告过假……"将军便欲立刻招来旺哥拷问，正配老谋深算地说："这个旺哥听说会些子功夫，身手不凡，不能大意。所以，应当多派副官、马弁，趁他不备，先行擒拿；但审问时，应只留荷生在旁，因为金印的存在，不能外泄！"……将军转身要去下令，她又唤住将军，压低声音说："此人系帅爷所赠啊！"将军惊问："那又怎么样？"她转身到佛像前，闭目捻珠，说："你忘啦？当年才投帅爷的时候，帅爷问过啊——你岳丈，可传给你一方金印啦？"……将军耸眉鼓睛……

……将军派副官和马弁去花棚捉拿旺哥，旺哥反抗，有一番武打，花棚里玻璃粉碎、花残叶落，旺哥的身手确实矫捷凌厉，但毕竟寡不敌众，终被擒拿……旺哥被他们带出花棚，一路挣扎，高呼："我犯了何罪？凭什么抓我？"……抓他的人怕他挣脱，带到庭院中后，便将他捆绑到了楼侧的灯柱上……

……将军与荷生来到旺哥面前；将军坐到一把椅子上，荷生立于一旁；将军挥手让副官等走开；旺哥上身赤裸，露出一身腱子肉……

……将军先好声好气地问旺哥，你姓甚名谁呀？籍贯何处呀？家中有谁呀？跟哪儿学的这养花的手艺呀？又拜的哪个门子的武师呀？……旺哥答了几句便愤怒地反问："我有何罪？先给我松了绑再说！"……

……三楼上，将军正配手捻佛珠，站在廊檐下朝下望；二楼，凤梅亦闻声出来，手持一柄团扇，在廊中朝下望……

……将军虽是坐姿，却是腰离椅背，挺直身板，腰佩长剑，手持马鞭，一脸肃然地说："我今天午后便要开拔，没有时间跟你绕弯子，咱们直人直话：三楼上大太太丢了首饰，里头还有一样是特别的……这府里，唯你嫌疑最大……因知你有武功，所以不得不对你来个出其不意、以多胜少……你实说吧，可是你所为？你若承认，交出所盗，誓不再为，我一定既往不咎，你照样给我养花；你若抵赖，那就休怪我无情了！"……

……旺哥反驳申辩："诬我偷盗，证据何在？我如偷了太太首饰，一定早已逃走，岂有还在花棚里弄花的道理？你残害忠良，于心何忍？"……

……将军大怒："首饰定在你处！现在我未开拔，副官、马弁守门围府，你出入显眼，自然是先佯装弄花，等我一开拔，府中空虚，门禁松弛，那时你不溜才怪！"……

……旺哥反斥将军："亏你还是将军！竟满肚子的鸡杂狗碎！你搜出真赃来，再给我定罪不迟。怎么能以你小人之心，度我君子之腹！实对你说，莫说是你那老婆的金银珠宝，就是你这整府的家财，加上你这将军的官位，在我眼里，粪土罢了！"……

……将军腾地跃起，挥鞭狠抽了旺哥几下……忽然发现一旁的荷生竟始终一言不发，迁怒于他，喝道："荷生！你怎么回事儿？给我细细拷问！"……

……荷生与旺哥对视……荷生问："旺哥……是你干的吗？是你……你就认了吧！硬挺着，是没用的！……"将军嫌他一点没有威严气势，斥道："我是让你跟他协商吗？我是让你拷问！"把鞭子塞到他手里，"给我抽！"

……旺哥与荷生对视，荷生持鞭的手哆嗦着……将军怒吼："抽！给我狠抽！"……荷生对将军说："我……我……还没打过下人……"将军逼近他："那就从今儿个打起！怎么，难道是你跟他合伙干的好事？！你今天怎么了？不听我的啦？"……

……荷生抽了旺哥一下，旺哥挺身承受……将军嫌荷生不狠，大叫："使劲儿！给我抽出讨饶的声气来！"……荷生突然摇动腰身，发狠地抽打起旺哥来，旺哥却紧闭双唇，双眼甚至是含笑地望定荷生……

……旺哥的倔犟，进一步激怒了将军，他一把推开了荷生，拔出佩剑，用剑尖划着旺哥鼓凸的胸脯，立刻皮开肉绽，创口中溢出鲜血……荷生呆立一旁……旺哥却依然一声不吭……

……三楼回廊上，正配闭眼念佛，手捻佛珠……

……二楼回廊上，凤梅用齿尖啃着团扇，赞叹道："这才算条汉子啊！"……

……忽然两个仆妇带来一个捆住的丫头，趋前，将丫头推地跪下……为首的一个仆妇报告说:"老爷,荷爷 …… 我们奉太太之命,搜了厨房和下房 …… 现从她的肚兜里,搜出了这包东西 ……"荷生忙接过,打开,递给将军 …… 打开的手帕里,是些首饰 …… 将军拈出一样,恰是金印 …… 在强刺激中,将军不由分说,举剑朝那跪地的丫头刺去 …… 而荷生忍不住过去用衣袖为旺哥的胸脯揩血,说:"冤枉你了 ……"

…… 花开花落 …… 群燕翔舞于楼顶之上 …… 月圆月缺 ……

…… 夏天到了 …… 凤梅一人闲闲地走过庭院,庭院中陈列着一些盆荷,都已抽叶含苞,只是尚未有开花的 …… 凤梅来到花棚附近,草坪上,旺哥一身短打扮,正练武术,是器械功,使用的是三截棍 …… 凤梅坐到一张长椅上观看 ……

…… 旺哥收式完成后,趋前行抱拳礼:"太太!" …… 凤梅说:"啊,现在我们将军对你是万分信任啦 …… 连刀枪棍棒都敢让你舞啊!这就叫'不打不相识'嘛! ……"她让旺哥坐长椅另一边,旺哥说:"不敢! …… 有话您吩咐 ……"凤梅命令:"让你坐哪儿你就坐哪儿!为什么不听招呼?"旺哥就离她尽量远地坐下了 …… 凤梅说:"我们将军那么摧残你,你竟然还留在这儿!要是我,早走了!不能明辞,那就暗逃!你告诉我,我们这儿有什么让你留恋的?"旺哥说:"实话实说,让我留下的,是这个花棚 …… 如今能有这么个大花棚,进花种花苗花肥花土花盆花砧木又不惜价,能让我们花把势这一行过足瘾的地方,不多了 ……"凤梅吃惊:"为这个,就值得挨了臭揍还留下? …… 你不是武艺也好吗?光这一身武艺,也够你满世界混事由了!"旺哥微笑,无可再答 …… 凤梅说:"将军在你胸脯上划拉的血口子,好利落了吗?"旺哥答:"长好了,没事儿!"凤梅说:"真的吗?留下大疤瘌了吧? …… 你解开衣服,我看看!"旺哥颇吃惊,为难 …… 凤梅嗔怪:"主子下了命令,你还要她等着你慢条斯理的吗?"旺哥犹豫 ……

…… 将军正配和荷生也在庭院里散步 …… 他们站在一盆荷花前 …… 那大太太望着新蹿出的荷叶说:"可怜见的 …… 好娇弱 …… 我看明年别再在盆里养了,凿个荷花池吧!" …… 荷生望见了远处长椅上的凤梅和旺哥,满面警惕 ……

…… 旺哥解开了衣服,露出结实的胸膛 …… 凤梅用纤纤玉指抚摩着那胸上的伤痕,不由赞叹:"好一条汉子!那天我在楼上,都看见这满胸的血了 …… 你居然一声不吭!" ……

…… 荷生欲往花棚那边，大太太却对他说："跟我去厨房吧 …… 这几天新厨子的素斋饭一点不对我口味，咱们拿出点威严来，跟他当面再说清我的要求，要么他小心伺候，要么让他走人！ …… 你看什么啦？"荷生掩饰："没什么 …… 一对蝴蝶儿 …… 刚飞过去 …… 咱们去厨房吧！"……

…… 旺哥扣衣服纽袢，凤梅竟有点恋恋不舍，旺哥坚决地都扣拢了 …… 凤梅说："你给我培养的那盆《凤衔梅》，长得怎么样了？带我进棚里看看！"旺哥答："就快成形了 …… 过两天我就给您搬过去，您天天赏 ……"凤梅坚持要先看，旺哥不想让她进花棚去，说："要不，我给您练套拳看吧？"凤梅说："拳等一会儿看，先看盆景！"……

…… 荷生把大太太送上楼，赶紧往花棚这边来 …… 半道上有仆妇向他请示，他不得不急急指示 ……

…… 花棚中，《凤衔梅》盆景前，是一株三角梅，主体弯成了凤凰状，"凤嘴"处恰好开出一串紫红的三角梅 …… 凤梅惊叹："太好了！"旺哥随口答道："承您夸奖！"凤梅猛然扑到旺哥怀中，将他拦腰搂住，吻他的脖颈，迷乱地说："这 …… 才是 …… 真的凤衔梅 …… 真的真的 ……"旺哥推开她，正色道："太太！您这样，不光将军不容，我也不容！"凤梅用拳头擂他的胸："为什么为什么？ …… 我爱你 …… 爱是无罪的！"……

…… 传来荷生的唤声："旺哥！旺哥！"……

…… 旺哥迎上去："在这儿啦！"…… 走到荷生面前："荷爷！ …… 太太来检查那盆《凤衔梅》啦 ……"

…… 凤梅气急败坏地把那三角梅做的盆景推倒："难看！什么东西！"……她气冲冲地跑出了花棚 …… 荷生与旺哥面面相觑 ……

…… 夜，凤梅一人在大客厅中，她不用电灯，点上许多的烛台，烦闷地坐在风琴前，狠踩踏板，狂按琴键，奏《凤衔梅》…… 琴音越来越怪，最后竟犹如鬼哭狼嚎 …… 终于，她跳起来，拿起一把斧头，猛劈风琴 …… 门口，冲进了还没扣完大褂衣扣的荷生 ……

…… 次日清晨，大太太在楼前上马车 …… 凤梅忽然也走出来，招呼："荷生！给我也备车！我随姐姐一块去庙里烧香！"……

…… 庙里，佛堂中，凤梅虔诚地双手合十，苦苦念佛 …… 香烟缭绕中，可见她泪挂双颊 …… 她的灵魂，在焦灼中渴求着安宁，在纵欲与敛欲的交迫中挣扎 ……

…… 寺庙一隅，松林中，凤梅与大太太并肩缓行 …… 大太太蔼然地对她说："凤梅，我明白你 …… 你不要怪他 …… 他混事由也不容易，不去打仗，不到场面上应付，怎么往上发展？ …… 我知道，你也猜出来了——他外头还有窝儿，窝儿里还有凤啊燕啊香啊玉啊的 …… 这是他这样的男人的常情！可你要明白，这个你要懂，他还是把咱们这儿，当正经的家！ …… 守守空房算得了什么？他一回来，头一桩事，不就是搂你香你？ …… 你替我想想，他回家来了，我房还不是空的？ …… 这都是命！神佛要这样，我们只能认命！ …… 你细想想，你命不赖啊！比我是强多了！你要是能生下个一男半女的，你就更厉害了！ …… 你那个欲望，强到那个份儿上，不是我踩咕你，你那不成了窑姐儿的心思了？别嫌我话难听 …… 你是中了邪啦！ …… 今儿个你能来烧香破邪，也算你的造化 ……"一贯桀骜不驯的凤梅，竟低下了头来 ……

…… 明媚的夏日，凤梅请来了许多的女眷，在庭院中赏盆荷 …… 众女眷发现，大太太与凤梅竟一同出面做东，亲如姊妹地招待大家，都不禁窃语称奇 ……

…… 各色盆荷争奇斗艳，或艳红，或嫩粉，或纯白 …… 睡莲中亦有奶黄的 ……

…… 凤梅招呼大家吃庭院中的烧烤自助餐 …… 大太太辞曰："我是吃斋的 …… 阿弥陀佛 …… 闻不得这些气味，罪过罪过 …… 恕我不奉陪了 ……"凤梅笑吟吟地对她说："姐姐且上楼歇息，这里自有我照应 ……"

…… 众人皆欢 …… 客厅中，或跳舞，或打牌 …… 回廊里，或逗鸟，或闲谈 …… 凤梅蝴蝶般飞舞其间，心情大畅 ……

…… 三楼，大太太佛堂，她对荷生说："…… 想是我的虔诚，感动了神佛 …… 没想到凤梅简直变了一个人！ ……"荷生说："是呀 …… 她跟我说，她想透了，人生的乐趣，本来很多，不应自寻烦恼，倒是应该自己找乐！ …… 你看，这样不是挺好的吗？反正，我们又不缺钱，她要办开销更大的仕女聚会，我也能给她安排 …… 将军回来，一定大喜过望！ ……"丫头来说："太太请荷爷下去，说要荷爷教她弹琴呢！"荷生与大太太相对一笑，荷生说："就去！" ……

…… 大客厅中，若干女客围在琴边，问凤梅："风琴呢？"凤梅说："风琴哪有这钢琴好听！如今不再时兴风琴啦！…… 可这钢琴比风琴难弹多啦……"见荷生下楼，她爽朗地招呼："荷生！快来！给我们示范一曲！"……

…… 荷生先试了试琴，一组琶音后，便缓缓地奏出了《凤衔梅》的旋律……

…… 花棚中，旺哥拿着大顶，巡视在花盆间，听见传来的琴音，感到不同以往，他正立过来，侧耳聆听……

…… 一曲未完，凤梅伸手弄乱了琴键，说："不要这个，弹别的！"……

…… 将军副官走进客厅，趋前报告："将军今晚拐到通州巡视，明天一早到家！"凤梅大喜，推开荷生，坐到琴凳上，弹起了欢快的练习曲，众宾客不等曲终便鼓起了掌来……

…… 入夜，凤梅在楼门口送客，脸上充满幸福感 ……"您走好！""再来啊！"……

…… 掉雨点了，凤梅与荷生回到客厅 …… 仆妇走净后，凤梅对荷生说："谢你了！真的，谢谢！"荷生："谢什么？"凤梅："谢你所做的一切 …… 特别是 …… 那一晚 …… 我荒唐地闯到你屋里 …… 你拒绝了我 …… 谢谢，谢谢你的拒绝 …… 是的，你真跟那些荷花一样 …… 出于污泥而不染！难怪将军信任你！ …… 你让我懂得了，除了情欲，生活中还有许许多多值得我们追求、享受的东西 …… 还有那天，我从楼上都看见了，将军错怪了旺哥，逼你鞭打他，你的不忍之心，在好多的小地方都表现了出来，让人感动 …… 真的，为什么权势、金钱、美色，都不能让你失去一颗善心，一颗干干净净、透明的心啊！ …… 你脸红了？你别害臊，我说的，都是真心话 …… 你明白吗？从今，我不是要爱你，而是要敬你！ …… 你愿意跟我握手吗？就像大哥哥跟小妹妹那样地，握手 ……"荷生和她握手，很不好意思的样子 …… 凤梅跟他道晚安，款款地上楼去了 …… 荷生望着她的背影，似颇感动 ……

…… 夜，风雨渐大，盆荷的花叶在风雨中摇曳……

…… 电光闪烁，凤梅在雷声中惊醒 …… 忽然她感到电光中，窗外有怪影闪过，她跳下床，到窗前厉声问："谁？什么人？" …… 她惊恐地去挂电话，挂给荷生："荷生！荷生！"没有回应 …… 她脱下睡袍，穿上衣衫，拿上手电筒，走出卧室，到旁边丫头睡的屋子里，唤着丫头的名字："小红！小红！"…… 她用手电照小红的床铺，被乱枕斜，竟无人影 …… 暴雨如注，她回身取出雨衣，登上雨鞋，打着手电，下楼而去 ……

…… 凤梅来到荷生住处，用力敲门 …… 无人回应 …… 她对门内喊："荷生！荷生！…… 出事了！有贼！…… 快让旺哥出来 …… 让旺哥抓贼，保咱们平安啦！……"

…… 闪电中，凤梅回望楼宇，确有贼影在三楼回廊中闪动 …… 她陷入极度的恐怖之中 …… 她继续敲门，门仍未开 …… 惶急中她决定直接去叫旺哥 ……

…… 大雨滂沱，雷声隆隆 …… 凤梅磕磕绊绊奔往花棚边旺哥的住处 …… 旺哥住的小屋，门边窗户露出昏黄的灯光，凤梅看见，脸上现出欣慰的表情 ……

…… 凤梅跌跌撞撞地挣扎到了旺哥的小屋前，她嘶哑地呼唤着："旺哥 …… 抓贼呀 ……"但雨声轰然，毫无效应 …… 她敲门时，雷声大作，亦无作用 …… 她把脸凑到窗玻璃上，看旺哥是不是也睡死过去 ……

…… 凤梅看到了什么？她脸上先是极度惊诧，后是极度恐怖，再后是极度迷乱，再后是极度疯狂 ……

…… 在那小屋里，旺哥自愿地让人绑在柱子上 …… 那用马鞭抽打他的人，抽完了，扑上去，搂住他，如醉如痴地亲吻他那带伤的胸膛 …… 当亲吻到他嘴唇时，旺哥也狂热地回应 …… 两个人，都赤裸着身体 …… 那虐待并亲吻旺哥的，不是别人，正是荷生！……

…… 凤梅手中的手电筒掉在了地上 …… 她倒退着离开那间小屋 …… 在一个惊雷中她回过身来，仰天狂笑 ……

…… 闪电中，三楼回廊中的贼影清晰可见 ……

…… 三楼，惊醒的仆妇被一双手扼住了喉咙 …… 大太太刚从床上坐起，一个麻袋已套住了她，随即一双手按倒她，用枕头将她闷死 ……

…… 凤梅癫狂地往楼里跑，半路遇到盆荷，她先是扯拔花叶，后用力地将其扳倒，一盆又一盆 ……

…… 三楼，一双手麻利地开启了保险箱 …… 掏出所有东西 …… 闪电中，那颗金印分明地呈现出来 ……

…… 凤梅狞笑着，用蜡烛在客厅中纵火 …… 窗帘、沙发、桌布相继被点燃，火舌迅速蔓延开来 …… 凤梅坐到钢琴前，疯狂地击键……

…… 三楼也有人纵火，火焰与烟雾冒出门窗，因为有回廊，雨水并不能及时浇熄那火势……

…… 一幅怪异的景象：大雨急骤，那座中西合璧的楼宇却被内部的狂焰照耀得恍若恐龙的骨架 …… 这时电影声带却没有了风雨雷电的声音，只有清丽的钢琴曲《凤衔梅》，并很快变为了有庞大的交响乐队伴奏的钢琴协奏曲……

剧终

22

这座越来越趋国际化的都会，如今有了夜生活。出现了若干极为豪华的俱乐部与夜总会，你只要有钱，可以从傍晚便进去消磨。一般是先到餐厅去用餐，最时髦的是潮州菜和韩国烧烤，或许还有西餐；用完餐多半到夜总会看演出，演出的很大一块必是时装表演，不至于搞笨拙的"三点式"泳装，所穿的种种新潮衣装多半都很有"文化意蕴"，但大腿多半会很充分地得到展示，上装会很透很露，时装小姐会一直深入到看客的沙发前来，冷面停留，再傲然转身，再猫步远去……从夜总会出来，有的就去 KTV 包房卡拉 OK，等洋酒喝得微醺乃至烂醉了，则去洗澡；也有先洗澡再卡拉 OK 的。洗澡一般是先药浴、喷泉浴再桑拿浴再淋浴；浴后多半要进按摩室，据说异性按摩已然给予"平反"，故可在其中充分享受来自异性之手的柔美呵护 …… 按摩完有去休息室在皮躺椅上小寐的，有去打台球或去玩电子麻将或电子桥牌的；到零点以后，则陆续去吃宵夜 …… 凌晨三四点钟，才回家睡觉。据说一夜中"全活"的消费，在 12000 元人民币左右。

是些什么人在这样的场所中消费呢？这样的人究竟有多少呢？如果说只是"极少数"，那为什么这类的场所数量增加得这样快，而且一个更比一个豪华气派呢？法国巴黎，豪华俱乐部不也就"红磨坊"、"丽多"那么两三家吗？这座中国都城高档通宵娱乐场所的滋生却颇有点"雨后春笋"的架势……

他不能认知这种现实。

他也不能认知从《栖凤楼》这个电影剧本里所读到的非现实。

可是，他憬悟，那些豪华的一夜消费下来上万元的俱乐部所构成的现实，与这即将拍成的电影《栖凤楼》里所展现的非现实，却"本是同根生"，而且，不但不"相煎"，倒是互为补充，相映成趣的！

…… 他双手插进裤兜，行走在空旷的大街上，心里仿佛横梗着一个异物。也许那异物不该横梗在心里，而应该吞落在胃中——他到头来有能力将它消化？

…… 他知道，向祝羽亮他们询问：这个故事究竟发生在哪一年？那军阀究竟是哪儿的？…… 以及那时候的北京宅院会有一些景观吗？里面的生活、民俗、人际关系的细节，有根据吗？人物对话里使用的若干语汇，难道不是有点太"现代"了吗？…… 特别是难道说，到头来人的生存状态，就是那样地"性而上"吗？…… 都必将遭到嗤鼻；他能想见，不仅祝羽亮，便是卢仙娣，也能"正告"他：艺术就是艺术，艺术不仅不必镜面式地反映现实，也不必——更不可能——再现历史；艺术展示人生，人的存在，人的欲望，以超越政治、社会的诠释角度，深入到生命本体的内核，方属上品……

…… 远处，一个娱乐城的霓虹灯闪烁着扫描式的白光，并有绿光构成的翅膀在扇动，但近处包围着他的，却是晦暗、寂静与凄清 …… 那样的夜生活，不属于最广大的普通市民 …… 是的，今后在远处，也可能会有一部叫《栖凤楼》的影片，在一个金发碧眼为主的参与者聚集的电影节上，获得某个奖项（最佳女主角奖？），但这边的普通市民，或者根本无缘看到，或者终于看到，却并不能体味出其中三昧……

…… 如果，这部电影不是偏偏选取了他所熟悉——不仅是熟悉，而是，一部分生命已经寄寓其中的那个院落，那座中西合璧的旧楼——来作为实景拍摄，他的思绪，也许便不至于这样地摇曳波动、翻腾激荡吧？……

…… 砰砰砰 …… 霍木匠挥锤敲钉 …… 窗上的木条 …… 霍木匠胳膊上隆起的肌肉 …… 使劲前伸的双唇 …… 在那响声之下，在那临时监狱里，每一个肉体的深层奥秘，到头来都是凤梅式勃动的欲望，以及荷生式隐蔽而怪诞的宣泄吗？……

夜凉袭人。他竖起了外套的领子。不知不觉地加快了步伐。忽然自惊：我这是往哪儿走呢？我要往哪儿去？……

　　他脸上浮出了一个微笑：不过是，读完了一个电影剧本，一个商业电影剧本，一个希图打进西方电影节和发行网络的电影的蓝本，一个跨国资本操纵下的电影生产的头一个脚印……

　　何必那样认真？那样较真儿？那样牵心挂肺？那样必欲消化？

　　……但是，当他拐到另一条街上时，他仍旧不能完全拂去心上的阴影。

　　在僻静的街道上，偶尔驶过一辆小汽车，多半会是出租车，奇怪的是出租车里多半还坐着乘客——他想不出这时候坐出租车的会是些什么人……

　　一辆公安部门的巡逻吉普不紧不慢地从他身边驶过。开头他没有在意。但是，后来他发现，那辆吉普车在驶离他几十米后放慢了速度，甚至一度停了下来……不过，警察并没有跳下车来……再后来吉普车朝前开走了……

　　……他在便道边上往前走，他发现前面马路上，靠着马路边，有一个移动的人影；显然公安巡逻车里的警察一度注意观察了这个人，不过，大概终于认为构不成问题，所以就没下车干预……这会是个什么人呢？

　　那人渐渐近了……在路灯的光照下，那个逼近的人忽然呈现得很清楚，但一瞥之中，把他吓了一大跳——鬼？！

　　那是一个向他移来的背影！

　　几秒钟后，他才惊魂稍定。他看明白了，那是一个在马路上倒退行走的人……啊，是的，记得前些时在什么报纸上看到过，说是哪国有个什么人，用倒行的方式锻炼身体和意志，竟在公路上连续行走了十多公里，因此被载入了吉尼斯世界纪录……

　　当那倒行者移动到他身边，并继续向他身后移动时，他不仅不再恐怖，而且，一瞥之中，倏地感觉到，有一种熟悉和亲切的因素袭来……他站住，扭回身，细看，那倒行者身材顽健，穿着一身深色的运动装，脚上是一双如今城市里很少见的布制鞋……倒行者头发丰茂，眉毛粗黑，眉棱突出，腭骨见角，鼻大唇厚……尤其那一双放射着咄咄冷光的眸子，仿佛是能将所有暗夜中的藏匿物全都自动吸入的"黑洞"……倘是别人，一接触那双眸子便很可能会不寒而栗，但他却由之做出了一个准确的判断，他不由得迎面跨步上前，惊呼热中肠——

　　"林奇！"

23

90年代中期的北京，大体上存在着三种夜生活。除了星级饭店宾馆里的酒吧和其他附属娱乐设施里，以及夜总会之类地方的高消费，另一种是迪斯科舞厅，吸引着不少新一代的"知识青年"，这类场所多属于中、高档消费。再一种便是昼夜营业的饭馆，其中很不少是较低档的。也有人说除此以外还有两种，一种是晚十点以前的在公园、绿地跳交谊舞、扭秧歌，或在指定地点所形成的小吃大排档，以及某些较简陋的卡拉OK场所；不过这些活动因为一般过了十一点以后便烟消云散，所以不符合严格意义上的夜生活定义——真正的夜生活，是从夜里十点才算开始，至午夜方达于高潮的。还有一种，多是门面紧闭、不设橱窗的私营小酒吧，有的根本就没办妥营业执照，或简直就是暗窟。其消费者要么是诱骗来的，要么便是有狭邪之癖的人"愿者上钩"，经常被公安部门查抄的，多是此类阴暗角落。不过，它们颇有点"烧不尽"、"吹又生"的势头；其中宰客的索价常达"天文数字"，而所提供的违法色情服务方式也千奇百怪；不过，因为这种存在不能算在正式的北京夜生活的范畴之内，所以可姑且暂作别论。

在这条虽处市中心，却非商业性街道上，有一家小小的崇格饭店。它的门面很小，里面只有一间长筒形的店堂。店堂里只摆得下八张长方桌，每张也只能容下四位客人。不过，麻雀虽小，五脏俱全，它的菜谱上，有川、鲁、粤几种菜式。装潢得虽非堂皇，倒也雅洁，两扇大门的玻璃上用美术字写着"佳厨主理丰俭随意"；从门面上牵出许多的瀑布灯，一直挂到便道边缘的洋槐树上；入夜，不仅瀑布灯营造出一派温馨，店名旁更垂直伸出两个霓虹灯的大字："昼夜"。这便是上述的第三种北京人过夜生活的地方了。

这家小饭店的老板，名叫哈敬奇。他这名字，"文革"中很受到些冲击，让他改名的压力很大，特别是在刘少奇被正式打倒以后，但他一直没改。他总是一再解释："向毛主席保证：我这'敬奇'是'尊敬伊里奇'的意思；不信，你们去查！我哥哥叫哈敬尔，是'尊敬卡尔'的意思，我父亲是要我们打小尊敬马克思和列宁啊！"那是真话。他父亲原是东北邮政局的职员，东北解放后留用，50年代初调至北京工作。不过，他妹妹生下来后，却又取名为哈敬瑜。为什么不叫哈敬东哈敬党哈敬国或至少叫哈敬 …… 梅或哈红梅呢？他曾私下里想过这个问题，但直到父母双亡他也始终没启齿。

那晚崇格饭店的生意很清淡。到午夜时候，店堂全空。

哈敬奇正打着大哈欠，恹恹地点燃一根红塔山香烟，未及吸上一口，忽然店门被推开，他定睛一看，不禁喜出望外，叫了声："郄爷！"随着这声叫，他几乎是本能地挺直了腰身，并且不顾火烫，用手指捻灭了才点燃的那根烟。

进来的是林奇。还有跟在其后的雍望辉。不过哈敬奇满眼里只闪耀着林奇的光芒，一时简直没有感觉到雍望辉的存在。

林奇却只是淡淡地跟哈敬奇打了个招呼。哈敬奇拉出一把椅子请他坐，他不坐，只是问："你那热水器今天没毛病吧？"哈敬奇忙热情地应答："没没没 …… 哪能回回都 …… 呢！"说着便引着林奇往后头走。林奇把雍望辉介绍给哈敬奇说："我朋友。你先好好招待。"哈敬奇这才看见雍望辉，赶忙招呼，连说："坐，坐，坐，坐 ……"

雍望辉便坐在最靠里边的那张餐桌旁。林奇绕过酒吧式柜台，进到里面去了。他是去后面的小浴室淋浴。在进这小饭店以前，林奇便对雍望辉讲了，那是当年他一位战友的弟弟开的饭铺，他有时候会去吃点东西，有时候却只是去洗个热水澡。他答应，洗完澡以后，跟雍望辉聊聊。

哈敬奇把林奇送进后边淋浴，赶忙出来招待雍望辉。里面厨师跟出来，要从陈列在门口的一个水族箱里取鲤鱼，哈敬奇想了想，大声对厨师说："要不，你去趟雅光吧，问他们要条草鱼！"

雍望辉看在眼中，听在耳里，心里很是感慨。他知道，这些年来，林奇的特立独行，表现在饮食上，是非常古怪而苛刻的。林奇并不实行素食，他也吃肉，然而他不吃一切陆地和空中的禽畜之肉，兼及不吃鸡蛋不喝牛奶以及所有含蛋乳的食物。可是他却吃鱼，而且在各种鱼中，一般人认为美味的海鱼和江鱼他却并不欣赏，他爱吃的是塘鱼，并且酷爱肉里有股土腥味儿的草鱼。至于素菜，他基本上只吃绿色的。像西红柿、胡萝卜什么的，他偶尔吃，却是当药吃，只是为了摄取必不可少的维生素与胡萝卜素而已。林奇的食谱与他的思想一样诡异，却因此甚有崇拜者，这位老板显然便是其中的一位。这真有意思。

哈敬奇问雍望辉喝点什么。雍望辉说："来啤酒吧 ……"哈敬奇闻声脸上只现出微妙的一抖，雍望辉便自动放弃啤酒，问："你都有什么软饮料？"哈敬奇也不一一介绍，只说："来雪碧吧！"雍望辉最不喜欢雪碧，与其雪碧，莫若可口可乐⋯⋯但他理解，并不是等一下林奇出来，见不得他喝些吃些花花绿绿的辛的辣的东西，而是这位老板希望一会儿这张桌子上是尽可能地呈现林奇式的"纯正"⋯⋯

哈老板给雍望辉斟上雪碧，坐在他对面，陪他。雍望辉便问他贵姓，听到回答，不禁笑道："怪不得⋯⋯你真是崇敬林奇啊！"

对方便也笑笑说："巧了不是？其实，我爹当年的意思，是崇敬伊里奇，就是列宁⋯⋯我哥叫哈敬尔，尔是卡尔的意思⋯⋯"

雍望辉便跟他闲扯起来。

"怎么样，你这饭店⋯⋯赚钱吗？"

"说实在的，开饭馆，一般都赔不了。可想大赚，那也难⋯⋯我为什么搞昼夜营业？还不是因为白天的流水，刨去租金，再刨去成本，剩下的，总觉着还不多嘛！⋯⋯"

"租金？你说的是这铺面房，还有后头的⋯⋯房租？就这么个条件，能有多少？"

"原来是没多少，可是转过两道手以后⋯⋯"

"转过两道手？"

"怎么，你还当这饭店一起头就是我开的呀？其实，你满街找找看，凡这种个体小饭馆，十个里头少说有八个都是倒换了主儿的，有的转手还不止两道呢。这么三倒两倒的，层层扒皮，你想，倒到最后这人手上，那租金还能少吗？如果再加上租执照，那钱就更多了⋯⋯看起来你ABC都还不知道，我也甭XYZ了⋯⋯一句话，要想多赚钱，要么，猛宰！可是像我们这号小饭馆，宰不上公费，你宰私人，人家就是不投诉，你也没了回头客不是？所以只能是苦干⋯⋯原来我雇俩安徽小姑娘，白天跑堂，晚上就睡在这厅里，现在她们都自己外头租房了，我就昼夜开张了。一试，像今天这么冷落的情形，还不多，最不济，也总有那开夜车的司机，到这儿点补⋯⋯还有些附近的回头客，来宵夜，喝点夜酒，朋友发个牢骚，情人幽会什么的⋯⋯反正流水就增加了四五成⋯⋯"

"你难道24小时都钉着不成？"

"白天反倒不用紧钉着 …… 我雇了两个大厨，两个打荷的——就是配菜的 …… 让他们互相监督，我只是出其不意地抽查一下 …… 晚上只留一个大厨，我自己跑堂，有时候我妹妹来替替我 …… 晚上不营业，出问题的可能更多。去年有一晚，我不在，大厨他们就自己置办起了宴会，招待他们的同乡 …… 我说怎么没几天就用光了两大桶油呢？ ……"

雍望辉望着脖子有点显短的哈老板，心不在焉地随口问道："啊啊 …… 你这店名 …… 为什么不就叫崇奇呢？ 怎么叫个 …… 崇格？"

哈敬奇脱口而出："崇拜格瓦拉呀！"

雍望辉一时没听明白："谁？"

哈敬奇的脖子不短了，他嚷："郄呀！"

雍望辉陡地恍然。

格瓦拉是 20 世纪 50 年代至 60 年代世界著名的左翼社会主义者。他出生于阿根廷，却成为与卡斯特罗共同通过武装斗争推翻了军事独裁统治，建立了社会主义古巴的开国元勋；可是他后来又放弃在古巴的高位，去非洲和南美洲继续进行武装斗争，以实践其通过暴力推行社会主义的理想；他的思想及行为，被称为"格瓦拉主义"，深受世界上很多人的崇敬，他的拉丁语绰号正是发"郄"的音 …… 可惜他 1968 年不幸牺牲在玻利维亚。哈敬奇见到林奇不是叫"林爷"或"奇爷"，而是叫"郄爷"，原来其间有深意存焉！

雍望辉不由得对这家小饭店，以及这位其貌不扬的哈老板刮目相看。他环顾四周，虽然并没有发现格瓦拉的相片之类的图腾，然而，却感到氛围似乎很不一般 ……

进入 90 年代以后，北京涌现出了越来越多的怀旧餐馆，如"忆苦思甜大杂院"、"黄土地"、"黑土地"、"老三届"、"向阳屯"、"毛家菜馆"、"老兵餐馆" …… 这类的民间聚会空间，倒也并不完全只是以个体生命的前史为诱饵，以营造"本是同命运"的群体聚合心理，来实现其商业上的谋略，达到别出心裁地赢得利润的目的；它们确有某种慰藉在巨大的社会变动中感到惶惑的社会族群的"共存心理"的作用。那么，这个崇格饭店呢？ 它现在还只是一个"潜文本"。因为，如果不是老板特意挑明，谁能懂得它的符码意义呢？

能在这样一个地方，与"郊爷"林奇交谈，真是别有意味啊！

雍望辉振奋起来。

林奇怎么还没淋浴完？

到街那头另一家昼夜营业的雅光饭店取草鱼的厨师却回来了。

24

餐桌上铺陈开的菜式是：一盘清炒苦瓜，一盘只不过是用清水漂净了的生菜叶，还有就是一大钵清炖草鱼，里面葱姜蒜花椒之类的辛辣物一概没有，只放了少许素油，还有盐、白醋和味精。也许是为了使雍望辉面前的那杯雪碧不至于太孤立，老板给林奇和自己各上了一杯矿泉水。雍望辉注意到，老板在林奇的那杯矿泉水里加了一小撮精盐，这说明即使是喝白水，林奇也总是与众不同 ……

说实在的，雍望辉有些饿，但餐桌上的这些东西一点也引不出他的食欲。他真想命令老板给他上个鱼香肉丝、酸辣豆腐汤，再来一碗热腾腾的白米饭 ……甚至于他干脆要几个凉菜，两瓶啤酒，来他一客烹大虾，一份铁板牛柳 …… 这儿不是饭馆吗？他既是客，掏钱点菜天经地义，凭什么非陪着林奇吃那些古怪透顶的东西？什么"郊爷"！他不承认林奇是"爷"！ ……

可是雍望辉并没有将心里想的从口里吐出，当然也就没有实现他那合情入理的正当欲望。这是他一贯的 …… 算弱点，还是长处？他只是小口地呷着雪碧，看着林奇不慌不忙地用手指直接拿起生菜叶片送入口中，又从容自在地用勺舀起鱼汤尖着嘴吮那汤汁 …… 其间，便与林奇淡淡地闲聊起来 ……

当他刚在马路上认出林奇时，他是如获至宝的。因为，他刚读完的那个电影剧本，仿佛一块没有煮熟的肉堵在他的心里，而突从天降的林奇，恰如一帖能化解那生肉的灵丹妙药 …… 所以才有这饭馆里的相对而坐啊。但临到真的开谈，他却一下子没了信心，褪了兴致 …… 眼前分明是货真价实的林奇，可忽然感到很陌生，甚至于 …… 心中自问：这个人除了有着古怪的饮食习惯，难道真的具有某种可以诠释一切人间疑难的超人才能吗？

他觉得，在林奇和他之间，有一堵墙，并且是厚厚的 …… 那是哈老板吗？

可是脊背厚厚的短脖子老板站起身来，去迎接三位外地口音的男客了，那三位显然是住在附近的地下室旅馆的小生意人，他们是来喝酒解闷的……

是的，他和林奇之间是有一堵墙，那是无形的；尽管他们认识十多年了，但是，他们从来没有真正将对方弄懂过……

他此前只是模模糊糊地知道，林奇在1966年"文革"爆发的那个夏天，正是某名牌大学的即将升入二年级的学生……林奇是最早在学校里成立自发的"战斗队"的"真正意义上的革命派"……林奇曾在自己的文章里为这"真正意义上的革命派"做过诠释，大意是：没有卷入"丑恶的权力斗争"；没干过"打、砸、抢、抄、抓"一类的事；没有"变节行为"……他以前也曾听说，林奇早在上高中时，便不仅崇拜格瓦拉，研究过"格瓦拉思想"，而且，在格瓦拉以古巴领导人身份访问中国时，他还成功地把一封信递交到了格瓦拉手中，并且格瓦拉还给他回了一封信……他以前并不相信这个传说，因为疑点很多：那信是用什么文字写的？中文？西班牙文？怎么可能递到格瓦拉手里？格瓦拉的回信又是用什么文字写的？又怎么会到达他的手里？……又据说，林奇那封信，是表示要跟随格瓦拉，到南美丛林中去进行游击战争，而格瓦拉表示热情赞赏与欢迎……并且，这事连周恩来总理都知道，只是由于种种原因，无法将他的这一愿望付诸操作罢了……他原来对这一切都只不过是"姑妄听之"，但是，今晚来到这崇格饭店，亲耳听到哈老板呼林奇为"郄爷"，亲眼见到哈老板对"郄爷"的"保障供应"，并且步步到位、色色精细，他才认识到，由格瓦拉这个符号所构成的巨大价值，确确实实存在于林奇身上，并且在这个越来越迅猛地走向与世界接轨的市场经济化的中国现实里，起码在这一隅，焕发出诡奇特异的，带有既浪漫又古典色彩的光晕……

他真想直截了当地问林奇："格瓦拉当年给你的那封回信，如今还在你手里吗？"可是他做不到。他总是做不来这种质询。他问出的只是："……你怎么……倒着行走？"

林奇语气平和，然而干干脆脆地反问道："你以为你们是在正着走吗？"

……虽不一定算是"一句顶一万句"，但这话一出来，确实让他感到意味无穷，他竟一时语塞……

他并不清楚，1967年初春，林奇作为"真正意义上的革命派"，便主动退出了"文革"的批斗揪斗的主潮,而是带领七八个追随者,到东北某偏僻的农村定居。那时还没掀起"知识青年上山下乡"的浪潮,林奇他们也不是后来大拨轰的那种"插队落户",他们在那个地方过的是完全依照林奇所具体设计的"共产主义公社"的生活,消灭了一切私有财产,从衣服被窝卷木箱子自行车农具到一碗一勺一针一线 …… 完全地公有化,钱当然更不消说是完全充公 …… 他们的公社生活除了吃喝拉撒睡,大体上由以下几个部分构成:田间劳动,军事训练,理论学习(除了马列主义毛泽东思想,还学格瓦拉的著作),身心修炼。在林奇所设计的这种生活方式里,"向贫下中农学习"这一条几乎不存在,因为林奇认为村里的贫下中农实际上都很世俗,并不能为他们这些圣洁的"真正意义的革命者"提供什么榜样作用与心灵滋养;当然他们跟贫下中农们关系搞得很好,也经常为贫下中农们做好事 …… 林奇带头进行的身心修炼是很严格苛酷的,如睡鹅卵石、戒口欲 …… 他们时刻准备着,奔赴格瓦拉所在的非洲或拉丁美洲丛林,在那里开出壮丽的理想之花 …… 在林奇来说,那时处于"文革"主潮中的"红卫兵"与"造反派"基本上都只是些"臭鱼烂虾",跟随他的战友,也都在他的影响下,对彼时的主潮嗤之以鼻 ……

在林奇的追随者中,便有哈敬奇的哥哥哈敬尔 …… 在林奇来说,哈敬尔早就是个"意志衰退"者,近年来更堕落为俗世中的浊人;可是直到如今,哈敬尔还对林奇保持着充足的尊重,这当然对他弟弟产生出相当影响,以至才会有这么个崇格饭店,和一旦林奇光临时所能受到的超常接待 …… 说起来,在他们那公社成立三个月时,哈敬尔便"变节"了。因为忽然有一天,有个姑娘找来了,她是哈敬尔的邻居,从小住在一条胡同里,并且小学时同过学,她来,是加入公社的,但是,她是怎么知道这个公社的情况与地址的?显然,是哈敬尔写信告诉给她的,这令林奇气得发疯 …… 不管那姑娘怎么请求,林奇就是不允许她加入公社,到头来林奇将她轰走了 …… 这得到了除哈敬尔以外所有公社成员的支持,哈敬尔不得不向大家认错 …… 一周后这个插曲本来已经淡化,可是,哈敬尔却被揭发出来,他暗中私藏了一块那姑娘留给他的香皂!当那块香皂作为哈敬尔可耻背叛的罪证摆到林奇眼前时,林奇气得浑身乱抖,他运足全身力气,抽了哈敬尔一记耳光,并愤怒地宣布将哈敬尔开除 …… 哈敬尔没有马上走,但过了几天,哈敬

尔宣布他不是接受开除而是自动退出，他在索要他那份私有财产时，头一项便是
那块"罪恶的香皂"……哈敬尔的离去，一时表面上没产生出什么负面效应，留
下的战友甚至都颇有同仇敌忾的气派，但"天下从此多事"，种种微小的矛盾丛起，
并渐渐扩大、交织、膨胀、恶化……又忽然传来格瓦拉牺牲在玻利维亚的消息……
并且，最要命的是，村里的干部，以及贫下中农们，似乎也都嫌厌起他们来……
再后来，"正儿八经"的有组织有定额的上山下乡的知识青年们被指派来了，林
奇主持的"共产主义公社"便彻底瓦解了……

　　也许，林奇的特立独行，是他始终保持着一个梦，在这变化巨大的社会现实中，
他始终是一个梦游者？

　　……哈敬尔在整个 80 年代，是否堕落得可以？一开始，他忙于回母校"回
炉"，以取得极其世俗的"正式大学毕业生资格"；然后，便奔职称，而因为他
外语不行，又玩命恶补外语；好不容易弄到职称，又更未免俗地急着落实"终身
大事"，并且毫无浪漫气息，他娶的并不是当年那个给他香皂的姑娘——并且那
块香皂他也并未长久保留，而是早已用掉，记忆里或许还滞留着一股香气？他
却没有工夫回忆那气息，因为，孩子马上便要落生，他必须在单位住房分配大
战中"力克群雄"，不是在玻利维亚丛林中开放理想之花，而是……甚至于极
卑琐地奔走在几级领导之间，极笨拙地走后门送礼，加上极破釜沉舟地向上递
交申诉材料，于是才终于在某一天，领到了小单元的钥匙……但他依然不能过
上超凡入圣的生活，上有老，下有小，光靠夫妻两口子微薄的薪金收入简直无
法过起码宽裕的生活，于是他进一步堕落："朝钱看"，工余揽起了私活儿……
在 90 年代的某一天，好不容易算是闲了下来，在整理旧书架时，他忽然发现了
当年一本书夹着的一张从《人民画报》上剪下来的，格瓦拉穿着游击队式军装，
访问中国时，弯腰同一个中国小姑娘拉手的照片，往事才忽地随着热血涌入了
他的心中……于是，他试着跟多年没有联系，却已成为文化界名人的林奇取得
了联系，他请求林奇到他弟弟所开的小饭店里会面……林奇竟真的来了。在这
次会面后，小饭店才易名为崇格……对于哈敬尔来说，那是重温一个破碎了的
彩梦；对于林奇呢？也许，倒是多了一个维系仍然完整的瑰丽梦想的泊地？……

　　雍望辉坐在林奇对面，他弄不清林奇究竟是怎么回事。林奇就能弄清他是怎

么回事吗？如果说林奇是要维系一个梦，那么，他要的是什么？是鲁迅说过的吧，人生最大的悲苦是梦醒了却无路可走 …… 他却连真正的梦也未尝有过！也许，于他个人来说，首要的，倒是先有一个瑰丽坚实的梦！

雍望辉只顾自己出神。他在想，欲望与理想，是一回事还是两回事？……那个电影剧本里的女主人公，她想得到那将军，将军却想通过战功得到更高的权位，于是她想用那个荷生或者那个旺哥来填补她的欲壑，然而她却都没有得到 …… 倘真的拍成电影，那真遂了欲念的，却是一对同性恋者，并且还是虐待狂！…… 如此荒唐的一个欲望圈，观众们看了，岂不背过气、吓昏过一多半去！…… 我的欲念究竟是什么？林奇呢？往深里追究，他是真的要成为一个惊世骇俗的格瓦拉，还是只不过用"作格瓦拉状"来达到惊世骇俗的效果？特别是在这 90 年代里 ……

林奇在享用那鱼汤和素菜时，却一直在对雍望辉说着什么，并且也不是太在乎雍望辉的反应 …… 雍望辉直到哈老板回到他们这张餐桌旁，才忽然听清林奇在问："…… 你觉得野丁怎么样？……"

林奇用的是一种沉吟的语调，似乎并不急于要雍望辉做出回应。雍望辉却从自己杂芜的思路中脱逸了出来。野丁！那根逼人去上吊的电线杆！"P 派批评大师"！…… 不过，啊，他这几天也获得了最新信息，野丁宣称自己绝非只是一个一味高骂"好个屁"的"阿 P"，他固然决不会失去那敢骂的"阿 P"特色，但他要让世人注意到：他野丁也是一个不吝向世人"捧出一轮新太阳"的"建设性批评家"！而他所要付诸实践的一大工程，便是撰写《林奇评传》！

对于野丁的这着"棋"，雍望辉和许多圈内人士，都只当是他的"又一大哄"，并不怎么在意。雍望辉听了心下所首先想到的便是：人家林奇才不会理你呢！分明是个"臭子儿"！

可是，不曾想，坐在面前的这个林奇，那语气，那神态，却分明显示出，对于野丁要给自己树碑立传一事，非但不是嗤之以鼻，甚至也不是付之一笑，倒是在认真地衡量利弊和推敲其可能性 …… 这真让雍望辉吃了一惊。

雍望辉疑惑地望着林奇。林奇却是期待地望着雍望辉。谁弄得清谁？天哪！这个世界上，谁能真正地弄清、弄懂谁呢？！

…… 正当这时，小饭店的两扇门忽然被猛地撞开，未见其人，先闻其声，是一个女高音的任性之语："……偏就这儿！我偏就这儿！跟你说，我受够了！我要离开你们！……你们都离开我！滚！给我滚！滚开！……"

餐厅里原来进餐说话的人都不由得扭头朝门口望去。

先进来的是一个女郎，那打扮，那身段，那面庞，特别是那派头，任是谁一眼望去都能看出是一个演艺圈的人物，而那浑身的任性与放肆，更说明她是一个明星……

跟进来的，是一个西服革履的青年男子，虽已发福，但还矫健倜傥；他仿佛已劝说了那女明星多时……

雍望辉认出来，那青年男子是闪毅，并很快判断出，那女明星是吉虹。

25

闪毅没想到吉虹会这样……

本来，祝羽亮根本不愿意考虑吉虹，说她实在不是他想象中的那个凤梅，而且，她在《孤舟》里的表演实在不敢恭维……但是闪毅坚持让吉虹担纲，甚至话都几乎说到"要么只好把你割爱了"的地步，祝羽亮又实在不愿意舍弃这个既能进军国际A级电影节，又能获取高酬金的机会，这才终于算是被闪毅"说服"，雷打不动地确定了由吉虹饰演女一号凤梅；毕竟，闪毅是出品人啊！祝羽亮接受了吉虹后，闪毅送给祝羽亮一瓶芝华士威士忌，并拍着祝导肩膀发誓：艺术上的事，他再不插嘴！

……但是当吉虹翻了祝羽亮的分镜头本以后，大为不快。因为她算出来，所有角色里，她的镜头数居然不是最多的，最多的是戏里面的那个大管家荷生！她执意要闪毅以出品人的身份，去命令祝羽亮——要么给荷生减镜头，要么给凤梅加戏，要么就既减荷生的镜头又给凤梅加戏！闪毅被她一逼再逼，只好自己用铅笔在那分镜头本上细清点了一遍，荷生的镜头数虽然确实比凤梅的多出十几个来，但有的不过是过场交代，有的是与凤梅在同一个镜头里，而在那镜头里又是凤梅居主导地位……

……吉虹跟闪毅闹的时候，偏卢仙娣又插进来，火上添油地说："其实这个戏的一、二号角色,是荷生跟旺哥,其余的都不过是或高级或低级的陪衬罢了……"吉虹一听更如中邪一般,不仅非要给两个男角减戏,还非要修改荷生与旺哥的人物关系;偏卢仙娣又一旁煞有介事地侃侃而谈,说什么"那可不行!同性恋,这是 20 世纪末最时髦的题材!虽然光是关于中国的故事,近几年就有《霸王别姬》、《喜宴》、《蝴蝶君》等好几部,而且都拍得相当不错,可是,人类在这方面的'人性窥视欲'却有增无减,所以只要拍得精致,是不嫌其多的!无论国际电影节的评委还是最一般的观众,这方面的潜意识坑谷都远未填满,更何况这部《栖凤楼》在叙事文本上是极其出人意表地展现出这个东西,并且又大胆表现了虐待欲与受虐欲,尤其能让西方人在看了之后先大吃一惊,然后猛然醒悟到人性之相通……"卢仙娣这么一煽惑,吉虹便进一步要求:"给凤梅也加同性恋的戏!她可以跟丫头暗恋嘛!"……

到这一晚,吉虹闹得更凶。因为闪毅还是不打算再干预祝羽亮的工作,他便一直劝慰吉虹,希望她把心思转到思索剧本深层内涵,和塑造丰满复杂的人物上来……在大饭店里憋闷得慌,他便带吉虹出来,打算另找个可以清雅消夜的地方,再细加安抚……谁知在出租车里两个人又拌起嘴来,本来闪毅是打算让出租车开到高档的通宵营业餐馆去,谁知吉虹在崇格小店门口就命令停车……

吉虹冲入、闪毅跟进崇格饭店后,两个人就在最靠门的桌子旁落座,吉虹肆意詈骂发泄,闪毅百般劝解……哈老板迎上去问他们要些什么,吉虹甩甩长发说:"酒!要酒!好酒!……没洋的,来土的!……没茅台五粮液,就……什么都行!要白酒!不要低度的!要二锅头,对!二锅头!先来一瓶二锅头!……"

哈老板便应道:"二锅头有……来点什么下酒的?"一边将菜谱递给他们。

闪毅对哈老板说:"等等再说吧……"哈老板便先去取酒和酒杯。

雍望辉走了过去,招呼闪毅,并期待闪毅给他介绍吉虹,闪毅在出乎意料后,回应给雍望辉一脸苦得发涩的笑……

吉虹完全无视雍望辉的存在,仍然喋喋不休地跟闪毅胡搅蛮缠。那边三位消夜的外地客好奇而惊诧地扭颈望着面貌姣好而做派出格的吉虹,其中有一位指认出她便是电影《孤舟》与另外两部电视剧的女一号,那两位"对不上号",于是猜测窃议起来……

　　雍望辉站在一旁，心中交织着失望与惋惜。当他在闪毅的彻夜倾诉中听到吉虹——原叫吉向红——的故事时，曾心澜回环激荡，他的心里，已有了一个吉虹的梦影……他之所以掺和进这部《栖凤楼》电影的事宜，说实在的，端赖这个梦影的蛊惑……他特别不能忘记闪毅所叙述到的那个细节：在诡异的年代，一个穿着慈母手织的红毛衣的少女，仅仅因为"阶级出身"的政治原罪，便被同龄人粗暴地推进废品筐，又在筐里被踢得滚来滚去……而如今成了影视红星，豆蔻年华的灰姑娘变为了艳丽的香槟色玫瑰，其间的酸辛悲苦，怎能风来云散、不留心痕？……想到这里，他不由得坐到闪毅一边，娓娓地劝慰吉虹说："何必争那镜头数目呢？影片拍完，观众们才不管你一共露了多少个镜头呢，他们只根据总体效应来评判角色，全看是否塑造出了独特鲜明的艺术形象！当年那部《马路天使》，赵慧琛演的那个妓女，一共才几个镜头？可是你只要看过一遍，能一辈子记得她塑造出的那个银幕形象，那眼神儿！具有不朽的价值！……"闪毅期望地看看雍望辉，又看看吉虹，吉虹点燃一支细长的女士清凉烟，抽着，直到"不朽的价值"一句出来，才给了雍望辉一个正眼，却又眼白大大的……

　　雍望辉以为他的劝解起了作用，便"得寸进尺"地说："……想当年，你穿着过生日的红毛衣，那件领口下吊着两个小绒球的红毛衣……那是怎样的一个日子啊！然而，却有坏孩子，在那个时代主潮的蛊惑下，将你推进废品筐，甚至还踢来踢去……你的今天，得来——"他那"不易啊"的感叹尚未说完，吉红便把头一甩，长发开屏般一闪，瞪视着他，气急败坏地质问："你胡说些什么？！"同时脸上已布满了七月的热云，不待他再出声，又一句紧逼一句地追问："谁造的谣？你哪儿听来的？你凭什么满世界散布？你想干什么？！"质问完他，便又把头甩向闪毅，不用语言，而是只将双眼恨定闪毅，以表示一万个"？！"。

　　雍望辉只觉得，心中那横亘了多日的彩虹，那个朦胧而充满魅惑的梦影，碎裂成了许许多多边缘如刀锋般的片屑……

　　哈老板用托盘送来了二锅头酒、酒杯，与奉送的一盘五香花生。雍望辉趁此离开了那餐桌，但他回到里面那桌时，只见桌上汤钵里剩着一条鱼骨，林奇已不见踪影。

　　林奇在他去前面劝慰吉虹时，已然从后面，那厨房里的一个小后门，出去了。那小后门外面，是一条狭窄的小胡同。

26

他也从小饭馆的后门出去。后门开着，正有人来收泔水。后门外停放着收泔水的三轮车，散发出一股刺鼻的秽气。他与那收泔水的人擦肩而过，昏暗的光影中，只觉得那人五短身材，却很壮实，在往车上的铁罐里倾倒泔水时，上下嘴唇都紧张地前伸着，体现着一种莫名的执著……

他屏住呼吸，快步离开那地方。当他终于吸进一口夜凉之后，思维中一个因那上下嘴唇的互挤所引发的郁结，猛地炸开——啊！难道，那个收泔水的，是老霍？

他不禁止步，转回身，呆呆地望着泔水车旁的那个身影。

一连许多天，关于当年霍木匠用锤子敲击铁钉，给幽禁金殿臣的屋窗钉木条的记忆，总浮到他的心波上层……毫无道理！分析不出诱因！谁还对这类的记忆感兴趣？以致他想通过哪怕是简扼明了的倾诉，将那记忆撩出甩弃，却始终不得一个听取者！时过境迁，纵使个人记忆尚且鲜烈，群体记忆却已被现实的迫切牵挂淡化消解，或至少是深埋……这寒凉的秋夜里，心上浮着旋转的记忆碎片，我向谁去诉说？！……

他感到心上被记忆的以及现实的碎片，刺割着……

那个收泔水的，骑上了他的三轮车，朝他站立的方向驶来。他紧张地张望着那骑车人的脸。他真想一旦驶到他身边，便大喊一声："老霍！"……倘若老霍能呼应他，哪怕只倾听他几句，他便甘愿付出很大很大的代价……可是有木工手艺的老霍，如今何以要来干这种又脏又苦的活儿？据他所知，干这种活儿的，要么是近郊的农民，要么是外地流动到城里又没找到更理想工作的乡下人，他们在下半夜来收取城里各家大小饭店的泔水，在黎明前运到城外养猪的场所去……老霍怎会？……

收泔水的车从他身边驶过。那人的面容在路灯光下十分明确，不是老霍，不是！绝对不是！而且，那人的双唇也并不再互挤而前伸……

他深呼吸着，鼻息里满溢着浓厚的秽气，但是他有一种不可名状的解脱感……

他朝胡同外走去。出了胡同，才感到天光已然微现。

他感到寒冷。他拉满夹克衫的拉链。他将双臂紧贴身子，双手紧紧插在裤兜里。

他往前走。前方有一个豪华俱乐部。门面上的滚动式霓虹灯依然不知疲劳地闪烁着诡异的彩光。他想起那天和印德钧邂逅时，印德钧曾问他："如今这儿……是不是挺像香港了啊？"他当时点头称是。其实他应当说："不完全像！这儿有些景象，超过了香港！比如说，香港霓虹灯虽多，但是香港是依据英国的规矩，法律上禁止在大街上设置滚动扫描式霓虹灯，不信你以后细看电视上有关香港的街景……据说英国法律如此规定，是怕滚动扫描式霓虹灯干扰汽车司机视线……"

他仰望着那俱乐部的滚动扫描式霓虹灯，不禁自问：我的思维何以如此琐碎？

……俱乐部门外停放着若干小轿车，基本上都是进口豪华车，其中有一辆超长的米色卡迪拉克，那车身的上半截很可能镶的是麂皮……

俱乐部正是酒阑客散的时候，他看到旋转玻璃门里旋出了几位西服革履的人物，其中一位令他不禁又一惊，那人头虽谢顶，身板却实在像当年的一位熟人：身胚很圆，胳膊很粗，胸部却是平的……肚子往外腆着，裤子用镀金扣头的皮带系在肚脐眼下面……虽然已是全新包装，然而那浑身的体态气质，还是让他几乎要呼唤出声："金殿臣！"

那被他认作是金殿臣的人走到那辆卡迪拉克旁边，在停车场上司保卫之职的一位身着类似警服的男子给他开启车门，他弯腰坐了进去，而另一位跟从他的瘦高男子，则坐进了另一扇车门里，边往里坐还边将一个超薄的"大哥大"贴在耳边，跟什么人通着话……

在那被他认作金殿臣的人弯腰坐进车里时，他感到对方似乎瞥了他一眼……这短暂的对视令他迷惑起来，该人有着一双肿泡眼，是那种并非病态的肿泡眼……金殿臣是一双肿泡眼吗？……

那辆卡迪拉克开走了。保安员似乎在注意他的一举一动。他不再停留，走离那个俱乐部。

他朝自己的住处走去。

他心里忽然非常空虚。是一种胀闷的空虚。

……那部电影里，非把荷生、凤梅、旺哥、军阀、正配等个体生命的情欲冲突做那样的配置，特别是非把荷生与旺哥的生命存在做那样的诠释，究竟是出于什么样的创作心理？……而自己，观察、体验人类的命运，并试图将其衍化到作品中时，是否亦有一种先验的东西在作怪？为什么当年整人时冲在第一线的老霍，一定要"沦落"为夜半收泔水的人？又为什么当年挨整的金殿臣，一定要转化为从俱乐部里出来坐上卡迪拉克的富翁？……自己的"误读"，难道是偶然的吗？……

可是吉虹，那个曾在滚动的废品筐里哀啼的小姑娘，如今确实转化为了炙手可热的红星……而钟师傅、王师傅，当年被配置于社会中心位置的人物，如今确实降落到——虽然是香气氤氲的——圊厕中了啊！……

他忽然很思念王师傅……卢仙娣曾尖声地讥讽他："你的作品里总梗着个'底层情结'！老兄，请务必觉悟，这是落伍的，肤浅的，廉价的，可笑的……"好像还不止这几个"……的"，他当然不能接受卢仙娣那照例是"高屋建瓴"的批评。然而，事实却总是摆在那儿：他的作品出来，人们（特别是批评家）感兴趣的总是他笔下的那些所谓"儒林"或至少是"准儒林"形象，很少有人对他重墨皴染的"底层"形象做出反应……

但是，他却总觉得，到头来，真牵动他灵魂里的筋络，并且有可能从其接触中获得往往是无言慰藉的，恰是"底层"，这如真是个"情结"，算个赘瘤吧，他也坚信是良性，而非恶性的……

他都想改变方向，去那家大饭店的那间厕所会会王师傅去了……很快意识到，那种厕所在这种时候，是不设管理员的……于是，拖着疲惫的身体，尤其是被乱七八糟的思绪折磨得疲惫不堪的心灵，他往住处踽踽独行。

27

影片《栖凤楼》的开拍仪式暨记者招待会，就选定在租妥的那栋旧楼下举行。

秋高气爽。根据电影要求改装过的楼房，以及周遭环境，确实令人恍然置身于半个多世纪以前。那开拍大吉的第一个镜头，是吉虹饰演的凤梅从楼侧的明梯上走下来。她走下来以后，便直接从角色化为现实中的红星，走到记者招待会的主席台她那张座位上就座。掌声在闪毅的带领下响了起来。闪毅、祝羽亮等人也随之在主席台就座。主席台设在楼下院落中，一些折叠椅面对着主席台，很快便座无虚席，有些没捞到椅子的人便围聚在两边。主席台前以及院落中许多地方摆放着真的盆花和美工制作的假植物假盆景——这都是影片场景中所需要的道具。

有人在招呼雍望辉，以及饰演荷生的潘藩，让他们快到主席台就座。当人们围聚在升降架后争看摄影师拍影片的"第一镜"时，雍望辉和潘藩却站在远远的一个西洋古典式灯架布景下闲聊。90年代有所谓"丑星闹中华"一说，潘藩也是当红的"丑星"之一。雍望辉认为，所谓"丑星闹中华"，一方面说明观众的审美取向多元化了，并且在很大程度上是出于对以往的"完美英雄"模式的厌弃；另一方面，则说明中国电影男演员中已经出现了一批纯粹靠演技立业的性格演员。他和潘藩接触次数不多，可是已感到"此人有可能成为最佳谈伴"。

剧组的制片主任来招呼他们，潘藩去了，雍望辉执意不去，说："你们的招待会，我坐什么主席台！"制片主任说："您是我们的文学顾问啊！"他连连摇头："那是闪毅封的，我并没应下来，我来，只不过是看热闹的！"制片主任无奈，只好去向闪毅报告。

闪毅见雍望辉不来，只好叨唠句"他这个怪脾气……"便宣布招待会开始。

雍望辉站到最后一排椅子后，混在看热闹的人群——其中大多数是那个院里和附近的一些居民——里面，朝铺着白桌布的主席台望去；风把桌布下摆吹得不断舞动、噼啪作响。闪毅正把主席台后坐着的一溜人介绍给大家，摄影记者们高高矮矮地取着角度，抢拍着照片。介绍到吉虹时，吉虹在热烈的掌声里站起来，认真地对来宾们鞠躬，表情谦恭，肢体语言雍容而又娴雅，俨然一副有修养的大明星做派。这天雍望辉来到拍摄现场时，已然化好妆的吉虹不待别人指引便主动走到他面前，笑吟吟地招呼他："雍老师！"称"老师"意味着对他的尊重，而那满面如秋午般爽朗的质朴表情，令他微微吃惊，心中不禁暗想：那晚在崇格饭店里的一幕，难道是一个幻境？……"……我真高兴能得到这么一个具有巨大挑战性的角色……特别荣幸的是能跟祝羽亮老师、潘藩等老师合作，我希望我们的这座'楼'，能永远屹立在……不仅是中国，也是世界的电影史上！说真的，我有这个信心！也希望在座的朋友们赋予我们这个信心！……"吉红这些话语飘进雍望辉耳朵里以后，他盯住吉虹看，虽是一张化了妆的脸，但那份真诚，确实不像是装出来的 …… 他宁愿是吉虹真的改变了原来的想法，但他从头晚与闪毅的电话中，所得到的信息还是"吉虹死活不让步，她要真撂挑子可怎么办"？ …… 他在人们报以吉虹的更加热烈的掌声中，为这个剧组同仁们今后能否真的精诚合作深感忧虑 ……

闪毅继续介绍着主席台上的人 …… 介绍到韩艳菊时，韩艳菊身子后仰、头朝一边歪，红脸胀脖地直摆手——她那是表示"我可不配介绍给记者，我算啥呀"，你也不能不承认她一刹那的真诚；可是，雍望辉太了解她了，她是一定要坐上那主席台的，坐主席台于她本不稀奇，问题是，这一回是同这么多影视界名人坐在一起，并且面对着那么多的照相机乃至摄像机镜头，说不定过两天，报纸上，电视荧屏上，便会在"文化快讯"之类的栏目里，随着报道这部影片的开机，将她的尊容捎带脚儿地公之于众，那对她来说，将是一桩快事啊 …… 雍望辉注视着她，她听到闪毅说出"…… 从某种程度上说，没有韩主任的高品位与高风格，也便不可能有一部情景交融的高水平的《栖凤楼》……"时，再按捺不住心中的得意，满脸绽开了小花瓣儿 …… 轮到请她"讲两句"，她拿过喇叭筒，却讲起便刹不住，什么"我们一定要'两手抓'"呀、"凡是有利精神文明建设的事，我们就一定要责无旁贷地予以支持"呀 …… 直到记者们都表示出不耐烦了，她仍意犹未尽；不得已，闪毅只好趁她一个大喘气，截断她的话说："我们的艺术保护神今天真是千言万语说不尽啊！让我们大家，以热烈的掌声，对所有支持我们拍摄的艺术保护神们，表达我们心中也是千言万语道不尽的深深感激！"在并不热烈的掌声中，闪毅抓紧宣布："最后，我们请著名评论家卢仙娣女士讲话！……之后，便请诸位提出问题，我们一定有问必答！"

卢仙娣居然心安理得地坐在主席台上！雍望辉望着她，心里想，早知道她上主席台，我又何必谦让？她师出何名？……

卢仙娣岂止是坐主席台，闪毅请她讲，她果然便讲；她把喇叭筒凑近嘴唇，耸起双眉，吐字清晰、节奏分明地说道："我要说的只有一句：我祝愿——这部《栖凤楼》——获得大大的——失败！"

会场上立即活跃起来。有记者随即站起来大声问："请卢女士细说说，您为什么要给予《栖凤楼》这样的恶愿？"

卢仙娣一时成了抢手人物。她总能这样。喧宾夺主是她的看家功夫。圈里人都知道她善这一手，也时有訾议。可是到头来人们开研讨会、发布会什么的，还是会请她，她也往往不请自到；有了她，便总能爆冷门，气氛便会格外活跃；因此有人说她是"会宝"；"万国通宝"的绰号也含此意。

闪毅很不愿卢仙娣就此跃居招待会的中心。这也未免太过分了。导演和主演还都没回答提问呢，更何况还有摄影、美工……都是一流的啊。于是，闪毅不等卢仙娣开答，便机变地指着站在座椅后的雍望辉，高声宣布："诸位！稍候！我差点误了大事——现在给大家介绍我们的文学顾问——雍望辉先生！瞧，他居然躲在最后面！岂有此理嘛！没有他这个顾问，我们的《栖凤楼》便好比一条画得极好的龙，却缺传神的眼睛！好！请雍先生到前面来！我们以热烈掌声请雍先生给我们讲几句！"

雍望辉便挤到前面，但还是面对主席台，接过递给他的喇叭筒，说道："我自己并没什么好说，不过我倒想问问吉虹小姐：您说凤梅这个角色对于您来说具有很大的挑战性，您主要指的是什么？"

他这问题一出，闪毅便报之以感激的目光。可是吉虹却并不欢迎这样一个问题，不过，她定定神，却也伶牙俐齿地把这问题对付了过去："我以为，挑战性就在于，演这个角色，我必须认认真真地对待每一个镜头，而不可能事先用嘴讲出些什么来……"

由于雍望辉这么一引，接下去记者们的问题就又都针对演员和导演去了。闪毅大松了一口气……

28

记者招待会结束后的余兴节目，是在韩艳菊腾空的家，也是影片中的"军阀家客厅"里举行的冷餐会。除了剧组的同仁们，凡持特别请柬的记者们，大约二十来位，还有韩艳菊以及他们单位里的几位相关人士，大家欢聚一堂，开啤酒，吃冷菜，再庆祝《栖凤楼》的顺利开镜。

冷餐会完全是西式的。没多少座椅，人们就是站着吃喝，自由组合地交谈。

他少不得跟韩艳菊聊上几句。

"他们霸占了这儿，那你们家到哪儿安身去呀？"

"可不是给扫地出门了嘛！ …… 嗨，闪毅倒舍得出钱，让我们先住一个月宾馆，两颗星的，还给伙食补助，还答应拍完戏给我们复原，要么给我们装修成别的样，只要我们提出来具体要求 …… 可不管怎么说，这一个月究竟是无家可归啊！你想那宾馆的条件再好，怎比得了自己家呢？唉唉，为了 …… 成全他们，也只好忍一忍啦！"

"司马山，女儿女婿，他们也都愿意忍啦？"

"司马山，嗨，他可不是个东西！ ……"韩艳菊漏出一句，可是马上改口道，"他呀！ …… 这个家还是我说了算！"

雍望辉从韩艳菊的眼神里看出了更多的问题。当然不便再问。

"…… 女儿女婿他们倒巴不得 …… 要不是今天都请不下假，他们都会来看热闹的，这么多明星名流 …… 就是你，他们也是光听我说，耳朵怕都起茧子了，可也就那天一早，见了你一面 …… 你可真是越来越难见着了，刚才还躲起来，死不上主席台，你这些年见大世面多了不是？就把这都看淡了！ ……"

雍望辉忽然想起 …… 忍不住问："老霍呢？"

"谁？"韩艳菊实在想不到有这一问。

"就是 …… 就是木匠 …… 老霍呀 ……"他几乎就要脱口而出，"就是司马山为了给你争夺位置，非把金殿臣往死里整，把金殿臣囚禁在那边屋里，就是你现在当做卫生间的那屋 …… 当年来给那屋子窗户上钉木条的那位，那个使劲使得两片嘴唇撮得伸出老远的 …… 老霍，那个木匠老霍！"

可是韩艳菊不等他发挥便想明白了他所问的是谁："你说 …… 老霍他呀？"

"怎么样？"

"早调外单位啦。"

"他 …… 现在 …… 怎么样？"

韩艳菊实在不明白他何以问这个："什么怎么样？ …… 不清楚 …… 大概挺不错吧 …… 你怎么想起他来了？"

　　他想起了那个夜晚蹬着三轮车淘泔水的人……那分明不是老霍，可他还是忍不住向韩艳菊打探老霍……他无法向韩艳菊解释。

　　好在一位记者走过来向他提问题，他也便借坡下驴地朝韩艳菊笑笑，与那记者交谈起来。

　　这时，在厅中另一隅，卢仙娣正手握纸杯，扬眉高谈、朗声阔论，吸引了许多听者。她是借着刚才外面记者招待会上那"祝这部影片失败"的话题，继续作跑野马般的发挥："……所谓失败，就是不看好，哪头都占不上……主流意识形态不容纳，俗众也不接受，批评家如见蜷身子的刺猬，不知该怎么抓挠……你以为国际电影节准能给奖吗？评委们可能会聚讼纷纭，到头来还是会跟大奖擦肩而过！……那我为什么要祝他们这样？因为，只有拍成这样，《栖凤楼》才成其为《栖凤楼》！这是一部惊世骇俗之作！是一部必须从手掌缝里去看的作品！它极其超前，故而极其先锋，可是它又极其民族，极其保守！……"

　　就有感到一头雾水的记者问她："照你这么说，别的都还没什么，可是票房一塌糊涂，那投资者不得跳楼啦？"

　　卢仙娣斜睨着提问者，反问："我说了票房会一塌糊涂吗？"

　　另几个记者便提醒她："你才说的，这片子'一头都不占'嘛！""你祝它失败，那不就也是祝它票房惨败吗？"

　　卢仙娣满脸鄙夷不屑："票房好是成功吗？票房好，算'占一头'吗？……那你们的思路，跟我根本就不在一个层面上嘛！"

　　她总是这么振振有词，这么扫荡一片，这么高高在上，而也总是有闻听者抱惭而退，至少是大佩服，大开"耳界"，大饱"侃福"……

　　潘藩恰好跟她站在一处，本是心不在焉地听着，呷着啤酒，只是觉得有趣。有记者顺便问潘藩："您对卢女士的'祝您失败'论是什么看法？"

　　潘藩笑嘻嘻地答曰："随便她，还是别的什么人，无论怎么祝愿，怎么预测，我都不管，我只用心演好我的角色罢了……"又指指已摆在厅中的风琴说，"我得抓紧练琴，我不希望银幕上按键的特写，都用替身的手……"

　　潘藩这本是几句很无所谓的话，但是卢仙娣却如获至宝，她立刻接上去说："我对你们这个片子里非用风琴和钢琴，很是不以为然！我早跟闪毅和羽亮都说了：为什么不用琵琶或扬琴？……"

一个记者附和地说："是呀，那样，民族特点就更强啦！"

潘藩也并不打算要争论，只不过随口说了句："我理解，编剧的用意，是为了使观众明白，故事发生在一个中西文化碰撞的时代里……"

这下卢仙娣可有了辩驳发挥的契机了，她一耸眉，瀑布下泻般地说："我最讨厌什么'中西文化大碰撞'这类的说法了！中西碰撞，似乎中、西是平等地相互撞击，这种中性化的提法，是一种语言阴谋！美国的 Noam Chomsky 的那本《第五百零一年:征服在继续》把问题点得很透:自 1492 年哥伦布发现'新大陆'起，从第一个对外扩张的帝国主义国家葡萄牙起，整个世界，就一直处于西方资本主义的全面膨胀，从开拓殖民地，到资本输出，到帝国主义的称霸，到跨国资本，到后殖民的无所不包的文化输出，生活方式输出……从来都是强迫性的，蛮横的，不平等的……哪儿来的什么东西方互碰互撞的神话！从风琴、钢琴，一直到麦当劳、汉堡包、可口可乐……从莎士比亚，到摇滚乐，以及高速公路、立交桥、玻璃面墙摩天楼、电脑'信息高速公路'……地毯式轰炸般地倾泻到全世界！难道我们还不应当清醒吗?！还不立即警觉起来吗?！……"

她这一番高论，令几位年轻记者耳膜一新，有的便问："您说美国的那人……是谁?"有的便请教："他那本书什么名字? 有中译本了吗? 他是不是美国的左派啊? 属于'新马列主义'吗?"

但几位在各种场合都见识过卢仙娣招数的记者却都只是觉得好玩而已，有一位小声对另一位说："她可真能'推陈出新'啊……今天怎么又不玩'符号学'，不提什么苏珊·朗格，也不玩'后殖民'，不提赛义德、霍米巴巴啦?"

卢仙娣回答着提问者，继续发挥着……由于她斜眼一瞥，发现似乎有更多的人在那边围聚着祝羽亮和吉虹，于是内心里更有一种非让眼前的记者们粘在她这儿的执拗……而视线中更出现了走过来的雍望辉，这也更让她产生出一种"非把所有人都震了"的冲动……她在滔滔不绝中获得一种人生的大快乐："……你以为乔姆斯基是个'新马'分子? 笑话！……左派那当然是左派，不过，美国的左派跟我们这儿所说的左派，并不是一种概念，其'所指'与'能指'都有根本性的区别……"

雍望辉从两位记者的肩后，注视着伶牙俐齿的卢仙娣，心里琢磨着：这是怎样的人物，怎样的欲求，怎样的存在，怎样的成功啊！

雍望辉认识卢仙娣快20年了，当时他们都还年轻。可是，在岁月流逝中，雍望辉不仅自己觉得在一年年地老起来，别人也都随着年龄的增长而调整着对他的态度；然而卢仙娣的年龄似乎永远凝固在了他们认识的那时候，不仅他对她的年龄感越来越模糊，圈里人也都"习以为常"地总把她视为"新锐"；其实，卢仙娣的生年，还早于雍望辉起码两年。这里面有卢仙娣的女性优势，更因为她有永葆先锋立场的"生存战略"。是的，雍望辉认为那是一种"生存战略"，并且是极其成功的"生存战略"。须知，卢仙娣虽然在文化圈里混了这么久，但迄今她却没出过一本个人专著；她并无大学学历，也并不通任何一门外语，别看她可以在发言里把诺姆·乔姆斯基的名字说得就像美国妹妹在介绍亲哥哥般的那么"神似"，其实她并没读过乔姆斯基任何一本著作，但是她就能以那样的口气，仿佛她刚跟乔姆斯基通过电话似的，以乔姆斯基的观点，把你说得一愣又一愣，让你痛感自己的无知、落伍、幼稚、颠顸！她那点关于乔姆斯基的知识哪儿来的？雍望辉知道，无非是那位台湾的文化人杨致培，在卢仙娣接待他的时候，从他手里得到了一份台湾杂志，那杂志里有两篇介绍乔姆斯基的文章而已，她现炒现卖，可真叫快啊！这也是一种胆识呢！

雍望辉总在各种各样的场合与卢仙娣相会。其实卢仙娣所出现的一些场合，往往还没有雍望辉；有时是雍望辉懒得出席，有时是人家能想到请卢仙娣，而想不到请雍望辉；卢仙娣基本上就是在各种各样的"场面"里，以其语惊四座的新锐言论创造出自己的文化价值来的。这算得上是"文化活动家"吗？在西方，很早就有所谓的"文化沙龙"，而沙龙女主人往往便是"艺术保护人"；也有人把卢仙娣比做那种性质的"沙龙女主人"。但雍望辉很不以为然，因为，明摆着，不仅卢仙娣从未在她家里搞过任何文化人聚会，总是"一赶二"、"一赶三"地奔走在别人召集的聚会上，而且，即使有时仅是三四个人的非公费聚会，她也从未付过一次账，分明是个四处"吃白食"的，这怎么算得上"沙龙女主人"呢？至于"艺术保护人"，那就更沾不上边，因为她往往是总要用"高论"压人一头，让有作品的人败兴……

可是眼前的卢仙娣又在获取着新的价值积累。很显然,在过几天关于这部《栖
凤楼》开机的报道中,一定会有好几张报纸提到她的名字,并引用她那祝其失败
的怪话……而电台的热线直播节目,乃至于电视中的某一关于演艺圈的专题节目,
她都会又一次成为嘉宾,并被冠之以"著名评论家"的头衔……可怜许许多多
埋头笔耕于书斋的饱学之士,许许多多著作等身的专家学者,他们几生能修成卢
仙娣似的知名度!

卢仙娣的成功秘诀之一是敢于在议论中从一个领域滚动到另一个领域,而且
都是非常专业化的领域。这就不仅能震住一般的听者,就是只谙熟一个领域的专
家,在她将话语一下子滚动到其他专业时,也往往不能不佩服。因为,越是学有
专术的人,在进入他人的专业时总是非常之谨慎,听见卢仙娣如此这般地滚动着
语言,只能设想她或者是一位罕见的懂得几国语言、专攻过几门学问的天才……
其实,卢仙娣所滚动的那些学问,来源都无非是"杨致培杂志"之类的东西,似
是而非,鸡零狗碎。不过,这是否也是一种能力? 一种综合能力?……

雍望辉此时又听见卢仙娣在那里"滚动":"……那些流浪画家,以为搞一点
'政治波普'、一点'玩世现实主义'、一点'肮脏行动艺术',就很到位了,其实
可笑之至! ……瑞典的那个 Roxettr 早已过气! ……你们应该考虑一下,如果
美国的 Guerrlla Girls 来了,又该怎么办? 就是'游击队女孩',她们每个人都戴
着一个大猩猩面具……怎么,这有什么不好想象的? 日本的'能乐',我们国粹
里川剧的'变脸',你一联想就直观化了嘛! ……"

卢仙娣发现雍望辉在对面盯着自己,便说着说着,踢给他一个"球":"……
我想我们倒无妨请教一下大顾问:在乔姆斯基对'西方中心论'进行义无反顾的
批判时,我们难道还能保持沉默吗? ! "

这个"球"踢过来,那些本来眼睛望着卢仙娣——有的脸上表情如聆佛音——
的记者,便都扭头望着雍望辉。雍望辉只觉得血在往太阳穴里冲。想来不过是
五六年前,你卢仙娣一天到晚盛赞《河殇》,口口声声说应把鲁迅先生的"拿
来主义"改称为"先拿来再说主义",又满牙缝里什么马克思的"亚细亚生产
方式"等等,等等;现在,怎么摇身一变,又言必及乔姆斯基,要坚决抵制"西

方中心主义"了？……

可是毕竟这是在大庭广众之中，雍望辉少不得满脸微笑，尽可能平心静气地说："据我知道，乔姆斯基是美国麻省理工学院的资深教授，本行原是搞语言学的……是的，我想他那对资本主义的批判是真诚的，也很批到了痛处，但说到头来，他不还是领着对资本主义最起巩固作用的常春藤学院里的高薪，以他那绝无危险的学问，来给反正是继续推进着的跨国资本，增添一些个辣椒面罢了……我们可以把他的学问，当做资本主义文化中的一个新品种，来考察一下罢了……总而言之，他的学问对我们中国人来说，起码是太奢侈了，好比他在说，鱼类不能吃得太多，最好多吃些猕猴桃……可是，中国目前并不是鱼和猕猴桃都太多，因而要调整比例的问题……中国目前为了改变贫穷落后，必须发展经济，必须搞市场经济，必须跟国际经济运作接轨，必须容纳跨国资本，以尽快实现现代化……"

卢仙娣截断他的话，以尖刻的语气驳斥道："嘁，一个'必须'接一个'必须'，可是，请问：什么是'现代化'？所谓'现代化'，其实是一个以西方工业化过程为参照的概念……这真是第三世界，特别是中国这样的文明古国，所应获取的东西吗？！"

雍望辉真想伸手给这个娘儿们一个"耳刮子"，他妈的，来劲了！你卢仙娣其实是最他妈"全盘西化"的了，别的先甭说，跟人见面动不动就"Hi"呀"Hi"的，点起鸡尾酒动不动就"玛格莉特"、"红粉佳人"什么的，吃起"巴斯金·罗宾斯 31 种冰激凌"，也总是要朗姆酒和朱古力的，更别说一身的西方名牌，就你今天那长坎肩，不就是 ESPRIT 牌的吗？……

雍望辉脸上肌肉僵硬起来，眼里掩不住凶光，冲着卢仙娣还击道："世界是一个整体，文明是共享的，西方人创造出来的工业文明，其好处属于全人类；东方人，中国人创造的农业文明，其好处也属于全人类；跟你说吧，他乔姆斯基充其量不过是一家之言，凭什么我非要听他的，难道他是'一句顶一万句'？！"

火药味一出来，众记者们的精神更为振奋，真是又有好戏看了，一个个都像面对乌眼鸡对阵，也都瞪圆了眼睛……

卢仙娣巴不得又有发挥的余地，扬声说道："罗伯特·海尔布朗纳说得好……"

她此时更不是真想辩出什么真理，而是只想进一步露一手，以显示她的"新潮度"是众人莫可企及的……

雍望辉很不得体地变声截断她道："少诌洋名儿！你能不能用你自己的话来说！"可是他马上就后悔起来，因为……何必跟卢仙娣斗气？而且，自己的立论本是站在"西方文明里好的东西也便属于全人类，是人类共享文明"的立场，却忽然不允许辩手引用西方学者的言论，这在逻辑上岂不自我矛盾了？

正在这时，闪毅他们都闻声围了过来；还是潘藩笑着对卢仙娣说了几句，才令局面不致再往不雅的方向发展；潘藩说的是："卢小姐，您手里的饮料快洒出来了……啊，那是可口可乐，很不幸，我们剧组让您受跨国资本污染喽……瞧，闪老板过来了，别忘了，这电影可是用跨国资本拍啊，包括今天这个活动，每分钱里都流淌着跨国资本的污水呢……您既然也来了，就多多少少给我们留个面子吧！要不，您用闪老板的'大哥大'挂个电话给乔姆斯基，跟他商量一下？"

周围的记者们全笑了。卢仙娣转怒为嗔，伸左拳打了潘藩一下，嘴里说："你这丑八怪！偏你嘴臭！"右手纸杯里的可乐洒出不少。人们笑得更厉害了……

29

所谓"丑星"，一般是指长得不漂亮，然而演技颇出众的男演员。潘藩之被归入"丑星"系列，用他自己的话说，"整个儿是个有待平反的冤假错案"。雍望辉从旁看来，也觉得谥他为"丑"，大半是因为时下的审美主潮所致。大概是因为人们以往多视"奶油小生"为美，近年又多欣赏"阳刚"，而潘藩既不"奶油"也不阳刚，所以不美。然而他的相貌也绝不平庸，多数人会觉得"怪"，而以俗世的眼光来看，"怪"也便是"丑"。

这天晚上雍望辉把潘藩约到崇格饭店来小酌，两人开头所聊，便是"美、平、怪、丑"之间的微妙转化关系问题。

自从《栖凤楼》开机仪式暨记者招待会上认识以来，雍望辉和潘藩双方都很愿接近，感到共同的话题颇多，并时能碰撞出灵感的火花。不过潘藩很忙，这边拍着《栖凤楼》，他那边又答应了在一部叫《城市绿林》的影片里饰"男一号"，那是个正义凛然的英雄形象；他这晚来崇格饭店与雍望辉小聚，也是见缝插针之举。

雍望辉先到，他一进门，哈敬奇便热情谦恭地迎上来，呼他为"望爷"，令雍望辉感到其受尊重的程度，实在并不亚于"郄爷"。可是他问哈老板"郄爷"最近光临过没有，得到的回答是："我这儿正紧着要跟您打听啦，郄爷自打那回跟您来过以后，我是早也盼、晚也盼，盼他再来，谁想直到今儿个还是不见他露……您倒说说看，这些日子可在什么场面上见着过他？……"雍望辉前些日子还真又见过林奇，是一个档次颇高的学术研讨会，虽给林奇发了请柬，可从主持者到与会者都没想到林奇真的来了。他迟到了约半小时，早退了约一小时，虽一直不动声色，却很认真地听取了当中几个很重要的发言；雍望辉记得林奇在座位上一直将他的变色镜挂在 T 恤衫的衣领下，眉头锁着个"格瓦拉结"……

雍望辉照例挑了最靠里面的一张餐桌，坐在向门的椅子上，等潘藩来。潘藩没多久便找来了。哈老板其实看过潘藩演过的某些电影和电视剧，却没认出来。潘藩坐下后背朝其余餐桌，因此虽然那晚小饭馆生意很火，不仅各桌陆续都上了客，有几张桌还换了三拨客人，可是始终没有谁认出他这个"丑星"来。

雍望辉点了几样菜，哈老板又不点自奉地给上了些菜；雍望辉对潘藩道"简慢"，潘藩尝了口菜连赞"不赖"，又说："你选这儿聚，好极了！我现在最怕去那些高档的地方，要么有人跟擒获真凶似的迎着你，要么，就算他们没认出来，服务小姐总站在背后，你说什么话，她们不爱听也听着……那气氛下我往往跟……在众目睽睽下做爱似的，谈锋立马阳痿……"

是的，这个小饭馆真是很适合他们畅谈。哈老板忙着招呼客人，客人们多属大声谈笑的粗俗一类，其声浪反构成他们两人畅谈的一种必要的屏蔽……

他们喝着二锅头，先一顿胡扯。潘藩让雍望辉指出，自己究竟丑在哪里。雍望辉就近仔细研究潘藩的长相，得出结论说："其实……拆开看，都不丑……可是这搭配真有点匪夷所思：眼睛既然小点儿，何必那么明确的双眼皮？鼻子既然确实不大，嘴唇何以又那么厚？脸形既然明显地长，下巴便无须这么富态是不是？……"

潘藩说自己现在是"身在曹营心在汉"，因为，尽管他在《栖凤楼》的镜头前还是认真地诠释着荷生这个人物，但是，卸了妆，他便满脑子里都是《城市绿林》……雍望辉便说："听说这个本子，试图把黑社会的人物表现为在维系社会公正中起良性作用的好汉……这恐怕又是'为突破而突破'的写法吧？也许拍出来很好玩儿，可是，目前的中国，真有那号人物了吗？你这么喜欢扮演这个角色，恐怕也是为了突破一下角色类型，玩一次'大正面'，过一把'英雄瘾'吧？你能从生活里找到依据吗？……"

潘藩便先双眼闪闪地说："来，干一杯！……这正是我今天想跟你透露的……一个秘密……你头一个分享到这份秘密……算是……咱们俩有缘分吧……"

雍望辉便跟潘藩碰杯……

30

……其实这事也没多久，一年多吧……我参加的那部电视连续剧《庸人不自扰》播出来以后，你是知道的，反响不俗，尽管像卢仙娣什么的一派讥评，说是这部剧的出现意味着"知识精英的自甘堕落"，"虽没一堕到底，但其自甘平庸，说明一个失却英雄的时代竟然到来"，真是不胜恓惶……当然当然，她那基本上还是一种——如你所说的——"创价策略"，由此把她自己"水落石出"地稳居于崇高的位置……好，不再去说她……反正，不管怎么说，这部戏算是引出了小小的轰动。我在这之前虽说已经上了不少戏，一般观众还是都记不住我；这戏一播，角色的名字连同我的名字便传开了……我算是真的"红"啦……计入"丑星"系列什么的，也就是这么闹腾出来的……要不，光是"丑"，"星"不了不是？……

……人一走红，容易乐极生悲，在我前头红的哥儿们姐儿们，前车之鉴不少，我就时时嘱咐自己，干脆，咱们更孙子点儿！中国传统，人们喜欢这个不是？所以，对比之下，你也说句公道话：咱们还真没就借这茬儿，人模狗样地抖起来……是不？……一般追星族围上来，我就是心里再腻味，也总是撑着，签名签到手腕子发酸，脸上也不挂烦纹儿……有那拿着大红帖子请咱们赴这个会那个节的，咱们就是不去，"谢"字也总是抢得肥肥的……

……既是"星"，尽管是"丑星"，对你感兴趣的，见到你大惊小怪的，要你签名的，以各种方式向你表达他那喜欢的，那就真是无奇不有 …… 我就在厕所里被认出来过，还撒着尿，他就跟你道崇拜之词了，有一位甚至让我在手纸上给他签字！当然，那是五星级宾馆的洗手间，那手纸上还凸印着宾馆的徽号 …… 也确实不能认为人家有歹意，是不是？我就尽可能地善待，满足那些甚至是不得体的要求 ……

…… 好，说到正题 …… 那天我从昆仑饭店出来，已经很晚了 …… 饭店门口的出租车，原来是要排队拉客的，但是那天实在太晚，门口很冷落 …… 我也没太注意，一辆出租车滑到我面前停住，我便坐了进去；那是辆一公里两块钱的"皇冠"；我说了去处，我是回家，司机便开车送我；这车在司机座与乘客座之间本也安了隔离板，但那晚他卸了没装；我经常遇到话多的司机，特别是认出我的司机，那我就得听好多耳朵眼儿里增茧子的话 …… 这位司机却沉默寡言；想来他不安隔离板也有道理，因为从他的肩背可以看出，他魁梧得可以，像是有些个拳脚功夫的 …… 他没多久便将我送到了家，我望望计价器，要付钱，这时他扭过身子跟我说："潘先生，您不用给钱。"看来他打一起头就知道我是谁。我说："哪儿有那个道理啊！"我坚持要付钱。就听他说："潘先生，怪对不起的，我跟您商量个事儿 ……"我也还当他无非是要我签名什么的，就顺口说："不碍不碍，你说吧 ……"他却并没有拿出什么让我签名的东西 …… 我听见他说："是这么回事儿，有个人，他想会会您 ……"这话一出来，我的警惕性就上来了，莫非他是给哪个不正经的女人拉皮条的家伙？他也看出了我的反感，便赶忙说："您别往歪处想 …… 是这么回事儿，有个大老爷们儿，确确实实喜欢您在《庸人不自扰》里演的那个'八渣儿' …… 不是一般的喜欢，是真打魂儿里喜欢 …… 您要是赏脸，明儿个晚上，定好时间，我开车还来这儿，接您去 …… 他病了，出不来 …… 可他真是想会会您，哪怕就聊上几句也行 ……"我是个明白人，你想演了那么多乱七八糟的角色，自然多少具备点猜测这号事的能力，怪虽怪，但我却颇为见怪不怪，我想了想便说："咱们也都别绕弯子，来虚的，你跟我实话实说，你 …… 还有那你说的大老爷们儿，是不是 …… 怎么说呢？你们怕都不是一般的 …… 市民吧？我倒不怕见见聊聊，只是，得保证我的安全，而且，时间确实不能太长，我很忙 …… 去了更不能增添别的要求，就是会会、聊聊 ……"他听我这么一说，露出了笑容，连说："您真圣明！了不起！比我们设想的还开通，还够朋友！"我说："我去是去，可这事咱们都别张扬！"他笑得更好看了，点头说："我们比您更关心这一条呢！"……

…… 我就真跟他约定了。一夜失眠。第二天晚上我本来有个活动，我一早起来就打电话给推掉了。白天我有些事必须处理，可我总是心不在焉。到了我们约定的时间，下午六点半，我下了楼，刚出楼门，就看见开来了一辆奔驰600，崭新的，我正心想难道会是这辆车吗？我本以为还是那辆出租车呢；奔驰车的司机出车来迎我，当然就是头晚那人 …… 我上了车，注意他把车往哪儿开，他先把车开到了二环路上，我听见他跟我说："老豹交代，让我先陪您吃饭 ……"我就知道要见我的那个大老爷们儿是老豹。当然当时还拿不准这豹字是怎么个写法。我想象里就出现了一个老头，有点座山雕的模样 ……

…… 他把车开到了郊区 …… 后来就到了郊区的一家饭店，这饭店的门面搁在城里也就中上的水平，可是走进去，拐几拐以后，推开门，却是一个不但不比城里任何一家豪华餐馆逊色的单间，而且，其装潢趣味的高雅，着实令我吃一大惊。举例来说，那里面大瓮小瓶里，都插着优美飘逸的芦荻 …… 吃饭就是我们两个人，让我点菜，是潮州菜，我随便点了几样，端上来一尝，居然比往常在城里一流餐厅吃的还爽口 …… 我也没有点酒和软饮料，就是喝功夫茶；我们吃得盘子空空，陪我的壮汉显然有耻于剩菜的习惯，这是我平时赴宴时很少遇到的情况 …… 席间我想问出些老豹的情况，他都没露，只说"等一会儿见着，真盼你们俩投缘"。问他自己情况，只让我叫他富汉，说平时就开那辆出租车揽活儿 ……

…… 吃完饭我们坐车去见老豹 …… 我们到了郊区一个居民区里，拐了几拐，好像是进了一个大院，院里有好几排楼，楼间绿化得很好 …… 车子开到最后边，就看见一栋五层的楼房，不像居民楼，像是办公楼，又约摸有点医院的味道 ……给我印象很深的是，楼前有不少人，三三两两，五六成群的，有些看起来是夫妇，还带着孩子，没有年纪太大的，好像最大的也比你要小，都很高兴的样子，仿佛刚刚过完一个什么节日的样子 …… 这些人的职业身份不大好判断，穿戴得都不错，显得都挺富裕，可是样式上并不怎么新潮，孩子们手里都拿着像是刚得到的玩具，有的就在楼前空地上玩耍起来，欢声笑语，气氛祥和 ……

…… 我们的车停在楼门前，富汉先下车，然后拉开门请我下车；没什么人围拢来，但我感到有些目光晃照着我 …… 我下了车，一瞥之中，看到楼侧整齐地停着若干汽车，似乎并非豪华车，大约是些桑塔纳、夏利之类，也有小面包 ……

…… 富汉引我进楼，小小的前厅里摆着不少高腰的鲜花篮，我听见富汉跟我说："今儿个是老豹的好日子 ……"我这才意识到，院里的人都是来给老豹祝寿的 ……

…… 我们往走廊里走，楼里不见别的人，楼道的水磨石擦洗得非常干净，走廊两边的门全关着 …… 我们走到最里边，那里有一扇门虚掩着，富汉还没敲门，里面就有人往里拉开了门，并且听见"快请进快请进"的招呼声 ……

…… 那是间很大的屋子，雪洞似的，显得很空 …… 拉门的是个女的，一身白大褂，头上还有护士帽 …… 应该说那是一间病房 …… 我就看见有个人迎上来，富汉就给我们双方介绍 …… 我这下才算见着了老豹 ……

…… 屋里有一套简单的沙发，我跟老豹隔着茶几坐下 …… 我大吃一惊，因为老豹非但不是个老头，而且，起码是显得很年轻，我估计他顶多也就四十多岁，比我当然大了许多，可跟你这号的比肯定要小，你都还轮不上称"老"，他却已经是"老豹"了 …… 老豹身材细高，这样的人你不能说他瘦，因为看得出，他身上确实没有什么脂肪，可是骨头很硬，包着骨头的只有肌肉和筋腱 …… 他皮肤黧黑，长脸，给我印象最深的，是一双眍陷的眼睛，眼珠子总闪着充电般的强光，还有就是他两边脸颊上各有一道很明显的凹纹——我细看了，不是刀疤什么的，就是正常的皱纹 …… 他的手腕子很细，似乎比你的都细，我们的手表要戴在他手腕上，非调整表带不可，否则一定要掉下来 …… 可是回想他跟我的握手，我的手犹如被铁钳子夹了一下似的 …… 到现在我也还不知道他真名儿是什么，可是，见过他，我就觉得叫他老豹并不奇怪，因为他的形象，确实能令人联想到一只强悍的美洲黑豹 ……

…… 护士送过来两杯茶，然后就同富汉一起退出去了 …… 老豹说着些他喜欢我们那电视剧，特别是我演的"八渣儿"那一角的话 …… 我两眼少不得再细打量那间屋子，一张带蚊帐的木架子床，床边有个吊输液瓶的架子，然后就只有一个床头柜，以及我们坐的沙发对面的一个电视柜，柜上是一台35厘米的电视机，柜下似乎是收录机 …… 床头柜和我们旁边的茶几上都摆着大果盘，里面是些上好的水果…… 我就听见老豹说，这几天大夫护士不让他抽烟，憋死了…… 也不让别人在这屋里抽烟，所以他只能用茶水、水果招待我…… 他剥了一只进口大香蕉递给我，我道谢，接过吃了起来……

…… 我问老豹，你干吗那么喜欢"八渣儿"？他就说：他喜欢的是"八渣儿"的那个善！我说："八渣儿"其实窝囊得很，世上的人要都跟他那么窝囊，没多久就全成恶人世界了！他认真地说："窝囊不好，善可不能不提倡，以恶对恶，以暴易暴，这世界更没希望！……"除了这些，我们所说的似乎全是些形而下的话了，比如他问我，那"八渣儿"的手，是怎么拍的？你知道那个角色是每只手都丢了一根手指头，"八渣儿"就是"八指儿"的意思…… 我就跟他说明，他挺有兴趣地听着……

…… 大约聊了半个来小时，他就主动说："真谢谢你，真的！知道你很忙，可实在是想见见'八渣儿'本人…… 这下真见着了！……"他眼光里溢出极大的满足、快乐，甚至于幸福…… 我便说："'八渣儿'那是戏里的人物，其实，我本人并不像他那么善良！"他就欠过身来拍了我肩膀一下，说："好！我就喜欢你这样实事求是、知斤知两的人！"……

…… 富汉和护士进来了，我们告别，在离开他那间屋的时候，我才看见，在沙发后面的墙上，作为装饰物吧，挂着一把古典式宝剑；在宝剑一侧，并排挂着两朵大红的绢花，就是直到如今还常给英模什么的戴的那种大红花，只不过他挂的更精致些罢了…… 这两朵绢花是那天我们见面后，留在我记忆里的败笔，我总觉得那两团艳红搅乱了其余的印象，而且我百思不得一解：老豹这么个人，他墙上何必挂那么样两朵花儿？……

…… 富汉又用那辆奔驰把我送回了家。我记得我们都经过了哪些地方，我对这个城市大多数地方都熟悉。可是我不能把跟老豹见面的具体地点告诉你。他们并没嘱咐过我，更没威胁过我，是我自觉…… 我甚至于从未跟人透露过这段遭遇。今天，也许是你我真有缘分，我讲给了你听…… 你应该知道，90 年代，社会已经复杂到了什么程度，已经有什么样的奇怪人物出现，并且，居然已经有了某些神秘的民间集群……

31

"潘藻,你也想写小说吗?"

"我觑你行干什么?"

"你可真能虚构啊!"

"你不信?"

"…… 不信。难道中国真有黑社会了? …… 你编得跟电影似的 ……"

"黑社会?你为什么用这个词儿?我说的 …… 我以为,并不是黑社会,没道理认为他们是黑社会!黑社会,贩毒、绑票、操纵暗娼 …… 我没发现老豹他们跟这些事沾边 ……"

"就你那么浅浅地接触,能知道多少?美国电影里,比如《教父》,那里头的黑社会,表面上还不是道貌岸然,场面上,那些人甚至于比咱们还文雅 ……"

"没有根据,就不能胡乱猜疑。从西方电影去类推设想,就更没有道理!"

"看来,你是让那老豹给迷住了! …… 后来,你又见过他吗?"

"没有,他也没再让人来请过我 …… 可是,我后来跟富汉有联系 ……"

"就是那个 …… 保镖司机?"

"他确实是出租车司机。他给我留了个 BP 机号码,我呼过他,他总是给我回电话;只要他安排得开,他总来拉我;有时候他也跟我聊聊;有两回我趁便请他吃晚饭,他也没客气,我们聊得比较细 …… 我们也许还算不上朋友,可是,聊的时候,我感觉双方很投机 ……"

"他都跟你透露了些什么?老豹究竟是什么人?"

"我不能这样问他 …… 他给我透明度比较高的是他本人的情况 …… 他原是一家国营大厂的工人,不景气,发不出工资,他就提前退休,开了出租 …… 他好武术,十几年前曾在国家级的武术竞赛中得过一个什么项目的银牌 …… 目前他对佛学有兴趣 ……"

"这都并没什么传奇性啊 ……"

"当然,很平淡,没'戏眼',对不? …… 他在说自己事儿的时候,会提到老豹。只有在他主动提到老豹的情况下,我才用一种随便的,并不刨根问底的口气,而且随他答不答地，插进去一两个关于老豹的问题……"

"你究竟都打听到了些什么？"

"其实，也没什么奇奇怪怪的，更没什么惊心动魄的…… 老豹原来也不过是一个工人，而且是一个小厂子的工人…… 后来停薪留职…… 再后来正式离职…… 现在也不过是个一般的个体户，在县里大街上有他一个汽车配件门市部……"

"那只是他的公开身份吧？ 他究竟控制了多大的地盘？ 手下有多少人？"

"你也来参与虚构了吗？ 哈哈……"

"与其你虚构，莫若我虚构……"

"那是你虚构不出来的！ …… 只能根据富汉零零星星讲出来的，去加以连缀、想象…… 富汉的口才并不怎么样，而且，你可想而知，对老豹的事，他多半点到为止…… 在他所讲到的事情里，有三件，给我的印象很深……"

"哪三件？"

"一件，是他那边，有个工厂，厂里几个头头，搞假合资，就是根本并没联系到海外投资，用一个头几年从中国嫁出去的女人的洋丈夫的名义，说是来投资，其实，是完全从这边的银行里贷出款来，算成那洋人的，这么个'中外合资'。你也明白，这虽然损了国家，可是厂里头头脑脑就有了轮番出国，所谓考察、谈判的机会。而且，这厂子一算合资，那厂头头们便立刻可以用贷款买豪华汽车，大摆'外事活动的'谱儿…… 可厂里工人就惨了，因为，所谓的要提高职工水平，提高生产效率…… 于是大裁员，其实就是真的合资了，也得等设备什么到位了，再定员不迟，他们却裁员在先。更荒谬的是，裁了半天，定员却并未减少，因为，厂头头的三亲四友，荐进来一大群人，还都不知道究竟该干什么，便都先领上了'合资机构'的高工资。而被他们裁下的，多是些老实巴交的老师傅，他们竟每月只发人家 70 块钱…… 他们自己挥霍得厉害，反正贷了一大笔款嘛，先拿来祸害，反正一时也荡不光…… 你那什么表情？ 不以为奇？ …… 你是想问，老豹能有什么作为？ 要告诉你的正是这个，那几个厂头头愣让他弄垮了，这假合资没搞成，外调来的全不作数，被瞎裁掉的都恢复了原工资，来了新头头。虽说厂里依然问题成堆，生产还是搞不上去，可是总没那么黑暗，那么没希望了……"

"老豹领导了罢工了！"

"根本就无工可罢！他也不是那个路子。他究竟是怎么运作的，富汉也没说得很清楚。我给连缀起来，大概齐是：一，利用了个突发事件：厂里有个暴烈性子的工人，跑到厂长办公室去，讨他认为是无理扣发的一份钱，钱数也不多，好像也就几十块钱；结果双方冲突了起来，那工人头被厂长的茶杯给砸出了一道大口子，流了满脸的血 …… 厂长和在场的一位劳资科长都说是那工人胡搅蛮缠，先动的手，厂长正端着茶杯，用茶杯挡他的拳头，才不慎磕到他头上的 …… 事发后厂里多数职工群情激愤，但也不敢就怎么着 …… 第二天那工人就往法院递了状子，告厂长在厂长室打人致伤，正好那厂长又要'出国考察'，先不管工人打得赢打不赢，他作为被告，一时走不成了，当然气急败坏 …… 这打官司，背后就是老豹，后来开庭，原告这边的律师，据说也是老豹给请的，法院要证词，当天厂里目击者的证词，也是老豹早让人给准备得齐齐全全的 …… 这当然还并不是最重要的，老豹的第二着，是给那地面上的最高官员，一把手，递了话：这事你不能向着那厂长 ……"

"他怎么能跟那一把手交往？他既然能跟那一把手交往，又何必再在底下弄那些个事？这说不通！属于'情节设置不合理'！"

"反正据富汉表述，就是这么个情况 …… 后来，那工人官司打赢了，引发出进调查组，查明是假合资，厂领导基本上就都给撤了 …… 自始至终，老豹并没公开出现，可是后来当地平头百姓都知道，'这事是老豹干的' …… 我问了富汉，这厂子是不是老豹待过的那个厂子？他说不是，老豹完全是'路见不平，拔刀相助'！ ……"

"这么说他是'城市绿林'了？可惜他影响所至，好像还只是在四环路外的某一区域 …… 怪不得你急着要演这么个角色了！ …… 我不能不再次怀疑，你这是在虚构，很笨拙的虚构！也许，你干脆是在讲你们那剧本里的情节！"

"写剧本的根本不知道这些事，他编的比这些个精彩，而且他另有立意 …… 实话说，戏演多了，我常觉得反容易怀疑起生活来 …… 这是真的吗？因为生活里的事往往不那么清爽，模糊性极强，叙述起来，不能不笨拙，充满了让人不满意的毛刺儿 ……"

"那么关于老豹，你还听到些什么？"

"第二件让我听了忘不了的是，据说他们那个区，搞反腐败，查出来有个什么局的副局长，有受贿两千块钱的问题，自然，面临撤职，甚至被起诉的不妙前景……又是老豹，找到头把手，跟他说，那副局长其实是个好人，也是个好官……你们官场上你争我夺，难免，我们也管不着；可是这回非把这位副局长弄下来，太不公正！你们里头我不敢说都不干净，可非要抠出几千块钱的事儿来，随便弄谁我看都不难；就你家安的那个三菱冷暖式空调，真跟你较真，里头你没占几千块钱的便宜吗？……这个副局长让他退出那两千块钱，做个检讨算了！这官儿我们平头百姓觉着该留下来；调别人来，我们反而不放心！……"

"这更是演义了！且不说他怎么能跟那头把手见上；就算真见了，这么秘密的话，别人怎么听得见？怎么传得出来？"

"可是我基本上相信。据说那副局长果然就保住了官。而从此那副局长就更给平头百姓多做实事了……"

"天方夜谭！那一把手岂能听他的？"

"据说他心里很不高兴，恨不能立时把他抓起来……可是，老豹的名声在那片地方非止一日了……现在一把手怎么来的？据说，就是因为原来的一把手，死不接受老豹递过的什么话茬儿，结果，他那地面，就在最要紧的时候里，连出了几档子让上面生大气的事故、案子，给罢了官……现在的一把手知道，对老豹，小不忍乱大谋，所以与其镇压，莫若视为隐形参谋……实际上正是由于老豹给他面子，他上任后，该地区在全市中不仅恶性刑事案件最少，连交通事故都不多……这不仅给他省了事，而且，还能使他往上升呢！"

"啧啧啧……你还说，他那不算黑社会呢……明明就是黑社会嘛！"

"你信其真了吧？"

"哪儿！他真能左右官员？我还是觉得离奇！"

"这世界上有多少离奇的事儿，我们都简直不知道呢！老豹算不得有多么离奇……据说他很少找官员们，找一把手更是一年难得一回。否则，人家出于尊严，也得把他灭了不是？留着他，也是因为他轻易不来找你，而且，背靠背地帮你维护地面上的清静……当然，有的事，连富汉提起，也笑说怕不能算到老豹身上。比如，一个局长，相当地胡作非为，群众告到上头，报社、电视台记者也给他曝光，上面也有查办的批示，可最后也不过是把他调到了另一个平级的单位当主任……这事老豹一句话没去掺和，可就在那家伙在新单位耍了头一次威风的当天，他晚上在绿地散步的时候，一弹弓子崩到他左眼上，到医院抢救无效，他就瞎了一只眼……说是要破案，哪儿破得了案？后来就有人说这只眼是老豹让他瞎的……"

"咦，我倒觉得，唯独这件事像是真的！"

"那最真实的是关于富汉自己的，也就是我要告诉你的第三件事：富汉的弟弟，诱奸了个中学生，事发，给抓了起来。富汉求了老豹。老豹便去见了那姑娘的爹。老豹对那姑娘的爹说：咱们实打实地说，你这闺女，在这之前，究竟跟没跟人睡过？倘若是真没睡过，那我们再没话说；倘若本来就不检点，那别瞒着，别非让一个小伙子进监狱。那姑娘的爹就说，自己这闺女确实在这之前就跟同学乱搞过；这回因为发生关系的是个成年人，觉着可以起诉，倒也不是为了非让那小伙子进监狱，实在是为了得一份'精神补偿费'。老豹就跟他说，这不他哥哥在这儿，人家愿意给你们钱，比那法院能判的多；况且法院最后很可能只判他弟弟进监狱，而子儿不判给你们。依我看，大家伙活得都不容易，干脆这就把钱给你，你明儿个就撤诉吧。就说，你问清楚闺女了，这事她也是主动的，而且以前也犯过这样的错。撤了诉，你好好教育闺女，让她从此学好，别再胡来。这位的弟弟，我们自然也要教育。别让人家老认为咱们这样无权无势的人，拿乱搞不当一回事儿。咱们才都是给这世界实打实添财富的人，咱们该活得更干净些……那姑娘的爹就说一定撤诉，而且钱也不要了。老豹就说，钱你还是要点，交个朋友嘛，别往脏处想；真一个子儿不要，这会儿心挺诚，过一夜又该觉着亏了；这也不是看不起你，人心都是肉长的，都不是金子打的；人别太贪太恶，能尽量跟别人将就，就算好人了……富汉说那当爹的最后竟哭了，他也眼睛发酸……后来他弟弟解除拘留，带去见了老豹，老豹训他一句，他应一句，最后也哭了；如今他弟弟再不胡来，有份正经职业，对老豹那真是服膺得五体投地……"

"这最后一个文本最有真实感！"

"你终于信了？"

"不……我想，你醉了，我也醉了！……"

32

他一早醒来就头痛。打开窗户,让晨风吹进来;用冷水洗脸,又放莫扎特的
C大调长笛与竖琴交响曲的CD盘;还背诵贾岛的"松下问童子,言师采药去,
只在此山中,云深不知处"……却还是不能摆脱那一阵阵的丝丝闷痛。

他想,真的,该干自己的事了!也就是,该坐下来写自己的东西了!

他坐到书桌前。桌上乱糟糟。书桌的纷乱意味着创造力勃发。是的,他已经
起了个头,那真正是属于自己的东西——关于霍木匠钉窗户,砰砰砰,一声又一声,
那胳臂上鼓起的肌肉,还有因为忠心与专注,努力向前伸出的双唇……他将从
那里写起,从对他人的惊异一路写到自我的忏悔……

但是他在找笔的过程中,目光与撂在桌上的那一厚撂打印稿相遇,那封皮上
赫然显现出《栖凤楼》字样,令他如触到一条花蛇……是的是的,都是这东西,
这个别人的东西,这异己的东西,这些天来一直妨碍着他,使他不能执著于自己
的东西……

他感到悲哀。在这攘攘人世间,究竟什么是真正属于自己的东西?个体生命
的存活,实际上便是不断与他人,与异己物,与心外的一切相遇相撞相激相荡
的过程……是的,他写下了开头,然而,往下的文字,却被一只无形的手牵着,
不断地将前面所写的,在后面予以解构……自己的东西?这世上严格来说并没
有什么纯正的自我表现,到头来,你总是难免湮没在群体的历史进程中,你所真
正面对的,总是难以破解的人性!

他在不知不觉中,整理起书桌来,待他惊醒般面对着样样东西都归了位的书
桌,不禁打了个寒噤。因为,他意识到,每当他的书桌变得清爽的时候,也便是
他文思阻塞的困境来临。

这么说,他还是不要急于写什么。他应当继续蓄水。是的,他已习惯把自己
的文思孕育过程想象成水库蓄水,只有当来自外部的信息与刺激蓄得丰沛,灵感
的闸门才能开启,而融会着众生甘辛的可称为"自己的东西"的文字,方能奔腾
流泻起来……

电话铃响。这回他觉得铃声颇悦耳。他过去接电话。却是一个错打来的电话。

他愣了愣神,便决定去那个两星级宾馆。那是《栖凤楼》剧组安营扎寨的地方,并且韩艳菊等人家也暂居其中。闪毅已退掉了天伦王朝的房间,在这宾馆里另租了三个套房当做他公司的活动场所。

33

他一直期待着和司马山的邂逅。毕竟,那如粘心上、难以剥弃的霍木匠钉窗的记忆,铲去表层,便一定要凸现出司马山来。这个生命跨越过二十多年的时光后,如今是怎样的一种存在状态呢?

仅仅从与韩艳菊的重逢中,是不能想象出今日司马山的。而且,自韩艳菊搬入宾馆暂住,人们也就很快都知道,她的丈夫与她关系很不和谐。表面上,是解释为司马山工作太忙,不断地在出差,所以难得到宾馆这个临时住地来跟韩艳菊团聚;实际上,谁都知道,司马山根本是另有住房;当然,且不能证实那住房中另有一位与其同居的女士的传闻,起码从韩艳菊在他面前的神态口气来推测,事态还不至于那样的粗鄙。

那个两星级宾馆在紧挨二环路的一条斜街里。宾馆很为招到了这样相对稳定的大生意而兴奋。员工们又大都有追星的热情,因此对忽然有那么多影视界名流出出进进,相当地引为自豪。

他进了前厅,服务台里的值班员都向他微笑。他也便长驱直入。乘电梯到了三楼,楼层服务台的小姐一见是他,便报告说:"闪总出去了。大概是去王府了。"他便知道闪毅是去吉虹那儿了。剧组里唯独吉虹不住这里,而另安排在五星级的王府下榻。他问:"潘藩在吗?"小姐告诉他:"拍戏去了。"并笑吟吟地问:"您怎么不先跟他们电话约定呢?"他淡淡一笑。他是故意不事先联系。今天他想乱闯一番。他期待着某种意外的收获。

他转身要离去。小姐却主动告诉他:"311开着呢。卢小姐跟丁先生在那儿呢。"小姐是好心,以为他无妨先到那儿小坐。他听了却加快了回到电梯口的速度。一个卢仙娣已让他吃不消,再加上那个野丁,他们的聒噪实在是一种超级恐怖!电梯门一开,他赶紧冲了进去,仿佛逃难似的。

他的动作不仅让三楼的值班小姐吓了一跳，更令电梯里的一个人吃了一惊。

他同电梯里的那个人对望，一望之间，不禁都惊呼热中肠。

那人正是二十多年不见的司马山！

虽然二十多年不见，而且司马山不仅发了福，身体轮廓线大变，那一身包装更是今非昔比，但是他一眼便判定：这就是今天的司马山！

司马山认出他来更容易，因为司马山从韩艳菊那里的一些《栖凤楼》开镜活动时的照片里，早熟悉了他今日的"尊容"。

但司马山对他突然以逃跑般的身姿神态活现于跟前，还是没有思想准备，定睛认出后，不禁哈哈大笑："大作家！怎么跟贼似的！刚偷了人家什么宝贝啊？"

他也大笑。也不解释所以然，只是说："幸会幸会！我一直说什么时候到你们五楼的暂住房拜望你这大干部呢 …… 可是你好像总不着家 ……"

司马山便说："巧了不是，我也一直要会你嘛！可我以往每次回这儿，总遇不上你这个大顾问！"

他心想，既如此，是否再坐电梯上去，到他们五楼的住处聚谈呢？

可是电梯在一楼停下后，门一开，司马山便轻扶着他肩膀，把他引到了电梯外面，并且说："正好，你要是没事，跟我走。我今天难得清闲。咱们哥儿俩好好叙叙旧！"

他随司马山走出宾馆大门。一辆桑塔纳小轿车开了过来。司马山熟练地拉开后车门，请他先坐进去。

他坐了进去。桑塔纳车他坐过多次。然而这回的感受很不相同。车开了起来，司马山问他想喝点什么，他还没回过神来，便惊讶地发现那车里居然有个小小的冰箱，司马山灵活地拉开冰箱门，里面竟不仅有一般的啤酒可乐，更有包括人头马XO那样品牌的小瓶洋酒；司马山并没有马上给他拿饮料，而是关上了冰箱的门，又问他："你看电视吗？不爱看电视，咱们可以看影碟 ……"他这才又注意到，后排坐椅一旁的车顶下，有一个能旋转角度的小电视机。

"桑塔纳有这种装备的？"他惊奇地问，"这本是卡迪拉克什么的才会有的吧？"

司马山笑道："当然是后装上去的！"又拍拍他的手说，"你再仔细看看，这里面的装饰，是不是和卡迪拉克不相上下？你看你看，这换贴的是什么样的木料？桃花心木！这夹缝里镶嵌的是货真价实的白银！再看脚底下，这可是值好几千块的特制纯手地毯啊 …… 还有看不见可享受起来绝对一流的好多名堂呢，你在一般的桑塔纳里能呼吸到这么清新的空气吗？这是因为安装了特殊的空气过滤器！还有音响，你当然有一对艺术耳朵啦，你听听，这里头音响是哪一号档次的 ……"说着司马山招呼司机，"小毕，放音！"于是他马上陷入到最优质的高保真回环立体声音波中，是克莱德曼那天鹅绒般的钢琴曲旋律 ……

他问："这是你的专车？"

司马山呵呵地笑。笑完才说："级别不够啊。我们可都是按级别办事啊！"

原来，司马山是刚刚调到这个单位。这车是原来的头头装配成这样的。那头头确实一切都按中央有关规定行事，比如，规定他们这一级的单位的头头只能坐国产车，那头头就果然只买桑塔纳来坐；有的单位越轨购买使用进口豪华车，那头头看了一点也不眼红；但该头头把这桑塔纳的里面装修得可与最豪华的进口车媲美，所花费的资金，其实已与购买桑塔纳的钱不相上下。那头头很是心安理得：又没把那份装修钱拿回家去，所有账目都清清楚楚，并且，用这方法令这车升了值，不也就是为单位增加了一份耐消耗资产吗？再说，这车虽然一把手坐的时候多了一点，可其他头头分享得也不算少啊，遇上有外事活动，接送外宾，也很体面啊。因此，当上面有关部门来查"超标车"时，这里却成了很少见的并无"超标车"的单位；依此类推，这里其他方面你也查不出什么"超标"的硬例子来。因此，该头头在上面声誉甚好，其离开，当然就绝不是"出了事"，也不是平调，而是升到了另一令许多人艳羡的位置。司马山接任后，继承了该前任的这一切，既心下佩服，也并不放弃在必要的时候必要的人物面前，略加揶揄。

他对这辆古怪的车，一时真不知说什么为好。

车子在城里一个十字路口的红灯前停了下来。他问司马山："你要把我绑架到哪儿去？"

司马山说："你以为我要带你去哪儿？大饭庄子？高级俱乐部？五星级饭店？ …… 哈哈哈 …… 到了你就知道啦！"

司马山把他带到了单位。略转了转，也没在办公室多坐，便带他到大食堂去。

他边跟着走边说:"还早嘛,我一点也不饿;我跟你来,只是为了聊一聊……"

"就是为了聊一聊嘛……"司马山在前头说,"你只管跟我来,你我都会有收获的!"

他跟着司马山,走过了虽然飘散开了饭菜香,可是还没有人进餐的大食堂里的若干空桌椅,然后跟着司马山转过了一道屏风,屏风后有几张当心有玻璃转盘的大圆桌。司马山继续往前,推开一扇门,他跟进去,门里是一条很朴素的走廊,两边显然是几个小餐厅;司马山推开了其中一间的门,他跟进去,不禁又吃了一惊——同那辆桑塔纳一样,连通这小餐厅的"外壳"实在平常,但这小餐厅装修得实在与京城最高档的饭庄的豪华单间别无二致。除了餐具闪闪发亮的餐桌,里面还有半圈真皮沙发,并且备有全套最优良的卡拉OK器材。

进去后,司马山便打了个手势,请他在沙发落座;并且笑吟吟地说:"我们这个单位的优良传统是:很少到街上的高级经营场所去进行公费消费,我们干部的工作餐,国内交往也好,外事活动也好,尽量都在这里就地消化!"

他和司马山都坐下了。有个穿戴得跟大饭店餐厅服务员几无差别的小姐端着茶盘进来,给他们送茶。是正宗的潮州凤凰单枞功夫茶。摆下茶,那小姐问司马山:"今天中午几位?"司马山吩咐说:"就准备五位的吧!"

他马上对司马山说:"我可不想跟生人一块吃饭!"

司马山呵呵地笑:"还是你那个老脾气!"看看腕上的表,把坐姿调整得格外惬意,又对他说:"午饭可以一小时以后再吃。我们难得重聚。我们有一小时可以单独地畅谈。"

他望着司马山。是的,他乐于跟这个旧相识谈谈。早晨起床后一直困扰着他的头痛竟消失了。他也把自己在沙发上的坐姿调整得更舒适些。

两个人对望着。相互而言,都是一个谜。

34

没办法,这真没办法,他未见到司马山时,脑子里已经总粘着关于老霍钉窗户的种种音响与体态,及至现在真的与司马山面对面地坐在了一起,满脑子里当然更充塞着二十多年前的那些个往事。是谁写过《同往事干杯》的小说？那真是个绝佳的命题，然而，那样的命题不属于他，他总不能与往事干杯，"杯酒释记忆"；他总是被记忆所困扰，他不能忘怀他人的"前史"，更不能割断自我的"前愆"，他就总是在前行的跋涉中时时痛苦地回望。

面对着眼前这位发了福，并且穿着面料和剪裁都颇高级精致的西装，扎着蔚蓝色底子上轧着金丝斜纹的领带，并且裤腰上系着梦特娇皮带，足登意大利扁头皮鞋的司马山，他所想问的还是，你为什么要那样把金殿臣往死里整？你的动机，真的主要是为了取悦于韩艳菊，也就是说，是为了给韩艳菊清除业务上的一个"障碍物"吗？你押送金殿臣回老家的路上，真是跟金殿臣共乘一辆自行车吗？当你蹬着车，金殿臣在后座上坐着，用双手搂住你的腰时，你一定心神不定吧？……后来当这一切都成为了过去，金殿臣又平反并落实政策回来以后，你们可曾遇上过？他还记恨你吗？你有所愧疚吗？那位曾紧跟你猛斗金殿臣的老霍，你知道他今天在哪儿吗？在怎么生活？……

司马山面对着虽是一身名牌休闲服却显得颇为邋遢的他，脑子里却全然没有他的"前史"，只充塞着他的"现在时"。对于司马山而言，他是一位名人也是一位闲人。作为名人，他不仅见多识广，并且具有宝贵的见解，因此司马山不能放过从他那里吮吸有用的信息和富于启迪性的见解的机会；作为无职无权的闲人，他又给司马山一种安全感，司马山觉得在跟他打交道时，不必如同周旋官场般地处处设防、步步小心，大可洒脱些，开放些，甚至于无妨穿插一点"越轨言论"，以显示自己"官身不官心"的格调。

司马山先开了口。开口提出的话题便相当的"高、精、尖"："……你说说看：现在比本事，比到头，就是谁能从银行里把钱拿出来用，谁能拿得多，拿得快，谁就算本事大。这局面，你说还要继续多久？"

他一愣。这是他实在没有想到的。但司马山的这一问，确实如同一枚重磅炸弹，把他头脑中原有的那些淤积物轰得粉碎。八千多天过去了，是的是的，霍木匠钉窗户的那间金殿臣的宿舍，早演变成了司马山和韩艳菊他们家镶满瓷砖的卫生间，并且眼下正成为一部怪异的电影《栖凤楼》的取景地，说不定此时此刻潘藩正在那里对着镜头装模作样……物是人非，不，物非人易……他心中有一种说不出的痛楚，而且，他脑海中倏地浮现出那个夜晚在那个俱乐部门口所遇见的那个往米色的卡迪拉克超长豪华车里钻的人，那人确实颇像金殿臣……是呀，八千天足够时间老人编制导演出如此诡谲的人间戏剧，可是，我们该如何评说？是从有人可以随意往宿舍窗户上钉木条以做隔离审查室的一幕，演到了有人可以从银行里随意拿钱的一幕了吗？……

他答不出话来。很令司马山失望。

司马山管自议论了起来。司马山的侃侃而谈里面，充满了对腐败现象的不满。刚从内装配令人叹为观止的桑塔纳轿车里出来不久，又坐在装修得如此精致豪华的小宴会厅——其实也便是 KTV 包房——里，并且几十分钟后便要在这里享受潮州海鲜席的这样一位"武装到牙齿"的官员，却由衷地为同僚，特别是比他更高一层的官场的腐败，那么样的痛心疾首，这情景令他感到怪异。

司马山议论到最后，又绕回到"从银行里直接拿钱"的话题上来，并再一次逼问到他头上："……你说，这算个什么局面？"

他对此憬然，只好说："银行里的钱，总是该贷出来，让钱生钱的啊……"

轮到司马山感到他是那么样的怪异莫测。司马山瞪着他说："你是不愿意跟我聊点真的，还是你真成了桃花源里的人啦？"

35

吉虹单独下榻在五星级的王府饭店，剧组里背地后啧有烦言，倒还不是嫌花在她身上的钱太多，而是觉得她其实还完全算不上什么一流巨星，摆的谱儿也未免太大点儿了。

有天收镜的时候，闪毅对卸了装要上依维柯中巴的潘藩说："委屈啦！"潘藩望着他只是微笑。潘藩知道，闪毅是对没把男一号也安排在王府饭店表示歉意呢。并且，闪毅所订购的本田轿车已经到货，他自己开来接吉虹回王府饭店，也确实够扎眼的；见着名气居吉虹之上的潘藩跟着别的配角们登中巴回两星级宾馆，他"良心发现"，说出道屈的话来，也是自然而然的。

吉虹对自己的特殊待遇却安之若素。她甚至还觉得委屈呢。每当闪毅把她送回王府饭店，总想跟她多泡一会儿，她却总是催着闪毅快走。可是当闪毅走了之后，她一个人在房间里又感到异常的寂寞，于是她就经常在饭店里转来转去，以释难以言喻的烦闷。除了在酒吧餐饮部门消费可以记账，闪毅又给了她两张信用卡，一张 VISA 卡，一张牡丹卡，她可以用这两张卡在饭店其余部门和街上随意消费。

这天吉虹下了戏回到王府，照例拒绝了闪毅一起吃晚饭的建议，把闪毅轰走以后，她便又在这家大饭店里转悠起来。

吉虹转着转着，来到了地下二层的法国帕金斯基仕女服装专卖店。帕金斯基女服是世界顶尖级的品牌之一。整个北京，这家专卖店是唯一的。甚至在全中国也暂时是仅此一家。很少有不知底里的人往这店里来，进去的，多是专门奔它而来的豪客。

吉虹前些天已在这家服装店买了一袭巴黎本季时装。这天她迈进店堂，发现值班经理和售货小姐正在伺候一位女客。这家服装店里的来客，成双成对的较多，男士多半很耐心，甚至很有兴味地在一旁等着女士挑选时装，或细挑面料、细议款式，量身定制华裳；末了呢，总是男士付款的居多。女士单独来购衣的相对而言要少些。

吉虹观览着最新到货，忽听那边一声："……还有没有比这个更好一点的？"她不禁朝那边一瞥，于是，她发现那说这话的女人，非常眼熟。

这个女人也住在王府里面。而且，她显然早于吉虹下榻于此，并且，她很可能在吉虹撤走后还要住在这里。吉虹住进王府以后，有一天拍完夜戏，回来已是午夜，大堂吧已经不再供应饮品，可是她懒得去专用酒吧，那里的菲律宾乐队演奏令她厌恶；她也不想马上回到房间，进门后便落座在大堂吧的沙发上，并且唤过服务小姐，让她从专用酒吧里给拿份鸡尾酒来；鸡尾酒来了，她小口呷着；忽然，她发现有个女子也懒懒地坐在大堂吧的沙发上，正在她的斜对面，也是把酒叫到那里，默默地小口呷着；她注意到，那女子手中的酒并非鸡尾性质，很可能是纯威士忌……这是她第一回注意到这个女人。她当然不会刻意去注意这个女人，但总在饭店各个公众共享空间中遇上这样一个身影，不免那印象便逐渐浓化起来。王府饭店是个高档的"大码头"，什么显赫的"船舰"停泊其中，饭店的员工及过往客人一般都不至于大惊小怪，围观尾随的事更很少发生；不过，吉虹住进王府以后，也还是有些员工乃至客人，因为认出了她，而投之以特殊的眼光。这种并不流于追星一族恶俗渊薮的眼光，还是很能满足吉虹潜在的虚荣心的。可是，时间一久，遇上的时候多了，吉虹便感觉到，那位女士对于她，竟完全是视而不见。她多次把自己的目光移到过那女士脸上，而那女士却从未与她交接过目光。这是个什么样的女人呢？

也不仅是在王府饭店里遇上这个女士。有一回吉虹和闪毅跑到东三环北头的希尔顿酒店吃德克萨斯黑椒牛扒，吃完到酒店里铁狮东尼专卖店转转。铁狮东尼是世界上顶级的箱包品牌，据说每一款都是专门设计并完全保持手工制作的；他们略看了一下，几乎每一件箱包手袋的标价，都在人民币一万元以上。闪毅是个买办，吉虹是个当红的影星，可是连他们看到那标价，都不禁咋舌，闪毅小声说："哇，在中国开这样的店，是为谁开呀？"可是，就在那店堂里，出现了那位女士，她正在挑鳄鱼皮精制的手包，并且，吉虹记得，从她嘴里，也是飘出了这样懒懒的声音："…… 还有比这个更贵一点的吗？"

事一过三，便令人永志不忘。吉虹不爱吃王府里的饭，常到马路对面的四星级和平饭店的"潮明园"里吃那里的潮州菜。那天也是凑巧，吉虹和闪毅，并且还请了祝羽亮和潘藩，人少没去单间，他们那一桌旁边的一桌，又出现了那位女士，这回她也是跟另外三个男人一起用餐，闪毅他们当然都浑然不觉，吉虹却听到旁桌的人在议论北京城里何处可以吃到地道的潮州菜，一位男士很在行地说："……这儿只能算马马虎虎 …… 京广中心那家也一般 …… 东华门的'佳宁娜'的厨师不错，有几样拿手的 …… 亚运村的'潮福楼'，吃了几回，水平波动起伏 ……"吉虹耳尖，偏又听见那女士懒懒地甩出一句："…… 还有比你说的更像样点的吗？"

这天吉虹再次在帕金斯基专卖店与该女士邂逅，她按捺不住好奇心了，她想实在该弄清楚这位女士的身份了。她略作游动，便以很自然的态势，走到那女士身边。开头，仿佛是等着值班经理或售货小姐来分身过问她，嗣后，当那女士对另一袭刚拿过来的套装加以摩挲时，相当得体地插进去说："这 …… 看上去倒好像比朗万的更具创意一点儿啊 ……"

朗万是法国另一顶尖级女装品牌。吉虹这话一出，当然就显示出了她的消费水准，已在最高一档。她一出声，当然那几位就都意识到了她的在场。值班经理忙跟她打招呼。那女士呢，依然并不正眼看吉虹，却仿佛跟吉虹早有默契似的，用一句话呼应她说："是呀，我不大喜欢朗万本季时兴的那种条纹 …… 还是这种黑白灰的永恒主题经得起推敲！"这话一出，值班经理和售货小姐便都以为她们是约定好一起来挑服装的熟人 ……

那女士懒得试衣，用信用卡付了款，也不拿那套装，只吩咐他们送到她房间去，便离开了店堂。在临出门的时候，她忽然扭回头，对吉虹嫣然一笑。吉虹这才意识到，自己竟很不得体地，一直注视着对方。

吉虹在那专卖店继续浏览了一阵。售货小姐在她身边，笑吟吟地随时准备听她吩咐。她忍不住问："她常来，是吗？"

售货小姐这才知道，吉虹和那女士并非熟人。售货小姐点点头。

吉虹尽量从声气上减少自己提问的不得体程度，但她箭在弦上，不得不发："是外国来的？在这里头有办事处？做很大的生意吧？……"

售货小姐轻轻耸肩："不 …… 我也不清楚 …… 她好像什么也不做 …… 就是住在这里头 …… 您看中了哪一款？"

吉虹离开那专卖店后，忽然非常兴奋。仿佛有一道闪电，照明了她此前的空虚；她为什么闷闷不乐、百无聊赖？因为她似乎过早并且也过于容易地功成名就了，很难再有什么事令她兴奋起来；这部《栖凤楼》的剧本一直提不起她真正的创造热情，她找不到凤梅这个角色的生活依据，她只是在闪毅的生拉硬拽下，才接受了这个角色；但现在她忽然受到了一个不期而至的强刺激，这位买最昂贵的顶尖级名牌服装连眼都不多眨几下的女士，那慵懒的意态，从不轻易与人对视的高傲，特别是那惊人的口头禅："还有没有更好的 ……"仿佛是第二道闪电，倏地照亮了凤梅这个角色，原来古往今来都有一种这样的女性，她们的生存困境并不是必须要做什么，而是完全不必做什么；她们不是因为得不到物质享受而痛苦，而是什么都可以享受到，以致常常为没有更好、更贵、更有趣的物质可以攫取而失却了生趣！

吉虹产生了一个强烈的愿望：一定要想办法正式结识这位女士，并跟她坐下来详细地谈谈。

36

一公里两块钱的出租车生意很不好做。街上拦车的客人一般都不向这样的车招手。这样的出租车一般都到星级饭店门口排队等客。富汉这天等到了一位到机场的客人，这算得是个甜活儿。抵达机场时，客人很痛快地掏出了三张 50 元的票子递给他，不要他找回多出的钱，也不要他开票，他很高兴遇上了这么一位豪客。

可是在机场排队拉客，却极其不顺。北京天气不错，然而外地若干机场班机因当地气候欠佳延迟起飞，使得北京空港到客量大减；本来排队的出租车就多，运客量一减，排在后面的司机简直跟热锅上的蚂蚁一样，一会儿跑前头望望局势，一会儿盘算是否空车返城算了。有的发现前面有"加塞儿"的司机，便忍不住趋前叫骂；又有的发现派活的管理人员徇私舞弊，将明明排在后头的车子先行安排客人，且是甜活儿，气不忿上前论理⋯⋯富汉跻身其中，只是敞开车门，闷头抽烟；论他的块头气派，冲到前头加个塞儿，谁能把他怎样？更何况派活的管理员，十有五六都跟他面熟心近⋯⋯富汉却还是老老实实地排队等活儿。从机场空车返城再找零碎活儿？无论如何还是下不了那个决心，因为多半是费力而挣不到什么钱。

这天直到擦黑，才忽然有大量班机降落，拥出了许多要坐出租车的客人。富汉觉得排队等客真比开车上山还累得慌。终于轮到他了，有个客人拉门进来，坐到了驾驶座旁边，看模样是个出差归来的北京人；富汉把车开动起来，问他："您到哪儿？"那人回答："大山子！"听这话富汉心里凉了半截。因为大山子离机场没有多远，就在机场通往城里的高速公路边上，好不容易等上了个活儿，却是个挣不到多少钱的活儿，而且在大山子那里几乎不可能再拉到活儿，这多半天岂不是白耗了吗？

富汉把车速减慢，跟那乘客商量："我跟这机场等了六七个钟头，没曾想等来您这么个近处的活儿⋯⋯您是开票报销的吧？这么着说吧，您下车多给点吧，在我，算是把亏空补齐；在您，算是帮兄弟一把⋯⋯"

那人要是说："哎呀，该多少算多少吧，咱们别让公家吃亏啊！"富汉必定也就算了。

　　那人要是说："我理解，你们开出租的不容易，等了半天，遇上我这么个只去大山子的，算你倒霉！可咱们只能按规矩办事，表上打出多少我给多少，对不？"富汉兴许叹口气，也便认倒霉。

　　那人要是说："我这么个工薪族，哪有多的钱呀？我拿单据报销，人家会计一看，就知道从机场到大山子不可能是那么多钱，混不过去不是？还是该多少是多少吧……"富汉就更没什么说的了。

　　可是那人却趾高气扬地说："什么？你跟我多要钱？！你车号多少？我非举报你不可！"

　　富汉最不吃的，就是这一套。他把车往路边上靠，说："我可以不要你的钱，可我也不想拉你！你下去另请高明吧！"

　　那人暴怒："你敢拒载？！我非把你车本吊销了不成！"

　　富汉真想就在那儿把那人轰下车去，可是那儿虽还不是高速路，却已是不许停车的封闭车道，只能且忍气吞声，将车往前开去，很快，便进入了高速公路。

　　倘若那人就此罢休，富汉也许毕竟不会怎样，可那人却得理不让人，说出极其伤害富汉自尊心的话来："……对啦对啦，你这就对啦，乖乖地往前开吧！你就是干这个的嘛，你干这个你还有什么挑三拣四的？让你拉哪儿你拉哪儿不得啦？……"

　　富汉焦躁的心，本已填满了干柴，那人的这些话，仿佛往上扔了一把火星，富汉的心轰地燃烧起来，简直马上便要爆炸。

　　富汉咬着嘴唇往前疯飙。心里盘算着怎么收拾那家伙。

　　那家伙竟浑然不觉司机的反应，欣赏着车窗外不时闪过的霓虹灯光影，志满意得地说："……拉人的就是拉人的，坐车的就是坐车的，这叫什么？叫：命！懂吗？人能跟命抗吗？抗得了吗？嘻嘻……"

　　富汉减速，到了收费站。富汉让那人交钱，那人倨傲地说："你交！下车一块儿算！"

　　富汉脸上闪过一个诡谲的笑影。他交了钱。

　　车过交费站，那人的自我感觉不仅达于良好，简直可以说是"优秀"，竟哼起了歌来。

　　等到那人发现富汉已经把车开到了离开高速路的一个出口外面——离大山子

还远哩——并且在黑暗中猛地停住时，那人才慌了。他问："你这是干什么？你要干什么？"

富汉猛地一揪那人的脖领，那人竟毫无反抗的应力，顿时浑身哆嗦起来。富汉用另一只手打开那边车门，然后将那家伙推出了车外。那家伙摔出去后，并不是马上设法爬起来跑掉，而是筛糠般跪在了那里，并且连连说："你别…… 你别…… 我给…… 我给…… 我都给你……"

这比他在车里口出狂言更让富汉吃惊。富汉并没有要抢劫他，更没有要杀死他的意思，他怎么会一下子吓成了这么个模样？

富汉原来是想，把他扔出车子以后，揪住他脖领，扇他 10 个"耳刮子"，以顶那过收费口的 10 块钱。他还设想到，倘那家伙大呼小叫，乃至拼死反抗，他该怎么应付…… 可万没想到这小子根本不是个玩意儿，简直就不值当他伸手再打！

富汉悻悻地回到车上的驾驶座前，他发动起车子，一瞥之间，那家伙竟还痴痴地跪在路边，这越发令他恶心；依他想来，这家伙此刻或者应该赶紧落荒而逃，或者应该赶紧跑到车后记他的车号…… 可是竟都不！这是他妈的什么人下出来的孬种啊！富汉又一瞥之间，发现旁边座椅下歪着个鼓鼓的公文包，他便拾起来，朝车窗外那家伙身上掷去……

富汉把车顺非高速公路的岔道上开去，他听见车后传来那人拾起公文包后惊喜交加的一声怪音。

37

真他妈晦气！遇上什么人不行，偏遇上这么个烂虾！

富汉开车进城时，还跟吞进了一样恶心的秽物，死啐不干净似的，脑子里翻腾着些个关于那家伙的想法。看情形那家伙属于所谓的知识分子、小公务员一类的角色，也不知往哪儿出了趟差，兴许是头回坐了飞机，便牛烘烘不知自己是几斤几两了！看来他出租车也没怎么坐过；你就不懂得，天一黑，像我这样的前后隔离的车子，前头司机边的那个座位，一般司机是不会让你坐的，怕你是要劫车的呢；你自己要真是谨慎的主儿，你又该怕半路上司机劫你才是，必主动坐后座；

你既大摇大摆坐到那儿了，想必你是个厉害的，你那臭嘴也真浑不论，可真到我厉害起来了，你怎么竟魂儿顿时飞出了壳，连个人样儿都保持不住？……你投诉我？不仅谅你不敢，而且，你既急匆匆拉门坐到了前头，后来又是黑灯瞎火的岔道上，你能知道我的车牌号？……实际上，富汉对付那家伙时，简直一句话没有，有的只是强有力的肢体语言；直到事后，车子开进城了，富汉才骂出一声："呸！"

进城以后，富汉脑子里便只膨胀起一个想法：注意路边，看能不能揽上活儿，尽可能把这大半天的损失捞回来！

在新源里一带，他遇上了招手要车的。开近了，靠边还没停稳，后边车门便被打开了，一个女的进来，再一个女的，在嘈杂的声音中，又进来一个女的；三个女的还没在后头坐利落，前面车门被拉开，进来一个男的，还没坐稳，便吩咐："去天元俱乐部！"

他便按下计价器上面的"空车"灯，让计价器开始运行。旁边的那位主儿酒气熏人，虽一身西服，可领带倚里歪斜，一副邋遢相。要是平常，他晚上会拒绝拉四个人，前头更不能让坐人；可是这晚他只想着再挣点儿钱，便也顾不得许多。他很快把车转到了二环路上，不久便接近了安定门外的天元俱乐部。

那一身酒气的搭客，上车后便不停地跟后面的几个娘儿们逗贫嘴，后面的三位则不住地还嘴、咯咯咯笑；这都不去管他，富汉只是正襟危坐地开他的车。可是，当目的地即将显现时，身旁那主儿却喷着酒气，歪过头跟他说："开车的！给个面子！我就10块钱！听清了吗？就10块！"

咿耶！邪门儿！背兴的事儿怎么全赶在今儿个了？富汉心里原本就架着干柴，那位去大山子的主儿往上撩了火星儿，他爆燃了一阵，还没燃尽呢，这位酒臭爷们居然又掏出把破扇子来扇火，他的心，便不免又轰地爆燃起来。

他听清了那无理的话，却暂时不予理睬。直到停在了天元俱乐部门外的马路边上，才正言厉色地跟那小子说："看好表上的价！你该给多少给多少！"

车停后，坐在后头的三个女的便开门下去了。好像有些个他们约好的人在那门前等他们，互相招呼着。坐在前头的那主儿却不下车，不仅不下车，还挤眼咧嘴地说："怎么着？给脸不要脸吗？跟你说了，我就给10块！就10块！"那主儿倘若真是拿出一张10块的票子来，也许倒是另一个局面了，没曾想那小子偏递给富汉一张 100 元的大钞，硬要他找回 90 块钱来，这就不是单纯的耍赖揩油了，这分明是拿富汉开涮，比抽他"耳刮子"还厉害！

富汉瞪着那主儿，差点儿就伸手抽过去了，可是闻见那主儿身上袭来的酒气，心里便先忍了一忍；且把对方看做是酒后无德的撒疯吧。他便接过那百元大票，按计价器上的数目，找回那主儿七十几块钱，还给开了张票。那主儿还嗷嗷地叫嚷着；这时车外那主儿的狐朋狗党已经把车围了起来，有的还几乎把头伸进车窗，叫骂着："怎么回事儿？谁惹咱们大哥生气呢？"有的便用拳头擂击车顶……

富汉沉着地把找回的钱和发票递给那主儿，跟他说："拿好！点点！下车吧！你不就是要到那里头玩玩吗？别跟这儿耽搁工夫啦！"

那主儿钱和发票倒是接过去了，却仍不下车，而是横鼻子竖眼地说："怎么着？你不给面子？你跟我来这套？你他妈的不想活啦？！"

不想活了？有他妈那么严重？富汉正觉着这邪门儿也邪得忒离奇了，忽见那主儿从腰里拔出来一把匕首，明晃晃地就冲着他比画上了。

哈！富汉一看这情景儿，倒顿时平静下来了！

富汉并不是吃素的。说真的，对于擦黑时所遇上的那种知识分子或公务员，他富汉还真是心中无数，他万没想到那人碰上突发情况会那么样地贪生怕死，早听人说过知识分子一类的人大多是嘴硬心酥，占上风时得意忘形，一旦陷入危机便唯求自保、丑态百出，今天算是得到一回印证。对知识分子虽不甚了了，但是对眼前的这号人，他富汉可是一见撅屁股，就能知道会拉出什么屎来！

富汉原本便在下层社会里混，这方面感性的积累已属丰厚，再加上这一二年常受老豹点拨，更增加了不少的理性认知。他记得老豹说过，如今社会上已是"什么蝲蝲蛄都有"，具体来说，有"红、黄、蓝、白、黑"五道，还有"混、赖、讨、偷、盗"五渣。什么是"红道"？就是专干"白刀子进，红刀子出"的见血营生，社会上早有传说，什么出多少钱，可以雇人打断仇人一条腿、弄瞎一只眼，出更多的钱，甚至能索仇人的命；老豹说其实事情不是那么简单，并不是想报私仇的人都能拿着钱找到"红道"，更不是"红道"成天地给人报私仇放血赚钱。不简单，怎么个复杂？老豹没再说，富汉也还没见到过"红道"上的人，也许见过，但并不知道那便是"红道"上的。什么是"黄道"？这好懂，就是专干色情勾当的，控制暗娼，勾引嫖客，设置秘密淫窟，贩卖淫秽物品……这一道的不仅富汉亲见过，就是社会上的许多正经人，在某些地方也都被其喽啰招惹过。什么是"蓝道"？老豹的说法，是这一道既然居"红、黄"与"白、黑"的当中，那么难免与左右的四道有千丝万缕的联系，然而，这一道却又高于其余四道，甚至于有点"出污泥而不染"的味道。又据老豹说，"蓝"其实也就是"绿"，古人诗曰："春来江水绿如蓝"嘛！"蓝"既是"绿"，那么这一道，也便是当代的"绿林"了！当代的绿林好汉们，是站在底层的立场上，维护底层百姓的切身利益。老豹还有个高论，是说毛主席评《水浒》，评到了点子上，梁山好汉们只反贪官污吏，不反皇帝，而且，总等着被招安；千真万确这便是"蓝道"的特点；当今的"蓝道"也正是这样，坚决反贪官污吏，可是并不反政府，而且，等待着"浮出水面"，与政府公开合作，也便是"受招安"。"受招安"后是不是没有好下场？老豹没有回答这个问题。那么，老豹算不算是个"蓝道"的"宋江"呢？有一回富汉说他是宋江，他很生气，说富汉"胡言乱语"！如今富汉自己也不承认是"蓝道"上的。"蓝道"究竟有没有？似乎只是一个神话。什么是"白道"呢？有人说贩卖"白面"（海洛因等毒品）的便是"白道"，老豹说这可是望文生义了，贩毒还是"黑道"上的事儿；据老豹的分类法，"白道"是专事赌博勾当的一路人马；因为能让你输得"剩一片白茫茫大地真干净"，所以称为"白道"；这一道如今在一些地方相当猖獗。至于"黑道"，不用多说，一般人嘴里的"黑社会"，都是专指这一道的，贩毒，贩枪，绑票，以至贩卖人口，组织偷渡出境……这一道与境外势力多有勾结，老豹说起来对这一道最为反感，但富汉隐隐感觉到，老豹最不愿意惹的，也恰是这一道。

所谓"红、黄、蓝、白、黑"五道，虽听来未免千奇百怪，闻之生畏；但一般社会上的良民，其实很可能终其一生，也并不一定会受到他们的干扰；以粗鄙方式干扰一般俗世小民的社会恶势力，按老豹的说法，其实只是五种人渣，第一种便是"混"，即"社会混混"，土流氓。第二种是"赖"，即小骗子，搞些个并不高明的骗术，诈取善良人的钱财，如报纸上法制版常刊出的案例：某人去银行存外币，在银行门外被陌生人截住引往僻处，说是可以用高于银行兑率许多的价格买下那些外币；某人动心了，应允；外币给了人家，对方也确实给了一大摞人民币，点了，也合应有的数；但不知怎么一来，等某人回到家中，掏出那摞人民币一看，却只有表面几张是钱，其余全是等大的纸片！这便是遇上了"赖"。第三种"讨"，自然说的是乞丐，但并不包括那些确实因为残废等原因不得不行乞为生的人，而是说明明还有劳动能力，却不去设法寻找劳动机会，好吃懒做，佯装残疾，乃至于逼迫别人去乞讨以供养自己，那样的一种人渣。第四种"偷"指小偷小摸。第五种"盗"指公然地溜门撬锁或拦路抢劫。

且说在天元俱乐部门外马路边上，富汉在他那辆两块钱一公里的旧皇冠出租车里，遇上了那么个情况。那坐在他驾驶座边上的主儿，居然掏出把匕首，威胁起他来。搁到别的司机，在这种情况下，多半会迅速拔下车钥匙，打开左边门赶紧出去，并且无妨去报案；可是富汉不作此想；何况那时车外还有车里那混混的狐朋狗友，人数总在三个之上；富汉连一个闪身躲避的动作也没有，只是轻蔑地冷笑着跟那混混说："怎么着？你这是什么意思？你坐车不想给车钱，你倒横起来了？我看你还是赶紧下车吧，外头的不都等着你吗？你今儿个不想进这里头玩玩吗？你车钱这也给啦，该找多少我也找给你啦，票也开给你啦，咱们两清啦，你还想怎么着？"

那确实是个地道的混混，他把匕首逼近富汉的脖子，气咻咻地说："你他妈的敢跟我犯酸？我他妈的说了给10块就给10块！你他妈的找足我90！跟你说，你别他妈的给脸不要脸！你要不乖乖地照我说的办，我他妈的就划了你丫的！告诉你，我他妈的进去过，我不吝那个！……"

对方越亮底牌，富汉越是轻蔑不已。对这号土流氓，他是太了解了！不错，这号人是真敢把刀子捅进你肉里的，他说他进过"局子"，那肯定是真的；这号人渣一点儿深刻的东西没有，他就是仗着那股恶赖劲儿，在你面前显示他对他那条命的不在乎，无论是你跟他拼命把他打死了，还是他捅死了你末后被抓起来枪毙，他都浑不吝；何况眼前的这个人渣还仗着几分酒劲儿，并且车外头还有他的烂哥儿们；把他薅住，扔出车外吧，那可不大容易，这人渣可不像那个住大山子的窝囊废那么好扔。

富汉警告那人渣说："你可想明白了，究竟是想今儿个就作死呢，还是去俱乐部里开开心！我可要数一二三了，数到三你还不下车，我可就不客气了！"

这时车外的人渣们也发现了车里的匕首，有的便喊车里那人渣的名字，意思是让他出去，别置气，算了；可有的却从车窗那儿露出脸来，龇牙咧嘴地帮他威胁富汉："你他妈的还不老实！"有的还在使劲捶车顶。

所有的这类人渣都是这么个特点：他以把他那狗命不当回事儿为王牌，逼你屈服。他那"我他妈的今儿个就死这儿了"的劲头，并不一定是假的。凡没堕落到这个份儿上，对生命还多少有一丝珍惜的普通人，往往便会败下阵来。而且事情经常是这样：这人渣似乎只不过是为了掠取一点钱财，或竟仅仅为了一个座位，甚至于只不过是一句话，他便不惜命了；于是你往往便想：算了，那就让他狂去吧……而结局又往往是，人渣占了上风，可并煞不住他对生命的轻蔑，那既是对善良人生命的轻蔑也是对他自身生命的轻蔑，到头来人渣还是毁了别人，并且被行刑的枪子儿毙掉自己。

此刻面对富汉的人渣便是如此。他狂叫："还我钱！不还我他妈宰了你！"他手里的那匕首确实是宰得下来的。

富汉却岿然不动，并且相应地再警告说："我可数数啦——一！……"

那人渣从未见到过富汉这种人，在那么个小小的空间里，赤手空拳，面对着他那可不是假装晃晃的匕首，居然真决心跟他搏斗……人渣运足了劲儿，准备先下手为强了……

"二！"

富汉的第二声呼了出来，四目相对的瞬间，人渣感到了一种从未经受过的恐惧，波浪般涌过其混沌的心头，他嘶叫起来："你给我钱！"

……

富汉没有喊出"三"来。车外的人只听见车里一阵激烈的骚动，那车似乎都摇晃了起来，并且似乎有血溅到了窗玻璃上。离车较远的几个女的马上尖叫着跑开了，几个本来在车外为同伙助威的男人渣几秒钟后也便鸟兽散……

有警察快步走了过来……

38

《栖凤楼》拍得十分顺利。祝羽亮喜形于色。他对雍望辉说："吉虹将在国际影坛引出大爆炸！"雍望辉心中不免暗问："是几时孟光接了梁鸿案？"因为，前些时,祝羽亮总埋怨吉虹跟凤梅这个角色"隔着一层纸",倒是不住地赞叹潘藩"举手投足尽在角色中";可是，现在他的评价竟换了一个个儿，他说"吉虹表达出了凤梅内心的丰厚层次",而"潘藩怎么到了一定程度就再难掘进"？虽然闪毅说不怕这片子的耗片比大，只要求每个镜头都一定要"到位"，如不"到位"，就是翻来覆去地拍也在所不惜！可是最近一段,吉虹的戏几乎都是开镜"一遍成"，这使得剧组里充盈着吉祥的气氛。

吉虹自己最清楚，她之所以能在诠释凤梅这一角色上有所突破，端赖她从王府饭店的"邻居"那里，获得了一把破译人物内心的钥匙。

那位在饭店地下二层帕金斯基专卖店算是接触上了的女士，虽然后来吉虹跟她正式交往起来，并且找到了一些共同语言，相互间也建立起了一些个信任，但整个儿来说，吉虹还是处于"出超"状态。因为，吉虹是在"明处"，根本不用吉虹自己透露，你只要找到某几期影视刊物，一翻之间，吉虹的芳龄、籍贯、来历……乃至于她"最喜爱的颜色"、"最喜欢的动物"等等便都了若指掌;那位女士呢，吉虹当然一切方面都不便直截了当地询问，只是在旁敲侧击乃至推测猜度中，大体上得知，她年龄当在三十上下（虽然有时看上去只有二十出头）;是有大学本科学历的（学的肯定不是文科专业，但究竟是哪种理科或工科，弄不清;另外也肯定不是学医的）;有人供应她大笔的钱财，而她对那人似乎并无感激之意;她信仰某种神秘宗教，这种宗教不仅是无偶像，也无见于文字的经书的;她有一个非常古怪的愿望:抱养一对双胞胎婴儿——一定要双胞胎，但是双男、双女还是男女各一则不论……

两个人头一回坐到酒吧饮鸡尾酒，吉虹想来想去，有个问题总还是要问的:"我怎么称呼您呢？"

那女士淡淡一笑:"就叫我……凤梅吧！"

吉虹不大高兴。她知道这绝不是巧合，而是因为，那女士显然看过有关报道，知道吉虹正在饰演的角色恰称凤梅。

那女士看出了吉虹的不快，便淡淡一笑说："称呼无非就是个符号嘛……你难道原来就叫吉虹？"

……几次同酌共饮下来，吉虹也便乐得称她凤梅了。也真奇怪，事后回想，她们似乎并没聊过什么实质性的话题，可是，凑到一处，居然言谈极欢。她们常常一起离开王府，探险似的，开始，还只是到另一些星级饭店或高档饭馆，后来，逐渐也去一些"匪夷所思"的地方，而且，有些这样的"怪地方"，比如吉虹带她去的那家叫崇格的小饭馆，竟让她非常地喜欢，她们也俨然成了那儿的常客。

吉虹因为白天一般都要拍戏，所以她们的欢聚，大多在夤夜时分。有时吉虹回到王府，洗完澡，给她往房间打电话，没人接听，吉虹便会备感失落。有一天吉虹回到王府，刚进转门，便看见一个矮个子男人在跟她告别，那男子晃过吉虹身边时，显示出一身与帕金斯基品牌相对应的意大利杰尼亚男装顶尖级套服，一瞥之间，吉虹矫正着自己的感觉：该男子并不算矮，只是相对而言腿短罢了，跟她站在一起时，由于她有着时装模特儿那样的高身量，特别是一双"圆规腿"，所以便"矮下来"了……

她送走了那男人，发现了吉虹，迎上来；大约是从吉虹脸上的表情读出了一个问题，便笑吟吟地，言简意赅地对吉虹申明："不是他！"

就这样，当有一回闪毅跟吉虹分手，其情景落入了她的眼中，待闪毅消失后，吉虹也便迎上去，迫不及待地申明说："不是他！"

她们便这样地"心有灵犀一点通"。往往对方只说出半句话，这边便心领神会了；更有一起坐在酒吧台的高脚凳上，各举一杯"螺丝刀"鸡尾酒，相对暂无言，却"尽在不言中"！

39

那晚吉虹应邀到她住的套间去闲聊。

闪毅给吉虹在饭店包租的，是一般的所谓"标准间"，然而她所包租的却是一套豪华套间，外间里不仅有整套沙发，还跟里间一样有彩电、电话，并且有小

栖 凤 楼

吧台，上面摆着许多小瓶精装酒，既有人头马 XO 等洋酒，也有茅台、竹叶青等国酒；小吧台下面柜子里隐蔽着冰箱，里面总装满着各色啤酒与软饮料。此外，这样的套房还每天往里面送一次水果，并总保持着摆放里外五个大小不一的鲜花花插。

吉虹进了她那套间，便感到真是"臭味相投"——不管服务员每回来把房间收拾得多么整洁，只要房主回到里面待上 10 分钟，必定是凌乱不堪。

她们打开了一小瓶马爹利，用房间里常备的雕花玻璃杯喝了起来。

吉虹倚坐在单人沙发上，她呢，爽性甩掉皮鞋，薅开长沙发上的一些个花花绿绿的杂志——主要是香港的《壹周刊》——手握酒杯，头倚着沙发靠背，斜卧在了沙发上。

只拉亮了单人沙发与长沙发之间，靠墙的那个大方茶几上的青花瓶台灯，硕大的灯罩把灯光变得幽雅暧昧。长沙发前方的长茶几上，花插中的香水月季散发出阵阵香气，那自然的气息与她衣衫上飘逸出的巴黎香水的人造气息相激相荡，令吉虹产生一种缥缈恍惚的感觉。

照例，交谈并无设定的主题，仿佛流水一般，顺兴流淌。

不知怎么就说及了房地产的事情。

大概是，吉虹闲闲地问及："你为什么总住这儿？买套房子住不是更好吗？"

她这才透露出，她当然是有房子的；有郊区的别墅，也正等着城里黄金地段的某高档公寓内装修完工 …… 并且她在这王府确也住腻，只是让她改住新世纪，她"懒得跟那些人掺和"，这才暂时未动；谁"让"她"改住"？她"懒得掺和"的"那些人"是些什么人？吉虹只心内存疑，决不追问。

她问吉虹买没买房，吉虹如实相告，现在有得住，还享受着"社会主义优越性"，但也确实想买套上等的商品房，只是还没盘算好买哪儿的、买哪一种 ……

这么聊起来，吉虹才发现，她对商品房的销售内幕，极其地"门儿清"。

她搁下酒杯，点燃一支加长的女士清凉型洋烟，吸一口，徐徐地吐出一串烟圈，然后从容不迫地向吉虹开讲"购房经" ……

她说："…… 买房你得同时买车，三环以外的商品房，你要没私车，打'的'都困难。那些报纸上的广告，一个比一个狡猾，那些个示意图，完全不按比例，明明在荒郊野地，却让你看上去仿佛离天安门真没多远……又是什么‘到达市中心只需 10 分钟车程’，他那个算法，是两点之间以直线为距离，车速以每小时60 公里计算，实际上根本不可能达到……这都还在其次，最可怕的是，设计图跟模型看上去都挺好，可是你去现场一看，那工艺上根本达不到，住进那样的房子，指不定哪天晚上，会轰隆一声，把你从梦里吓醒，是屋顶上摔下大片的墙皮，没正好砸在你脑袋瓜上算是你运气！……也有设计上施工上都过得去的，可是里头的水、电、煤气、暖气、电话线……不是这个不畅，就是那个忽然断档，因为，房地产公司未必都跟自来水公司、供电局……什么的搞妥了关系，他们一扯皮，你搬进去了就只能算你倒霉。你想想，倘若你买了一幢别墅，装修得挺豪华，可是你在里头突然发现水管不出水了，你打电话到物业管理处，他们一个劲跟你道歉，说不是他们造成的，是‘有关部门’造成的，他们正在紧急联络中……可他们态度好管什么用？没自来水，可以暂且喝矿泉水，可厕所冲水怎么办？……这种事真太多了！……跟你这么说吧，如今一切都真的走上正轨的商品房小区真是凤毛麟角，多半是盖了一部分，其余部分正盖着，却是‘胡子工程’，整个区域里总是尘土飞扬，路面不齐，绿化只是纸上谈兵……这还算好的，因为不管怎么着，工程总算还在进行；有的根本是没资金了，盖好的搁在那儿卖不动，盖一半的停在那儿像骷髅，于是就拼命登广告推销，什么‘13 万元入住’啦，甚至‘3 万元给钥匙’呀，让一些个不明就里的人怦然心动，去往坑儿里跳。其实，人家广告登得也很技巧，你当‘入住’是什么意思？那可并不是说，你买那房子就是那个价儿，他是让你先交那些个钱，先把那房子算在你名下，也许真给你钥匙让你搬进去；其实那房子的价钱总算起来，还总得三十多万以上，他是让你先该着他的，让你按期还你欠的那一部分，你还不上，他房子是要收回去的！当然，你也懂，有银行按揭一说，就是房地产公司跟银行讲好了，你买房子钱不够，银行可以先借给你，你以那房子为抵押。按说这当然很好，国外都是这么做的；可是现在有的是骗人，他并没跟银行真讲好，他是急着向你要钱，说什么你先交几万，他就先把正盖着的房子算是你的，其实他是根本玩不转了，想临末了捞上一把。你把几万块交他了，他煞有介事地跟你签了约，你就在家傻等着那房子完工好搬进去；过几天你到工地去看吧，一点动静没有，也许你能找着个看工地的老头什么的，你问他，能问出什么名堂来？很可能，是那公司的人，骗了一批小户头的钱，这家几万，那家几万，合起来也不老少，他骗到手就一拍屁股，卷包溜号了！说不定都出国了，你告他，法院也没处找他！……当然这么赖的也未见得很多，最多的情形还是，你入住了，发现不仅一切都不如广告上说得那么好，而且不断地有烦恼：小区本身倒还像模像样，然而一出小区便是好大的垃圾场！风一吹，垃圾场的秽气就直扑你的阳台窗户！苍蝇蚊子猖獗自不消说，一些个靠捡拾垃圾为生的外地盲流整天在你那小区外头聚集……这你有什么办法？你买那小区房子的时候，开发公司赌咒发誓，说已经跟有关部门说好了，那垃圾场必定挪走。他们也真做出了努力，可是到头来这问题解决不了，你跟谁论理去？……好，这个例子太恶心了，我们换另一个例子，这回你买的是临河的别墅，水绿树绿，天蓝花香，一切确实都不错，离城远，你有车，也不算什么问题，说是有配套的小学什么的，一时并没办起来，你也没上学的孩子，无所谓……可是，忽然有一天，你发现你买的房子产权有了问题，究其根源，是那家房地产公司，他根本就没把土地使用权搞妥帖，他只是跟当地农村签了约，而国家现在不承认！你花了上百万的钱买了那栋房子，却到头来并不能拥有产权，你窝心不窝心？……"

一番话说得吉虹目瞪口呆："哎呀，这里头这么多'猫儿腻'，这么多陷阱呀！我还从报上剪下了不少广告呢，这个'花园'，那个'广场'什么的……"

她坐起来，在烟缸中揿灭烟蒂，笑说："也有可靠的，关键是你要看那开发公司的背景；另外，我建议你与其买郊区的别墅，莫如买城内的豪华商住房。因为，当前的中国，还并没有发展到西方那个样子——他们那边是穷人才住城里，富人都住到郊外去；我们这里，目前还是住在城里方便，而且，据我所知，城里的豪华住宅，特别是豪华商住宅，物业管理水平跟西方算是比较接近……你看这王府饭店，除了少数细节，基本上跟西方大饭店没什么差距了嘛……"

吉虹听她说到西方，便借势问道："你对西方挺熟悉啊？你……怎么不出国呢？"

她正从茶几上的果篮里拿起一只美国大李子，准备削皮，一听这话，脸不动，眼珠斜向吉虹，吉虹只感觉有一对白果撞到了心尖……

忽然台灯下的电话机发出了蜂音。

倘若吉虹不提那个不得体的问题，她也许便不会接那个电话；但在两人间出现了微妙的疏离的情况下，她便搁下了美国李子，去取过了电话耳机："……哪位？……"

开头，她满面慵懒的意态，是一种拒人千里之外的口气；然而，听了几秒钟后，她的表情有了变化，口气也软和起来："……那好吧，就这样……"

搁下电话，她将双手伸到脑后，整理着头发。吉虹见势便起来告辞。她不留客，只是说："你为什么不愿意叫我凤梅呢？"

40

自称凤梅的女子穿戴好后，出了王府饭店，并没叫出租车，也不见有车在门口接她。她走出了王府饭店的前庭，一直朝街上走去。最后，她进了一条胡同，在胡同的隐蔽处，停着一辆小汽车，她认清了那车，走过去，拉开后门，坐了进去。

那是一辆旧皇冠，是一辆出租车。司机在她一上车后便开动起来。开车的是富汉。

当吉虹和那凤梅在套房里聊天，打进电话来的，便是富汉。

富汉的出租车，此时去掉了当中的隔挡。凤梅坐在后面，正对着富汉的肩膀。

富汉的车开出了城，出了二环，以更快的速度上了三环，然后是四环……

车出三环以后，凤梅便将双手伸到了富汉的肩膀上。那是浑厚结实的男人肩。凤梅从轻抚，慢慢变成重摩。可是隔着衣服，凤梅并不能真实地体味到那男人的性感，于是，她的双手又渐渐挪移到富汉的脖颈，那是粗壮的，富汉的胡须一直延续到喉结上面，令她感到粗糙，并且因为富汉口中正嘘出热气，又令她感到粗野……这很影响富汉开车，然而富汉并不制止她；富汉只是将车速加大到超出允许的程度。

车子飘向一个别墅区。

那正是凤梅向吉虹讲到的一种别墅区：一些盖成的别墅已然售出，但真正入住的人家很少，有的买来只是为了高价转手，因此常年锁得紧紧的；有的虽布置出来，色色精细，但住了不几天也便生腻，还是回到城里去住，这里只是偶尔一来；

有的根本不是花自己钱买的，因此对之更是犹如时装，兴来时一穿，兴衰后一脱，也是常常地荒废着 …… 而真是住进去打算把那儿当个家的，也总舒服不了——起码还有三分之一的别墅仍处在不同程度的施工进程中，而且因为资金不凑手，是"盖盖停停停停盖，停停盖盖盖盖停"。整个别墅区灰尘飞扬、噪声不断 …… 物业管理上的问题更层出不穷，忽然停电，自来水管里冒浑水，泄水管堵塞，垃圾不知为何几天无人来收 …… 一直宣称"不日开业"的超市只见壳儿没有瓤儿，路灯坏了分摊了修理费却迟迟不见修复，绿地花圃中栽的花树多有枯萎 ……

不过凤梅所去的那栋别墅，处在整个区域里最好的位置，离尚在施工的部分有相当距离；别墅周遭绿化得也较好；通向别墅的道路也中规中矩，落地式路灯也颇有圆月罗列之势 ……

车子开拢那栋别墅，凤梅从精致的路易·威登小手袋里取出一个遥控器，递到富汉手中。富汉接过，按一下，院落前的西洋花式铁门自动开启了。车进院内车库，再一按，车库的门向上方自动掀开，富汉便将车稳稳开进了车库 …… 他们下了车，径直从车库内的边门进入了别墅。一进入那边门，凤梅便将一把扁形钥匙插进了门边的通电启动器，于是各处灯光相继闪亮；他们所首先置身的，是别墅中宽敞精雅的厨房 ……

灯一亮，凤梅便扔掉手袋，扑到富汉身上，犹如一串藤萝缠住了挺直的柏树，她忍不住狂吻富汉的脖颈，特别是喉骨与锁骨间的凹窝 ……

富汉搂住她说："先都洗洗 …… 再说，我也饿了 ……"

凤梅便松开富汉，跑过去打开冰箱，看里面有什么还能吃的东西 ……

在北京的这个夜晚，谁能想得到，他们这样两个人，竟聚合在一起？

这便叫缘分？

…… 几个月前，闷热的盛夏，凤梅出了王府饭店，正赶上富汉这辆车滑到风雨廊；那天在王府外头等活儿的出租司机也挺不老少，大家都是排着队领活儿，会赶上哪位客人，往哪儿去，全是偶然；凤梅恰上了富汉这辆车，并且告诉他去这个别墅区；这倒是个甜活儿，富汉把车开起来，没怎么堵车，顺顺当当地上了三环 …… 天上开始掉雨点儿，凤梅坐在后座，两边玻璃窗本是关着的，富汉要关前头的玻璃窗，咦，邪门儿，那遥控式关窗的按钮居然失灵，任凭富汉怎么摆弄，半开的窗户就是纹丝儿不动 …… 雨忽然大了起来，并且毫不留情地灌进了车里，当然，后座问题还不大，富汉可真是遭了殃 …… 富汉知道，这车老了，一定是连接那控制器的线路出了问题，这问题并不算大，倘若到了修理厂，稍加摆弄也便可以解决，可是现在怎么办? 只好忍着，且把客人送到家再说……

那天，在滂沱大雨中，富汉挣扎着把凤梅送到了别墅;凤梅让他把车开进了车库，外头雨仍不见停歇;富汉停下车便先忙着往车外戽水，又想自己解决那窗户关不上的问题;不知不觉之中，他已喝了凤梅从厨房里端来的热咖啡，并且发现凤梅也动手帮他戽水、擦车 …… 末后凤梅请他进去洗把脸，车窗故障竟排除不了，大雨如注，他也确实走不了，便跟着凤梅进了那边门，也是先进的厨房……

在凤梅方面来说，她开初并没有别的想法，只是觉得很抱歉，让人家跑这么一趟，竟害得人家淋成了个落汤鸡;既然一时又走不了，让人家洗洗擦擦，喝点热的，吃点东西，也是应该的。在富汉方面来说，他也确实想擦一把。富汉没多想，他原以为这么大的宅子，不会没有别的人。凤梅引让富汉再往里，进了一个卫生间;既是设备周全的卫生间，也就不仅可以擦一把，完全可以痛痛快快洗个热水澡。

富汉洗完了，用人家的大块香毛巾擦干了身子，可是还不得不穿上自己的衣服;下面的裤子，外裤湿得厉害点，内裤倒还没怎么波及，穿上问题还不大;可是上面的 T 恤却淋得透湿，无奈，他只好拼命拧干以后，再甩甩，套在身上。

富汉出了卫生间，T 恤绷在他身躯上，凤梅一瞥中，心上已仿佛被挠了一下，但还只是混混沌沌的状态;外头还在下大雨，她让富汉且再坐着歇歇，然后去取来了一件干净的 T 恤，让富汉先换上。湿衣服箍在身上,也实在难受,富汉想了想，便接受了。就在富汉站起来，把湿 T 恤往上一脱的瞬间，凤梅望去，如遭电击——她感受到一种强烈袭来的男人性感;富汉在换衣的空当里难免有若干秒上身全裸的"镜头"，那短暂的动态"镜头"更令凤梅难以自持——她不禁在心里尖叫:"真可爱啊!"

就在那天，凤梅把富汉诱到了床上。

凤梅觉得富汉是她迄今为止最满意的性伴侣。富汉的胴体真是上帝专为她精心制作的。她喜欢强壮、粗野的男人。有好几种强壮，比如健美运动员那种强壮，还有影视圈里的动作明星的那种卖弄性强壮，全都不在她的视野里。富汉的强壮不是健身房里练出来的，而且他自身甚至都没有意识到那是他作为男性的一种财富，那是在劳动中，在底层生活的锤炼中自然而然形成的，一种漫不经心的强壮；再加上富汉那自然而然的粗野，融会起来，便如醇酒，令凤梅沾唇即醉……当然，更有与其做爱时，那妙不可言的强悍与从容。凤梅为自己今世为女，而能有这样的男伴，隐然自豪！

富汉搞不清自己是怎么跟凤梅上床的。事后他从未一个细节一个细节地对那奇遇加以回味咀嚼。他只是大概其地感受到一种欢畅。他对凤梅的胴体并不怎么会鉴赏，但他惊异于凤梅竟能有那么强烈的主动性，还有那么多做爱的花招，这是他媳妇从未表现出来过的；他从这艳遇里感觉到一种骄傲，他估计像他那样的男人多半都没体验到过这种大快活。

他们那回分手得很自然。天未亮，雨已停，富汉不仅不提车钱的事，也没穿凤梅提供的干衣服，仍套上湿T恤，开车走了；凤梅也绝不再给车钱，或有什么钱财上的表示；这使他们事后都格外心安理得。不过，凤梅给富汉留下了她的电话号码，富汉也告知了她自己的寻呼机号码。

富汉天亮时把车开到了修理厂。非常古怪，停在那里以后，检修的人一按那据说是不灵了的按钮，车窗立马就升上去了，并没有坏呀！这让富汉事后越琢磨越邪乎。

富汉回家以后若无其事。他并不因此嫌弃自己媳妇。当然他不会跟任何人说及他的艳遇，包括他所崇敬的老豹。

凤梅这以后也依然在自己的生活航道上运行。她曾几次在大苦闷中呼过富汉，一次富汉回电话说有事，来不了，另几次富汉都来了，他们也是开车到这并无他人的别墅里，美美地畅快了一晚。

他们在一起的时候除了功能性对话外，几乎无所谓的谈心。富汉不多问她的底细，搞清楚她真是喜欢跟他亲热，没有陷阱，无亏可吃，也便罢了。她也不问富汉的家庭。他们在一起时基本上只以肢体语言交流感情。当然，那是到头来会发展到汹涌澎湃地步的感情交流。

这回是富汉主动打电话来找凤梅。凤梅毫不迟疑地应召。

到了别墅里，富汉提出来要先洗澡。凤梅让他先去洗，自己来弄些吃的；她好多天没来这里了，打开冰箱一看，显然另外可以来的人这些天也没来，冰箱里只剩些很可能已过保质期的食品。她取出一包浦五房的卤鸭，剪开包装，放到微波炉里去加热，又取出两个日本产的方便碗面，在煤气灶上坐了一壶水……也只能是这样凑合一下了。微波炉里很快泛出一股气味，是卤鸭的味道，但似乎还有某种不雅的气息……她去拉开一扇铝合金窗，让外面的新鲜空气泄进来；这别墅虽然装修华美，但平时并无人在内生活，门窗紧闭，因此进来后难免一种霉闷的气息……

她打开富汉洗澡的那个卫生间的门，想跟他一起洗澡；在热气蒸腾中，富汉的胴体格外具有魅惑力……但她一眼发现，富汉左腋边，有不短的一个伤口，似乎刚结痂不久，这令她吃了一惊；她忙凑上去问："这是怎么搞的？能经水吗？"

富汉满不在乎地说："今天是头回经水，没什么，是前些天一个土流氓扎的……这小子比我惨，让我扔出车去，胳膊折了……他妈的，敢跟我龇牙！"

她便用手指轻抚那伤口，心疼地说："多悬呀……再多过来一点就是心脏啊！"

富汉先搂住她，然后便剥她的衣服……

他们一起从卫生间出来，煤气灶上的水开疯了。

富汉一看那些吃的，便摇头："就这个啊……看见它们我倒不饿了。"

凤梅也说："那好，我们……完了事，开车出去找地方吃夜宵……"

他们正想往卧室里去，忽然听见窗外有些没预料到的声响。

那是开来的一辆新型号的本田王小轿车。车灯大开，强光照向院内。车主手里也有遥控器，先开了院门，驶进院里，便让车库门掀开来，于是车主发现有两个车位的车库里已经停了一辆车，是顶上有标志的出租车；这显然出乎来者的意料，于是本能地按响着喇叭，一声紧跟着一声……

富汉只微微一愣，便镇静地问："谁呀？"

凤梅也只微微一愣，便满不在乎地走到打开的拉窗前，探出头去，看清了，便大声地招呼说："瞎按什么喇叭呀？来了你就进来呀！……"

这时，已是北京仲秋的下半夜，绝大多数的北京人，都已陷入深睡眠之中。

41

一个在大饭店里享受的客人，他仿佛是面对着一个布景华丽的舞台，并且服务员们都是些训练有素的演员，令他置身其中，也往往情不自禁地参与扮演起"文明戏"来，竟搞不清究竟是"人生如戏"，还是"戏如人生"了。

但是大饭店的"后台"，特别是厨房、锅炉房、洗衣房等处，却几无人为的雕饰，出场的人物也都很少戴着面具，实实在在的人生，在那些地方多半仍保持着粗糙然而鲜活的形态。

雍望辉借着跟那家大饭店总经理有一面之缘，混到了那大饭店"后台"的最深处。那种地方原是严禁非工作人员进入的。

紧挨着锅炉房，是洗衣房。洗衣房里安装着一排巨型的滚桶式洗衣机，都正在运转着。洗衣房里还排列着一大溜熨衣案，一群妇女正分散在案子边上熨烫着已然甩干的床单枕套什么的。她们一边工作，一边大声说笑。雍望辉还没迈进那门里，便被一阵传出门缝的哄笑声所吸引；及至他推门进去，女工们都扭头望他，然而笑声仍在继续。

他的出现，对于众女工来说，毕竟是一桩新鲜事。他没有穿经理服，模样又生，这样的人物是很难得出现在那个地方的。

洗衣房的女工，多数是些外地来的临时工，还有便是从客房部、餐饮部等处"沦落"下来的服务员——客房、餐饮的服务员本是吃"青春饭"的，青春不再，又不具备"往上发展"的能力或机遇，只好"仙女下凡"，从"前台"转移到"后台"，来此苦干；好在这地方活儿虽累，却少了许多的拘束，工资虽高不到哪儿去，比上不足，比下还是有余。

洗衣房的领班是个已然发胖的"仙女"，大家伙都叫她欧姐。乍听会以为她是个金发碧眼的外国妞呢，其实，那只不过是因为她复姓欧阳罢了。据说当年她是大饭店里规格最高的"巴黎扒房"最拔尖的服务小姐，不仅面容娇俏、身段窈窕、口齿伶俐，而且善解人意，顾客说到三分，她能体会足十分，服起务来真叫是小心伺候、色色精细；她给客人开香槟酒，开瓶费本来已定得很高，但因为她开得格外惹人喜欢，所以常有豪客不惜掷重金为小费……一度人们都猜测她会被哪个老外，或港台的富人带出境外，或至少会被哪位经理娶走，可是到头来她只不过嫁了一位普通的商场售货员，生完孩子坐完月子，她便"下凡"到洗衣房，而且一直干到了现在……

欧姐见忽然进来了个生人，也不大像饭店哪个部门的领导，便很不客气地打量着雍望辉问："嘿，你哪儿的呀？来这儿找谁呀你？"

雍望辉毕恭毕敬地问："请问……我找王师傅……老王……听说他到你们这儿来住了……"

"谁谁谁？你说谁？"欧姐很不耐烦，"这儿的都不老！找老的到敬老院去！"

其余女工这时有的笑，有的交头接耳。

雍望辉便进一步说明："是天伦王朝的人告诉我，他挪这儿来了……老王，就是……在前堂……管洗手间的……王师傅！"

欧姐听明白了，拍了个脆响的巴掌说："咳，他呀！对对对，有这么一位！"又瞪着雍望辉问，"你是他什么人？"

雍望辉便说："是他朋友……"

不知道为什么满屋的女工几乎全笑开了。

欧姐一边说："朋友？他也有朋友？……你是他朋友？什么时候有的？……"一边便引雍望辉往里面走，原来那洗衣房尽里边，有个往里面拐伸出去的空间，显然是个仓库，停放着若干不锈钢的柜式推车，有的推车上已放着熨完叠好的床单等物品；在那看不到窗户的空间里，有块用三合板隔出来的临时小房间，隔板并不封至屋顶，因此三合板墙面上也没开窗，只有一扇也是三合板的门；欧姐走过去拍那门，也不称呼，只是说："还睡啦？快起来吧，有朋友看你来啦！"

门没有马上打开。等门一开，雍望辉非常高兴，里面果然是王师傅！

欧姐转身走了。门里面的王师傅呆呆地望着雍望辉，脸上几无表情。

"王师傅，我可找着你啦！我来看看你！"

王师傅却说："你怎么到这儿来了？你找我干吗？"

42

他照例径直地顺着人行道延伸的方向，没有目标地往前，只顾走。

秋风吹着他早该剪短的头发，他双手插在风衣的衣袋里，眼里只有些需要闪开的迎面来人，其他的一切都删除在了视野以外，并且对那些嘈杂的市声，也都毫无感应。

他又陷入了常常将他的心绞得很痛的，杂乱无序的思索中。

…… 王师傅竟明白无误地表现出，对他的追踪并致以殷殷关怀，不仅无动于衷，而且相当反感。他是在一种多么朴洁，乃至于圣洁的心境中，费了多么大的劲头，才终于在那个大饭店洗衣房的旮旯里，找到王师傅的啊！这位孤独而不幸的老人，为什么不接受他的真诚关爱呢？

…… 是的，王师傅老了！这位一直不大显老的退休师傅，现在终于露出了老相；他注意到，王师傅脖颈上的皮肤不仅松弛下来，而且粗糙多皱，这是男子衰老的最典型征兆……

…… 他问王师傅，怎么会住在这样的一个怪地方——白天有一群妇女在外面干活。王师傅只简单地告诉他，这是暂时的，人家答应过些时给安排一间真正的小屋 …… 他问王师傅在这儿累不累。王师傅嘴唇动了动，没回答，却胜过千言万语。他懂，还有什么累不累的？一个干了半辈子翻砂活儿的老师傅，什么活儿能比那个更累？王师傅所需求的，仍不过只是一个关起门便仅仅属于他自己的小小空间 …… 在那个由三合板临时围出的小小空间里，他没有闻到一贯跟随着王师傅的铁砂气息 ……

…… 他试图跟王师傅一起回忆那些与他们两个人都发生过关系的人和事：钟师傅的那闺女，到头来还是嫁给那个她起头嫌人家不够派头的小伙儿了吧？外孙子怕都该上中学了啊！印德钧他怎么一辈子总是那么不急不躁的，可惜他竟升不成大官！韩艳菊多么会喊"没有一个人民的军队，便没有人民的一切"那个口号啊，

司马山当时整金殿臣可真够狠的呀 …… 当然，他回避着应当回避的 …… 他尽量
提及那些多少能调动起王师傅兴致的往事。对了，几年前，跟王师傅一个宿舍的
那个五大三粗的浑小子，外号叫什么来着？那回他去找王师傅玩，进门就正遇上
爷俩儿掰腕子，周围全是起哄的，两人僵持了不下五分钟，末后虽是王师傅慢慢
让了下来，可那小子完了事脑门子全是豆大的汗珠子，扯下毛巾要擦汗，却又怪
叫起来，敢情手腕子不听使唤了 ……

…… 王师傅却不管他说什么，全都了无兴趣，那表情，竟是盼他早些告辞；
那是为什么啊？难道，仅仅是因为，在他们交谈时，洗衣房里仍不时爆发出那些
妇女们放肆的笑骂声？ …… 对那些声响，王师傅不早该听惯了吗？ ……

他苦苦思索：王师傅这样一个生命实体，按说并不怎么复杂，并且在他所接
触的众生界里，应算是透明度较高的，可是，为什么他仍然不能进入其内心？

他想，文学家，艺术家，特别是小说家，往往总以为自己能诠释生命，特别
是心灵的秘密。其实，这只能作为一种固执不息的向往，而全然不可狂妄自信！
他为自己在以往的小说里，充满了全知全能的叙述，仿佛自己是能有七十二变的
孙悟空，动辄便钻进小说人物的心灵深处，洞悉了一切生命密码，于是便喋喋不
休地向读者倾泻，而感到惭愧 ……

当然，也许，写小说和读小说的至高乐趣，正在于明知无法洞悉人性，却执
拗地用文字的锄头，去甜蜜酸辛地掘进，以期每回多多少少，更逼近那底蕴哪怕
一分半厘！

…… 他在刚走出那个大饭店时，还盘算着，是否给那总经理打个电话，请他
格外照顾一下王师傅；可是走了一段时间以后，他便觉得那不仅并非王师傅所需
要的，也是会让那仅有过一面之缘的总经理感到奇怪的，并且，就他自己而言，
也未免矫情 ……

…… 王师傅最需要的，除了一间关起门来属于自己的小屋，还有什么？忽然
想到，曾起码两回，在王师傅枕边，瞥见过封皮卷曲的《彭德怀自述》，这回为
什么没有？或者也是有的，而自己却未能特别注意？ ……

…… 那大饭店的总经理，如果自己果然给打去电话，对方最希望听到的，该

是哪一类的话题？……

……而最要命的是，他弄不清，比如说现在，他本人，究竟在希望着什么？企盼着什么？

忽然有辆小轿车在人行道边停了下来，从车上匆匆忙忙跳下来两个人，一男一女；那是不能随便停车的地方，司机很快把车开走了；那女的扭回身，朝车里也不知是司机还是什么人招手说了声"谢谢"，便急忙叫道："雍望辉！"

他听见了那突如其来的呼叫声，刹住脚；一瞬间，所有的市声也都冲进了他的耳膜，并且视野里既落入了眼前的人，也恢复了对周遭全部繁华街景的感应……

站在他面前的，是卢仙娣和野丁。

43

那是卢仙娣的惯技。她需要同野丁一起找到"失踪"了的雍望辉，她便能说动一位有私车的朋友（其实严格来说连"熟人"都算不上，只是在某个社交场合遇上过侃过一阵而已；可她照例将其揽入其"朋友"行列），亲自开来小车，拉着他们满世界寻找目标；而居然在已陷入绝望的情况下，"得来全不费功夫"，一举将雍望辉在街头擒获。

他们就近去了一家麦当劳快餐厅。

卢仙娣嚷："雍望辉请客！你把我们害得好苦！这一顿好找！你哪儿幽会去了？从实招来！"

野丁怪腔怪调地说："幽会？他？哼，我可知道，他多半又是那个'底层情结'作怪，访问他那些'平民朋友'去了！"

雍望辉确有一种被人捕获的不快。但他既主要在那个"非底层"却也绝非"上层"的莫名其妙的"层次"里混，也便不能轻易得罪这些个人。再说卢仙娣见了面便说"有急事"，他也多少产生了些个好奇心。能有什么非得把他卷进去的急事呢？

那个时间麦当劳里人不太多。野丁要了一客大号炸薯条和一大杯可乐，雍望辉只要了一杯热咖啡，卢仙娣要了一客苹果派、一客小号炸薯条外加一杯热朱古力，雍望辉一总付了款。

他们找了个角落坐下。

"究竟找我干什么？"雍望辉问。

"你还不知道吗？林奇的签证，还没拿下来！"卢仙娣耸起眉毛宣布。

原来不过是这么一件事。雍望辉真不明白这有什么可惊惊咋咋的。

野丁开始讲所遇到的情况。雍望辉心不在焉地听着。啜着咖啡，雍望辉心想，怪了，林奇那样一个人，既然是那样的一种观念，怎么会不仅欣然接受西方资产阶级的钱，而且竟会为不能及时得到去西方的签证而着急，以至于发动卢仙娣和野丁来找他帮忙？也许，未必是林奇本人对此多么热衷，而是卢仙娣和野丁对林奇能否成行，都从各自的角度，有着若干急迫的企盼？……

"你不是跟法国大使馆的文化参赞挺熟的吗？"卢仙娣说。

"那是前一任。那前一任的驻华大使我也挺熟呢！可他们都调任了，现在的我一个都不熟了……"雍望辉说，"我听你们所讲的情况，似乎也都是些技术上的问题罢了，不是什么了不起的障碍嘛……人家是法制国家，签证处的具体事情，据我所知，大使轻易不会过问，参赞更不会干预……你只能是，签证处指出你还需提供哪样文件，你便设法补上哪样文件，找参赞找大使走后门，全都不中用的！"

"啊呀，求你点事儿，就这么难！"卢仙娣用餐巾纸擦着吃苹果派沾上碎渣的嘴角，一副很不以为然的表情。

雍望辉忍不住说："我实在不明白，林奇不是最恨目前俗世芸芸众生，特别是文化人的堕落吗？所谓堕落的证据之一，便是对西方强势文化的屈从乃至膜拜，他是连中国小孩子跟人告别说'拜拜'都深恶痛绝的呀，记得他还曾有一篇文章，提到现在的中国，连挂历上都净印些个巴黎铁塔、悉尼歌剧院什么的，并且甚至在偏远的农村茅舍里，都见到过这种挂历，当然是过时的，拿来贴在炕上，当护墙纸，令他感到触目惊心。他因此痛斥国人那'商女不知亡国恨'的劣根性……既然如此，他为什么要接受这种邀请，为什么就允许他自己，不是仅仅在中国把巴黎铁塔的画儿贴在墙上，而是竟然走到那真铁塔底下，乃至登上去呢？……"

　　野丁惊奇地望着雍望辉，仿佛面对着一个外星人："你怎么啦？你……怎么可以把不是同一范畴的事情，拿来相提并论呢？"

　　"怎么不是同一范畴？"雍望辉还想争论，"林奇既然那样地鄙视俗世大众，那么他就应该以身作则，为俗世大众做个……首先是抵制西方的榜样！"

　　"算啦算啦！"卢仙娣对雍望辉说，"你又来劲儿了！……你难道不懂，不入虎穴、焉得虎子？当年霍梅尼如果不流亡法国，他后来怎么能成为伊朗政教合一的最高领袖？怎么能领导影响全球的'绿卫兵'运动？……林奇此次赴法，意义一样的伟大！说不定，他离这儿远一点，倒有利于遥控这边的新理想主义潮流！"

　　"哎哎哎……你别扯上霍梅尼什么的，咱们不干涉别国内政……"野丁先对卢仙娣说，又盯住雍望辉说："其实，打开天窗说亮话，谁不都是一样？不管说了些什么写了些什么，到头来，不都是一种'话语策略'吗？林奇现在的'不述而作'，也是一种'话语策略'，当然，是一种高级策略……你那什么'我的平民朋友'啦，'直面俗世'啦，不也是一种'话语策略'？我为什么写《林奇评传》？更是不得已的'话语策略'！我不把我的论述推向极端，谁会注意我？！这个世界，什么空间都被塞满了！你，你的那些个朋友们，包括卢小姐，在我还没准备好的情况下，居然就把这圈里的'话语空间'都分割完了！居然一点儿都没给我留下！你们就那么贪婪！那么霸道！我怎么办？我只能是揭竿而起！我要'撑杆跳'，像布勃卡一样地为自己创立功业！我当然选择了林奇，可爱的林奇！神奇的林奇！伟大的林奇！……你们为什么那样地看着我？白厉厉地露出你们的牙齿，仿佛我是个刚出炉的汉堡包！……你们想把我吞了就张开嘴吞吧！不过这几个月的野丁可不是以往的野丁了，谅你们也不是轻易吞得下去的！哈哈，你们说我是'P派批评健将'，我就当一回'P派'又怎么样？我这么一P，我的这'话语策略'，不就拱开了一份空间吗？不过，我怎么是光'放P'？我也在捧嘛！我的'捧林P其'的'话语策略'获得了多么大的成功啊！现在是'谁人不知野丁P'！连港台也报道了我的话语嘛！卢小姐，你从杨致培那儿得到的那两本杂志上，不就都有我的大名出现吗？美中不足的是，只登了林奇和被我P了一顿的人物的照片，而我的却'暂付阙如'……怎么，你们不爱听……那你们究竟爱听什么？只爱听有利于展拓你们自己'话语空间'的信息？……"

野丁说到兴奋处，双臂不禁又扬向空中，附近的服务员望见吃了一惊。

雍望辉听了只感到气闷。

卢仙娣却摇摇雍望辉支在桌上托住腮帮的胳臂，笑着说："你别太认真……这也是野丁他的'话语策略'，对自己'诛心'，诛得淋漓尽致，为的是获取强烈的'文本效应'……其实，每一个人采取某种'话语策略'时，他是不可能不调动起自己良知的……不管野丁他怎么把自己的'P话'和《林奇评传》一下子踩咕成了如此不堪的东西，我却相信，他心底到头来是积淀着丰厚真诚的……我也是如此，你说我采取'后殖民主义'的批评立场是赶时髦，我不想否认；可是，我心底里，确实是积郁着太多'后殖民'所施与的伤害！……"

雍望辉让卢仙娣给说糊涂了。他望着周遭，这麦当劳不就是美国文化对中国的"后殖民"吗？那么，卢仙娣津津有味地吃着美式苹果派等"垃圾食品"，究竟是深受其伤害，还是也在履行"不入虎穴，焉得虎子"的原则呢？

他脑中飘过了王师傅，乃至于……老霍的面影身形，是的，他不能准确诠释他们……他更不能准确诠释眼前的卢仙娣和野丁……他能准确地诠释自己吗？……这是多么可怕的生存困境！

"言归正传，"卢仙娣用手指拈起金黄的炸薯条，在喂进嘴里以前，对雍望辉说，"你究竟能不能在林奇的签证上，给帮帮忙？"

"我已经说了，实在爱莫能助……"雍望辉不得不问她："你为什么这么热心这件事，难道你们两个人一块儿去？"

"他去成了，我就也可能去。"卢仙娣咀嚼着炸薯条，直率地说，"那个基金会，有可能每年请这边一个文化人……林奇去成了，他会推荐我的！"

雍望辉故意说："他恐怕会首先推荐《林奇评传》的作者吧！"

野丁说："那当然不妥。我还不着急。卢小姐先去顺理成章。不过，我希望我的评传不仅能尽快在大陆出版，而且也能在香港和台湾出版……当然，我知道，林奇本身的书在那边也难销，恐怕一时不会有出版商能出他的评传；不过问了杨致培，他说，缩成几千字的文章，那边有的杂志还是会有兴趣的……大陆文坛最新风潮嘛！……"

雍望辉喝完他的咖啡。野丁愿意到哪儿发就在哪儿发吧……他没意识到，这事居然跟他也有什么关系……可紧跟着他就听见野丁跟他说："出书见刊的事，倒都不劳您帮忙……可是，我正联系的澳大利亚那边，我已经准备好了评传的英文摘要，问题是，还需要一封强有力的推荐信，这推荐信，当然——"

雍望辉这才知道不妙，他说："难道你是要我……"

野丁点着下巴："就是，这个任务'历史地落在'您的肩上了！"

雍望辉急了："你！岂有此理！……你知道我对林奇……跟你们的想法有很大距离！而且，在你那评传里，很可能，我是被你写成林奇的对立面的！……"

野丁笑道："哎呀，这就是之所以请你写推荐信的缘由呀！这样的信一展现在人家眼前，才威力无穷呀！"

卢仙娣一旁帮腔："对你，是举手之劳，何不成人之美？野丁跟我搜索了你一下午，他为的主要倒是这件事！"

雍望辉实在很不情愿："举手之劳？我都不知道该怎么措辞……"

野丁便从提包里取出那已用英文打印妥帖的推荐信来，麻利地挪开桌上托盘，又用餐巾纸揩净桌面，将那信拍在雍望辉面前，并且还递上了油性签字笔。

雍望辉一笑，抓过笔，看也不看，立刻签了名。野丁强调："下面再签上英文拼音！"他便又照嘱签上了英文拼音，其实就是汉语拼音。

……他们出了麦当劳。卢仙娣宣称她还要去找能帮助林奇尽快获得签证的人。野丁说他"恕不奉陪"了。于是他们友好地分手。

雍望辉站在麦当劳门外，望着暂走一段路的卢仙娣与野丁的背影，卢仙娣的长裙下摆在风中朝后飘，两个人不知又说到什么，野丁又将长长的手臂朝上舞动……

雍望辉心中忽然袭来一阵强烈的情绪，类似于怜悯，也近似于酸辛……

活得都不容易啊！

44

那晚雍望辉回到他那城里的书房，开锁进门以后，发现有张显然是从门缝底下塞进来的纸条，拾起来一看，竟是司马山塞进来的，纸条上只写着请他尽快与其联系，"有急事"，一连开列了好几个电话号码，包括韩艳菊暂住的那个两星级饭店的总机号码及分机号，还有一个 BP 机号码与手机号码。

他找我有什么急事？这不是比卢仙娣他们找我更荒诞吗？

雍望辉很不痛快。特别是，他在城里的这个书房的具体地点，是相当保密的。这是一个胡同深处的杂院，在最后边，有很小的一个小院，里面只有他那么一间 12 平米的小屋，他几乎是从不允许任何人到那里找他的，更何况邀人访问；起初他连电话都不安，后来因为妻子去美国探亲，为了联络方便，这才也在这里安了电话；这电话号码在国内他只告诉了极少数的人，当然，时间一久，也便扩散开了……可司马山这个人居然打到了他的门上！凭什么？

难道司马山就不想想，我雍望辉能跟他交往吗？当年我们就合不来，况且，司马山不会不记得，当年我雍望辉是跟金殿臣、印德钧混得不错的，金殿臣被你整得好惨！印德钧到头来也被你排挤得一溜够！……这一阵虽说为拍电影的事儿，算是跟韩艳菊你们两口子邂逅了，那天勉为其难地跟着你去了趟你那单位，可我雍望辉跟你还是根本"过不着"！你有天大的"急事"，找谁都行，你找不着我姓雍的！

雍望辉便把那写着一串电话号码的纸条儿扯得粉碎。

雍望辉怕司马山再来电话骚扰，便又爽性将电话掐了。

他不仅感到身心疲惫，而且头脑因一天中连受数种不同的刺激，而阵阵发痛。他和衣仰倒在了那张折叠钢丝床上……

司马山究竟是怎么一回事儿？

不仅雍望辉永难将他弄清楚，就是跟司马山很接近的人，恐怕也不那么容易将他弄清楚。

司马山跟韩艳菊已然从貌合神离，发展到了貌也不合。也许是因为这一迁到宾馆里来暂住，他们的行踪表现，难免令人看得更清更细，以致他们也便爽性不再多加掩饰——他们已发展到即将协议离婚的程度。从他们暂住的房间里，有时传出争吵的声音，这还在其次；人们都注意到，司马山就根本不怎么到那宾馆里去；他们的女儿女婿，似乎是倾向韩艳菊的，在宾馆里逢到人问及司马山，公然地露出不敬之词……

　　他们这一对当年确实是自愿结合，并且也可以说堪称志同道合的夫妻，怎么会现在感情破裂，以至于此？当年司马山是为了韩艳菊，才拼力整倒金殿臣的，这从社会学角度去看，你或者会感到反胃；然而从情感学的角度去看，你是否无妨为之感动呢？特别是，当司马山将金殿臣押回农村的路上，他是很冒风险的，仅仅凭藉"革命热情"，他很可能是不会那样冒险的呀……

　　可是，谁能弄明白，在眼下"赶紧得找到雍望辉"这一点上，司马山和韩艳菊竟又是绝对的一致，一如当年他们在"必须将金殿臣打成坏分子"这目标上的绝对一致。

　　司马山是急欲同已知住在王府饭店的一位女士取得联系。那是一个能让他获得大笔贷款的关键人物，也就是能让你"直接从银行里拿出钱来用"的人物。司马山当然不是以个人名义谋取那笔贷款，那是不可能的，也是非他所欲的；他是为他自己的单位？为挂靠在他那单位的企业？也是，却也不是，更准确地说，当然不是；他为谁谋取那贷款？这可能你永远也弄不明白，他也不能让你弄明白，然而他自信那并不是什么歪门邪道，多少人不都走在这道儿上吗？……他会在这样的活动过程中得到好处？你说"回扣"。你能猜出有好处，并且猜出这好处会由韩艳菊所分享，但你是查不出有形的"回扣"的。司马山从不是笨鸡蠢鸭，何况在这点上韩艳菊仍会充任他的军师。你想想当年的事儿，一句"没有人民的军队，便没有人民的一切"作为口号该怎么领呼，韩艳菊多么具有敏感性，多么能随机应变，多么能挺身而出、稳占上风！难道现在她的水平下降了吗？从终于还是将那座中西合璧式的旧楼租借给了拍电影的闪毅他们，而拒绝了拍电视剧的那些家伙，就证明她"宝刀不老"！韩艳菊的超级聪明，加上司马山能"单骑押敌人"的超级勇敢，他们当然还是能"有志者事竟成"，这可能是他们最后一次"联袂演出"，他们通力合作……

　　司马山和韩艳菊都知道吉虹也住在王府饭店，并且与那位住进王府饭店颇久的重要女士有了颇深交往，他们，特别是韩艳菊，便都竭尽全力，想直接，或通过闪毅跟吉虹"套磁"，但都根本不能成功；他们当然一开始便想到了雍望辉，但雍望辉一连好多天既没在那两星级宾馆露面，更没在《栖凤楼》的拍摄现场出现；他们想给雍望辉打电话，又不掌握他的电话号码，问闪毅，闪毅明明知道，却懒得告诉他们；后来还是司马山想起来，雍望辉提到过，曾遇上了印德钧；明知印德钧已视自己为势利小人，司马山还是给印德钧打去了电话，利用那印德钧抹不下面子，以及并不清楚他的真实用意，加上也颇愿显示自己确被雍望辉引为旧好，这样几个因素，竟从印德钧那里获悉了雍望辉城里住处的电话号码，他连续打了多次，全无人接听，于是便以单位的名义，从电话局查出了雍望辉的这个地址，于是找上了门来……

为什么司马山那天与雍望辉邂逅时，他不提出这件事来，并且还以迷惑不解乃至于谴责的口吻提起了"从银行里直接拿钱用"的行径？因为那时他确实还没碰上这个"机缘"，甚至还不曾获悉那位住在王府饭店的女士的有关信息；他为什么这两天里这么急茬儿地想办成这件事？那牵着他的线头，为什么拽得那么紧？这你都很难弄清楚……司马山其实也不是很清楚，一旦他真找到雍望辉，是否就能真说动雍望辉，帮他跟吉虹坐到一块儿，并且吉虹是否就能帮他见到那位"内行人"提起来都不禁肃然起敬的女士……但是司马山必须要这样急如星火地推行这件事！韩艳菊也是一样地充满了紧迫感，并且鼓励司马山说："你要拿出愚公移山的精神来！"韩艳菊当年是单位里背诵"老三篇"最为流利的典范，并且多次在本单位以至区里的"活学活用讲用会"上讲用过其活学活用"愚公精神"的心得体会……但是如今听到韩艳菊这样的一句鼓励，司马山还是觉得不大对劲，他修改说："要……拿出'时间就是金钱'的……劲头来！"这句子虽不通，却格外对榫。是啊，别人弄不明白，司马山和韩艳菊却清楚，这回的机缘，是难得再逢的；并且，只要跟那女士接上了头，那格外优厚，甚至优厚到超出其想象的回报条件，是很可能令那女士——当然到头来并不一定是女士本人，是谁？也许你永远弄不清楚——动容，从而"速战速决"的！

司马山既锲而不舍，便活该雍望辉倒霉。

天黑净时，雍望辉仍在床上和衣仰卧，熟睡未醒；司马山电话依然打不进来，也一直得不到雍望辉来电，于是，便又来到雍望辉那个书房找他。开头，因为那小院一片黑暗，雍望辉的屋里根本就没灯光，司马山已然绝望，心想他莫非回城外那个家了？可是他既往那里打过电话，也亲自去往那里找过，楼里开电梯的和邻居都证明雍望辉这一向确实没有回去过；那么，是到外地去了？怎么偏偏在这个节骨眼儿上，雍望辉去了外地？司马山站在黑糊糊的小院里，几乎都打算离开，甚至做出了采取"没有雍望辉这小子，只好直接闯王府饭店"这一"下下策"的决定了；可是，他毕竟不死心，他越发感到了雍望辉的"可贵"，有雍望辉做"针鼻"，他这根线要穿过那位女士构成的"针"，"缝合"两个利益集团的"衣衫"，并从中取得"应得"的一份"好处"，那确实就自然多了，便当多了……于是他凑到那小屋窗前，把鼻子几乎贴紧了玻璃，从窗帘的间隙仔细朝里观望，当他瞳孔进一步放大后，他惊喜若狂地辨认出，雍望辉就在屋里！是在床上睡熟了！

司马山使劲地敲击起那间小屋的门来。

45

崇格饭店有所扩大。老板哈敬奇将隔壁一间铺面房兼并了过来。那间铺面易过几次租主，最后一茬开的是茶叶店，因生意清淡，无法维持，终于关板；哈敬奇这一向生意却很火，于是便将其也租了过来，打开隔墙，与原有厅堂连为一体，重新装修，颇有鸟枪换炮之势；现在的崇格饭店不仅有一般散座，还增加了一溜车厢座，并且还用雕花毛玻璃隔墙圈出来了两间小雅座。因为从倒闭的茶叶店那儿廉价进了一批茶叶和杭菊，因此现在客人一入座便给上茶；又增加了鲜扎啤供应，再不是以往那种低档饭馆的简陋景象了。当然，菜谱上的大多数菜式都提了价。

崇格饭店的兴旺，虽号称"郊"的林奇确是颗福星，不过他本人并不常来，真正带动起上座率的，倒是《栖凤楼》剧组及相关人士。在崇格饭店的墙上，有两幅装在镜框里的大照片，一幅是 60 年代格瓦拉访问中国时，弯腰同中国小女孩握手的镜头——一般食客对这幅照片并不怎么注意，偶尔有人多看上几眼，也多半会说："卡斯特罗吧？怎么把他挂这儿呀？"另一幅是《栖凤楼》剧照：吉虹所饰演的凤梅正忧郁地斜睨着窗外——这一幅是许多食客都极感兴趣的，有的影迷食客还会问哈老板："咦，你怎么能搞到这剧照？片子不是还没拍好吗？人家能把照片给你挂？"哈老板便会得意地说："不光是照片呢，实话跟您说吧，指不定咱们正说着话呢，照片上那人儿就走进来了呢！您当我这小馆子是大拨撮的鸡毛店啦！"有客人便会捧场："是呀，过不了多久，您就得起大酒楼喽！"每逢这类情况哈老板便会由衷地笑出声来，甚至会让服务员端上一盘不要钱的"奉菜"。

这晚崇格饭店的生意照例不错，哈敬奇正喜滋滋地坐在酒吧台后边督阵，忽然见他哥哥哈敬尔走进了饭店，心里顿时不痛快起来。

他知道哈敬尔为什么到饭馆来找他。他这哥哥，正如林奇所说，早已堕入了俗世红尘，而且属于俗不可耐的一流。这些年来，你看他净奔忙些什么啊，什么学历呀，职称呀，工资靠级呀，娶媳妇呀，养孩子呀，给岳母求医问药呀……为分到那么一套两居室的宿舍，又是跟几层的领导求爷爷告奶奶，又是拼命跟同事套磁，因为人家并不就此待见他，于是又脸红脖子粗地吵架，斯文扫地；又是整宿地写上告信，辗转于好几级的"信访处"，卑琐不堪……好容易分到手住进去了，又还是一堆油盐柴米酱醋茶的破事。唉，当年他那气贯长虹的革命理想，那摧枯拉朽的造反气魄，那义无反顾的牺牲精神，怎么都荡然无存了？

哈敬奇也劝过哥哥，一起下海"捞鱼"算了！哥哥却犹豫来犹豫去，前怕狼后怕虎，死伸不出脚。他起初开这饭馆时，人家问起哥哥"敬奇干啥呢"？哥哥竟未及答言脸先红，倒好像他弟弟成了"反动派"一样！后来，哈敬奇赚了些钱，给哥哥家送了一台21英寸的平面直角彩电去，结束了他们家多少年来还守着台14英寸的黑白电视的娱乐方式。嫂子是当仁不让，道着谢高高兴兴收下了，哥哥呢，据说当天晚上失眠了一夜，第二天一个人跑到崇格饭店，硬把1000块钱的历年攒下的国库券塞给了哈敬奇，那其实也顶不上彩电的价儿啊；可哥哥不那样就于心不安，关键还不是觉着兄弟大了各是一户，不能白占便宜，而是心里头还总是觉着，弟弟哈敬奇的这钱是脏的！似乎是只有他拿的那种公家发下的钱才是干净的！

唉！哈敬奇也曾问过哥哥："你当年不也是才华横溢的吗？怎么林奇能靠写文章成个名人，你就非得那么死性，非去套上什么学历、资历、职称的枷锁？你也来两刷子，不也齐了吗？"未老先衰的哥哥抽着劣质烟，耷拉着眼皮，闷闷地说："我也不知道怎么搞的，如今一点儿灵感也没啦！过去的事，都跟烟雾似的，变得越来越淡了……只是偶尔的,冷不丁,在梦里头,会忽然回来一阵,那倒浓得跟油画,跟新电影片子似的……"哥哥说出这话的时候,哈敬奇把眼只往别处、远处晃,他不忍再盯着哥哥……

最近哥哥他们单位开始推行"房改",根据那政策,鼓励公房住户购买现在住着的宿舍;把各种优惠的折扣全打进去,买下现在哥哥所住的那两居室仍需两万多块钱;哥哥家哪儿来那么大一笔钱?虽说可以分期付款,但首期的八千是必得先一次付清的;八千只不过是如今这崇格饭店一天的营业额,可是哥哥嫂子七拼八凑,也还是只有三千多,于是只好到哈敬奇家去求援;这本来是件很简单的事,支援哥哥这点钱,以解燃眉之急,做弟弟的哈敬奇有什么犹豫的!就是弟妹,嘴是碎了一点,对这么五千来块钱,也是不至于肉痛的;可是,前几天,哥哥嫂子来家里商议这件事,他和媳妇把五千块钱都拿出来了,却只因为媳妇坐在真皮沙发上,手里抚摩着登了记交了准养费的板凳狗,唠叨了几句,什么这阵子扩店花销大呀,其实自己家活钱也没几个了呀,又是什么如今民间借钱都讲究至少要付比银行算法起码多出五个百分点的利息呀,当然咱们是至亲不能讲究这个啦……嫂子虽说听了脸上也不大好看,到底还是把那装在信封里的钱拿在手里了;哈敬奇感到媳妇说话很不得体,不仅瞪了她几眼,也吆喝她:"你胡咧什么!"媳妇也自知说溜了嘴,赶紧改口让他们吃美国开心果……这不就结了吗?谁知哥哥却满脸溅朱,重重地拍了一下茶几,把茶水都溅出来了,几乎是吼着说:"成呀!咱们就按15%的年利算!明年这时候保证还清!"说着便站起来,让嫂子跟他一起马上"回家写字据,咱们都按上手印……到期还不上,咱们卖锅卖碗卖被子"!哈敬奇两口子怎么着道歉,也拉不住他;嫂子也拿他没办法……等哥哥嫂子下了楼,媳妇便跟哈敬奇又哭又闹,直弄得沸反盈天……你说这是什么事儿!

现在哥哥哈敬尔进了饭馆,径直朝弟弟哈敬奇走了过来。

哈敬奇想给哥哥一个微笑,却满脸肌肉都不听使唤。哈敬尔脸色铁青地走拢吧台,他没注意到弟弟脸上的表情,却只觉得弟弟手指上那镶着碧玉的金戒指晃眼。两个人逼近了,只隔着不足二尺宽的吧台。

两兄弟一时都说不出话来。

整个饭馆里的种种声响，忽然在他们的耳朵里都被放大了，他们40年来的手足之情，在一刹那间袭上了各自心头……倏尔那些声响，又忽然在他们耳朵里被推到了远处，于是他们冷眼相视，回落到现实。

哈敬尔拿出一纸借据，拍在吧台上，声调僵硬地说："……这是借据，15%的年利……我们俩都盖了戳子……还要不要去公证？"

哈敬奇心里拱动着一句："可哥哥这何必……"然而这句没能拱出喉咙，他听见自己吐出喉咙的是更加僵硬的声音："那好吧……我收下，不用公证了……"

两个人的眼光都往别处晃，可是都没马上改变位置。

"我走了。"哥哥对弟弟说，"再见。"

"你走吧。"弟弟对哥哥说，"再见。"

哈敬尔就转过身，一步一步，匀速地走出了饭馆。

哈敬奇咬着嘴唇，望着哥哥的背影消失在晃动的玻璃门外。

几分钟后，哈敬奇叫过给顾客送完酒的女服务员："你去，把那相片给我取下来！"

那服务员一时听不懂："什么？取什么？"

哈敬奇发起火来："你没长眼睛吗？那个那个那个……就是那个相片！"

他指的是那张格瓦拉的大照片。

服务员觉得很委屈，并且莫名其妙。不过她去取下了那张大照片，拿到吧台递给老板。哈敬奇接过来，立刻甩到了吧台下的空当里。

过了一会儿他又命令，把那张吉虹的大剧照也摘了下来。

恰在这时，饭馆的门被推至大开，《栖凤楼》剧组的一些人蜂拥而至，哈敬奇听见熟悉的声音在招呼他："哈老板！先来几扎鲜啤！"

46

那晚印德钧长时间坐在电视机前，全家人都睡了，他还坐在陈旧的沙发上，被动地让荧屏上的画面输进他的视网膜。

他理智上也知道，这不是好习惯；不仅对身体有害，也是意志萎缩的征兆。

他多次提醒自己：不能这样浪费宝贵的生命。纵使现在单位里并没有什么事，需要他下班回了家还得操心，他也还是应该用另外的一些更有意义的活动，来充实自己的余生。他也确实做出过努力：练书法，读史书，刻印章，拉胡琴……或者与老伴一起到附近绿地公园遛弯儿，与一些离退休的邻居打打地滚球……当然最有意义，并让他从中得到纯洁乐趣的是，他与老伴包下了家乡最僻远山区的一所小学的两个小学生的学费与生活费，那两个小学生定期给他们来信汇报学习及生活情况，他每半个月必认真地给那两个孩子写一封至少三页信纸的回信，每隔一个月给他们学校寄两本新出的好书……可是有时候他吃完晚饭，坐到电视机前看新闻联播，看完也还不想动，就如今晚，以至竟那么一直地不分良莠地，也不改换频道，任由电视机向自己眼睛里不停歇地灌输各色信号。

忽然，荧屏上晃动的形象，给了他一个强刺激，他眨眨眼，探出身子，仔细地辨认着荧屏上那个熟悉的面影……播音员的解说也证明着，那确确实实，是金殿臣！

那是一个严肃的专题节目，正介绍着某单位的一位优秀党员……那正是金殿臣，他头发秃得没剩下几绺，眼睛下的眼袋挺大，鼻子上的血丝还是那么明显，身胚倒没太大变化……他穿着一身这年头不大时兴的中山装，面对采访的记者，表情相当拘谨，可是口齿还算流利……印德钧听见一个熟悉到极点，却又久违了的沙哑的声音，把一些很规范的，文件和社论中常有的句子，很清晰地送进了他的耳膜……

从电视上可以得知，金殿臣还是个统计员，不过他为了适应新形势的需要，已学会并能熟练地运用电脑……印德钧一看一听就明白，金殿臣不是在装优秀，他是真优秀……也许自打给他落实政策以后，他便憋着一口气，一定要这样地优秀起来！

印德钧抓起茶几上的电话，给雍望辉打电话，拨了几遍，竟一点声音都没有……

那节目播完了，接着播的是花花绿绿的广告。可是印德钧还是觉得应该让雍望辉知道这个节目；这节目也许还会重播，雍望辉一定要看看才好！……可是这家伙的电话怎么回事儿？坏啦？

隔了好一会儿，印德钧才想起来，最应该看看这个节目的，其实倒还不是雍望辉，而是司马山、韩艳菊两口子！可是，他却懒得给他们打电话。如果他们没看到，早晚也会听人说起的！

刘心武文存

03

第二卷

　　事后他对自己很愤懑。为什么在酣睡中，依然响着那砰砰砰的声音？且不说比那更值得记忆的美好事物非常之多，就算是你要对不正常的事物留下具有历史价值的记忆吧，其实也远轮不到将那霍木匠钉金殿臣窗户的镜头作为首选，并重复放映到如此不厌其烦的地步！为什么霍木匠那鼓胀的短胳膊，那一齐紧往前撅的双唇，总像粘在灭蝇胶纸上的绿头蝇似的，即使在梦境里，也拂之不去？

　　他在梦中知道自己是在做梦，这已经很可怕；更可怕的是他竟不能指挥自己的梦境，他心里明明白白地在挣扎着说：不，不，这个不好，我不要这个，我宁愿要别的，哪怕是比这更丑恶更狰狞的……然而，不中用，那梦境纹丝不变；他便只好在梦中痛苦得咬牙切齿……

　　当梦外那"砰砰砰"的敲门声，与梦中那"砰砰砰"的钉窗声搅成一片时，他惊醒了。惊醒的瞬间，他甚至有一种解脱的欣悦。然而很快他便完全回到了现实中。他挺身起床，判断出确实是有人在连续敲他那小屋的门时，他开始不快，并且那不快迅即膨胀为气愤，他吼了一声："谁？！"扭亮了电灯。

　　门外的司马山虽然已做出了最充分的估计，但在他拉开门，两人相对的一瞬间，司马山依然被他双眼中射出的愤恨吓了一跳。

　　他当然不会让司马山进门。他厉声问："你来干什么？"不待司马山答言，又气急败坏地宣布，"我只接待事先约定的客人！……这个地方，我从不约人来！……我不能容忍对我私人空间的骚扰！"

　　司马山却抛卸了千言万语，劈头只是一句话："望辉，你父亲那部遗稿该还在吧？"

这也是司马山急中生智。毕竟司马山跟他同事多年，早把他脾性摸透。

是的，他父亲有一部遗稿，是研究甲骨文的。始终未能付印出版。"文化大革命"当中，为保存这部毛边纸，毛笔竖写，并且附有若干拓片、照片和手绘插图的遗稿，他真可谓心力交瘁。这些年他一直想让父亲的遗稿面世，可是，送到有关的出版社，出版社不仅是不愿赔钱，还认为其学术价值不高，给退回来了。这很让他不服气。他知道出版社的编辑对这部稿子的学术价值是无从判断的，他们是送给了一位社外的老权威去评判，结果竟给出了这样一个评价，他认为那老权威要么是有眼无珠，要么便干脆是嫉妒，怕先父的书一出，便不利于自己的权威地位了。而且他怀疑那老权威在所谓审阅的过程中，抄录了不少父亲遗著中的精华，指不定什么时候，那老权威便会将其剽窃过去，据为己有。因此他频繁地联系了若干的出版社，打算尽快自费出书。一来这部书制作起来确实需要很大投资，二来人家一看是他要为父亲出遗著，都认为他在文化人里算是个有钱的，因此开出的价都带有"宰一刀"的性质；他若倾其所有，当然也能付得出，但他不能倾其所有，去做这一件事。于是他转而寻求赞助。有的企业家本是乐于资助他的，可是听他开口讲明，一是并非他的作品而是他父亲的遗稿，二是一部关于甲骨文的冷僻到极点的纯学术著作，便都呵呵一笑，不再接他的这个话茬儿。

在头些天跟司马山邂逅，并被司马山引到他们单位的那间豪华餐厅，坐下来"叙旧"时，并不是他真要司马山帮什么忙，而是因为实在并无什么共同语言，于是便没话找话地说起了这件事，有一搭没一搭请司马山顺便给寻个赞助者。

他在愠怒中，忽听司马山劈头是这么一句话，顿时语塞。他万万想不到，司马山急如星火地找他，并且连夜找到他这个住处，竟是为了他父亲甲骨文研究的遗稿！

司马山看到他眼光脸色的微妙变化，心中得意极了。这便叫"水平"啊！司马山决心如此这般地一路表演下去。

他撤掉了防线，司马山顺利地进入了屋里。

他很勉强地请司马山坐。司马山却一副坐都来不及坐的神气。司马山就那么站在他面前，口气急促，却又条清理晰地把一大串信息送进了他的耳朵里："我就先不道歉！实在是机缘凑迫，跟我们下面'三产'有关的一家公司，老总是个难得的传统文化迷，我跟他提起伯父的这部遗著——我并没提起你的大名呢——只是叹息这么有价值的学术著作却生生地睡柜橱，不能见天日。他听了，居然很激动！连说拿给他看看，他竟是略懂甲骨文的呢！也不奇怪，他原是大学历史系出来的本科生嘛！他明确表态，如果真有价值，他愿独家赞助！我说，那印起来可比一般书麻烦呢！他说，该麻烦的事就不能怕麻烦！我一听，真为你高兴呀！可是，他明天一早就要飞离北京了，我想事不宜迟，所以急得没头苍蝇似的，满世界找你！我想为别的事骚扰你你都饶不了我，为这件事，我就是打上门来，只要说清楚了，你肯定会'刀下留人'！ …… 就是这样，最理想的方案，是今晚你就拿着伯父的遗稿，跟他见上一面；他一看持稿人是你，保险喜出望外！我、他跟你都是大忙人，一错过今晚，指不定哪辈子能再聚头！最好你们今晚上就能把事情大体上定下来！你看怎么样？"

他这下子倒分不清是在梦里还是梦外了。他望着司马山那双锋利的小眼睛，那眼光以前总让他觉得有一股子大头针别纸的爽狠劲儿，此刻他的意识便是一张纸，愣让司马山的眼光加话语给狠狠地别住了……

司马山来骚扰，竟完全是为了成全他给父亲出遗著的夙愿！这可能吗？

虽然明知是不礼貌，他还是禁不住问道："你 …… 来找我，就只为了这件事吗？"

司马山一脸真诚："那还有什么别的事？"

他于是道谢。司马山这也才一迭声地自我谴责，给他道个肥得不能再肥的歉。

司马山伸腕看看表，郑重其事地说："这样，我就先走一步；我跟那位老总约在王府饭店，我们还有些个事要谈；你从容地找出那书稿吧；为了两不妨碍，这样，我们谈得差不多的时候，我用手机给你来个电话，你再打个'的'赶到王府，如何？"

人家想得这样周到，他还有什么话好讲？

小屋门开时，迎向司马山的是一双恨眼。小屋门关时，司马山虽已背对屋门，却分明感到脖颈后洒满了愧疚的目光。

48

那天下午拍戏时，祝羽亮大发雷霆。

他对三位主要演员都不满意。他骂饰凤梅的吉虹是"永远拔不起来的准二流"，骂饰荷生的潘藩"根本不认真练活儿，整个儿他妈是个'戏奸'！"这些个他享有"专利权"的拗口词儿，当事人虽然能听懂，听了很不高兴，倒也并没跟他闹翻；旁边的人根本听不明白他骂的是什么，更不往心里去。然而，他骂饰旺哥的康杰："你丫的狗屁不通！好意思跟这圈里头鬼混！"却大大惹恼了被骂者，特别是，这句话让在场的每一个人都听得明明白白，而且，起码很有几个搞灯光道具的主儿，一听这骂，脸上便显出几分共鸣的神色来。

康杰原是个电工，业余爱好武术，在一次全国性武术比赛中，得了个拳术项目的金牌；他头一次走上银幕，是被邀去为一部武打片的主演做替身，后来又被叫去当需要露些拳脚的配角；在参加一部叫做《一不做二不休》的古装武打片的拍摄过程中，由于扮演男一号的演员在拍了近一百个镜头的时候，忽然"拿糖"，也就是非要出品人增加片酬，否则便以罢演为威胁，出品人气坏了，因为无论答应他还是辞掉他，损失都不轻；恰好导演也跟那颇为著名的男星不合，导演便跟出品人提出来，那就干脆辞掉那明星，起用本是在片中扮演配角的康杰来充男一号；导演是既看中了康杰的外形气质，又发现这个未受过专业训练的小伙子颇有一股子灵气；康杰宁愿在不增加酬金的条件下接过这个角色，出品人一算，即使重拍那一百来个镜头，也损失不到哪儿去了，于是便点了头；片子拍成，拷贝卖得居然不错，于是乎后来又有人请康杰去演了几部三流的电影电视剧，都是当男一号或男二号；康杰于是向往能进入正儿八经的艺术片，头年他争取到了一个根据文学名著改编的影片中的男二号，是个并不显示拳脚功夫的粗人，片子上映后，他居然引起了某些影评人与导演的注意，于是，他终于进入了这个《栖凤楼》剧组，饰演旺哥，对于他来说，这是进入正经"大片"的界碑，他工作得确实非常认真……

但是越往下演，康杰便越吃力。他从让祝羽亮摇头，直惹得祝羽亮暴跳。祝羽亮一再地对三位主要角色说：同性恋不仅在西方，就是在台湾，已经都是文学艺术中的"显学",咱们大陆的陈凯歌也已经拍了《霸王别姬》嘛!你们怎么一到这《栖凤楼》里的有关镜头,就那么样地不能到位呢?台湾李安的那个《喜宴》,录像带我们看了好几遍了,你看人家,对同性恋已经宽容到了那样的程度,你们怎么却还存有那么多的心理障碍? …… 他说这些的时候,吉虹总跟他翻白眼;吉虹心里说,我倒想也演个同性恋者呢,你剧本并没给我那么个诠释的机会嘛!他对吉虹的不满,是因为吉虹事先知道了剧中的荷生是个同性恋者,先感到恶心,因此便总不能进入剧中那个凤梅在"揭穿谜底"前对荷生的性追逐情态,他认为这确实暴露出了吉虹作为一个演员的心理自控能力十分低下,属于朽木不可雕也一流;尽管吉虹在展示一个军阀豢养的贵妇那慵懒骄横的气派上是日渐长进,但她与荷生、旺哥的对手戏实在多是败笔!祝羽亮跟潘藩也是头次合作,他看出来潘藩对荷生一角是有理性认知的,在镜头前诠释起来也不费力,该点到的都给你点到,然而演起来未免太心不在焉,想必是"身在曹营心在汉",早琢磨上他接的下一部戏里的那个他更感兴趣的角色了!所以他骂他是"戏奸"!康杰在拍几个关键镜头时简直不能及格,当他连续申斥康杰,终于迫使一贯谦恭的康杰争辩起来,他便说出了那极伤康杰自尊心的恶言恶语。

康杰是这样跟他争辩的:"不是我观念落伍,容不得同性恋,可我实在是觉得你这剧本矫情!男的跟男的搞恋爱,总得一个好比是霸王,一个好比是虞姬,对不对?可我跟潘藩算怎么一回事儿?两个大老爷儿们,两个类汉子,他们怎么会恋上?这不符合逻辑嘛!"

祝羽亮一听这话,气得直跺脚。敢情他做了那么多导演阐释,对康杰竟全成了对牛弹琴!康杰竟死不懂得,同性恋并不一定是同性间互把对方当做异性来爱恋,有一种同性恋,或者说是最典型的同性恋,恰恰是绝对不需要对方引起一丝一毫的"异性感",热恋的双方并不是要用对方来作为"异性补偿物",而是认认真真地爱一个同性! …… 可是康杰这么一个根本没上过大学,更谈不到有广泛修养的电工,你让他认知上怎么能达到可理喻的层次!更何况他也根本没受过什么表演的专业训练,在镜头前全凭直觉乖巧出彩,他直觉出不来,联想不到位,这戏怎么能不砸?祝羽亮后悔当初只注意到康杰的外形和武功适合角色要求,并且也是考虑到请明星来演片酬未免又要占去投资的一大块,便仓促选中了他这么个草包来演这至关重要的旺哥！现在换人已晚！

——"你丫的狗屁不通！好意思跟这圈里鬼混！"

祝羽亮这话一甩出来，康杰先是一愣，然后便涨红了脸，把手里的一样道具一掼，说了声："我他妈的不演了！"扭身便离开了拍摄现场。

当时闪毅不在。潘藩先赶上去劝。吉虹也跟着去劝。摄制组又一次陷入危机。

49

那一晚吉虹情绪很亢奋。

因为祝羽亮跟康杰闹翻，闪毅闻讯赶去处理，所以这晚便不再有暇来跟吉虹纠缠，吉虹因此痛痛快快地跟王府饭店的那个凤梅一起用了晚餐，并且又到酒吧里，选了一个可以喁喁倾诉的角落，两个人说起知心话来。

在和凤梅的接触中，吉虹逐渐感受到，凤梅是一个真正懂得风月的人。检讨自己，真是惭愧得不行，虽然演过不少谈情说爱的角色，从所谓"纯情少女"到"青楼泼妓"，并且有的角色居然还大受好评，甚至得了奖，可是，吉虹不仅至今还是个处女，不仅并无跟男人上床的经验，就是真正够得上是爱情的人生体验，严格而言，也仍付阙如。这不仅是那些迷恋她的影迷们万万想象不到的，甚至于她自己，清夜扪心自问，也不禁喟叹：难道这是真的吗？

想起来甚至不免有恐怖感：她至今竟仍没有体验到名副其实的初恋！

不错，闪毅深深地爱着她，甚至于就闪毅那方面而言，多年前她穿着那件红毛线衣过生日，并且恰恰在那一天受到凌辱时，闪毅对她的感情，便已可称之为初恋了；可是她却始终没有爱上过闪毅。

因为演这部《栖凤楼》，她也曾在暗中自问过：我是性冷感？抑或是竟有同性恋的倾向？答案是坚实的：否。她对同性恋能够理解，却无论如何不能引出哪怕是丝毫的情愫来。那么，她爱什么样的男人？具体而言，哪一个男人引起过她的爱恋？她总结出来，大体而言，她喜欢比较儒雅的成熟男性，她曾喜欢过中学里的那位身材颀长的数学老师，还喜欢过所遇到的头一个导演，以及在《孤舟》里演她那一角的哥哥的那位演员，那大体都是些有高贵感的知识分子型人物。至于现在她所演的《栖凤楼》里的那几个男人,无论是戏中角色还是扮演者,从"将军"到"荷生"到"旺哥",没有一个是她心仪的。

在同王府饭店的这位凤梅的交往中,她们逐渐谈及对男人的看法,以至于有一天那凤梅问她:"你觉得什么样的男人最性感?"

她试着回答这一问题,说她喜欢儒雅的,王子般高贵的,风度脱俗的,额头宽阔并且发亮的,下巴上有凹窝的 …… 凤梅耐心地听完,追问:"就是这样?"她点点头:"唔,基本上就是这样吧 ……"凤梅竟"扑哧"笑出声来,评价道:"原来,你还纯洁得跟一个高中女学生一样,简直没有入门呢!"这话令她吃了一惊。于是便虚心求教 ……

经凤梅点拨,她才茅塞顿开。原来,漂亮与性感,喜欢与性吸,爱情与性乐,都并不是一回事,"当然,能都合到一块儿,那是福气,"凤梅对她循循善诱,"实在合不到一块儿,分开享受,只要你不是故意要伤害谁 …… 那也挺不错 ……"

呷着鸡尾酒,听着凤梅这些个惊心动魄的话语,吉虹有一种偷吃禁果的冒险感与居然尝到奇滋妙味的快感 ……

就在吉虹脸儿绯红地聆听凤梅的骇人经验时,司马山和另一位男士进入了酒吧。司马山一进去就用眼睛搜索吉虹与凤梅的身影,果然在!司马山不禁暗暗为自己喝彩。他和那男士在靠门口的座位上落座,未及点酒,他先用手机跟雍望辉通话,请雍望辉赶紧带上"伯父遗稿"来这里与"罗总"见面。其实那个跟他坐在一处的男士鬼才知道是否真的姓罗,是否真是个有财力的总经理,不过,那人显然是来跟他合作,蒙骗雍望辉的。

在雍望辉到达这酒吧之前,司马山一直心神不定,他很怕吉虹和那凤梅忽然起身离开酒吧。他的一双小眼睛,射出大头针般的锐光,似乎是在竭力地将那两位女士别纸般地牢在那里。

雍望辉没多久便赶到了。他带来了厚厚的一摞书稿。那位"罗总"没翻几下,便爽快地表态说:"…… 原来是您的父亲!这就更不用犹豫了!您给来篇序吧!说不定借您的大名,这冷书也能升几度的温呢! …… 这书我出资!稿子我拿走,我马上安排下面的人投入具体操作 …… 进展情况,和我联系不便的话,你随时问司马大哥吧! ……"

栖 凤 楼

雍望辉喜出望外，可是也多少有些狐疑，这最起码把事情看得太简单了，而且有许多的细节乃至于技术性问题有待于一一落实：找哪家出版社要书号？来不及复印，原稿你这就拿走，万一搞丢了怎么办？我写的序你什么时候要？我怎么给你？谁来校对？这种著作可最怕排错印乱！究竟印多少本？怎么发行？我能得多少本？还是印出来全给我，让我自己去赠阅？你这就拿走书稿，要不要写个字据？我要不要给你写个正式的委托？……

雍望辉一生的弱点便在于此：逢到真正牵扯到切身利益的事情上，他心里并不是不在乎，可是嘴里的舌头就是那么样的不争气，死甩不出足够的话语来。他刚嗫嗫嚅嚅地哼出他心中急切想议决的一些问题来，那"罗总"已经把他拿去的书稿塞入一个密码箱中，并且"喀哒"一声关闭了箱盖，迅速地拨乱了数字环；司马山一旁拍着他肩膀，笑吟吟地说："你放心！罗总办事从来都是嘎嘣脆利，说一不二，点水不漏……这事你跟我联系就是了，你回去可以开出一个单子，看还有哪些个细节需要逐一落实，交给我，我给你及时电传到罗总那边……包在我身上！"

雍望辉还能说什么呢？唯有连连致谢而已。

司马山看准时机，拍下雍望辉的胳膊，朝酒吧深处一指："咦，那不是吉虹吗？那可是罗总最崇拜的偶像啊……"说着眼光便朝"罗总"瞥去，"罗总"便眯起眼朝那边望，喃喃地说："……是她是她，果然是她！……我真是喜欢她在《孤舟》里的表演，这么年轻的演员，能演出人物内心深处的东西，不简单，不简单！……"

司马山便对"罗总"说："望辉跟吉虹熟极了……吉虹他们如今正借寒舍拍一部新片呢……你要不要去跟你心仪的艺术家认识一下？……""罗总"嘴里说："那怎么好意思……"下巴却在往下点，眼神凝向那个方向；司马山于是"水到渠成"地求雍望辉："你就勉为其难，给罗总，还有我，我们，给牵个线，认识一下吧！……我们不会太打搅她们，就认识一下，交换个名片……我想吉虹她们会高兴的，我们加入'追星族'，不会掉她们的分儿吧？……"

雍望辉平时是最厌恶做这类事的，可是，在当时那么个情境下，他很难拉长脸予以拒绝；他犹豫着，望着那边，说："吉虹倒是吉虹……可那位小姐是谁，我可不认识……"

司马山故意猜度着："好面熟…… 盖丽丽？李媛媛？高宝宝？…… 嗳，先不管她，先认识一下吉虹就很荣幸了嘛！走，咱们且当一回'追星族'！这也是我们还有青春情怀的象征嘛！好事！"说着他便站起了身来。"罗总"也提着密码箱起了身。

"箭在弦上，不得不发"，雍望辉便强打精神，跟司马山和"罗总"走了过去，直逼吉虹和凤梅的桌前。

雍望辉后来完全不记得那短暂时间里所充塞的细节。他只记得受到惊扰的吉虹瞥见了他以后，至少是脸上并未显露出他预料中的愠怒…… 司马山和"罗总"都递上了他们的名片，当然不光是递给了吉虹，也递给了那位女士；吉虹说："我可没名片……"司马山连说："您用不着名片…… 只有我们庸人才需要名片……"那位跟吉虹在一起的女士根本没站起来，吉虹也不向他们介绍，那女士接过了司马山和"罗总"的名片，但连正眼也没给他们一个，既没回奉名片，也没像吉虹那么申明一声，整个儿是置身事外…… 司马山和"罗总"站在吉虹面前，说了些捧场的话，吉虹微笑着敷衍他们…… 从头到尾，至多五分钟的样子……

可这对司马山他们来说，已足够了！他们已是"大功告成"！

雍望辉哪里知道，他起了一个极为关键的作用——"自然而然"地将司马山他们的名片，传到了那位凤梅的手中！

司马山的名片有什么了不起的？

他递过去的名片，上面所开列的并非他的官位及相关信息，而是一个名字很特殊的公司及相关的手机号码什么的…… 凤梅刚接过去也没注意，甚至将那名片就撂在桌上，根本不打算保留，但后来她一瞥之中，忽然仿佛被什么东西扎了一下，于是她将那名片拿起来再认真看，这一看，她的双眉便不禁一抖…… 她再无心跟吉虹叙谈……

司马山那名片上所开列的公司，分明是凤梅的那个…… 在背后所掌握的公司之一，该公司的头面人物她都认识呀，何尝有一个什么"司马杉"（司马山在这张名片上用的正是这样一个名字）？而且，这名片上也没有片主的职务，很是蹊跷…… 啊，凤梅既是"个中人"，当然很快意识到，这是故意来递到她手中，让她——他们——按那名片上的号码打电话联系呢！好，来者不善，善者不来，咱们就联络联络！……

吉虹还想跟凤梅说些在别人面前难于启齿的话题，凤梅却耸了耸肩胛说："啊，忽然累了，我想回房间休息了……"

凤梅回房间了，吉虹一个人留在酒吧里，小口小口地呷着"红粉佳人"，很胡思乱想了一阵。临走，她把人家给她的名片都撕碎扔到了烟碟里。

50

三杯"二锅头"下肚，康杰心里头话多起来。

他在崇格饭店一隅独酌。餐桌上摆了两副餐具。他在等另一位来。那位总也没到。这更让他心里头话迭话，话赶话，简直把他憋闷坏了。那位再不到，他很可能便猛一拍桌子，把心里的话狂喷出来了！

康杰虽然常在影视中出现，可是他走到大庭广众之中，很少被观众认出来。偶尔也会有某几个观众在一定距离外指着他议论说："咦，这不是那个……吗？"观众口中所讷出的并非他的名字，而是他在最近所放映的某一部影视作品中所扮演的角色的名字；即使这样地被指认出来了，也极少发生观众热情地跑过来，请他签名留念的事。

刚刚进入演艺圈的时候，康杰不仅兴奋，而且自豪。他一非科班出身，二非"世家子弟"，以寒微的出身，低浅的学历（初中毕业后，只上过半年的电工培训班），居然从俗世底层，跃入了当今多少红男绿女"追星一族"艳羡不已的影视圈！他所依恃的，也并非仅是阳刚的形象与一身的武功——他们一起练武术的哥儿们，多有被影视制作人请去客串的，有的甚至也演过一两回主角，但几乎都不能持久地在影视圈里混下去——他实在是颇有些一点便通的表演才能，更夸张点说，他有种与生俱来的灵气儿，那是你单靠电影学院、戏剧学院的培养，生发不出来的！

康杰这几年片约不断。他几乎整天生活在演艺圈里，扩而大之，是混迹在文化界里吧。为了不让圈里界里人小觑，他没少下工夫加强修养。开头有人捧他是"中国史泰龙"或"东方施瓦辛格"，他相当得意。后来他得知香港人称那类演员是"大只"，也就是靠在影视中"卖大块儿"取悦观众，与女演员靠色相吸引人无异，属于最下乘的一流，于是便发奋要从"大只"的定型中升拔出来。他把美国影星道格拉斯奉为楷模——人家阳刚方面既可与"大只"媲美，却又能俨然跻身于演技派红星之列——他把所有能搞到的道格拉斯演的片子的录像带都看遍了，有的看了不知多少遍，来回来去地琢磨，真是很有领悟！他还从其他各个方面来提高自己的修养，他的书架上有两种译本的《尤利西斯》和一大摞《追忆逝水年华》，并且都硬着头皮读过一部分——实在难以卒读！说实话，连那本薄得多的《百年孤独》，他也是极勉强才读完的，并且心里头茫茫然:究竟好在哪儿? ！可是再听到圈里人议论到什么时髦玩意儿，他还是以岂甘人后的劲头力求先睹为快。最近抢读的是《廊桥遗梦》，那倒是明白易懂，但说真格儿的，他也还是不喜欢……因为至今他仍未结婚，父母双亡而一个出阁已久的姐姐一家也并不构成他的负担，他所得的片酬虽远比不上吉虹、潘藩一档，却也在与日俱增，所以他的生活水平应当说已大大超出了他所出自的那个阶层，他的居室装潢得相当漂亮，购置了相当昂贵的音响，他试着听各位西洋大名家的古典名曲，当做一门功课;可是真正让他听来得以松弛的，到头来还是克莱德曼的浪漫钢琴曲或香港林子祥唱的那些歌……他当然没有丢掉中国武术，但又请人教自己西洋剑术……他毕竟才30出头，他觉得自己在影视圈中实在是能以大展宏图！

在此之前，他也曾频频感受到圈里人对他有意无意的歧视乃至鄙夷，比如在某个剧组里，他演一个恶"衙内"，那位演女一号的当红艳星开口闭口总称他为"康师傅"，听来似甚亲昵，其实是在时时指明他的"真实身份";又比如有一回导演在进行导演阐述时，侃起了"后现代"、"后结构"什么的，他本是听得格外认真的一个，那导演却对他一瞥之后，忽然对大家说:"我知道这话对有的主儿完全是'对牛弹琴'……"于是不少人便都斜眼朝他看，他顿时感到脸上有万根蜂刺扎入……但他都把那些个伤害吞下去了，因为他觉得自己确属这个圈子里的"外来户"，自己既然喜欢在这个圈里混，那就只能是忍痛跟这些个"原住民"磨合……

然而今天拍摄现场所发生的冲突，却一下子令他忍无可忍，他心中失却了平衡，不仅一跺脚跟导演祝羽亮掰了，就是闻讯赶来劝和的闪老板，他也没给好脸好话……"你丫的狗屁不通! 好意思跟这圈里鬼混！"这他妈的是什么话? 我他妈的凭什么要吞下他妈的这碗蛆? ……

栖 凤 楼

……谁他妈的狗屁不通？你们他妈的这堆蛆才狗屁不通哩！瞧你们拿出的这些个破本子，一个比一个远离老百姓的真实生活，一个比一个胡诌八咧瞎鸡巴乱攒，你们通吗？连狗屁不如！你祝羽亮有他妈的什么了不起？你丫的究竟懂多少人事儿？你不就成天在那儿寻摸捞个国际大奖的事儿吗？"同性恋早成显学了"，人家都成"显学"了，你还跟在人家屁股后头瞎起哪门子哄！你同性恋成"显学"是你的事儿！我姓康的就是没法儿体那个验嘛！游泳场上，我无意中跟哪位爷们的皮肤蹭了一下，心里头都膈应……不错，咱们吃演员这碗饭，不管是人间有呢还是没有的千奇百怪的事儿，只要这戏真有个自我逻辑，咱都豁得出去，给你演出来就是！别看咱没上过电影学院戏剧学院，这点功夫咱天生就有，可你也不能把咱们当肉做的道具，想怎么摆弄就怎么摆弄！……你闪老板也别以为软硬兼施，我就低头上套！谁跟你们这些人论哥们儿？你们这个圈里哪儿有什么真哥们儿真姐们儿？潘藩口口声声跟你论哥们儿，其实他现在把另外的摄制组当成他的正窝儿，你这《栖凤楼》他只不过是权当个过路的"风雨亭"，你还让我跟他学学，学他什么？学吃里爬外？学使奸耍猾？……我真罢演要赔偿你损失？甭跟我那么趾高气扬的！摆什么大老板的架子？你当年不就在这破楼里住吗？那时候你不跟咱一样，穷得耸肩拱背，抖得起来吗？如今仗着你那海外的舅舅，发了个横财，你就龇毛露牙的了！告诉你，咱们大财没发，小财倒还有点，撕了跟你丫签的约，咱也不是真赔不起你！我"好意思跟这圈里鬼混"？他妈的，你们这个圈儿，就好意思跟这老百姓里头鬼混！你们就这么混吧！有他妈一天你们混不下去的时候！……

坐在崇格饭店里喝闷酒的康杰，满心充溢着从那个圈里回归昔日人际中的情怀。他约了原先住一个大杂院，从小学到初中一直同班的"十四点"来跟他聚谈。"十四点"当然是绰号。人家的真名叫欧阳杰。也就是说他们俩的名字其实一样。开头，同学们把壮点的康杰叫"大杰"，把瘦点的欧阳杰叫"二杰"，可是新来的班主任老师因为他们俩在校运动会上都得了冠军，称他们为"咱们班的二杰"，"二杰"既然成为了两人的合称，就有同学给欧阳杰另取了外号"十四点"——"杰"字恰主要由"十"和四个点构成嘛；这当然不够公平，因为康杰也是"十四点"啊！但不知怎么搞的，大家伙叫起欧阳杰"十四点"来，总觉得很贴切。"十四点"

也便具有了更多的意味。康杰后来随父母搬到厂子盖的宿舍楼住，直到他进入影视圈以前，一直跟"十四点"保持着密切联系。"十四点"后来成了个安装清洗修理燃气热水器的工人，隶属于一家服务公司，公司的热线电话常登在晚报的小广告栏里，因此打电话来请他们上门的人很多；有的户"十四点"去了，服务得不错，户主对他有好感，他也觉得户主可交，便给留下他个人的呼机号，这样以后那户主便得以跟他直接取得联系，他去干活，可以不算公司派的，便可以省交"份钱"，而他也便可以优惠户主，两下里都觉合算；"十四点"便这样有了一个跟康杰完全不同的生存圈。"十四点"娶妻生子以后，再没进过电影院，所以康杰演的电影他全没看过，只是偶尔在电视里看到康杰在那里头或飞檐走壁，或噼啪乱打，他是既不羡慕，也无跟康杰取得联系的愿望。偏偏头年康杰的热水器坏了，打电话请人来修，修理工来了，康杰一见，不禁惊呼："十四点呀！""十四点"只是憨笑，倒并不怎么激动…… 这样康杰算是有了"十四点"的呼机号。

康杰一个人坐那儿自斟自饮，"十四点"答应来可总不见影儿。康杰又用"大哥大"呼了一遍，这回"十四点"回了话，"十四点"在那边喘着粗气说："……刚把这活儿弄完，实在是难弄，费了我好大精神！…… 我在三环外头啦！……可不，我们净到远处干活，哪儿都去，前几天还去了昌平呢！…… 不这么干吃什么呀？…… 你干吗非揪我去呀？…… 哪顾得上吃饭呀！…… 你请我喝酒？我还真不喝酒！…… 你那儿是个饭馆吧？干吗急赤白脸地催我去？是不是那儿的煤气灶出毛病啦？…… 是？真是？那你得问他们，是怎么不灵了？要是大毛病，我手头带的家伙恐怕还不够呢！…… 什么？怎么着我也得去？要不就是不给你面子？哪儿跟哪儿呀！…… 好，我这就去！…… 怎么来？我骑车……打'的'？就是不骑车我也没那份打'的'钱啊！…… 好，那你等着…… 我快，没那么久…… 好……"

康杰一身名牌休闲运动服，色彩素淡，不懂行的人看上去不觉扎眼；可是手持"大哥大"在餐桌那儿一跟远处的人对话，有的食客便对之另眼看待了；于是有两个年轻人便凑上前问："您是…… 里的…… 吧？"他们说出了康杰所演的一个电视剧和其中他那一角的名字，有让他给签名的意思。搁在以前，康杰一定善待他们，有求必应；可是现在他正想从影视圈的阴影里跳出来，而且马上想到了有一回那作家雍望辉在摄制组里聊天时说的话:"一流的演员,观众既记得住他的名字,也记得他的代表作和他扮演的角色的名字;二流的演员,观众记得住他本人的名字,可是往往一下子想不起他扮演过哪个角色;三流演员呢,观众总记不住他本人的名字,遇上他就总是用他最近演的那个角色的名字称呼他……"当时他听了不仅不生气,还呵呵地笑,觉得毕竟是作家,观察分析世道人心挺准也挺损……自己三流就三流,总比不入流强,来日方长,玩命儿奋斗,冲一流奔呗!……现在他却忽然对雍望辉那些话和说那些话时的嘴脸极其反感……于是他迁怒于那两个凑上前来的年轻人,朝他们一翻白眼:"你们认错人啦!"

康杰急不可耐地等"十四点"到来。仿佛"十四点"是根可捞的稻草,一旦捞到手中,他便能从误进去的那个臭烘烘的圈子里跳出来,重获普通人生活圈里的一派淳朴与温馨。

51

"……嗨,你蒙我干吗啊!……"

"……不蒙你说这儿有肥活儿,你不来嘛!……你也是,一天顶多干两个活儿,上午一个,下午一个,也就够了嘛!连轴儿转,不把自个儿练趴下呀!……"

"你不也拍了这个戏,又上那个戏吗!……"

"是啊是啊,谁让咱们都是十四点呢?下午两点钟,火力虽旺,朝西偏了嘛!"

"你看着可真精神!到底是明星,越活越水灵!"

"有什么劲儿!这圈里臭烘烘的!……甭提了!……回想咱们住一块儿的时候,有意思的事儿真多!……西屋那个华大爷,还那么爱吼几嗓子《铡美案》吗?……什么?过世啦?……后院那个邸大婶还在?每到她家窗外那槐树开花的时候,她还是烙出一大摞槐花饼子,满院子散?……还记得咱们在北屋顶上放风筝的事儿吗?踩坏了李老师家的瓦,他气呼呼上我家告状,我爸当时没回过神来,不知道他那来意,正好晚报上有好几个字不认识,好几个词儿弄不懂,便请教他,他就忘了告我的状了,跟那儿一五一十地讲解起来!真逗!……他家也搬啦?住楼房啦?……唉,真怀念那胡同那院子啊!……"

"我可是住腻了！怎么还没拆迁到我们那一片啊？……"

"除了住的孬点，你别的方面还行吧？……辞了原来的单位，你现在……也是不管医疗不管养老？……咱俩一个样儿嘛！论起来，我比你还个体！你还有个公司在上头，多少起点作用，起码给你提供活源嘛！……我可完全是自个儿瞎碰……不提这个了！……好在咱们身子都奘，你瘦是瘦点，没什么毛病吧？……"

"就这点优点——不懂什么叫生病！我这几年连感冒都没得过！老婆孩子也争气，没一个是娇生惯养的！……"

"你真不喝酒？烟也不抽？……那你吃菜呀！干了一天活，光骑车你骑了多少里？怎么你不动筷子？嫌菜不好？这老板是熟人，他菜牌上没有的菜，我也能让他弄出来，没原料，我能让他派伙计现抓寻去！……要不要让他来个烹大虾？……"

"快别！我真是没胃口……不是病，我哪儿有病？……许是我老干这个活儿，鼻子里吸那煤气太多了，弄得一点不想吃荤的……素的，白菜，大萝卜，熬一锅，那我一人能吃半锅呢……"

"那就让他给咱们熬一锅！哈老板！……"

……

"那得等多久？我可坐不住！……你找我来，究竟有什么事儿？"

"没什么事儿！真的就是想跟你聚聚、叙叙！……听你说说……有趣的事儿……"

"我能说什么？……有趣的事儿？我可没啥有趣的……"

"你怎么愁眉苦脸的？有什么犯难的事儿？跟我说说……"

"就是小虎上学的事儿呀！今年他该上一年级啦！真他妈倒血霉！那个重点小学，明明就在我们胡同北口外头，可实行就近入学，就因为我们那个院——就是咱们那个院——按号数算，属于南段，结果我们小虎就给分到南口外头——对啦，就是咱们母校！不是我对母校没感情，咱得为孩子的前途着想啊！……我跑到北口的小学去，人家倒也爽快，说，这也不难，你拿五万块赞助来，你孩子就来报到！你要赞助八万，还能把你孩子编入打小就开英语和电脑课的那个班……"

"哎哟，上个小学要那么多钱呀！"

"你一个人吃饱了全家不饿，你哪儿懂我们的难处！我一时可到哪儿去凑五万块呀！"

"……"

"哟，你别误会，我可不是跟你借钱……"

"我……我可以……可以借你……你还差多少？"

"……别……我不是那个意思……你看误会了不是？……我糟心的事也不光这一桩……你还记得我爸我妈吧？我妈还好，我爸可不妙啊……查出来胃里长了个瘤子，大夫说还算良性的，可得赶紧动大手术……现在我爸他们厂不景气，发工资都困难，医疗上，现在有大病统筹，可是我爸他们单位因为没钱，没参加大病统筹……就是说，你这厂子得按人头，按年统一交一笔款，你那儿出了重病号，才能享受这大病统筹的待遇……为这事我跟我姐着了多大的急啊！不管怎么说，救人要紧啊！把我爸送进医院，先住院观察，等大夫拟定手术方案……现在医院可不管那个，有病无钱你莫进来！办住院手续你就得先拍出两万块钱来！我跟我姐去跟我爸厂子交涉，厂里死活不愿出两万，到头来还是我们自己先出一万，厂里拿一万……我们又到有关部门反映情况，连区长都惊动了，这下厂里才表示拿出钱来参加大病统筹……你说我爸为厂里干了半辈子活儿，没功劳还有苦劳呢，怎么临到晚年，进医院开个刀还得这么着求爷爷告奶奶的！……"

"说真的，这些个我没想到过……"

"……嗨，我跟你诉这些个苦干什么呢？你邀我来，可不是为了听这些个糟心事吧？"

"……熬菜来了，都是你的，你趁热吃……"

"……我还真得早点回去……刚才在人家那儿也给我那口子打了个电话，告诉我到这儿来会个老同学，大明星，她还有点不信呢……是呀，我总觉着，你是有什么事找我，你究竟有什么事？当年，你一招呼，我就跟你去……'碴架'咱十四点从来没怵过！谁又得罪咱大杰啦？没的说，咱们上！……该不是你让我再给往前冲，打丫头养的吧？……哎，实话跟你说，如今拉家带口的，那种事，还真抡不开胳膊了！……"

52

"十四点"吃完那特为他制作的全素砂锅熬菜，还是弄不清康杰约他来会面为的是个什么。康杰最后表示可以借他两万元，随他什么时候还，当然不要一毫的利息。他心里挺感激，可是他还是弄不懂。难道大杰约他来，竟是为了破财？

康杰到头来，也糊涂了。他约"十四点"来，绝非要一显自己的慷慨。说实在的，他心里对一家伙借出两万块去，颇为肉痛。他本是希图通过与"十四点"缅怀种种往事，一扫"臭圈"对他的压抑，可是"十四点"满脑子里没有一点对往事和现实俗世的诗意情怀，并且，归里包堆，其苦恼，还是在一个"钱"字上。"十四点"宣称他要再玩命儿地干活，安装清洗修理无数个热水器，最好一天能一赶三、一赶四，从二环跑到四环，乃至远郊，只要能挣到钱，全在所不惜！他不仅要尽快还上借人的钱，还要攒下一大笔钱来，因为，将来小虎上重点中学、考大学，还需要更多的钱！他和爱人都没能受到高等教育，他们却一定要虎子受到最好和最高等的教育，而这理想的实现，其中最关键的一个因素，便是要储备足够的钱！

康杰企盼听到诗，结果却听到的是钱。他破了财不算，还弄得自己大糊涂。他在醉醺醺之中，只觉得对面的"十四点"身影飘飘忽忽的像个幽灵。

忽然有一位妇女冲进了崇格饭店，她来势汹汹，显然不是来吃饭的；进门后双手叉腰，扭动脖颈搜寻，很快便搜索到了目标，于是便直奔过去……

来的是在某大饭店洗衣房当领班的欧姐，她正是"十四点"的姐姐。她冲到康杰和"十四点"那张餐桌边，一把揪住"十四点"脖领子，把他拽了起来，沙哑的大嗓门震动了整个饭馆："好呀！你跟这儿喝酒呢！你管不管咱爹？你还有没有良心？你是非要我累死在咱爹前头是不是？我死找你找不见！敢情你小子真是跟这儿美不滋溜地足撮呢！……"

这突如其来的袭击令"十四点"既狼狈又气恼。康杰酒醒了一半。哈老板赶紧过去干预——哪儿杀出来个母夜叉，这不把生意全搅了吗？其余顾客们也都吃惊不小，邻桌的几位更赶紧起身躲开，以为即将发生严重的斗殴事件……

原来是，欧姐和"十四点"两家，轮流到医院守护他们父亲，本来这天是轮到欧姐，可是欧姐的爱人忽然在下班骑车回家途中，跟人"对车"，造成骨折，可把她急疯了，她一人怎顾得了两头？往"十四点"家打电话，弟媳妇说正给小虎做饭，说"十四点"到这个崇格饭店会朋友来了，欧姐于是气急败坏地找来，为的是让"十四点"赶紧去照看他们的爹……

"十四点"很快便被他姐姐揪出饭馆去了。总算有惊无险，哈老板松了一口气，其余顾客也都恢复到常态。

康杰愣在那里。他所欲回往的凡人俗世的空间里，充满了如许琐屑的攘扰烦忧。茫茫人世，何处真有桃花源在？

他的"大哥大"响起蜂音。拿起一听，是闪毅打来的。

不知那边闪毅在跟他说些什么。反正康杰酒完全醒了。哈老板走过那桌边时，只听得康杰在说："……当然……明天的镜头照拍……我只是要求必需的尊重……"

53

一个热水瓶从宾馆五楼破窗飞出，画了一个优美的抛物线落到斜街的人行道上；热水瓶落地变形后倒没炸出多少热水与胆片，但飞溅的窗玻璃碎碴却在一瞬间如礼花怒放；结果有一片玻璃碴飞嵌到了一位恰好路过那里的妇女脸上，顿时鲜血直流……

宾馆经理这天有点沉不住气了。按说，有闪毅这么个大主顾，一包就包下几层楼的那么好些个房间，而且一包就是两个月，还是先付款后入住，这省去了多少拉散客的麻烦。没想到不满一个月，就接二连三地出现问题。宾馆里的服务员们，原来对电影摄制组，尤其是电影明星，充满了好奇心，甚至于崇敬，可是，很快地他们就发现，这些个拍电影的男女不但并没有什么超出常人的地方，而且，似乎臭毛病反而更多——这些人把房间总搞得乱七八糟，比如说烟蒂，堆满了烟灰缸不算，沙发、窗台、卫生间、地毯，乃至于电视机上，哪儿都会出现它们的踪影，打扫起来难乎其难；深更半夜的，他们男女混杂地聚在一处，倒也不一定是乱搞，可是或打麻将，或浪声浪气地狂吼尖笑，房间本来隔音就不好，他们还常故意打开房门，说是放出烟气，不仅服务员不得安宁，另外的客人们意见也很大。谁去找摄制组算账呢？还不是把抗议都倾泻到宾馆服务员和经理头上。最近便有两位客人说是被骚扰得一夜未成眠，因此离店时拒绝付款，经理也无可奈何。至于那些因借景而暂迁宾馆的住户，他们倒不怎么喧哗吵闹，然而他们常常在房中超负荷地使用种种生活电器，尤其是各种烹饪电器，闹得宾馆局部时不时地跳闸断电，株连到某些公共空间，比如使某层的某餐厅突然陷于一片漆黑，虽有应急灯燃亮，其中正在进餐的顾客便啧有烦言，因此拒绝付款或只付半价的事，也出过好几桩。对这种种情况，宾馆经理原来都"忍"字当头，尽可能地大事化小、小事化了，淡入淡出，得过且过。没想到这天因宾馆窗玻璃爆炸而负伤的妇女，当即捂着一张血脸找到经理，不仅要求宾馆立即送她到医院治疗，而且还说要找律师打官司，向宾馆索要很大一笔精神赔偿费——这还都在其次，最让经理难以承受的，是她扬言要找电视台的人来给这家宾馆曝光，连那节目的题目她都想好了："管理如此混乱的宾馆怎能开业？"

宾馆经理不得不找闪毅交涉。扔出热水瓶的客房确实属于闪毅统租的范畴。这是赖不掉的，有因之破裂的窗户为证。闪毅刚听到这个情况时，脑子里马上开始搜索摄制组的人员，是哪位仁兄或俊姐，干出了这种荒唐事呢？然而谜底一揭晓，不禁令他大吃一惊，因为，那间五楼的客房，是韩艳菊的临时家居！

闪毅找到雍望辉，雍望辉闻讯也大感不解：这是怎么一回事儿？他问："韩艳菊怎么会往窗户外头扔热水瓶呢？"

闪毅说："她跟她那个丈夫，不是正在闹离婚吗？两个人争吵起来，一时发怒，不知他们俩中哪一位，就把热水瓶扔出去了呗！"

雍望辉皱眉寻思："…… 不至于吧 …… 韩艳菊这人，虽说一贯拔尖好胜，可她使用的手段，可总都是显得中规中矩的 …… 司马山呢，我前几天刚见过他 …… 他这人，我原以为是个 …… 很无聊的政客，可是，人毕竟是复杂的，人性有许多个层面 …… 没想到，他其实也有颇为古道热肠的一面 …… 他们两口子即使感情上有了裂痕，闹离婚，又何至于 …… 粗鄙到这种程度呢？ …… 司马山更不至于大打出手，扔热水瓶 ……"

闪毅说："算了算了 …… 纠缠这些没多大意思 …… 当时没人去调查，等到宾馆经理他们去敲门时，房间里已经没了人 …… 楼层服务员用钥匙打开房门，进去看，也没再发现多少打架的痕迹 …… 虽然前堂有服务员记得他们两个人在那以后前后脚离开了宾馆 …… 晚上韩艳菊回到宾馆，她反过来质问经理，怎么窗户被砸破了？倒是一副要追究宾馆的架势 …… 是呀是呀，可以理解，两口子窝里斗，斗成这样，谁肯在别人面前认账？ …… 现在窗玻璃已经镶好，那倒血霉的妇女也去完了医院，医疗费自然由宾馆负担了，赔偿的事也有希望私了 …… 万幸的是那玻璃碴没扎到她眼睛上，划破的地方也不至于留下多明显的疤瘌 …… 可是，那娘儿们跟电视台的人有那么些关系，说是搞‘焦点访谈’的那些个人这就打算去宾馆曝光，经理最揪心的反而是这个！ …… 本来这也扯不到管理混乱上去，是我这包房的人弄来这么些个各色的人嘛！ …… 行了行了，你也别琢磨那热水瓶是怎么飞出窗户去的了 …… 你不是跟电视台的小宁挺熟吗？麻烦你给他们打个招呼:这事儿不值当他们当成个焦点！ ……"

雍望辉长叹一声。净来这些个打岔的事！他什么时候才能安安静静地坐在书桌前，踏踏实实地写自己想写的东西啊！可是他不忍拒绝闪毅，他最后还是同意跟电视台的小宁联系。

韩艳菊跟司马山的争吵何以会发展到那样暴烈的程度？是其中哪位在狂怒中竟抓起热水瓶朝对方掷去，以至掷到了窗外？而他们怎么会在狂斗之后，又能一致对外，不仅尽可能地消除掉了争斗的其他痕迹，并且甚至不再提离婚的事情？除了他们自己，没有人能搞得清楚，也没有人有将其搞清楚的闲情雅兴。

他们的争吵,当然是出于严重的利害冲突。而此事，与王府饭店里的那个凤梅,有某种关联。

54

一连几晚吉虹都没遇到那个凤梅，往她房间里打电话总没人接，吉虹因此闷然不乐。但她也没觉得奇怪。她知道凤梅在郊区有别墅可住。况且即便凤梅不去别墅，而是跟什么身份难以判测的人外出消磨通宵，直到吉虹一早已出发去拍片子后，才姗姗而回，也是常有的事。

这晚吉虹回到王府饭店，吃完晚餐仍未见到凤梅的影子，她懒懒地在地下一层的屈臣氏小超市转了一圈，不是为了需要，而仅仅是出于无聊，买了一只小玩具熊 …… 她进了电梯，下意识地按出了凤梅所住的那一层数字 …… 她出了电梯，朝凤梅那个套间走去 …… 也许，今晚终于可以见到她？

吉虹还没走拢，就忽然看到一对金发碧眼的夫妇，正站在那个套间门外，门大敞着，行李生正从镀铬的行李车上，为那对洋人往房间里搬箱子 …… 显然，他们是乘另一边的电梯上来的 …… 吉虹愣住了，她双手紧紧扼住小熊的脖颈，仿佛那是一个恐怖的场面 …… 她稍微镇定点以后，便去楼层服务台打探，那瘦瘦的值班小姐礼貌而冷然地说："…… 她退房了 ……"

吉虹回到自己房间，把小熊扔到地毯上，仰倒在长沙发上，非常地失落。凤梅离去，为什么连个招呼也不打呢？她到哪儿去了呢？回那个别墅去了？怎么这里就不留房了呢？其实她就是几个月不来，也留得起这房啊 ……"有没有再贵一点的？"凤梅懒懒的声音又如在耳边，以这样口气说话的人，除非遇到了什么特殊情况，是不至于把房退掉的啊！……

吉虹不知道凤梅那别墅的电话 …… 忽然想起，凤梅说过，她曾长住新世纪饭店，也许她是回那里了？吉虹坐起来，拨电话，先问出新世纪的电话，再给新世纪的总服务台打电话 …… 可是她说不出凤梅用以登记住房的正式用名，因此问不出个所以然来 …… 吉虹终于又仰倒在沙发上，一时心里仿佛灌满了干涩沉重的沙粒 ……

失去了凤梅以后，吉虹才痛感凤梅对她是多么的重要。凤梅有时显得非常的神秘，比如她经常和一些看上去就很有身份的男人出没，遇到了吉虹，只是微笑一下，绝不向吉虹介绍男方，事后提起，顶多也就一句："不是你设想的那个 ……"这个那个都不是，那么，究竟哪个才是呢？ …… 凤梅有时却又相当地实在，论起事说起话，仿佛她也就是个很一般的工薪族，顶多也不过是个外资企业里的白领丽人的口气，比如她跟吉虹讲起京城商品房一类的事儿 ……

吉虹并不想打探凤梅的隐私。凤梅一定有凤梅的道理。可为什么，自从那天在酒吧，雍望辉跟那个什么司马杉来打岔以后，凤梅说是累了，要早点回房休息，抛下她吉虹，竟从此杳若黄鹤？

当然，凤梅没那么个跟我永在一起的义务 …… 吉虹理智上明白，感情上却禁不住惆怅。吉虹感念凤梅对自己的启蒙……演了那么多乱七八糟的电影电视，我居然还是个浑的！直到得到凤梅的点拨，我才算开了窍:原来女人之所以为女人……男人之所以为男人……

吉虹仰卧在沙发上，胡思乱想。她空前地可怜自己。别看她自从进入影视圈后一帆风顺，其实，人生的滋味，真实的厚重的滋味，她究竟尝到了多少。实在难说！

……当年，她穿着一件水红的毛线衣，过她的 10 岁生日。可是却遭到了可恶的男同学的欺侮，他们把她推到装废品的筐里，像踢足球般地把那筐连同她踢来踢去……这件事在闪毅的记忆里，竟那么样的深刻……有一回，是在哪儿?反正不是个好地方，那雍望辉，竟也提起这回事，口气上仿佛这就怎么着了似的……可是在吉虹自己来说，关于这件事的记忆刻痕，倒并不怎么深重……因为没过几年，等到她一上中学，世道就变得仿佛专为她搭顺风车而存在似的，她有着更多彩虹般的，散发着蜂蜜气息的记忆，厚厚地覆盖了那酸涩的记忆……然而不知为什么，此时此刻，这件事却一下子浮跃到了吉虹意识的上层;更准确地说，是闪毅提及这件事时的那种非同小可的神态情愫，令吉虹忽然有了一种全新的感觉……这跟凤梅有什么关系? 有很大的关系! 凤梅虽然飘然隐去，凤梅启蒙的种子，却在吉虹心里格外迅猛地窜出根须、抽出叶芽……

正当吉虹在沙发上冥想时，闪毅来按门铃了。

闪毅这些天被层出不穷的大大小小的麻烦缠身，弄得狼狈不堪。特别让他气闷的，是简直没有时间跟吉虹小聚。他本来是再忙也要每天亲自接送吉虹的;这些天连这项常务也只好放弃，另给吉虹包了车。这晚他总算把诸事且堵的堵挡的挡，得以偷闲一时，于是迫不及待地来找吉虹。他按门铃时本不抱什么希望，他知道这种时候吉虹很可能跟那个自称凤梅的女士在一起消磨，她们如果是在王府饭店内部悠游问题还不大，他可以细细地搜索;她们要是一同外出活动，那他可就只能向隅叹息了！

令闪毅喜出望外的是，门竟很快地开了，吉虹分明站在了他的面前！

闪毅察言观色，闹不清吉虹是高兴还是不高兴。他发现一只玩具熊歪在地毯上，忙弯腰拾了起来，拿在手中，问吉虹:"谁送你的? ……把它搁哪儿? "

吉虹坐在沙发上,仰头望着站在地毯中央的闪毅,仿佛头一回看见他似的,说:"狗熊是我 …… 给你买的 …… 你 …… 你退后几步!"

闪毅莫名其妙,但遵命退了几步。

吉虹两眼闪闪的,迸射出闪毅从未感受过的光芒。她继续命令:"把小熊放到吧台上 …… 你站直了,你立正!"

闪毅照办。心甘情愿地立正,并且还画蛇添足地给吉虹行了一个军礼。

吉虹把一只胳臂搭到沙发背上,表情诡谲,柔柔地问:"闪毅,你真的 …… 什么都答应我吗?"

闪毅笑说:"那还用说!"

闪毅要往前迈步,吉虹用一个手势制止了他。闪毅便仍旧站在那里。这时闪毅的意识里开始进出了问号。

吉虹脸涨得通红。可是她发出了下一道命令:"…… 你把衣服脱了!"

闪毅很爽利地将西服外套脱了,并且卸掉了领带。他以为那便是吉虹命令的内容。

"不,我要你 …… 全脱了!"

闪毅五官一下子错了位。他分明听清了,却问:"你说什么?"

吉虹重复那命令:"你把 …… 衣服 …… 全脱了!"

闪毅问:"为什么?"

吉虹不再说话,可她的眼睛灼灼如有跳焰。

闪毅问:"就在这儿?"

吉虹仍不言语,然而眼光更加咄咄逼人。

闪毅走到她面前,弯下腰问:"你怎么了?"

吉虹用手把闪毅一拉,闪毅便落座在她的身边。

闪毅试图用手抚摩吉虹的头发,被吉虹用小臂搪开了。

闪毅再问:"你怎么了?"

吉虹忽然离开沙发,走到吧台那儿,一把将小熊拂到地毯上,然后给自己倒了一小杯威士忌,仰脖一饮而尽。她背对闪毅。原来闪毅连她背部的表情也是熟悉的,可是今晚闪毅读不明白她脸上的表情,更读不出她背部抽动的含义。

闪毅正纳闷，忽然吉虹转过身，腰部抵住吧台，双臂合抱，双眼溢着流光，脸上是出乎闪毅意料的，十分妩媚的微笑……

闪毅不知该怎么应对。这时吉虹又命令说："你……把衣服脱了！"

闪毅便解开衬衫扣子……他脱掉衬衫，却不情愿脱掉汗背心，他说："我……汗不唧唧的……"

吉虹说："再脱！"

闪毅便脱掉背心。他自己低头看了看自己赤裸的上身，又屈紧了一下双臂，他为自己肥胖而远非健美的身体生出几分羞愧……

吉虹却仍在命令："继续……下面！……"

闪毅眉毛挑得很高："你疯了！"

吉虹问："你不愿意吗？如果你不愿意……那就算了！……可是，你说过多少次：为了我，你什么都愿意的！……"

闪毅冲过去，一把将吉虹搂在怀里，搂得紧紧的，吉虹没有挣扎……

"你今天为什么……？"

"不……不为什么……我想把我……给你……可我想……先看清楚你……就是这样……就这样……"

55

韩上楼是一家台资饭馆，以石头火锅与无烟烤肉为其特色。

有四个年轻人，正在一处车厢座里涮石头火锅。那涮锅确由灰白的石头凿成，据店主说那石材里含有多种于人体极为宝贵的微量元素。涮这种火锅，不仅味道极为鲜美，更是最佳的食疗选择。这家饭馆服务可谓体贴入微，每个火锅或烤盘都有专门的服务员代为涮烤，甚至代蘸作料，顾客不费吹灰之力，便可坐享服务员攫到食盘中的美味。这种服务却令四位年轻人厌烦，他们对服务员说，招呼你的时候再来。他们要自涮自吃，而且，更重要的是，他们要在没有生人紧贴一旁的情况下畅意放谈。

四个年轻人里，最活跃的叫宁肯。他的户口不在北京，编制更不在电视台，可是他参与的纪实性专题节目这一阵打得很响。30 冒头的他，寸头牛仔装的造型，看上去青春焕发。跟他并肩而坐的是一个西服革履的矮壮青年，脸上一个好大的狮子鼻；这是他的同乡，比他大一轮，进京发展也比他早，如今已成一个大款，这顿石头火锅，便由该人做东。该大款姓矫，名片上印的名字是矫捷，可是宁肯戏称他"缴械大哥"，他并不生气。后来在熟人中间，人们一见他就呼"大哥缴械"，他便笑呵呵地做举手投降状，人们也便更喜欢他的旷达随和。当然，可能心里头是更喜欢他聚餐后掏钱付账的爽快劲儿。

坐在宁肯与矫捷对面的，一位是年龄居宁肯和矫捷之间的小伙子，相貌相当地奶油，他叫纪保安。外人看他的模样，怎么也猜不到，他竟是国家大机关的一个堂堂的正处级干部。他在电视台的一个专题节目中，包了一个 8 分钟的板块。那是一个言论节目，每期节目都由他就最新的社会心理问题，发表一番议论。他是在电视台与宁肯认识的。两个人在许多方面观点很不相同，甚至互相抵牾，但是却很喜欢在一起碰撞。纪保安旁边是一位娇小玲珑的美女，她是电视台的新闻播音员，才从广播学院毕业。她并非现场哪位男士的女友。像这样地参与一些机缘凑迫的社交活动，是她那样的开放型新女性的常课。她觉得光是旁听这几位男士的神侃，也能受到不少的启迪。她的艺名叫春冰。

他们一边吃涮锅，一边喝酒。总喝扎啤已有点生腻，他们这回要了一小坛加饭酒，服务员替他们用锡壶烫好后，不断地来斟满他们的酒杯。春冰原来不敢喝，可是试呷了几口以后，觉得很是润喉香醇，便也不再叫其他软饮料。

随意闲扯中，宁肯提到纪保安最近的几期节目，恣意臧否说："…… 你这个言论小生，你那口气里头，怎么黏黏糊糊的东西越来越多了！ …… 你问'此话怎讲'？什么叫黏黏糊糊？ …… 就是貌似厚重，而其实含混不清 …… 比如，你讲红军长征的故事，因为你奶奶是个真参加过长征的老革命，你讲起来，信史中又包含着栩栩如生的细节，并且因为你血管里流动着她老人家传下来的血，所以你那感情的真实度更非同一般 …… 可是，越过情感描述的段落，你那理性的归纳，却 …… 怎么说呢，我以为是非常之 …… 保守！ …… 你为什么不借此弘扬更多的 …… 革命理想主义的东西，而只是 …… 只是停留在——停留在吁请当今观众，特别是青年观众——尊重前辈革命者的生命历程，也就是尊重他们的历史，这一个小小的落点上？……"

　　纪保安回应说："小小的落点？这落点果然小吗？……一个由肥皂剧和商业广告占据最多时间的大众传媒，它所容纳的言论节目，只能是这么几分钟，怎么可能有更多更大的落点？……坦率地说，我们既然大体上是一代人，我们所生存的人类大处境既然是相同的……我与你，与其他同代人，其实不可能有完全抵触的思路……我们面对的，一个是所谓全球化浪潮，这个浪潮被称做'现代化'。所谓现代化，不从理论上去诠释了，从感性上说吧，第一世界的那些景象，都涌到了第三世界来：高速公路立交桥，玻璃墙面摩天楼，集装箱货柜码头……大开间小格子，小格子里是电脑台，这样的 office……小轿车，别墅区，不锈钢雕塑，街心花园，音乐喷泉，大型购物中心，超级市场，快餐店，遮阳伞，迪斯科，摇滚乐……这还都是从正面上描述，负面的东西我们且搁置一旁……我父母，我奶奶，他们对之的置疑，困惑，我理解，可是我自己并没有……其实这样粗糙地概括他们对现实的反映也不对，很不准确……他们，比如我奶奶，她说，当年长征，为的就是要让穷人翻身，不受压迫，过上好日子。现在搞改革开放，拿我们老家来说，是过上好日子了，穷得不像样子的人户，剩得不多了，奶奶回去看到那情景，她很高兴，真高兴！谁说老革命只想着搞阶级斗争？什么不搞人跟人斗，就浑身痒痒……反正我奶奶不是那样！她并不反对市场经济带来的繁荣，她没有道理反对满满当当的货架子……可是，她承认，现在这些个繁荣景象，并不是她们在长征中所向往的，比如说，她跟我讲过，她们过草地时，在篝火边，想象过，革命成功以后，家家都会睡上那种……木头架子，有顶子的，前头有踏板，床前一头是个小柜子，一头放个漆得很光亮的木马桶……对对对，就是鲁迅在《阿Q正传》里讲到的那种，秀才娘子宁式床！可是，今天怎么样？人们富裕了，睡的大都是从外国学来的弹簧床！我奶奶最看不上这种弹簧床，她至今拒绝睡这种床，这完全不符合她当年的理想！她参加革命，参加长征，可不是为了人们都来睡这种洋床铺！可是她也没有办法，类似弹簧床这类的东西，不是一样两样，简直是铺天盖地，汹涌而来！对此她不高兴！很不高兴！她至今在家睡木板床，当然，她不反对把褥子垫得厚一点……"

　　春冰打断他："我想问问，你奶奶，她这些年出席会议，参观访问，总是要住宾馆的吧,可哪个宾馆现在不是弹簧床呢?她可怎么睡呢?"

矫捷笑说:"我知道,我知道……那就是,让服务员把弹簧垫子抬下来,铺上被套当褥子……"

纪保安说:"那你就想错了!这问题我问过奶奶,并且我也像你那么猜想过……我奶奶她怎么说?她一听就火了,她粗喉咙大嗓门地说:'哪个啊!我哪能那么麻烦人啊!我出去开会参观,都是革命工作,我革命这么多年,死都不怕,还怕睡它几回弹簧床吗?'……"

大家都笑了。服务员又来斟黄酒,春冰捂住酒杯说:"我不要了……"宁肯便说:"你革命这么多个月了,感冒都不怕,还怕多喝它几杯黄酒吗?"大家笑得更厉害,春冰也便挪开了手。

宁肯的呼机响了起来。他拿起来看,皱眉:谁啊?……遂借矫捷的手机,矫捷赶忙缴械,打过去,一听声音,啊,原来是……"雍老师啊!您在哪儿呢?……啊,啊,这样吧,我在韩上楼呢……要不,您打个'的'过来?……您不是最喜欢接触各种各样的年轻人吗?我给您介绍几个新的!……我们聊得正欢呢!话题是您也一定感兴趣的!……好,好,恭候!"

其余几位一听雍望辉来,都很乐意。春冰说:"我是看他的文章长大的。"

车厢座难容五个人,矫捷便让服务员给换坐席;没问题,服务员很快给他们挪到了一处围屏后的圆桌边。

56

他确实喜欢跟年轻人在一起,光是一旁听他们侃,也觉得不仅醒耳,也常能清心。

来到韩上楼,宁肯把另外三位介绍给他。他且慢饮黄酒,听他们继续那个话题。

宁肯还是讥笑纪保安在电视里"钝刀子割肉":"……你为什么就不能爽性说清楚,你究竟是喜欢市场经济带来的新局面,还是对它忧心忡忡?……你何必含着骨头露着肉的?你就该一吐为快啊!"

矫捷笑说:"你这不是存心为难他吗?就是他对市场经济忧心忡忡,能在电视上说吗？"

他也忍不住插嘴："小宁呀，这在‘文化大革命’当中，造反派之间打派仗的时候，常用的一种办法，叫做——诱导对方犯错误！"

宁肯模模糊糊能懂，春冰简直莫名其妙："什么叫打派仗？是不是就是武斗？当时造反派为什么还要分派？干什么武斗？……"

他一想，春冰大概是 1971 年才出生，懂事时"文革"已经结束，对于她，那当然已是十分遥远的历史。他回想 1950 年，他 8 岁的时候，听老师讲红军长征的故事，那故事对于他来说，遥远而神圣……但其实，长征离 1950 年只不过才十五六年；而现在离 1966 年"文革"开始，却已经 26 年了，离"文革"结束，也已经 16 年；就是离那霍师傅撅着嘴唇钉金殿臣宿舍窗户，砰砰砰的，也已经 22 年！自己和这些年轻人，特别是和春冰，个体生命的记忆储存，差异是多么大啊！……

他走了一会儿神，回过神来时，只听纪保安正在说："……其实，我和你们，总体的想法上，并没有多大的区别……只是，你们注意，在我的那个言论节目里，我其实主要是强调这一点——其余的都可暂且缓议——不管怎么说，要尊重历史！要尊重我奶奶他们的历史！……更坦率一点说，我以为，前几年的那个大悲剧，关键就在，到最后你简直不尊重他们的历史了！这是最伤感情的事！……要知道，仅仅从社会心理学，或行为心理学的角度，一个人，特别是一个群体，你对他的态度，如果达到了无视或否定他的历史的程度，那他是一定不会对你让步的！不能再让了嘛！他是一定要跟你拼的！……我跟我父母，跟我奶奶，代间冲突其实也是很厉害的，有时候会气得好多天见面不说一句话，可是，毕竟我是尊重他们的历史的……那确实了不起！特别是我奶奶，我真想象不出，她那么个矮小瘦弱的妇女，即便当年年轻，怎么竟能毅然地随着大部队，穿过了雪山草地！所以我读索尔兹伯里的那本《长征：前所未闻的故事》时，也许是因为我有这么个奶奶，也就是你们说的，我血管里淌着她传下的血，我就激动得瑟瑟发抖！不管怎么说，如果说为了个人，为了小家庭，为了别的什么虽然正当美好的小目的，恐怕都是坚持不下来的！那确实，是为了一种普及天下人的，瑰丽的理想，才使得她坚持下来！……所以，我跟奶奶有千冲突万冲突，我不跟她的历史冲突！……我常想，即使到了我这一代，我要否定奶奶他们后来的很多作为，甚至要改变一种活法，以致会让奶奶很伤心，可是我是永远不会否定他们的历史的！没有他们的奋斗，哪有今天中国人的基本尊严？……我会伤她的心，可不会伤透她的心，因此，到头来，我觉得，我们是会终于相互理解的！……"

他听了非常感动，接过去说："太好了！年轻的一代，不要否定老一辈仁人志士的历史；老一辈呢，反过来不要去否定阻止年轻一代的开拓转型……我们的生命，其实都是民族群体生命链条中的一环，我们应当环环相扣，而又环环延伸……我这几年一直在想，到头来我们只能是用代间和解的方式，来解开遗留的死结……"

没想到宁肯却说："保安，你这种想法，你父亲那一辈究竟有几个能接受？跟你同辈的，你这样的干部子弟，又究竟有多少？我很为你担心！搞不好，左边的说你右，右边的说你左，我们中间的呢，哈哈，又跟你并无共鸣！……看起来你自己也苦恼，怪不得你在电视里只能点到为止，含混了之！……"

他鼓励纪保安："别听小宁的！阴阳怪气！……你其实不仅应该把你的思想说出来，而且应该把它写出来！……恕我直言，你们这样的干部子弟，真站出来为你们的长辈说话，让世人能真正理解他们，尊重他们历史的，实在不多！……我倒想起了一个作家，黄济人，对，是他，住在重庆的，他是国民党将领的子弟，所谓'国干子弟'。他这些年就写了好多书，写起义投向共产党的国民党将领，更写了许多被共产党抓住成了战俘的国民党将领，他写这些人的历史，让世人理解，认知……结果，人们读了这些书，可以弄懂国民党军队何以败北，可以理解共产党对国民党战俘的改造政策……这些倒还都不稀奇，最难得的，是从中写出了国民党败将们依然存在的人格，使他们能获得人格尊重！……夸张一点说，国民党人倒有他们的子弟站出来，为他们接二连三地树碑立传，他们算是有了自己的代言人！……可你们呢，你们当中这样的代言人，就像你说的，尊重历史的代言人，谁呢？你们当中应该有练索尔兹伯里那个活儿的啊！要么，你带个头，你来写！……"

春冰一旁说："雍老师，您大手笔，您来写啊！"

他便认真地说："最好还是既有个体生命的真切体验，又有自觉的而不是勉强的代言人意识，二者结合起来，才能写出那样的作品……"

宁肯说:"代言人文学如今有几个人愿写?如今是一个充分地,甚至放肆地展示个体生命体验的时代!"

矫捷便问他:"你态度明朗点儿:你究竟认为代言人文学和非代言的个人文学,哪一个更文学?"

春冰听了说:"哟,跟绕口令似的!"

宁肯却只顾呷酒,吃涮好的肥牛肉片。

矫捷便指着宁肯说:"你这不也是'含着骨头露出肉'嘛!"

他便代宁肯作答:"只要不是搞被动的,机械的,生硬的……宣传,而真是熔铸了个体生命的体验与感悟,那么,代言人文学当然是很好的文学! ……不过,不必拿各种文学来这样相比……不存在哪一种比哪一种更文学这样一个问题……"

春冰便问:"雍老师,那您写的,是哪一种文学呢?您代言不代言呢?"

他答:"我自己很清醒……我的出身背景,我的个人经历,我的性格气质,都决定着,我只能是作为一个旁观者……所以,我写的东西,一个是我的个体生命体验与感悟,一个是我作为旁观者,对他人、社会、时代、人类,也包括大自然、宇宙的观察与思索……我写的,多数可能得算是旁观者文学……"

宁肯便望着他,问:"雍老师,您提到出身背景,那对我们确立自己的话语特征,真有抹不掉的影响吗?"

他说:"我以为是的。机械地用出身框定一个人的阶级属性,那是不对的,可是解读一个人,我以为参考他的出身教养,那是必要的……即使我们审视自己,这也应该是一个不可或缺的角度……"

春冰说:"哎呀,有那么重要吗?说真的,我都不知道我算什么出身……我爸爸妈妈都是中学教师……算知识分子吗?可知识分子就是劳动人民的一部分嘛,工人农民是劳动人民的另一部分,A 等于 B,C、D 也等于 B,所以 A 等于 C、D,不是吗?……"

矫捷接过去说:"我倒觉得雍老师说得很有道理。我父亲是乡村小学的教师,可是他跟乡里的农民,究竟还是有很大的不同……宁肯知道,我们老家很穷,不仅是穷,还很愚昧……保安你听了不要别扭,我听我爷爷说,当年也曾有红军部队经过我们那儿,可是他们竟遭到了暗算……在他们夜里宿营的时候,村里的男人们出来，把他们都杀了，只有很少几个红军逃了出去，大多数，都被闷棍打死，给扔到枯井里头……我爷爷记得，那些被杀的红军，有的还只是小小的年纪，也就十三四岁……我问爷爷，杀红军的是不是都是地主或他们的狗腿子。爷爷说，地主富农自己倒没怎么动手，狗腿子嘛，也难说谁是狗腿子，杀红军的，有我爷爷那样的自耕农，更多的是给地主干活的长年。长年就是雇农，本是红军为之奋斗，要首先将其解放出来的人，可是，据我爷爷说，他们杀那些红军时，都很自觉，很勇敢……为什么要杀红军？那想法也很简单，就是认定他们是土匪，是流寇……我问过爷爷，难道红军自己不宣传，不告诉他们自己是干什么的吗？他说，他不记得那些红军有过什么宣传，再说一听红军来了，村里的人白天就都躲在家里，敲门也不开，晚上竟联合起来，干那样残忍的事！……这当然不是我的个体生命体验，可我的血管里，毕竟流着我爷爷传下来的血……等我一天天大起来，爷爷讲过的这些事，便成为我心上坠着的很大很大的一个秤砣……后来解放了，搞土改，我爷爷算中农，他让我爸爸，到县上上了中学，一直读到高中，这在我们村，是了不得的学历！爸爸上完高中，回到家乡，在镇上小学当了老师，我妈妈也是老师……我爸爸也给我讲过可怕的事，就是土改的时候，斗争地主，地主确实该斗，可是那斗争会发展到最后，就有苦大仇深的贫雇农，拿着剪刀去剪地主的肉……这事给了他很大的刺激，他心里一直觉得，不该这样地去剪一个已经被绑起来的人的肉……他给我讲这个事，是因为，到我十来岁的时候，已逼近'文革'前夕，阶级斗争的弦，越绷越紧，发展到，地主家的孩子，其实已经是第三代了，就经常挨成分好的孩子打，父亲不让我参加那种事情，他说无论如何人不该折磨人……后来突然就来了"文化大革命"，我们那个村不知是怎么搞的，又杀人，忽然在一个晚上，把所有地富家的人，从老人到小孩，都给杀了，也是扔进那口古老的枯井里去，当年很多的红军的骸骨，还没拾净，便又制造了新的骸骨……那时候我爷爷奶奶我妈妈都过世了，只有我和爸爸，忽然那些杀人的人跑来抓我们爷儿俩，我们又不是地富反坏，怎么也有死罪？抓住我们，把我们捆起来，就听见他们很认真地讨论，我们该不该杀？认为该杀的意见占了上风，理由是我爸爸说过，土改时不该用剪刀剪地主的肉，我呢，拒绝打地富的孙子，并且，我爸爸属于'旧学校培养的学生'，'旧学校'就是资产阶级学校，培养的是资产阶级接班人，那不是比地富更反动？…… 可是在他们争论的过程中，我爸爸成功地逃跑了 …… 那么，他们就围住我，杀不杀我呢？要不要把我也扔到那口井里去呢？…… 他们商量的结果，是算了！为什么算了？因为他们有好几个人说，要杀就全都杀了，跑掉一个，而且是个大人，那把小的杀了，大的他有一天跑回来报仇，可了不得！有的就说，'旧学校培养的学生'，说是可以改造好的呀，改造好了，就不是资产阶级接班人了，也就不该杀了……"

春冰叫了起来："哎呀，别说了别说了！让不让人吃东西了！……"

宁肯说："是很败兴！可 …… 这也是历史，不是要尊重历史吗？"

纪保安说："历史 …… 应该是指 …… 一个时代，主流的东西……"

宁肯说："历史也有支流！…… 仿佛一个河系，它应该是网络状的 …… 甚至应该是立体的 …… 三维的……"

纪保安让步："…… 当然，缴械说的，也是 …… 历史的一个侧面……"

缴械并不缴械，他接着要往下叙说，春冰用筷子敲击餐碟，抗议："我不要听了！"

缴械举举手掌："好，小姐，我缴械！我不再说具体的事情了，可 …… 我想概括一下，就是，我们每一个人，并不一定都有那个运气，能在历史的主流里成长 …… 历史的支流，甚至支流的支流，很可能裹挟着我们的生命之舟，把我们的个体生命，放逐在历史的边缘……"

春冰笑了："这还差不多！刚才像个恐怖故事，现在嘛，倒有点像诗……"

宁肯便说："当然是诗！…… 你们都不知道吧？其实，缴械原来是一心想当诗人的，他写了好多的诗，自费出过三本诗集呢！…… 他是这几年才下海的……"

缴械叹口气说："学诗不成，愤而下海 …… 哎，我是想说，每个人的出身经历不同，他对这世界人生的感受认知也就真是不同 …… 我是赞同雍老师的观点的！"

他的一双眼睛，在四个年轻人的脸上，扫来扫去，他看到，纪保安白皙光润的额头上，挤出了几道皱纹。

这位缴械先生的话，引出了他蒲公英种子乱飞般的思绪。是的，放在历史的主流中考察，砰砰砰，霍师傅钉那金殿臣宿舍的窗户，算得了什么？可是在他的个人生命体验里，在他个人的记忆储留中，那响声，那情景，那短臂上隆起的肌肉，那上下唇相挤而突出的细节，却至今拂之不去……

他稍定神，听见缴械在说："…… 你问我们家乡现在还穷不穷？不那么穷了 …… 你别问宁肯，他号称我的同乡，论起来也真是一个县的 …… 可他爷爷那辈就走出县城，混进城，早就变质了！ …… 虽然父亲 5 年前亡故，我现在还跟家乡有着千丝万缕的联系 …… 我最近还回去过 …… 现在我的父老乡亲们在干什么？ …… 很多人，都在挖硫黄！他们突然发现，我们那儿的丘陵上，能挖出硫黄来，他们就你也挖我也挖，很积极地挖，跟当年杀红军，'文革'中杀地富，那么一样的来劲儿！ …… 挖出硫黄粗矿来，他们就地烧炼，使我们那个村，离它几里远，就熏得你眼睛鼻孔全跟着了火似的 …… 污染之严重，农田的荒芜，就不多形容了 …… 春冰小姐，又是'儿童不宜'，好，我决不再形容这些个东西 …… 总之，我心里很难过 …… 是的，我的家乡，它为什么总是被放逐在历史的边缘？ ……"

他心里也很难过。也许，现在整体上，也是处在某一段大历史的边缘？所以有那么多人感到失落、困惑、焦虑！从老一辈，到最年轻的一代 ……

他听见纪保安在问："…… 那么，你认为，怎么才能使你那故乡，进入历史的正道呢？"

缴械在点一支香烟，很沉郁的样子，宁肯便代他回答说："要改变愚昧，要让下一代都能受到好的教育 …… 所以，缴械他为他们家乡，捐了 10 万元钱，给那儿的小学 ……"

纪保安"啊"了一声，举起酒杯来，对着缴械，点下巴。缴械举举夹香烟的手，纪保安便自己将杯中酒一饮而尽。

57

韩上楼的餐厅后面，有一个歌厅。凡在餐厅进过餐的客人，都可以免费到歌厅消遣，并得到一杯赠送的饮料。这歌厅的特色，是摆放了一架乳白的三角钢琴，有钢琴手为点唱自娱的客人伴奏；暂时无人点唱，钢琴手便弹奏乐曲，或边弹边唱以娱宾客。这比那种千篇一律的以音响设备伴奏的卡拉 OK 歌厅有趣多了。

他随着四个年轻人进了那歌厅。歌厅不大不小，空间感觉恰到好处。灯光也不太幽暗，装潢得固然较俗，但俗而可耐。他们选择了靠里面的一个隅，围坐一处。

四位男士都要了咖啡，春冰要了柠檬苏打。

他想继续听年轻人侃，几个年轻人却想唱歌。服务员拿来歌名册，宁肯让他先点，他翻看了一下，很少有他会唱的歌；他注意到，歌名册中有好几面是"台语歌"，这恐怕是台资餐馆的特点吧。他把歌名册给了春冰。春冰翻了翻，都不中意，去问钢琴师，能不能弹芭芭拉·史翠珊的那首《RUN WILD》？那披肩长发的女钢琴师说可以试试，于是便给春冰伴奏起来，春冰唱得极其投入，只是很不流畅，唱完，连别的客人也给她鼓掌。接下去，宁肯唱了《同桌的你》，矫捷唱了《小芳》，然后是别的客人在唱。他很高兴又能回复到交谈中去——虽然在歌厅里交谈，往往不能充分地听清别人的话。

他希望能继续餐厅里的话题，可是四个年轻人却东一嘴西一嘴扯起了什么深圳文稿大拍卖，叶大鹰在俄罗斯拍《红樱桃》苦不堪言，激流岛诗人杀妻自尽，上海深圳新股票上市，长着几个脑袋的作家周洪如何频发警告，JJ迪斯科舞厅与亮马河硬石舞厅何优何劣，吴祖光与国贸大厦惠康超市的官司，四川黑竹沟森林的凶险莫测，张艺谋和陈凯歌新片子的风险，北京禁放烟花爆竹与限养家犬……这些话题要么离他太远，要么又近得令他发腻，他便都没插嘴。当春冰再一次提到电影时，宁肯对几个年轻人说："对了，雍老师跟《栖凤楼》的制片人还有主演什么的特别熟……不知道拍得怎么样了？前一阵子小报上很鼓吹渲染了一家伙，最近又不大炒这座楼了……"又问他，"雍老师，您是这片子的文学顾问吧，您觉得它能给我们带来什么新东西吗？"

他这才忽然想起，他本是受闪毅之托，有事来找宁肯的，于是他赶紧凑拢宁肯，把有关的情况概括了一下。宁肯听了后说："我倒还没听说，有观众提供了这么个曝光的线索……听你这么讲，是个偶然事件，那我们没多大的兴趣……我们现在主要是尽可能为老百姓说话，当然，也不能曝光曝到引发出事端来……有的我们拍出来了，自以为是很把握分寸的，结果审查还是通不过，压在那儿……哎，'一仆二主'嘛，观众和领导都是我们的上帝，让两个主都满意并不是那么容易的啊……"

两人正交头接耳，忽听有人招呼："Hi！"

他抬头一看，一张笑脸正浮在上方，眼影染得很浓，嘴唇上的玫瑰紫色唇膏

显得很怪 …… 是卢仙娣！

卢仙娣不是一个人来的，旁边是台湾来的杨致培先生。

他只能赶忙站起来招呼。他要把几个年轻人介绍给卢仙娣他们，可是卢仙娣无须他介绍，原来四位年轻人卢仙娣都认识，"万国通宝"的法力真是名不虚传！卢仙娣大大方方地把杨致培介绍给了他们。

于是七个人坐到一处。

卢仙娣乐呵呵地说："是我把杨先生拘到这儿来的，他本是不愿意来的，他说，什么？韩上楼？这不是台湾的买卖吗？…… 他懒得来，在台北，他家街对面，就是一家韩上楼 …… 可我还没来过嘛 …… 我想涮石头火锅，就把他拽来了！……"

杨致培说："是呀，这算怎么一回事呀，来北京，要上楼，就上萃华楼、鸿宾楼嘛！要吃涮火锅，就该上东来顺，涮正宗紫铜炭火锅嘛！…… 也实在奇怪，你们北京，引进这个不伦不类的韩上楼干什么嘛！"

卢仙娣一旁凑趣说："麦当劳,肯德基 …… 可以给它扣上一顶'后殖民'的帽子，这韩上楼，还有统一方便面什么的 …… 该扣顶什么帽子呢？'后反攻'？……哈哈哈 ……"

他注意到，坐在他正对面的纪保安脸色变得很难看。

卢仙娣却仍肆无忌惮地在那里发挥："…… 确实是不伦不类！如今的北京，简直成了一个'后现代'的大杂烩！…… 更可笑的是'加州牛肉面大王'，在美国加利福尼亚，那只是唐人街里很小的买卖，有几个正宗美国人知道它？到了北京，倒弄得一般老百姓，以为吃了那牛肉面就去了趟旧金山、洛杉矶似的！……还有做'康师傅'方便面的，在台湾其实是很小的一家公司，现在北京却无人不知'康师傅'……"

宁肯说："那有什么关系呢！只要好吃，管它在那边是大是小，知名不知名呢！…… 拿来主义嘛！"

这下杨致培说话了："为什么拿这些东西过来呢？为什么让他们把这些东西送过来呢？你是社会主义嘛！你不要这样嘛！…… 记得那个时候，我们偷看一本从美国辗转传过来的《人民画报》，那上面自力更生的镜头，好让人激动啊！高高的钻塔，堆积如山的棉花，还有围湖造田，教授养猪 …… 朴素清爽的城市面貌，全民农工化的平等境界 …… 好激动啊！ …… 可是那时候只能神往，难得亲近！ …… 现在终于能来了，却让人 …… 比如此时此地 …… 简直跟台北无异！恕我直言：这是何苦！ ……"

杨致培的这个思路，他早知悉，也早与其争论过，并不以为奇，可是对于几个年轻人而言，却颇具冲击力。

春冰说："哇！还有您这么想的！ …… 可是教授养猪，是不是大材小用了呢？除非他是个专门研究畜牧兽医的教授 ……"

矫捷说："围湖造田，是不讲科学的 …… 结果粮食并没有丰收，反而破坏了生态平衡 ……"

宁肯说："您的这些议论，让我想起了我采访途中遇上的一个英国老太太，她也是很不高兴，因为她来中国，是为了看蒸汽火车头，还有茅草屋，水牛拉犁 …… 什么的；她说她多年前来过，都看见过，她坐的客车就是蒸汽机车牵动的，从车窗望出去就能很方便地看见茅草屋、水牛拉犁，还有比如说木船上补了大补丁的帆呀，光脚走在乡间小路上，头上缠着厚厚的蓝布的农民呀 …… 现在她来，却怎么也找不到蒸汽火车头，拉她那软卧车厢的，是跟英国几乎一模一样的电气车头，而从车窗里望出去呢，居然净是些方方正正的新瓦房，甚至于是些模仿他们西洋样式的小楼 …… 很难看到牛拉犁，也很难看到光脚或草鞋 …… 最伤心的是，人们的服装也毫无新奇感，要么是夹克衫，要么竟居然也是牛仔裤 …… 她伤心地说，既然我只能看见这些，又何必花那么多钱，从那么远跑过来呢？ …… 她说她希望我们这里永远是一个古老的中国，可以让她在厌倦了她们那里的生活氛围以后，能随时花钱来享受一番古国风韵！ ……"

矫捷补充说："可是，给她住的宾馆饭店可得是提供西方式卫生间的，我想她一定不能忍受中国古老的马桶或茅房蹲坑 ……"

卢仙娣代杨致培抗辩说："杨先生可不是你讲的英国老太太那种人 …… 那种资产阶级老太太是把中国当成一个古玩来猥亵，可是杨先生，却是把中国大陆当做是一个乌托邦的可触摸的雏形来向往的！"

杨致培却并不领卢仙娣的情，他说："怎么是乌托邦？实实在在的嘛 ……"

纪保安发话了："杨先生，那是实实在在的，可也确有乌托邦的成分！ ……

我能理解,从旁边看,得出个结论,欣赏也好,奚落也好,是一回事;置身其中,那就是另一回事了! 不管怎么说,世界,人类,发展到了这一步,像中国这么大的一个国家,关起门来自我发展,无论怎么努力,演出多少可歌可泣的戏剧来,使从旁看来的人多么地感动,到头来还是不能大大地提高生产力,不能切切实实地富国富民 …… 当然,自力更生的精神不能丢,可是对外开放实在是至关重要,这十几年的实践证明,对外开放的正面效应,大大超过了派生出来的负面效应 ……"

他注意到,纪保安讲话时,杨致培在一旁仔细地研究纪保安递给他的那张名片,一定是杨致培发现了纪保安的处长身份,并且心中很不以为然("你来给我上课吗?"),嘴角浮出了几丝不耐烦的冷笑 ……

宁肯的呼机噩噩地响了起来,矫捷的手机也有人打来了电话,于是他说:"天下没有不散的筵席——我累了 ……"于是便站起来告辞。

他和四个年轻人都要走,卢仙娣说还要跟杨先生消磨一阵。

他都走到歌厅门边了,卢仙娣忽然追上来跟他说:"嘿,告诉你,我昨天安排林奇跟杨致培见面了!"

他问:"怎么样? 一见如故,相见恨晚?"

卢仙娣说:"哪的话儿!"

他觉得有些出乎意料,便再问:"杨致培对林奇印象怎么样?"

卢仙娣说:"他也没多说。只是今天一起吃石头火锅的时候,我提到林奇,他忽然很痛心似的说:林奇他怎么能背叛无神论呢? !"

他说:"林奇并没有皈依哪个宗教啊!"

卢仙娣说:"可是,他感觉,林奇已经掉到泛神论的坑里了!"

他便不再说什么。

卢仙娣追上他并不是为了报道这个细节,而是仍旧让他帮助促成法国使馆签证的事——林奇的签证仍未弄妥。

在那样一个场合,他也不好再推托,便含糊答应说尽量效力。

58

康杰拍完那天的戏，没直接回宾馆。他在外面吃完饭，回到宾馆时，刚进前厅，服务台的值班小姐就招呼他说："有个老头找您！在这儿等了老半天！我们跟他说，您可能很晚才回来，也可能今晚上根本不回来，他才走了……"

康杰忙问："他留条儿了吗？"

值班小姐说："我们请他留言，他说不用写了，就让我们告诉您，他叫漆铁宝……"

一听这名字，康杰便"啊"了一声；可是，铁宝师傅至多也就 50 刚过，怎么会是个老头呢？他便问："是个老头？"

值班小姐点头："可不，满脸褶子！"

漆铁宝是康杰原来所在的那个工厂的一位师傅。自打康杰脱离工厂当上个体演员以后，再没联系过。今天怎么突然跑到这儿来找自己呢？

康杰先回房间洗澡。一边冲着淋浴，一边琢磨这件事儿。

十来年前，康杰刚进厂当电工时，漆师傅才三十多岁。漆师傅是个管子工。电工和管子工，常有"联合作战"的时候。见多了，互相也便增进了了解。漆师傅那时候还没结婚，原因不问自明：穷。漆师傅工资本来不高，厂里那时效益就不好，奖金常不到位，而他还要赡养双亲，谁肯嫁他呢？康杰注意到，除了厂里发的工作服，漆师傅一年四季，似乎只有一套中山装，一件衬衫，总那么倒换着穿；冬天多一套绒衣绒裤，棉大衣也是厂里发的；这在 50、60 年代，也许并不稀奇，可是在 80 年代，就不多见了。不过，漆师傅却从不让人感到邋遢。那时候康杰挺追逐时髦，挣的工资，很大一部分用在买穿的上，不过，在别人眼里，却往往是"鲜一阵霉一阵"，也就是忽而溜光水滑，忽而邋邋遢遢；康杰业余练武术，出汗很多，衬衫换得挺勤，可领口还是免不了总显得脏兮兮的；漆师傅虽不练武术，可管子工干起活来，比电工要费劲儿，汗水淌得也很不少，然而，康杰注意过，漆师傅每天来到厂里，不仅外面衣衫整整齐齐、清清爽爽，那露出的衬衫领子，也总是干干净净。漆师傅会不会是有几件一样的衬衫，在倒换着穿呢？有一回康杰跟他一起干完了活，同到厂里淋浴室淋浴，趁他先进去一步，在更衣室里，用油性记号笔，在他那衬衫背后，最靠下的里面，点了个记号；当时记得，那衬衫的领口，因为刚干完活，是有汗尘的；第二天他们又该在一起干活，聚一块时，康杰一瞥，漆师傅的衬衫领口不仅洁白无疵，而且显得跟新的一样；但是当干完活他们再去洗澡时，康杰偷验那件衬衫，却发现头天他点的那个记号，依稀可辨；他恍然：漆师傅一定是每天回家后都要洗他的衬衫，那领口，想是快磨破了，他头晚拆下来，翻了一面。

谁知如此考察漆师傅的，竟还另有其人。那是厂里的一位寡妇。她可不是像康杰那样，仅出于好奇。她也注意到了漆师傅的衣衫永洁；也怀疑过：此人穷虽穷，恐怕并非是只有一套中山装；于是她在某日，趁漆师傅脱下中山装外套，挂在车间一角的休息室时，用香烟头，在漆师傅那外套的背后，也是靠下的地方，给烧了一个小洞。第二天漆师傅来上班后，那身中山装虽旧，却照例笔挺。于是她注意检验：背后她做的手脚，依稀可辨，只是已被细心地补缀过了。于是那寡妇决心委身漆师傅。传说那寡妇突然到漆师傅家拜访，发现漆师傅光着个大膀子，只穿了个大裤衩，见她来了，惶恐不堪，最后竟只好抓起床上被子围在身上；原来，他一下班，便把衬衫、中山装都洗了一遍，晾在那儿，还湿漉漉的呢！

寡妇追求漆师傅，漆师傅受宠若惊。他们结婚了。当然没有大操大办，只在厂里有关的车间里散发了一些喜糖。那时康杰已经常去电影摄制组跑龙套，心思早不在厂里。后来听说，漆师傅和他媳妇，连同他的老父老母，还有媳妇带过来的两个闺女，一大家子六口人，虽说平均收入在京城里是最低的，但日子居然安排得井井有条，温饱而和睦。

……今天漆师傅，怎么突然跑来找我？康杰寻思，想是他生活上终于发生了本身难以调节应付的困难……

对了，康杰想起来，曾遇过厂里其他人，听过一耳朵，就是那厂子，已被别的厂子兼并，兼并后为保证效益，决定重新定员，采取合同制聘任，这样没被聘任的下岗职工，便需另谋生计……想来兼并后的厂子，自然无须那么多的电工管工，加上漆师傅已过 50，很可能是让人家给"剩出来"了……可他那么个家庭状况，如不迅即想辙，怎么撑得住啊……想必漆师傅是万般无奈，才来找我，以解燃眉之急……

康杰一边享受着淋浴喷头泻下的水流——他只用冷水，这习惯已坚持十多年了，淋热水反而别扭——一边想，也是该帮漆师傅一把，不过，刚刚帮了"十四点"两万块，再往外掏钱，说实在的，虽演了几次主角，手里如今有几个钱，可远不到扮演慈善家的分儿……他后悔对"十四点"那么慷慨，那是"锦上添花"，其实大可不必……现在需要对漆师傅"雪中送炭"，却再难豪气冲天！……

康杰想，漆师傅是个老北京，老北京人的特点便是死要面子，你看他当年穿衣服，便是面子第一嘛！也不知他当年怎么能保证头天洗的衣服，一夜间能晾干！这好面子，是优点更是缺点！优点，是说能克己，对他人和社会绝无挑战性威胁性；缺点，则是没有进取性，太无冒险精神与竞争意识，你衣服不够，你主要的出路，应当是想办法多挣钱，去买新的嘛！一味地俭省，到了那种地步，你的美德也变傻了嘛！……

康杰洗完穿衣服的时候又想，我新接的这个本子，恰好是鞭挞老北京的这种"优美惰性"的嘛！也正巧，他漆师傅找上门来，正可给我塑造角色，提供依据……

康杰和潘藩一样，对《栖凤楼》的拍摄早已厌倦，潘藩已经接了《城市绿林》，康杰则接了《爷们儿歇菜》。当然对《爷们儿歇菜》这个剧名，康杰还有些个意见，晚饭和这部戏的导演在餐桌上，他们还有所争论。康杰主要是觉得这部戏虽说是揭示老北京人惰性的，可影片拍出来可并不是只给北京人看，北京人懂得"歇菜"是"歇下来什么都别干了"的意思，外地人却未必懂，广州人就可能完全莫名其妙……那导演却说："名字怪一点好，其实《雅马哈鱼档》北京人也不是都懂，可味道在那儿，北京观众看完了，也就明白了嘛……"当然康杰也不是坚持非改名不可，不管怎么说，他对这部戏比对《栖凤楼》感兴趣，不仅这部戏离他的生活感受近，而且，在这部轻喜剧里，他不再是个被导演拿来当"大只"，亮一番"块儿"，展示一番武艺，与"枕头"相配套的那个"拳头"了，他将扮演一个下了岗以后，明明可以找到许多生财之道，却碍于面子，高不成低不就，结果全让外地人把那些钱挣走了，自己于是在牢骚满腹中，作安贫乐道状，那么样的一个典型的老北京；剧本对这个角色的塑造虽然还大有可调整之处，可是他已答应下来扮演，并轻易不会放弃；最根本的一点，便是他将不再是靠武术吃饭，而是能过一把性格演员的瘾！

于是康杰急于找到漆师傅。漆师傅需要他，他也需要漆师傅。

他穿戴好，下楼去。在电梯里遇见了潘藩。潘藩显然也是刚洗了个澡。他们这天一起拍了十几个镜头，都够累的。

潘藩一见他就说："哥们儿，还往外跑，也不歇着！"

他便说："你呢？怎么比下午还精神！"

潘藩便对他眨眨眼，满脸心照不宣的怪笑。

是呀，他们心有灵犀一点通——早都"身在曹营心在汉"喽！

59

一辆出租车在那宾馆门外等着潘藩，潘藩拉门弯腰坐进去，车子马上朝那条斜街外开去。

开车的是富汉。潘藩呼了他，他给潘藩回了电话，潘藩说想用车，他就来了。

"您去哪儿？"富汉问。

"啊……咱们先去吃个饭吧……我做东……"

"我吃过了……我送您去饭馆吧……您说去哪儿？"

"吃过啦？……那……哎，富汉，其实……我是有个事，想求求你……"

车都逼近斜街口了，不知该往哪儿去，富汉便把车靠边停住了。那儿正好有块凹进去的空当，人行道边白蜡杆树的树冠罩着那块地方，树叶大半黄了，但还没怎么谢落。

"您有什么事，值当求我？……凡我做得到的，您说！"富汉并不惊讶，只是一时猜不到潘藩要求他什么事。

"是这么回事，我下一部戏，就是下一部要拍的电影，名儿叫《城市绿林》，是讲在这个乱世里头，民间藏龙卧虎，有那隐姓埋名的好人，专打抱不平，整贪官污吏，帮穷人弱者……这可是部好戏，拍出来，老百姓肯定爱看！……"

"你拍出来，他能让演？"

"咱们打擦边球！……先拍出来再说！……攻击的是贪官污吏，又不反'皇帝'……当代的《水浒》嘛！……大不了到时候修修改改，最后演出来不成问题……"

"可……你们拍电影，我能帮什么忙啊？"

"嗨！……上回，你不是带我，去见了老豹吗？……那老豹，分明就是条绿林好汉嘛！……你能不能，再带我见见他？……"

富汉原来意态松弛，一听这话，浑身紧绷起来；他原来只是从反射镜里望着潘藩，潘藩此话一出，他猛扭过脖颈，质问说："怎么着？你把老豹的事儿编成电影啦？你漏出去啦？"

潘藩赶紧解释："剧本是别人写的，早写好啦……上回你带我去老豹那儿的时候，我已经接了这个戏啦……只是，为了演好这戏里的当代城市绿林好汉，我想再体验体验……我们演员演戏，也得有生活依据，不能凭空胡演，是不？……上回见着老豹以后……"

"你就把他给卖出去啦？"富汉眼里的凶光，把潘藩吓了一跳。自从认识富汉，富汉总是对他尊敬友好，他简直没有想象过，富汉的眼里会射出这般令人不寒而栗的光芒。

潘藩慌忙进一步解释："那怎么会？……你误会了！……我只不过是，想……从老豹那儿，多汲取些营养……罢了！"

富汉逼紧了问："你把他跟你讲的……你那天看见的……都告诉别人啦？！"

潘藩矢口否认："没，没……我哪能呢！……未经老豹……未经你们许可……"

富汉斩钉截铁地说："你就该光记在心里头，嘴要严，牙要紧！"

潘藩自尊心大受挫。他万没想到，会碰这么硬个钉子。

一时非常尴尬。

富汉扭回头去，粗声宣布说："你要是想再掏老豹的底儿，那门儿也没有！"停了一下又说，"那你可得小心点儿！"

潘藩生气了："我说富汉，你吃了枪药还是怎么的？……你忘啦？上回并不是我要见老豹，那不是老豹他想见我吗？……他喜欢我，你知道吗？而且他也信任我！我们俩聊的时候，你退出去了，你哪知道我们俩聊得有多投机！……你就能代表老豹吗？你准知道老豹不愿意再见我了吗？说不定，他挺乐意跟我再聊聊呢！……"

富汉不言语了。

潘藩趁势接着说："…… 我不过是委托你，把我想再见他一下的意思，递个话给他，就是他忙，顾不上，或者真的不愿意见我，也该是他做出决定，然后他再让你转告我 …… 你干吗先就把我堵这儿呢？…… 富汉，这就是你鲁莽之处了！"

富汉一听又火了。他是只能听进老豹的批评，别人任谁的批评一概不吃。潘藩有什么资格批评他鲁莽？！富汉便瓮声瓮气地说："你说完了没有？说完了，请下车！"

潘藩没料到短短的时间里，两个人竟从欢聚变成了翻脸。他忍了忍，尽可能和颜悦色地说："富汉，咱们毕竟是哥们儿啊 ……"

富汉立刻回绝："甭跟我套磁！谁跟你论哥们儿了！"

潘藩便说："你这人！…… 好好好 …… 我配不上跟你论哥们儿，可是我的意思，我觉得你还是有义务跟老豹汇报 …… 老豹喜欢我，喜欢我演的'八渣儿'…… 我相信只要你把话儿带到了，他肯定还愿意见我！"

富汉还是强硬地说："行了 …… 你说完了吗？说完了，请——您——下车！"

潘藩脸上可真下不来，他说："…… 我还去 …… 崇格饭店 …… 呢 ……"

富汉依然铁面恶声："我不拉！请您下去，另叫别的车！"

潘藩无奈。他总不能去投诉富汉拒载。

潘藩想了想，只好下车。下车前，他恳求说："富汉，不管怎么说，我的要求，你总得给我带到啊 ……"

他觉得富汉是点了头，有瓮声的应答。他下得车，隔着车窗又对富汉叮咛："你可得把回话带给我啊！"

可是富汉已经把车开走了，转瞬便开出了那条斜街。

潘藩呆呆地站在那白蜡杆树下，后悔不迭。

他从此再见不到老豹倒也罢了，他从此再呼不来富汉，乃至偶然遇上了富汉的出租车，富汉也再不理他，可怎么是好？

他都不想再演那《城市绿林》了。

60

　　康杰记得漆铁宝住的地方。那是临街的一座简易楼。什么是简易楼？那是"文革"初期，把一些实在已经不堪居住的平房，拆掉改建的居民楼。大都只有三层。说简易，并非是偷工减料，而是盖它们的指导思想，就是要立足于用最少的钱，盖最简单的房。那时候提倡艰苦奋斗到了极端化的程度，比如说，那时候报刊上推出了一个模范人物，叫门合，他的先进事迹之一，便是坚持住地窝子。跟挖一个坑搭一个篷子作顶的地窝子相比，简易楼算是相当奢侈的住所了。再一条，那时候是立足于备战，而且立足于"早打、大打、明天就打"，随时准备让敌人飞机将它炸掉，所以完全不必把它盖得很正式、很好。这些简易楼墙体单薄，每个单元的居住面积都不大，无阳台，厨房全设在楼道里，很小，厕所则是公用，厕所里是冲水式蹲坑，比胡同里的那种原始状态的厕所略强些。有自来水，有电，可是没有暖气，到冬天居民还是要生煤炉子取暖。这些楼虽说是因陋就简的盖造，但是当年施工认真，所以1976年地震时大都安然无恙，直到90年代末，大量这样的楼房还在被耐心地使用，甚至于有人说，这种楼房虽然简易，可是反比这些年用很大投资，按很气派的设计，花很大价钱买来的某些商品楼，住起来放心；因为那些商品楼很可能一会儿这里管道漏水，一会儿那里墙体开裂……令人烦不胜烦。

　　康杰当年曾跟漆师傅一起，走到漆师傅所住的那座楼下，漆师傅蔼然地跟他道别，却并没有一句请他"家去坐坐"的邀请。康杰判定漆师傅没有搬家。这天康杰借了辆自行车，骑到了那座楼下。仰头一望，这座楼虽旧，可是楼里有的人家，生活显然进入了新状态——窗外安装着空调机的分体机。

　　康杰把自行车锁定楼外，走进黑糊糊的楼道，迎面第一家敞着门，屋里一位老大娘正在收拾饭桌，康杰便站到门边，唤了一声："大妈！……跟您打听一下，漆铁宝师傅跟哪个单元？"

　　这样的简易楼里，邻居们在相当大的程度上，还保持着平房大杂院里的那种淳朴关系。大妈挺热情地让康杰进去，问："您是铁宝他……"

　　康杰忙自报身份："我们原来是一个厂子的……后来我调走了……我找他有

点事儿……其实，是他今天找我去了，没能见着……我是怕他有什么急事……所以赶着来瞧瞧……"

大妈便让康杰坐下："……他住二楼，203……两口子刚出去……想必一会儿也就回来，您等等他……"

康杰问："他……全家都好吧？"

大妈说："他爹他妈，都过世啦……俩闺女……就是他媳妇带过来的那俩姑娘，都拉扯大啦……如今都出阁了……就他们两口子……按说，最艰难的日子都过去啦，可是……唉！"

康杰问："出什么事儿啦？"

大妈便细说端详："他媳妇真是个能人，里里外外一把手……可谁想得到，头几年总闹头疼……也没太在意，疼厉害了，也就要点止疼片吃……去年疼大发了，这才去医院细查……结果做 B 超，超出一团东西来……原来怕是瘤子，再查，不是，可比瘤子还糟心……您听说过吗？是叫什么猪囊虫的玩意儿，长她脑子里头了，越长越大，邪乎了！……"

康杰问："不能动手术取出来吗？"

大妈说："……可怜啊……去了好多家医院，拍了好些个片子……可是大夫们都摇头，说晚了，动不了手术了，那猪囊虫，都跟她脑仁儿，长一块儿了……只能是想法子用药让那虫子死在里头，要不，它再长——说是那虫子长完一片身子，就要再长一片——人就活不了了！……那虫子死了吗？说是并没死绝……这不，今年春节过后，他媳妇一只眼就什么也看不见了！如今那另一只眼，也保不齐哪天就会瞎！……唉，您说好好的一个人，怎么就招上了这号虫子呢？……铁宝估摸着，那是十来年前，下乡'支农'的时候，在那儿吃了没煮熟的'米猪肉'，招上的……铁宝媳妇这么一病，我们这楼里的人，谁都不敢瞎买个体摊上的猪肉了……您说那猪囊虫怎么那么厉害呀？招上了，想打下它来，难着啦！……"

康杰问："那她还能上班吗？"

大妈说："病退半年多啦！好在看病还能报销 90%……实在要住院，手术，还有大病统筹……光这一档子事，倒也罢了，您该知道吧？厂子不是让人给兼并了吗？往下裁员呢，铁宝不也下岗了吗？……"

　　这正是康杰最关心的，他忙问："那漆师傅，他打算怎么着呀？"

　　大妈说："听说厂里，让下岗的职工，从三样办法里，自己选一样……一样办法，是提前退休，拿70%的工资，不够花，您自个儿挣去……一样办法，是退职，关系转街道；给你总算一笔钱，好像是，按工龄算，每年一千多吧……最后一样，就是留职停薪，档案留厂里，一旦厂里需要，你还可以回来签合同……其实下来的谁还指望吃回头草呢？这第三样办法，就是你得下海，自己闯荡去！……"

　　康杰一边听那大妈报告消息，一边把漆师傅的处境和《爷们儿歇菜》里的角色合起来琢磨：三样办法里，该取哪一样呢？

　　大妈不等他问，便接着说："铁宝他选哪样法子，还没听他往外露……其实，依着我想，还是头一样法子比较好，虽说俩人都只拿70%的工资，那总有个保证不是？再说他们俭省惯了，俩闺女还能帮补一下……也不是单他们一家一户遇上这么个局面，有个裂了口的铁饭碗端着，也总比手里没了现成的碗儿，自己去攒个碗儿强，您说是不是？"

　　康杰便说："其实，在咱们京城攒个饭碗，也并不难……您看如今有多少外地人，跑到这北京，见缝插针，见沟泼水，挣下了多少钱呀？……就说满街卖煎饼的吧，差不多全是外地人，别看那买卖小，一个月总也能挣上几百块……"

　　大妈便说："哟，卖煎饼呀……又不是真饿得吃不上饭了……干吗那么小打小闹呀？……真想发财，还得做大生意！……可咱们不是没那门路吗？……"

　　正说着，看见门外边，漆师傅两口子，一起走进来了，康杰忙谢过大妈，迎了上去。

　　漆师傅见了康杰，并没显现出很强烈的反应。漆师傅那口子本也是熟人，用不着介绍。康杰随他们两口子上了楼。

　　进了漆师傅他们那个单元，发现其实是两间很小的屋子，外间也就十来米，里间望过去，大约还不到10米。真想象不出来，一家六口人时，他们是怎么就合的。楼下那大妈家，大约是三间屋，当然也都不大，显得满满当当的，装修得并不高档，但地板砖、花纹墙纸、挂画线、百叶窗……一应俱全；沙发、摆设也都还不赖；特别是一台29英寸的大彩电，虽说望上去有点儿太不成比例，堵心，可到底宣示着主人的生活状态已远在温饱线上……漆师傅家，相对来说，确实穷多了，不过……康杰环顾着,心中评议道:穷而不酸,简而不陋……墙体就保持着刷白灰的原态,却清爽无尘;地面就保持着水泥的原状,却擦洗得平整光润;窗帘就挂在简单的钢丝绳上,可是蔚蓝色带一点竹叶图案的廉价窗帘布,望上去挺顺眼;外屋里一边是两架老式样的单人沙发,当中间一个朴素的茶几,显然是当年漆师傅自己打造的,耐心地用到今天;对面那边则是一个躺柜,也是自己打造的,上头有一台14英寸的卧式电视机,很可能还是黑白的;另外就是一张可以折叠的铁腿木圆桌和两把折叠椅……里屋可以一目了然地看出,无非就是一张双人木床,一个老式的大立柜,两口摞在一起的方方正正的大木箱;但那床上洁白的褥单与叠得如军营般齐整的被子,却给人以很强烈的视觉冲击……综合起来的印象,倒觉得漆师傅这儿比楼下大妈家更安适舒心些似的。

漆师傅两口子给康杰让座,漆师傅还给他倒了一杯茶,是冲的茶叶末;这种便宜的茶叶末现在反而不大好买了;康杰喝了一口,因为冲的水很热,茶叶末没有浮在表面,喝起来味道居然不错……

康杰和漆师傅坐在沙发上说话,漆大嫂到门外走廊对面的小厨房去坐开水什么的;康杰觉得漆大嫂不仅并不怎么出老,眼神也未见得差到了哪儿去,如不是听了楼下大妈的一番报告,他甚至会认为她一切都正常呢……他决定,如果人家两口子都不提起那猪囊虫的事,他也就别问……

康杰先跟漆师傅叙叙旧。他注意观察漆师傅,确实满脸褶子,不过,只能说他是未老先老,而不能说他是未老先衰;因为漆师傅那脸上的皱纹,两边挺对称,从拍电影的角度说,这样的皱纹出现在男人脸上,挺阳刚的呢!漆师傅身板还是那么硬朗,背没驼,脖子上的几根粗筋还是那么钢条似的;至于身上穿的嘛,想必不至于是只那么一身了吧,可还保持着当年那洁净得没有道理的状态……

说起厂里的变化,和他的下岗,漆师傅的平静,令康杰吃惊;尤其是说到自己的选择,更让康杰大感意外:"……我办妥退职手续了,领出了三万多块钱来……"

这很不合乎《爷们儿歇菜》里的描写。心态情绪跟楼下大妈也很不相同。康杰这下意识到,从某种概念,比如"老北京人的惰性",来诠释所有的人和事,显然是不行的;人,永远是多样而复杂的……

听说漆师傅领出了三万多块退职金来,康杰心中松了口气;他原是很担心漆师傅来跟他借钱的，当然千把块钱倒也无所谓，要是漆师傅并非退职而是停薪留职，想借本钱做生意，那他就为难了——刚借了"十四点"两万块啊！他虽拍了些个影视，有了些个钱，可他并非财主，更不是慈善机关，是不？……漆师傅不是找他借钱，那是找他帮什么忙呢？

漆师傅不紧不慢地，条条理理地，说到找他的目的："……我跟你嫂子合计了一下，决定从退职金里，拿出 8000 块钱，买下一台电动爆花机……我们联系好了，就在百货公司一进门的地方，租一个摊位，讲好是一个月 600 块钱，先预付他们半年，他们优惠我们一百块，收 3500……我们再进玉米豆、糖浆、纸口袋什么的……前期投入，满打满算，怎么着省，也得 13000 左右……这就把我十多年工龄的价儿，都投进去了！……估摸着头一年要是卖得俏，能收回成本来，第二年就能赚了……可那机器是最要紧的，要是刚过半年，嘎嘣坏了，过保修期了，我可就崴泥了……所以，我得请个电工，帮我再检验检验，买上一台质量最好的……这不就想到你了吗？……"

原来如此！这有何难？康杰高兴地说："那没问题！我全套电工家伙，连万用表都是现成的，帮您测试，检验，不成问题！那机器一定没啥复杂的，原理很简单！……明天我正没戏——就是拍电影没我的镜头，正好给您练这个活儿……您说吧，明儿个是到这儿来集合，还是直接到那提货的地方去？……"

漆大嫂走进来，闻声说："……我说大杰他肯定帮忙吧？……大杰兄弟，我们铁宝这回是只能赢，不能输啊！……"

……

康杰离开漆师傅家，迎着秋风骑车回宾馆时，鼻息里竟氤氲着美式爆玉米花的气息……他想，《爷们儿歇菜》虽是个轻喜剧，可也不能一味地拿"老北京人吃惯了皇粮的惰性"来开涮……他一定要说服编剧和导演，往那戏里糅进些深刻一点的东西……

对主演《爷们儿歇菜》，康杰更有兴致，也更有信心了！

61

电视台的一个专题节目里，要请纪保安的奶奶露面，对当今的青年人讲几句话。宁肯扛摄像机，春冰随机采访。

春冰是头一回进入这样的干休所。她觉得那里面的空间感特别好。楼与楼之间的距离拉得很开，楼的门、窗、阳台也都拉得很开，显得阔大；走进楼里，楼梯也宽，楼梯拐弯处的面积足够当一个小厅；进到纪保安奶奶的住处，更觉得处处阔朗，光线充足，一扫一般住宅内的局促烦琐之感。

春冰后来进一步归纳自己的印象，又感到干休所里的情景，确可用朴素二字来形容。那些三层的灰砖坡顶小楼，用料、施工不消说都是极好的，但外观上绝无任何装饰性的部件；单元里面的房间虽多，厅虽大，但纪奶奶家大概不仅不会是例外，恐怕还相当典型——所有的东西几乎都重在实用性，而绝少考虑装饰性、趣味性；给她印象最深的是那一套沙发：笨重、苗实，方方正正，罩着灰米色咔叽布罩子；这种沙发，春冰在以往看过的表现高干生活的影视片里早已熟悉，现在亲临其境，所看到的并非布景道具，而是鲜活的现实，甚觉亲切……纪奶奶本人，也是朴素之气迎面扑来，她穿的衣衫质地都很好，但上面几乎没有任何细节是为取得装饰效果而存在的……

采访进行得很顺利。纪奶奶性格爽朗，她的语言表达能力不弱，然而也是句句短捷质朴，没有什么多余的装饰词语。拍完宁肯说简直不用怎么剪辑，整个儿搁进片子里就是。

纪保安平时并不跟着奶奶住，一般是一个月来看望奶奶一次，这天因为事先知道拍电视的事，所以赶来，一则看望奶奶，二则可以跟宁肯他们再聊聊。

宁肯和春冰来到纪奶奶家才知道，纪爷爷抗日战争期间就牺牲了。纪奶奶现在一个人过，只有一个家乡来的，几辈人都称做四嫂的中年妇女，在照顾她的生活。纪奶奶的住房很大，但她不要子女跟她一起常住，她说她住房大，那是党给她的待遇，儿孙们现在应该用自己为党做出的贡献，去换取自己的待遇，包括住房待遇；儿孙们常来看望他，有时留宿一下，她也就满意了。在这一点上，干休所里的老同志们多与她不同，也有人说她未免性格太过刚硬了；然而纪奶奶我行我素，倒也自得其乐——别看她早已离休，一天到晚过得还蛮充实；如无外出的社会活动，她每天下午的精神生活之一，便是与一些老战友通电话，有时一个电话要打很久。接受完采访后，她便进到最里面房间，打她的电话去了；于是纪保安和宁肯、春冰在纪奶奶的客厅里侃上了大山。

三个年轻人在那儿放谈，都没注意到，纪保安的父亲进来了。纪保安的父亲马上就到 65 岁，眼看要离休了，心情正趋复杂；他进去后，无意中听了三个年轻人的几句话，顿时不悦；他且隐忍一时，四嫂迎上来，他随四嫂进里面见母亲去了。

三个年轻人的什么话，使得这位老同志大为不快？

原来，他们议论到，国外一位中国留学生，叫崔之元，还有一位洋人，所谓的"中国问题专家"，叫昂格，两人都挺年轻，他们对当前中国的发展，持肯定的态度，提出了"制度创新说"。他们认为，以传统的社会主义概念来衡量，中国的市场经济开放到了这种地步，已经大大地"偏离"；可是用资本主义的概念来衡量，中国却稳定在社会主义的政治框架内，所以也不能说中国走上了资本主义道路，还得算是社会主义国家。怎么评价中国呢？他们认为，中国是在进行"制度创新"；也就是说，人类社会的发展，因中国的例子，而产生了新的希望；20 世纪的人类，在很大的程度上，是社会主义与资本主义二元对立的制度对抗；21 世纪，人类有希望冲出这种二元对立，中国很可能创建出一种新的社会制度，那时候恐怕还得发明一个新的符码，来称呼之……

宁肯和春冰走了，四嫂做好晚饭，一家人坐在餐桌旁吃饭时，纪保安的父亲向纪保安发难了，他阴沉着脸，问纪保安："……那个摄像的记者，他叫什么名字？"

纪保安答："宁肯。"

父亲便说："林肯？……这样的名字！……是什么家庭的？……中国人，叫什么华盛顿、林肯的！"

纪保安说："是列宁的那个宁！……您怎么能望文生义呢？还想查人家三代！……再说，华盛顿、林肯在历史上是起进步作用的嘛！"

父亲威严地说："从取名字上，确实能看出来那父母的倾向嘛！……比如你姐姐和你，一个叫纪延河，一个叫纪保安……"

纪保安说："我知道，奶奶说过，红军长征，首先到达的是保安，还不是延安……

按这个顺序，其实我倒应当是哥哥 …… 可是，光从取名儿上头看倾向，那也太形而上学了！"

奶奶点头说："是不能形而上学、捕风捉影！ …… 延安整风的时候，发现我们单位有个叫李共荣的，他填的表格上，哥哥叫李共存！ …… 听了这哥儿俩名儿，得了啊！不是汉奸是什么！整得他够呛！ …… 后来冷静下来一调查，他跟他哥哥是双胞胎，取名儿的时候，宣统皇帝刚登宝座 …… 他父母取那名字是想让哥儿俩都活下来，跟后来日本鬼子那'共存共荣'的鬼话没关系！"

父亲有点尴尬，且低头吃饭。可是过了一会儿，终于还是忍不住，又提起话茬儿来："…… 我听见那个宁肯说什么，到下个世纪，社会主义这个符码，得进博物馆了！ …… 这样的人，怎么能在电视台工作啊！ ……"

纪保安着急了："…… 您怎么能听上一耳朵两耳朵的，就下结论啊！ …… 您什么时候能坐下来，跟我们年轻人平心静气地聊聊，那就好了！ …… 人家不是那个意思嘛！人家是在讲一种新的观点，一种对中国现实的新解释嘛！ ……"

父亲厌恶地说："什么新解释！还不是和平演变的那一套！ …… 现在真是不像话，让这样的人拍电视！ ……"

纪奶奶说："你们说谁啦？那个小宁？我觉着还不错嘛！ …… 怎么？我不在跟前时，他说什么啦？"

纪保安便说："奶奶，他没说什么反动话 …… 他是跟我讨论问题嘛！"

父亲便说："你可别忘了你是谁！你跟他讨论！ …… 哎，你就让他那样的牵着鼻子走吧！ ……"

纪奶奶问："讨论什么？跟我说说！"

纪保安说："几句话说不清！"

父亲说："说清楚了也是谬论！"

纪奶奶斜了儿子一眼，跟孙子说："你得练出那个功夫，就是有时候，用最节省的话，把一个不那么简单的意思，跟人说明白！"

纪保安就把他们议论的内容，扼要地说了一遍。

纪奶奶听完，不表态；四嫂把汤端了上来，纪奶奶说："先都给我喝汤！"

当父亲的喝了一勺汤，仍旧满腹火气："…… 现在的电视！ …… 一定要在二十三点多少分之后，才让社会主义的东西上场！……"这话一出来，纪保安就知道，父亲现在的怨气火气，已经是冲着正在掌舵的而去了……自从他逼近离休之日，这种怨气火气便越来越旺，在外人跟前大约还很能隐忍，在亲人面前他就不想强吞了……

这是纪保安在奶奶家，吃得最不舒服的一餐饭。

62

跟潘藩那回的遭遇类似，他也是一出饭店的大门，便有一辆旧"皇冠"的出租车滑到了他的面前，他坐进去，说了目的地，司机便往那地方而去。路上司机便跟他搭话，说他文章写得不错，说有个人，特佩服他的文品人品，想会会他；他先是一惊，随之一喜，便主动说："是老豹想会会我吗？你是富汉吧？"那富汉便说："是姓潘的跟您说过什么了吧？"他掩饰："哪个姓潘的？我认识姓潘的多了！……你们除暴安良，名声在外……我是个民间写文章的，全靠三教九流托着，你们的名气，自然早知道，一直想亲近亲近，总是无缘，没想到今天是踏破铁鞋无觅处，得来全不费工夫！幸会幸会……"

富汉把他送到目的地时，他们已经商量妥当，如果明天下午双方都得便，就由富汉来接他，先请他吃顿饭——这是老豹的意思——然后富汉带他去老豹那儿，会会，聊聊。其实他这一方已宣布没问题，只待老豹决定，不过富汉说今晚上还是要再联络一次，他也还可以再变更时间。

临下车时，富汉嘱咐他："……这事，别跟外人说……特别是姓潘的……那个'八渣儿'……"他忙点头："那个自然！"

当晚富汉来了电话，敲定在第二天。他约富汉到他那城内住处附近的一个公园侧门会齐，富汉告诉了他一个车号。

第二天中午，他提前到了那公园侧门，激动地等待潘藩描绘过的奔驰600出现；约定的时间到了，并没有那样的轿车出现……他正疑惑中，富汉忽然出现在他面前，跟他说："久等！"怎么只有人，车呢？……富汉引他走过去，原来车早停在那公园侧门前的空地上了，跟另外的两辆别的车斜排在一起；富汉指着一辆的车牌说："您瞧……"他这才憬悟，他来了就该查看车牌号，而不应引颈期盼什么黑色的"大奔"……那车似乎并非富汉开来停在那儿的……富汉只不过是准时来接手而已……富汉先用钥匙打开了前门，然后打开后门请他坐进去……那是一辆血红的外国新车……车子开动起来，他问："这车……什么牌儿？"富汉说："也是德国造……宝马牌儿……"

车子向东，开出二环……他想，是不是也到潘藩去过的那个地方吃饭呢？他还记得潘藩的形容，那餐馆的单间里，大瓮小瓶里，都插着些芦荻，十分地雅致，那倒挺合他的口味……可是富汉却宣布说："咱们去长城饭店好吗？……老豹说，从您的文章看出来，您挺喜欢吃西餐的……您是不是有篇文章讲过，您光是听人说，长城的法式大餐特棒，可您一直没领略过……老豹让我到那儿，让您尽情领略！……"他不禁惊呼："哎呀那多不好意思……那地方……听说每人最低消费是 5000 元……贵死人啊！"富汉说："许别的人贵，就不许咱们也贵一次？别的人吃了也就是摆了次阔气，您吃了，能写出好文章来……您这样的人，什么不应该都尝一尝？……"他听了，觉得富汉一定是在重复老豹的话……

……他们到了长城饭店，直趋那法式西餐厅。果然名不虚传。因为餐厅壁柱上布满最平整的高清晰度镜面，因此一走进去时，会觉得那餐厅非常宽敞；其实整个餐厅里只分布着十来张餐桌、三十六个座位；那些镜面使得任何一个座位上的客人都能在进餐时看到自己的尊容；整个餐厅的配色雅致到极点，宽大舒适的餐椅呈鲜虾肉色，洁白厚实的台布下垂的皱褶里闪着玫瑰色光晕；桌上的玻璃杯是真正的水晶制品，瓷餐盘等细瓷制品均系比利时定做，餐叉餐刀也是配套而制的精美工艺品，闪着柔润的光泽……最令人激动的是餐厅顶棚上的水晶吊灯，那呈多个连续 S 形的灯体，由上万个三棱水晶柱组合而成，据说在全世界亦属罕见！

……他们选了一张餐桌，落座后侍应生端上冷水杯，送上印制典雅华贵的大菜谱……餐厅里一个有竖琴的小乐队开始演奏，那水帘垂泻式的乐曲沁人心脾，未饮先醉……

……那天中午，他们进去时，只有一桌客人，都是金发碧眼的西洋人，三男一女，男士个个穿戴着中规中矩的西装礼服，女士穿着本季巴黎时装，耳饰项链闪闪发光……他望望侧面的富汉，富汉倒是西服领带，头发光洁；从镜子中偷觑自己，却还是一身休闲装！按说来这样的餐厅，是一定要穿正式礼服的；不过，聊可自慰的是，自己身上的休闲服虽不是什么大名牌，倒也还属于大众名牌的范畴（他近年来懂得，"大名牌"如梦特娇和"大众名牌"如鳄鱼，不仅价位不同，而且也不属于同一个消费档次），"是真名士自风流"嘛，总体而言，也还说得过去……

……侍应生给那边洋人们端去了一盘菜；那诱人的气息氤氲在整个厅堂里……那是按餐厅第一任厨师长皮埃尔·米耶尔秘法烹制的烩鲜鹅肝……这道美味是应该紧接着鲜蔬海鲜色拉享受呢，还是最好放在红酒牛肉之后细品？……

……此餐只应天上有，人间能得几回尝？

……当他们已经离开那餐厅时，他还有一种如梦如幻的陶醉感……可是，脑际也不禁飘出许多个？……富汉是掏出 VISA 卡结的账，他也不好意思细问，总得一万多吧！……老豹哪儿来的这么多钱呢？……都说只有卖军火和卖毒品的人，才花钱不眨眼皮儿……老豹他，究竟是靠什么敛的财？……阴暗的念头一涌上来，他不禁打个嗝儿，顿时清醒了许多……斜眼一瞥富汉，便觉得其谦恭的态度之中，又实在很有些狞厉的风貌……

……当他们走到大堂里时，富汉身上的呼机忽然响了起来，富汉看罢那汉显，便用手机跟什么人对起话来："……我正有事啦！……让我顺便先去处理一下？……（说到这儿富汉伸腕看了看表）……你怎么就不顶了呢？（"不顶"发"不丁"的音）……笨蛋！……好……就五分钟！……这不是瞎捣乱嘛！……"

……他们出了长城饭店，重进那血红的宝马车……车子开动起来，好像是往长城饭店后头去了……这时候富汉才对他说："……咱们来得及……误不了……我得先去处理个事儿……没几分钟……不过，您可千万别下车……"

……离长城饭店后面不远，便是些未开发的地面，既非农田，也非工地……唔，倒颇有些野趣……哎呀，怎么乱糟糟的……怎么乱成这样？还不光是乱！……分明是：脏、乱、差！……车子在非正规路面上没走多久，忽然前侧赫然出现了一大片垃圾山！

…… 他朝车子后窗望去，长城饭店的剪影俨然在目 …… 这里离那般高档豪华的场所顶多只有一公里！…… 基辛格、黑格、洛克菲勒、萨马兰奇 …… 乃至于美国前总统布什，全都在那里下榻过 …… 当他们住进那顶层的总统套房时，可曾从落地玻璃窗朝这里望过？他们看到了什么？ …… 是的，他们很可能看不见这垃圾山，只朦胧地看到一派野地 ……

"您千万别出来 …… 我马上回来！"富汉麻利地下了车，关上了车门。密封的车厢里温度适中，并且氤氲着淡淡的香气，回环立体声的音响里，低低地放送着一首古典钢琴曲 …… 肖邦？李斯特？ ……

可是他禁不住好奇心，他趴在贴有防晒膜的窗玻璃上，朝外望 …… 他看见在垃圾山的缺口处，站着一个人，个子高高的，可是 …… 仿佛架着拐 …… 那人只有一条腿？ …… 那是什么人？ …… 那人仿佛在等着富汉 …… 富汉走了过去，在那人面前站住，两人说话 …… 那个独腿人为什么那么激动？只用胳肢窝压着木拐，双手打着激烈的手势 ……

他忍不住打开车门，走了出去 …… 一股刺鼻的秽气扑过来，差点让他马上呕吐 …… 苍蝇乱飞，还有些说不清是什么的小虫子成团地上下翻滚着 ……

他走到富汉背后，他看清了那个架拐的人 …… 相当年轻，相貌应当说是端正的，体魄应当说是健壮的 …… 只是失却了一条腿 …… 如果不是那么蓬头垢面，不是残疾，那么应当比潘藩和康杰都英俊 …… 都在同一城市生存，人跟人的处境竟如此不同！ ……

他正胡思乱想，那独腿人眼睛朝他斜，富汉便扭过头，一见他下车跟过来了，富汉脸上先掠过一片愠怒，然后显然是压抑下怒气，才露出焦急之色，跺一下脚跟他说："我的祖宗！你怎么回事儿啊？ …… 非下车来？ …… 请您赶紧回去啵！ ……"

他自知孟浪，忙往后退，这时听见那独腿人又继续跟富汉说话，口气很急迫，听那口音好像是河南人 ……

…… 富汉跟那人说完话，回到车里，因为刚才下车后未关上车门，所以不仅秽气涌进了车里，还飞进了好多苍蝇 …… 富汉把车开起来，调头，回到了与长城饭店一线的东三环路，车窗外又是满眼的现代化豪华景象 …… 富汉启开车窗，在加速中让他轰跑苍蝇 …… 再关上车窗后，苍蝇似乎没有了，而异味犹存；富汉从前面扔给他一筒喷雾式芳香剂,他便前后上下喷了一气……

……他也不敢多问,只是说:"……怎么长城饭店后身,会有这么个垃圾场啊!……那小伙子,真可怜啊!……"

富汉却笑了,告诉他:"可怜?谁可怜?他?……你哪儿知道,那里头有个垃圾村,整整百十来口子,都是外地人……大多并没残疾……他可是村长呢!……他权力可大啦!……没几个人惹得起他……他那腿,说是得脉管炎,没别的法子治,只好动手术截了……他个人在银行的存款,如今少说也过五位数啦!……"

他愕然。

63

在药浴池中湿了身,司马山进了干式桑拿浴间。这家高级俱乐部设施齐全,光是供人洗浴的就有药浴、喷射浴、海浪浴、矿泉浴、桑拿浴等好多种,桑拿浴则又分干式与湿式,干式是以高温红外线照射,来榨出人毛孔里的污秽,湿式是古典桑拿浴法,即将浴汤泼到灼热的特殊石块上,用那散发出来的蒸汽逼出人毛孔中的脏东西;当然,除了以上特色浴外,一般的冷水池、热水池、高温池、淋浴喷头等设备的周到齐全,更不在话下。

司马山开头称为罗总,如今称为罗兄的那位合作者,拉他去湿浴;他曾有过几次那样的经历,虽心知湿浴才是正宗的芬兰桑拿浴,且收费高出许多,进湿浴间方能体现出一种内行派头与财大气粗的架势,可是他实在难以忍受那越来越浓烈的热蒸汽,所以这天他对湿浴敬谢不敏,一头扎进了较为简单的干浴间。

那高温红外线的干浴间不大,顶多也就八平方米的样子,里面顺墙设有三排靠座凳。司马山进去时,左右墙边各有一位浴客,他进去后坐到了正对照射器的那面墙下的座凳上,一坐下便感到股股热波迎身扑来,说实在的,并不那么令人愉快,可是当今时兴这玩意儿;谁没进过桑拿浴室,那简直便是"六国土老帽儿"……

让高温红外线照射着的赤条条的司马山,随着全身毛孔的绽开,思维里流动着些什么东西？……

　　都是些碎片。令他气闷的碎片。……1964，那是多少年前？30年前……他随"四清工作队"进驻了那个村子……连那么精明伶俐的女婿都问：什么叫"四清"？……词典上查得到吗？再过30年，更没几个人懂什么叫"四清"……清政治，清思想，清组织，清账目……说了归齐，最较劲的是清账目……"来者不善，善者不来"……对，这是一位揪出来的"四不清干部"的"反动言论"，狠批了一溜够！……他算是"好死不如赖活着"的典型……对了，当年怎么整治他来着？……不交代？好，让你站到火炉子跟前，把你烤熟了信不信？……那算"逼、供、信"吗？路线对了，怎么着都不算！路线错了，你不"逼、供、信"也白搭，是不是？……怎么现在这感觉，有点子当年让那"四不清干部"受烤刑的架势？……人这东西也怪了！当年是谁犯了事儿才烤他，如今，是谁有身份谁来烤这玩意儿，为了挨这一烤，还得花大把的票子……那"四不清干部"弯着虾米腰，让他脸对炉口子，他还是不老实……那家伙听说如今还硬朗着呢！你看如今多少当年斗人的人反倒接二连三地死了，可挨斗的呢，奇了，越挨斗挨得惨的，他倒反而死不了啦……那挨烤的家伙，不等于是让他洗桑拿浴吗？就是这么个干洗嘛！他毛孔一个个都放松了，脏东西都吐出来了，怪道如今反比别人硬朗！……还有那个"喷气式"，九十度大弯腰，当年那些个斗人的法子，不是很像帮人练"大雁功"什么的吗？……怪了怪了，当年给"黑帮"、"走资派"挂大牌子，戴高帽子，那被挂被戴的人多半觉得人格扫地，丢人现眼是不是？可如今，有回跟港台的人一起开那个会，人人发一个牌子，上头写着各人的名字，牌子虽不是太大，也不算很小，而且也是挂在脖子上，那么耷拉在胸前……嘿，人人都觉着挺体面呢！有人进了会场，在签到处一时没找到自己的那块牌子，没能及时挂上，那份着急啊！……还有那回的"涉外活动"，一人发那么一顶长檐帽子，怪模怪样的，不也是人人争先，末了没领到的还牢骚满腹……人啊，人啊，真是大怪物……

　　司马山胡思乱想间，感到窒息。这的确很像是受烤刑……

　　他从正面位置，挪到了一侧。坐稳时，发现旁边有人用他的官衔在招呼他……那干浴室里只有朦胧昏暗的一派红光……他仔细辨认……人用衣装包裹起来时，反而好认，这么赤裸裸的，仿佛冷藏库里那刮净了毛的猪肉，瞧上去都差不多，顶多只剩下肥瘦的区别……忽听那人在说："……我……缴械投降嘛……"这才恍然，啊，这小子！……

司马山对招呼他的人，含含糊糊地点了下头。他对这号年轻的暴发户……怎么说呢？真是又嫉恨又羡慕……唉唉，这世道，你光指着那份工资和那点子副食补助什么的，不是过不上好日子，是根本你就没法子过日子！……光像那以往的"一把手"那样，在"规矩"里头玩"猫儿腻"，像把桑塔纳车里头装修成那样呀，在单位食堂深处弄出个比外头高级餐馆的 KTV 包房还舒服的窝儿呀，上"四菜一汤"时，那一道"朴朴素素"里头，就又有龙虾肉条、剥好的蟹肉，又有白蒸带子、清涮蛏子呀……嘻嘻，那些海鲜都一色素白，不加任何雕胡萝卜花与翠绿菜叶装饰，叫成"朴朴素素"，你说那不是很确切吗？……可玩那个"猫儿腻"，究竟没啥意思，累不累得慌？……还是干脆，放弃政坛上的跋涉，去搞公司，当个董事长兼总经理算了！……最妙的是以行政副职，兼董事长和总经理，还弄成一个合资性质！……可关键是……是怎么能从银行里拿出钱来！……你银行里的钱，就是拿来贷给人的嘛！你不往外贷，钱死在那儿，算什么银行嘛！……贷款规定？谁能越过规定呢？咱们当然进入规定……咱们是一元化对不对？到头来你得听"一把手"的吧？"下级服从上级"对不对？……你再正行长，你既在这地面上，你也不能不听"一把手"的，对不？……你宏观调控？你控得了别处，你控不了咱这地面！咱们有罗总，罗兄，罗老弟……咱们还跟那个自称凤梅的女子搭上了关系……那可是非同小可的角色！……那主儿听她的，"一把手"又宠着那主儿……咦，别以为咱们没能耐……你是得缴械投降啊……跟你说吧，你那个买卖，到头来还是没法子跟我们拼……看胳膊怎么扭得过大腿！……跟你说白了吧——你赔不起，可我们……嘻嘻……罗总，罗兄，罗哥们儿说得爽脆：甭说别的，光咱们能勾连上凤梅女士，就凭这一条，咱就不怕赔！……你们怎么能打动那妖精？有什么秘诀？……嘿，这可不能透露！……各人有各人过河的筏子，是不是？我让你矫经理供出你那头笔生意是怎么做成的，你愿意跟我说？……

坐在对面的一位浴客出去了……确实，这干浴间真跟烤刑室差不多……"你招不招？""不招！不招！不招！"…… 哪个电影里的？ …… 是呀 …… 那是哪年的事儿？跟韩艳菊坐在一块，看那个电影 …… 那时候是真感动，不是假的 …… 出了电影院，一路走，一路讲的都是看那电影的感想，怎么向英雄学习，怎么争取入党，…… 哎，如今有几个年轻人，能相信那真就是在谈恋爱呢？…… 当然，那时候不叫谈恋爱，叫搞对象 …… 可是，到今天，哼，不是我"陈世美"，我也没招成驸马爷嘛！…… 韩艳菊那副嘴脸！整个儿是面目可憎！…… 当年她水灵不水灵？天地良心，当时光觉着她模样儿顺眼，当时真没把模样儿搁在重要的位置上，出身好不好？进步不进步？政治上有没有前途？业务上有没有发展？家里负担重不重？…… 这些个都放在模样前头考虑，真的！什么"三围"，当时连那个概念都没有 …… 可如今真是跟她混不下去了！…… 她甭跟我前头充真君子、大好人！真是怕我"犯错误"？她这几年，也没在"规矩"里头少捞！看她把那"栖凤楼"装修得那么富丽堂皇 …… 她说得对，我是"一点功劳也没有"，可她那"苦劳"里，多一半还不是变相地假公济私！…… 她如今也真是开放得可以！顶撞就顶撞，生把暖瓶扔到窗户外头去，没砸死人算是万幸！…… 她那点心思，什么"千条万绪，归根结底一句话 ……"，什么"世界上怕就怕 ……"，什么"凡是 …… 就要 …… ；凡是 …… 就要 ……"，她说话的那些个套路，倒还真有当年的水平，一句追一句，句句叮当响 …… 可你现在说的那些个，不，吼的那些个 …… 泼话，对，泼妇骂街！…… 你那个意思，还不是怕我真发了个百万千万的财，就都独吞了吗？…… 对对对，理解理解我理解，你也"不光向钱看"，你确实也在"向前看"，你是要我走定从副局升正局，从正局升副部，从副部升正部 …… 那么一条"正道儿" …… 你说得也对，我是"一口大棺（官）材"！…… 可我在这条道儿上走腻了！真的腻了！我不想那么"正儿八经"了！…… 好好好，反正我铁了心了，踩出头几脚了，你也甭闹了 …… 你又横生枝杈不是？你怀疑我跟这娘们儿那娘们儿，都无大碍，你怎么能疑到那凤梅女士头上？！…… 就算我有那个贼心，我能有那个贼胆吗？…… 谁敢乱打她的主意？太岁头上动土！作死呀我？……

坐在司马山一旁的矫捷也出去了 …… 司马山这时忽然有种苦尽甘来的感觉，是的，身上的毛孔不仅都张开了，而且也都吐秽了 …… 一个人在那干浴间里，也不那么憋闷了 …… 他爽性躺在了长条浴凳上 …… 忽然想到，不知罗兄现在从湿浴间里出来了没有，大概是没有，肯定没有，那可是个会享受的主儿……如今还是他埋单，今后，公司一拉起来，我就也可以埋单了……嘻嘻，这个色鬼！他怎么说的？这里头的按摩室，有人来查，便是同性按摩，没人来查，便大都变成了异性按摩……他可是"指路明灯"啊！得记住他的话："千万别乱打主意瞎伸手！"……据他介绍，这里的按摩女，有的确实是不能胡惹的，有的可以一般性地挑逗，占一点小便宜……只有那么两位，是能跟你来真格儿的，不过，"出场费"可不低，除非是她看上你了，那就不仅不要你的钱，说不定还倒贴！……据进来时候罗兄的情报，今天两位里只来了一位，人称"赛麻姑"，别看年过30，风韵极佳……罗兄应允，桑拿完了，冲个温水澡，便一起去按摩室，一定把我引到那"赛麻姑"的床位上……是呀，我司马山苦熬了这么多年，也该松快一阵了！……

赤条条的司马山胡思乱想至此，肚脐眼底下不禁骚动起来……

64

他本以为汽车会再次开出三环，并从某处开往四环以外，没有想到汽车却从三环进入了二环，并从二环径直驶向了市内……

他忍不住问富汉："咱们……还先去别的地方？"

富汉没答话，可是他从前面的反视镜里，能看到富汉脸上的微笑，那微笑的含义是：您甭着急，这就快到了……

车到崇文门花市附近，停在了一个街口，富汉请他下车，他迟疑：这儿？……可富汉扭头恭敬地对他说："您先下吧，这儿车不能久停……"他只好先下车再说。谁知他刚下得汽车，富汉便一溜烟把车开走了，令他大吃一惊——这算怎么回事儿？不让我见老豹啦？那也不能这么涮我呀！……

他一扭头，忽然，一张熟悉的脸，就在他眼前……"王师傅！"

果然是王师傅，王师傅脸上有着淡淡的笑容，正在对他说："……我送您去……"

"你？"他这一惊更非同小可，"您什么时候……也……跟他们……富汉……？"

　　王师傅引他往街口里头走了几步，那里停着几辆三轮车……这几年在北京市内某些地方，都有这种旅游三轮车，一般都拾掇得相当干净，有舒适的座椅与遮阳蔽尘的篷罩，有的还装饰着一些个民俗性的图案挂件……原来那其中有一辆是王师傅的，王师傅请他坐上去，他有心理障碍，那三轮车多半是境外的来客雇用，收费比出租车贵许多……当然王师傅不会问他要钱，可……人拉人，这……王师傅耐心地等着他上车，他想了想，坐了上去……王师傅便蹬起那三轮，转瞬拐进了一条胡同……

　　他在车上问王师傅："您是……什么时候，跟上……老豹他的？……"

　　王师傅憨憨地说："没几天……我觉着蹬这三轮，比看那厕所好……再说，这回，我算是真有自个儿的住房啦！虽说是一小间，可那是间正经房子，可不是你那回瞅见的那三合板拦出来的窝儿……"

　　他便不再追问下去。他心里很是震动。为什么……到头来，王师傅投奔了老豹？

　　三轮车在如蛛网般的胡同里转悠了一阵，然后停在一条很窄的胡同里一个小院门前，院门洞开着，粗略地望过去，那是很平常的一个所谓胡同杂院，门洞里堆着些杂物，内影壁下面便是公用自来水管……

　　他下了三轮，王师傅蔼然地对他说："您自个儿进去吧……就在北房……"

　　他便进了那个院子。他在门洞里迟疑了数秒。再一扭头，门外已经没了王师傅和他的三轮车。

　　有个妇女端着锅到自来水管那里接水，并没有偏过头注视他。

　　他管自往里走。院里盖了许多小房子，留出的通道很窄。南房、西房、东房以及附属的小房子里都住着人，显然是些很一般的市民……他从容而好奇地朝北房走去。

　　他还没走近那北房，北房的门开了，一个高瘦的男子迎了出来……正是老豹！和他根据潘藩所讲述而想象的完全吻合……

　　"雍老师吧？……恭候您好久啦！"

　　"老豹！你好你好！"

　　他们的手握到了一起。是的，老豹的手腕子很细，手指头很长，可是，那手仿佛是钢铁锻造的，一握之间，便感受到了超人的力度……

他随老豹进了屋。是很普通的一种居家景象。进门的那间算是餐厅兼客厅吧，布置得没什么特点。当他和老豹落座在一套陈旧的转角沙发上以后，再留意用眼睛搜索，这才发现在屋角有一只挺高的青花大瓷瓶，至少该是晚清的东西吧，落地摆放着，展示出这住房主人的某些历史背景或生活情趣……

65

……神秘？……咳，有什么神秘的！……这里不是我自己的家，是我表姐家……他们一家子都出门了，我今天借他们这儿会会您……幸会？是幸会！特别是对我！您看得起我，您才来！……

……说实在的，原来没怎么读您的文章……我是个粗人，爱读书，可比较爱读古的，现在报纸杂志上的文章，还有印出来卖的小说啥的，读得很少！……可那天，也是缘分吧，忽然在那本杂志上，看了您一篇文章……您大名那是早知道了，多少人跟我耳朵边上提起过您，不光说您的文章，也说您的那些个事儿……是算不了什么，比起那些个真了不起的人物，咱们都该有这份自知之明……可在这个世道上，肯为落难的朋友说公道话，怎么着也不背弃他，这就不易！……您那篇文章不算长，可我读了，心里头挺沉……沉甸甸的……不是让人一味难受的那份沉，是沉甸甸里头，有一股子让人感动的劲头，也就是，有禅意！让人悟出些个道道，是那种心里透亮，嘴里却说不大清楚的道道……

……读了您一篇，就想读多点，这就请朋友把您最近出的几本书，还有一些个单篇的文章，都给找来，全读了！……我不敢浪夸您的文章，我这外行乱夸，您也不受是不是？兴许，您这些个文章，别人读着，还会摇头撇嘴……萝卜白菜，各有所爱，我不管别人怎么个评价，我喜欢！喜欢哪一点，喜欢里头的那个菩萨心肠，就是，能把有毛病的人，不那么干净的人，好多人都不待见的人……也当做一个人，来尽量地理解他，尊重他，甚至于……爱惜他，从那样的人身上，去挖出金子银子来！……我们朋友里头，议论起您的文章，也有为您捏一把汗的：这么着从别人看成是垃圾的渣子堆里去掏摸金子，"正经人"会斥责您有立场问题，真是不可救药的人渣儿呢，他不领您的情，说不定反会害了您…… 得有大慈大悲的心怀，才能甘愿冒这个险啊！不容易！……

…… 读了您的文章，就想见您这个人！…… 您也别谦虚！您说其实您也无非就那么点感悟，都写在文章里了…… 您怕是误会了！您兴许以为，我约您来，是为了除了读您的文章，再让您给我吃"小灶"，把您还没来得及写的，心里头的那些个更新鲜的东西，给掏摸出来…… 不，不是为那个，也不能为那个！…… 我今儿个请您来，不是为了听您给我说什么…… 您没那么个义务是不？…… 我的愿望，反倒是，恳求您，是，是恳求…… 求您能坐在这儿，听我跟您说…… 说说我…… 也许您并不一定…… 啊，您说您愿意，非常愿意…… 愿意听我的…… 随便我说什么？…… 干吗随便？您应该了解我…… 我究竟是怎么一回事儿？我愿意告诉您！…… 就是这么一回事，我忽然想把我的事，告诉您…… 当然并不是要您写我…… 也不是希望您用它当素材，写小说什么的…… 人有时候就这么怪，他就是想说说，找个有缘分的，一五一十地说说…… 倾吐，对，您说得对，就是有一种倾吐的欲望，很强烈，是很强烈！……

…… 您别老神秘神秘的，我有什么神秘的？其实我这人很简单…… 您看这个院子，这几间北房…… 这就是我的出生之地，一直到 1966 年夏天以前，我生在这儿，活在这儿…… 我父亲是个做绢花的手艺人，我爷爷辈就是干这个的…… 这一带干这一行的人很不少，花市嘛！这地名就跟这一带做绢花的多、卖绢花的铺子也多有关系…… 我母亲起头也跟着做绢花，最早是个体手工劳动，后来父亲进了公私合营的绢花厂，公私合营最后又变成了国营，合并成了工艺美术厂，我妈因为身体弱，后来又生下我，得照顾我，就没进厂子，成了个家庭妇女…… 我们家的三亲四友，街里街邻，几乎都是差不多的职业，用你们的话来说，就是全属于小市民，比如，我大爷是琢玉的，二舅是摇煤球的，三舅是摇元宵的——这挺有意思是不？当年烧煤炉子的那煤球，是用大笸箩摇出来的，跟做元宵，是一个原理…… 我姨父是季节工，每年冬天在龙潭湖采冰，夏天到冷库里去倒库；我们院西屋的焦大爷是扎席棚的匠人，东屋的黄大叔是京剧团里专门打旗儿的龙套…… 这条胡同里，还有焊洋铁壶的，做切糕的，修理自来水笔的，在小玻璃厂吹玻璃瓶的…… 这里头有的职业，如今已经没了，用不着，淘汰了；可做绢花这行业，好像什么年月都还有用处，如今工艺美术商店里头，也还能看见绢花……我父亲原来就一直这么想，他，还有我刚才说的那么一大群小市民，他们从清朝，到民国，从什么北洋政府，到敌伪政权，到抗战胜利审判汉奸，一直到1949年解放军进城，一直就那么守着自己的小职业，谋生……娶媳妇，养孩子，给老人送终……我父亲就常说，什么时候也有人要绢花是不？办喜事，结婚，再怎么节省，新郎新娘也总得戴朵大红花吧？……新社会，奖励劳模，不也得戴红花？那需要量，更大了不是？……我不记得我父母说过什么具体的歌颂新社会的话，他们俩实在不是会说话的人，尤其是新名词儿，更说不来……可我回想起来，他们对新社会，是挺知足，挺满意的……谁想到了1966年，忽然起来了"文化大革命"！那可真不得了！……你能理解吗？你恐怕不一定理解……"文革"之前的那些个政治运动，说实在的，都没怎么运动到我们家这样的小市民群里头，什么批判胡风啦，反"右派"啦，反"右倾"啦，一直到"四清"，都跟我们没多大的关系……就是"文革"刚起来，什么批《海瑞罢官》啦，批"三家村"啦……甚至于什么聂元梓呀，"第一张马列主义大字报"啦……都好像并不是跟我父母和我，还有我们那些个小市民群儿，有多大关系的事……你问我当时怎么个情况？对，我还在上学，上高二……准备考大学？家里和个人都没那个打算……那时想将来干什么？理想？当然有想法，也算是理想吧，不过我跟父母有些个矛盾，他们是想让我进工艺美术厂学一门手艺，不一定非学做绢花，可以学漆雕，或者扎风筝什么的……我自己？我那时候根本坐不住，哪儿愿意进工艺美术厂？我喜欢摔跤，练垫上运动……说来您别笑话，我当时的最高理想，是进京剧团当个翻筋斗的龙套！……其实，自打1965年，就在搞京剧改革了，搞现代戏，我们这院东屋的黄大叔那时候跑的龙套已经不是打旗的，是扮个"匪军丙"什么的了……可现代戏里有时也得有翻筋斗的是不是？"匪军丙"什么的有时也得滚两下子嘛！我就愿意干那个，一来合我好动的性子，二来那不也是凭劳动吃饭？有什么不好？……

……可是，忽然，冷不丁地，1966年8月3号那天到了……是呀，那是"文化大革命"里头的一天，可你查关于"文化大革命"的那些个书吧，这一天根本没什么记录，因为什么路线斗争啦，两个司令部呀，在这一天，都没什么值得记在历史上的重要事儿……可就在这一天，我们家毁了，我这一辈子，也就是打那天起，来了个大转折……这几年，我常想，历史是个什么东西？像我这样的人，它就总把我绕在外头，忽略不计……可到头来，我也还是给扣在了历史这个罩子底下……

……讲具体的事儿！……那一天以前，自打 1966 年 6 月，北京大学那"第一张马列主义大字报"在报上一登，北京就乱了……我们学校，也就有些个同学，给党支部贴上了大字报，那些个积极贴大字报的同学，多半是干部子弟，也有个把知识分子家庭出身的，挺傲气的主儿……他们消息很多，有的还直接到北大去"取经"，回来就不光是贴大字报，还揪斗党支部书记和校长什么的，这样学校就没法子再上课了……后来学校就来了工作组，据说是团中央派来的，秩序就稍好了一点，最早给党支部贴大字报的同学，有的就给定成了"游鱼"，又从他们背后，挖老师里的"黑手"……可没几天，工作组又倒台了，说是执行的是"资产阶级反动路线"，这下党支部就彻底垮台了，不光把党员干部差不多都揪出来斗，说是被他们包庇的那些个老师，什么历史反革命啦，"老右派"啦，"反动权威"啦，"修正主义苗子"啦，也全揪出来斗……你问"红卫兵"？说实在的，一开头我们那个学校里，我不记得有"红卫兵"，倒是记得有"纠察队"，他们那胳膊上套的红袖标，最大的三个字我记得是"纠察队"……我？你问我参加没参加？那"纠察队"，我记得全是清一色的干部子弟，他们没动员我参加，我也没想参加……你问"破四旧"？"纠察队""破四旧"是很积极的，我们家这边大街上的那些个旧招牌、旧幌子什么的，都是他们带头砸的……他们纠察什么？我也不大清楚，反正不是纠察"破四旧"，我的印象，是他们只让同学们去批斗被报纸点了名的那些个"黑帮"，他们不让一些个也是搞革命造反的同学——这些同学的出身多半就不那么样好了——去打倒更多的"走资派"……我印象里，他们是拥护工作组的，搞纠察，就是帮着维持出一个秩序来吧……可是，他们里头，越来越多的人，发现他们的父母什么的，在单位里，也给揪了出来，说是"黑帮"，或者"走资派"，这样他们就生气了，就搞起了一个对联的争论，那对联的上联是"老子英雄儿好汉"，下联是"老子反动儿混蛋"，横批是"基本如此"……您也还有印象？……我觉着，那些个同学这么做，是想用这个办法，不让出身不好的同学们，去揪他们的父母或跟他们父母有千丝万缕联系的那些个干部…… 可是当时的中央文革不支持他们…… 后来"纠察队"的名声就臭了，那以后，造反的学生戴红袖标，才全都印上了"红卫兵"三个大字…… 好，不去说他们，说我自己…… 我自打学校一大乱，就根本不去学校了，一来我父母不让我去"裹乱"，怕我惹事，二来我自己也毫无革命的热情…… 我老子他既不是英雄，也不反动，我不是混蛋，我也不想充好汉…… 我那一阵，就常跟几个家里情况跟我差不多的同学，每天到东便门底下，泡子河边，那算是个革命的"死角"吧，在那儿练摔跤，练腾空筋斗什么的…… 回家以前，就顺便拣些个铁道边上的破铜烂铁，回家路上，到废品收购站卖了，进家门以前，就用那点钱，换上一块切糕一碗炒肝什么的，填进肚子里去……

…… 在8月3号那天以前，街道上也破过"四旧"，由街道上的积极分子，还有一些个戴红袖标的学生，挨家挨院砸过一些个小石狮子、翘房角、垂花门什么的，让各户交出过一些属于"四旧"的东西，也进一些人家查出一些"四旧"加以没收…… 我们家挺自觉地交出过掸瓶、帽筒、京剧脸谱、仕女绢人什么的…… 本以为那就没事儿了……

…… 那天特热，闷热，憋着雨，可雨就是下不来…… 记得我是光着膀子，褂子攥手里，往家里来的…… 刚走到胡同口，就看见黄大叔，就是在现代戏里扮"匪军丙"的那人，急赤白脸地迎上来，慌慌张张地跟我说："…… 不得了！ …… 你快躲躲吧！ …… 正斗你爹你妈啦！ ……"我一听就跟头上响了个炸雷，也没再问他什么，跟一支箭似的，"嗖"的一声就射回了这个院子…… 院子里并没有很多的人，可是场面挺吓人…… 我拿眼一晃，模模糊糊地感觉到，正跟那儿大叫大嚷的，好像是我爸他们厂子里的人，还有些街道上的人，跟一些不认识的"红卫兵"…… 他们已经把我爸我妈拖到了院子里，当时院子里还没这么些个小房子，还有棵大枣树…… 我见我爸我妈都被迫跪在了那枣树底下…… 有个家伙，正举着一样东西，在那儿喷着唾沫星子，像是在做揭发批判，就听见一片附和的吼声——"说！""老实交代！"还有人一边喊着"坦白从宽！抗拒从严！"一边拿脚去踹我爸我妈…… 这时候我心里就跟炸开了一口血水锅似的…… 我猛认出来，那个揭发批判的人，手里拿的，是一把宝剑，那是我们家祖传的一把宝

剑 …… 我就冲上去，一把抢过他手里那把剑，立刻是一片混乱 …… 等我从爆炸状态稍微回过一些神来，我已经被那些个来革命的人，绑在那棵大枣树上了 …… 我感到胸脯上有雨点似的东西砸了上去 …… 我模模糊糊地觉得是天上掉大雨点了，其实不是 …… 雨点没那么沉，那么黏 …… 原来是我头上被打出的血，滴到了我的胸脯上 ……

…… 几天以后，我爸厂里和街道上，在我们这边一个小学操场上，开了一个批斗会，然后，我们全家三口，就由厂里派人，遭送到了我爸的原籍——就在咱们北京远郊，交给了那村里的革委会，作为"四类分子"，监督劳动 ……

…… 究竟为了什么？是呀，我后来也一直想这个问题：究竟是怎么一回事儿？ …… 你搞"文化大革命"，跟我们做绢花的有什么关系？不让做，不做就是了，咱们做点子别的让做的事，能过安静日子，不就行了吗？ …… 历史反革命？我爸我妈，没什么历史问题呀 …… 我爷爷？据说，我爷爷留下的那把宝剑，"露出了马脚"，说明我爷爷当年，是个"反动军官"，什么样的反动军官呢？那得让我爸"老实交代"！ …… "儿戏？"您别用这个词儿，瞎揪瞎斗的主儿，都不是小孩儿 …… 我爸在厂里跟谁结了仇？遭了谁暗算？ …… 我爸是个一锥子扎不出个屁的人，老实巴交到没能耐跟任何人结仇的地步！ …… 遭暗算那确实是遭了暗算 …… 谁暗算的？这到很久以后，才闹明白 …… 那是后话 …… 现在我要跟您说的是，从轰回农村以后，我就越来越明白了，我们家的这一大劫，你说是因为"文化大革命"，那也是，是扣在这么个历史的大罩子底下，可细想，发动"文化大革命"的人，他绝对跟我们家无冤无仇，我们家的事要问到他跟前，他不眨眼皮也就赦了我们，您说是不是？ …… 这世界上的事儿，大都如是，就是总有恶人，不，也不是一个两个的恶人，是好多不一定特恶的人，他那人性里头，也有恶，平时那恶兴许不那么往外冒，遇上"文化大革命"什么的，有了那么个"大罩子"，再有一两个最恶的一挑头，不少的人人性里的那个恶，就都咕嘟咕嘟冒出来了 …… 我想我们家的这一大劫，就踩在了这么个雷上 …… 或者说我们根本也没去踩，是那雷从我们头上劈了下来 …… 当然，这都是后来才理出来的一个思路 ……

…… 遭返到了村里，村里连老人也都记不清，我爷爷究竟是什么时候离开老家的，实际上，我祖爷爷那一辈，就基本上都"盲流"进城，当手艺人了……可厂里造反派掌权的革委会既然把我们一家押回了村里，村里的革委会当然就接收了……也没再查我爷爷的问题，我爸算是"坏分子"，我算是"现行反革命"，我妈就既是"坏分子家属"，也是"现行反革命家属"……

……我爸怎么会戴了顶"坏分子"的帽子？……滑稽？……按厂里革委会的说法，他窝藏我爷爷——反动军官屠杀人民群众的宝剑，"破四旧"时不但没有主动交出来，还藏了起来，直到有人检举揭发，被查抄出来以后，还是死不交代我爷爷的反动罪行……他抗拒"文化大革命"，手段狡猾，态度恶劣，属于坏人坏事，不是坏分子，是什么？……这不成个逻辑吗？那时候，给你个逻辑算是优待你了！有的人，他被揪出来，甚至弄死，连个逻辑也不给你！……我爸他自己怎么想？他……我不忍说，不忍……可我跟您说，说了吧……他知道怎么着也逃不出"地富反坏"这"四类"了，他就跪在革委会的人跟前，苦苦哀求……哀求能不能别算他"坏分子"，只要不算"坏分子"，算地主、富农、反革命……就是跟我一样，算"现行"，都行……他得到的是先是一阵哄笑，然后就是一顿充满了羞辱的批斗……

……那村里不是没有好人，可那时候经常跟我们接触的，是不下五六个最恶的人，他们其实也根本不懂什么"文化大革命"，不学那个《十六条》，从来不会念"要文斗，不要武斗"的语录，他们就是有那么个爱好，好斗人，不光好武斗，还特别会侮辱人……开不成群众大会，他们几个人也把你揪出来，批斗戏弄一番……

……有一天，他们招集了个大型批斗会，又斗村里的"四类分子"，还有"走资派"什么的……他们为了说明我爸是"坏分子"，就愣往他脖子上，挂了一串破鞋！……这就是挂在女"坏分子"脖子上，也是再没脸见人的事，对不？……我爸他当然受不了，当时脸就跟猪肝那么个色儿……我是被捆起来的，我挣蹦，要拼，被他们按住打，我救不了我爸……我真怕他批斗会后自杀……可是……可是……

……我很不愿意说这个……可都说到这儿了……我爸他没自杀，可我妈一开完那个批斗会，就扎进离会场最近的一口井里去了！……

……我爸当时一定是疯了……他冲过来拼命……不，不是跟他们拼，是

跟我拼 …… 他红着两只眼，扑向我，我从没见过他那个样，他全身跟通了电似的，嘴里嚷着："你怎么不死呀！" …… 当时村里乱成一团，我妈投井，这毕竟是一件吓人的事 …… 毕竟稍有点良心的人，都觉得这批斗会上的做法，是太过分了 …… 我爸晕死了过去，这下更乱 …… 就在这么一场大乱当中，反而没什么人特别来看守我 …… 我就趁乱，逃出了村子 ……

…… 其实当时我的心就跟被割了下来，甩了出去似的 …… 我也不是很明确地要逃 …… 一种本能吧，我反正是往村外玉米地里疯钻 …… 我要离开所有的人 ……

…… 我妈投井的时候，已经是傍晚了 …… 等我终于停下来，趴到野地里大喘气的时候，天已经黑净了 …… 我在那么个情况下，竟睡着了 …… 等我醒来，我看见好大好大一轮月亮，明晃晃地照着我 …… 我忽然像狼那么嗥了一声，接着便放声号啕大哭 …… 那是我们家遭劫以后，我头一回哭 …… 想起来也奇怪，这以前我爸我妈跟我遭了那么大罪，他们都哭过，我却一直没哭 …… 这以后我也再没哭过 …… 那就好理解了，是吧？那一晚，我把一辈子的哭，一次性地消费掉了！……

…… 自从我们家被遣返回村，我爸就总是埋怨我，说要是那天我要是不那么冲上去抢那把宝剑，也许批斗他们的人还不至于就把批斗升级，闹到这么个下场 …… 是呀，人间有的事，是那么样，如果在一个细节上，没那么做，也许后来的发展，会是另外一种可能 …… 如果那天我忍一忍，也许，他们斗过我爸我妈，没收了那把宝剑，说不定也就算了 …… 不存在把我们这么一家小市民斗倒斗臭，就不能把"文化大革命"进行到底那么个逻辑，对不对？…… 可我当时，几秒钟里头，就那么决定，就冲过去夺宝剑了 …… 后来他们批斗我，说我是要抽出那宝剑来，砍杀革命造反派 …… 我没那么个动作，是来不及有，我心里是很可能有那个念头的 …… 我爸埋怨我，还是因为，可怜啊 …… 他嫉妒我！对，您没听错！他宁愿也被定成个"现行反革命"，被绑起来 …… 他实在受不了"坏分子"这顶帽子，更不能承受脖子上挂一串破鞋的虐待 ……

…… 我妈自从遭难后，一直沉默不语 …… 我爸埋怨我，她在一旁不言语，不帮我爸腔，也不为我申辩 …… 万没想到破鞋挂在我爸脖子上，她的命却再受不住，折了……

……我哭完，我就深深地理解了我爸，是的，他岂止是怨我，他是恨我！对，他恨死我了……他恨得有道理！不是他连累了我，是我连累了他！……

……月亮变小了，我往荒处走……我没有明确的目的，我只是要逃开人群，逃开"文化大革命"……

……我不想细说我那以后的具体情况……您感兴趣？……我现在，起码现在，不想完全照顾您的兴趣……简单跟您说吧……我找到了那么一种地方，那儿真的没有什么"文化大革命"……可您别以为那儿是桃花源什么的……那儿聚集着一些个逃出来的人，有从监狱逃出来的，有从城里逃出来的，有从村里逃出来的……怎么过？吃什么？睡哪儿？……我不想细说……绿林好汉？没有！……多半只能算是人渣！……您想象？那是您这样的人，永远不能靠想象力，靠您那智商，就想象出来，就理解得了的！……偷？抢？……那是免不了的……偷鸡摸狗？那么小儿科？……盗马贼？这说的还差不多……别套我的话了，我不多说那段……我只想告诉您，我在那个情况下，是真的成熟了……您别替我归纳……有的事恐怕是您这样的人，永远体会不到的……我在一些个最糟烂的女人那儿，尝到了一个男子汉所能得着的……得用好多个"最"字来形容的……真格儿的情爱！是她们那份情爱，支撑着我，没死，活了下来！……

……我想不想我爸？能不想吗？可想的没我妈多……我活下来了，心变硬了，手变狠了，人变冷了，我就想报复了……我首先要报复那几个造成我妈死亡的村里的坏蛋！……恰好跟我们那村同一个公社的，也跟我那么大的一个小伙子，他爸是地主，也是因为受不住一块儿挨斗，逃了出来，我们遇上了，问起来，我们那个公社斗人，还是那么凶……他说我爸还活着，还挨斗，不过渐渐的是以斗"走资派"为主，"四类分子"是陪斗……那些个"走资派"现在最惨，有的挨斗的时候，脖子上给吊个石磨盘，有的给戴的高帽子边上，挂一溜保险刀片，揪着游街的时候，那些个刀片一晃荡，就给额头上割出一道道血口子来……还说，就数我们公社的造反派狠，他们干脆成立了一个专业的"斗鬼团"，集中食宿，还把县里的"走资派"也揪来斗，凡是挨斗的人一听说是被他们游斗，就都一个个汗毛根开奓！……我听了，就更觉着我的报仇有理了，我不光要给我妈报仇，

我要给所有被斗的人出气！我恨死了那个"斗鬼团"，那几个对我妈的死有直接
关系的人，都在那个团里……我要让他们知道，这个世界也不是像他们想的那样，
只容他们为所欲为，竟连一点障碍也没有！他们得报应的时候到了！……

……我怎么报复？……当然不是我一个人，我手下有了十好几个人……拿
什么统一思想？统一什么思想？……用不着什么思想来统他们，我在那个地方，
三个月里身上有十三处伤口，就凭这个，我就统一了他们！……当然，有几个，
像刚才说到的那位，他们跟我是有差不多的想法……另外有的嘛，我当时都没
问过他们怎么想的……他们为什么愿意干？除了他们对我的盲从，也许，是他
们喜欢干这类的事情……就跟那些"斗鬼团"的人，斗人斗上了瘾一样，我的
这些个哥儿们，有的他们后来搞那种活动，也上了瘾……对，这里头就有了个
人性的问题……往往的，甭都从什么阶级性呀路线呀思想呀认识呀上头去琢磨，
其实很简单：就是个人性问题……

……那是12月里头了，我选了个最冷的日子，那一晚天阴，下小雪……当
然，前好几天，我们就回到了我们那个公社的地面，潜伏了下来……我等到后
半夜，估摸着"斗鬼团"的人个个都睡得烂熟了，这才领着哥们儿摸到了他们驻
地……那原是文化站的院子，文化站早砸烂了，就成了他们的大本营……他们
的核心人物，是7个人，集中住在一间北房里……我带了16个人去……我的
命令，天虽冷，行动时一律秋衣秋裤……我让7个人拿上麻袋，7个人拿着锹
把……人人嘴里都咬一根筷子，从头到了谁也不许把那筷子掉下来……到了那
儿，很容易地就翻墙进去了……当然留了俩守望的……我带领14个人进了那屋，
两人收拾一个：一个用麻袋套脑袋，捎带着用麻袋上剩余的部分堵嘴；一个就用那
锹把狠揍20下……整个过程都以我事先约定好的手势来进行，我让停止一定要
停止……那真是首战告捷！当我们顺利离开那地方的时候，连狗都没有惊动……
大雪很快掩没了我们的脚印……回到我们潜伏的地方，我一检查，居然个个哥
们儿嘴里都还狠咬着那根筷子！……

……这件事当然非同小可！不仅成了轰动我们那个公社、轰动我们那个县城
的"反革命阶级报复事件"，据说一直上报到了市里，乃至于中央文革……据说
在此以前，虽然也发生过一些零星的"阶级报复事件"，可都是些个人行为，像

这样明显是有组织、有预谋、有计划的，骇人听闻的"反革命事件"，还是头一遭出现 …… 于是当时掌权的人非常重视，立刻组成了专门的小组，说是一定要迅速破掉这个案子 ……

…… 那 7 个挨闷揍的人，其中 3 个都是我们村的"斗人狂" …… 后来他们都给送进了医院，据说有俩人是重伤，其中有一个就是往我爸脖子上挂破鞋的，他几根肋骨都给打折了，有一根还扎进了肺里 …… 活该！ …… 我们没藏远，就藏在附近一个公社地面上，我不断派人出去打探消息 …… 据说开头县里要公开表彰他们，授予他们"捍卫'文化大革命'的英勇战士"称号，可后来掌权的人里也有了分歧，觉着这么表扬他们，有点牵强，他们当时正蒙头大睡，怎么称得上是"捍卫"是"勇士"？而且，这事也实在不宜公开，以免"长敌人志气，灭自己威风" …… 可是你不公开宣传，那底下就传得更快，更广，也更邪乎。很快地，差不多全县的人，从革命群众，到"四类分子"，到"走资派"，全都风闻了 …… 而且，原本定在那第二天要在我们那个公社召开，由那"斗鬼团"充当主力的大型批斗会，也就泡了汤 …… 那本是要把县里"头号死不改悔的走资派"，还有他底下的一大串"黑干将"，以及公社里的"走资派"，还有陪斗的"四类分子"，一锅烩的大型批斗会，他们准备好了好多铸铁做的"黑牌"，还有让挨斗者跪的瓦缸碎碴子什么的 …… 结果不仅那第二天的会没开成，一连好几天，差不多是一个星期里头，县里居然没开什么批斗会 …… 好多原来气壮如牛的斗人狂，忽然都蔫了 …… 他们这才知道，你斗人，特别是肆意武斗，搞人身侮辱，你是得冒风险的！是要付出代价的！你可真得"不怕牺牲"，准备着挨揍，当烈士，那才行！ …… 我听到这些个消息，高兴极了！而且，据说那本来第二天要挂铸铁"黑牌"、跪瓦缸碎碴子的县里"头号走资派"，也还是有人跟他透露了这事，他就琢磨上了:谁干的这件事呢？他分析，干这事的人，并不是去袭击革委会，或那些当时的当权派，而是专揍搞武斗的"斗鬼团"，可见并不是冲着整个"文化大革命"去的，而是冲着"武斗"这股歪风去的 …… 他的分析当然是他主观上的想法，其实我那么干，当时也并没他分析的那么个明确的意思 …… 可他就打那时候埋伏下了一个想法,就是将来有机会,要会会领头干这事的人 …… 他后来"解放"了，又当了县里头号领导干部，他还真找着了我，我们俩后来成了朋友 ……

这是后话……

　　…… 可是没过几天，传来的消息就让我发懵了！…… 批斗会又开上了，武斗确实没那么严重了，可给挨批的人上的纲，都升上去了，那县里的"头号走资派"，被说成是"反革命势力反扑的总后台"…… 这倒也罢了，他们因为一点线索也没有，抓不到揍"斗鬼团"的人，就从已经关在监狱里的人里头，找出几个倒霉蛋，拿出来开公审会，就说他们是搞阶级报复的罪大恶极分子，给枪毙了！…… 当然他们也没明说，夜袭"斗鬼团"的就是这几个人，可他们想用这法子暗示，他们已经把案子破了，以"长人民志气"…… 听了这消息我一整天没吃东西，心里比自己枪毙了人还恶心…… 那几个人岂不是因为我，当了冤死鬼吗？…… 接着又有消息传来，上面派来了一个手腕最硬的家伙，是砸烂"旧公检法"以后的"新公检法"的什么人物，人称韩主任，他坐镇我们公社，而且很快就怀疑到了我的头上——我是逃逸失踪的"现反"嘛！于是他让村里革委会的人把我爸隔离起来，连续几十个小时地审他，逼问他我的去向和躲藏地点…… 据我派去侦察的人回来告诉我，我爸不敢跟他们顶撞，光是说他比他们还恨我，要是抓着我，他愿意亲手劈了我！…… 人家能听他那个吗？他们来回折磨他，我爸后来就让他们杀了他，先拿他来抵我的命…… 可他们又不让我爸死…… 据说韩主任说了，留着我爸一条命，早晚能把我这条鱼钓出来！……

　　…… 这可怎么办呢？我心里冒火苗儿，那些哥们儿也都说不能撒开手不管，还得给韩主任什么的一些个颜色…… 得让县里人知道，我们这些人还没给抓着，我们还能折腾！…… 于是很快我们公社就出了一连串的怪事：谁在批斗会上给人"坐喷气式"，或者念批判稿最声嘶力竭，谁过两天准有报应，要么是他家自留地的庄稼一夜间被毁了个净，要么是他家的猪忽然得上瘟病…… 而且有一天县城的批斗会上，忽然台下人群里爆了一盒"二踢脚"，那么劈啪一阵乱响，会场大乱，乱中自然抓不到"反革命分子"，反让台上被斗的"走资派"看足了批斗者闻声逃离主席台的洋相……

　　…… 有两个哥们儿，没跟我商量，自作聪明，一天夜里摸进我们村，去到我父亲那儿，要把他救出来…… 谁知我父亲不仅不跟他们走，还马上大喊："快抓反革命呀！"其实人家早布置了民兵，24 小时轮班监视着我父亲那栋破屋子……亏得那晚值班的人是很不得力的糊涂蛋，他们没能抓住我那俩哥们儿，可这不就等于正式供出了我来，印证出那韩主任的判断一点没错吗？这样，我就被正式通缉了……

……事后我一句也没埋怨我的哥们儿，可我恨我父亲……从此我跟父亲结下不解之仇，他认为是我毁了他，我认为是他卖了我……甚至直到今天，我父亲早已平反，我们心里的疙瘩，还是解不开！……我们现在不来往，您能想象到吗？这儿是我们的故居，可我父亲他根本不来……这儿现在是我表姐表姐夫他们住着……我有时候还回来……不是为了回忆我跟我父亲在一起的那些个情形，是为了回忆我母亲……我承认，是我毁了我母亲，可我母亲她一点也没毁我……留在我印象里的，全是真、善、美的东西……

……我父亲那几嗓子"快抓反革命呀！"虽说我并没亲耳听见，可我自打知道他那么喊过以后，我就有了个很罪过的想法：你怎么就不能跟我妈那样，一跺脚死了呢？！你这么活着，还有个什么意思？！……我当时就跟自己说：只当他已经死了！我这辈子再不要见他！……

……用我父亲当鱼饵，钓我这条鱼，那韩主任他真是打错算盘了！可我不能在他的通缉面前露软，相反地，我得让他在我面前服软！……主意已定，有天晚上，我跟哥们儿也没打招呼，就自己采取行动了……

……那韩主任，当时住在县革委会大院尽里头的一栋楼的第四层的一间屋里，那既是他的办公室，也是他的临时宿舍……那天晚上，十一点多，天上挂着月牙儿。没风，按说很不利于作案，可我却闯进他那间屋子！……我怎么进得去？我不细说我那些个办法……我就告诉你，我不是打楼梯上去的，也不是打屋门进去的……对，我愣是从四楼窗户进去，并且一瞬间冲到他跟前的！……

……那真是一辈子忘不了的瞬间！……当时，他已经睡在床上，可是还没睡着……我猛地出现，而且紧贴在他床前，一手揪住他衣领，一手把匕首抵到他脖子上……他那张脸啊！整个儿走了形！而且，在甚至比一瞬间还短的工夫里，就显露出来怕死求饶的表情……我把他从被窝里提拉了出来，我还没想好怎么摆弄他，他就跪在了我腿前头，哆哆嗦嗦地说："……别杀我，别杀我，别杀我……"

他那一双眼睛里，流出来那么多的苦苦哀求，实在太出乎我意料了！其实他个头挺大，身子挺奘，又经过专门的军事训练……怎么会刀一挨脖子，会这么孬！……

……我就跟他说："你不是通缉我吗？老子来了！"我把他提起来，搁到床铺上坐着，一手还揪着他衣领，一手还是把匕首抵着他脖子，瞪着他……他一直哆嗦着，筛糠似的……我就说："我宰了你！"他拼死力往后仰，嗓子里哼出绝望的声音："别、别、别、别……"我的匕首一直追着他的脖子，看样子他真是吓了个半死……我又把他提回原来的位置，我听见他说："……别捅……你放心……我……你说吧……要怎么样……都行……我都答应你……"我就说："一条，取消那个通缉……"他想点头，又怕碰着刀口，嘴里一连串地说："取取取取……消……没问题……"其实后来我一想，那根本是他一个人取消不了的……当时我又说："再一条，不许再折腾我父亲……"他看我刀口离得稍远点，赶紧点头："那肯定的……"我再说："还有……"他竟也跟着说："还有……"我觉得有点滑稽……我就说："闭嘴！"他赶紧把嘴闭得成了一条缝……我差点笑出声来……我说："还有……不许再瞎鸡巴武斗！……"他还闭着嘴，我就摇了摇他："听见了吗？！"他这才答话："不……鸡巴……"这下我真笑出声了，我松开了他那衬衫领子，匕首还举着，可不再抵着他脖子了……他晃晃脖子，吐出一口气来，坐在那儿，低声下气地跟我说："我……也是不得已啊……"我一时反倒没词儿了……他仰望着我，忽然又说："你……倒真是条汉子！你是怎么进来的？"他一句赞扬话，让我心里痒了起码半分钟……看我手里的匕首又远了点儿，他开始用手整理衣领，并且似乎挺友好地说："你……怎么就不怕我嚷呢？……这周围都有人啊……"我说："那你嚷呀！"他似乎是笑了笑……我觉得我是取得全面胜利了，心理上得到了大大的满足……这么一来我就把本来绷得紧紧的身子，松下来一半……

……我怎么出去呢？您别着急，这出戏还没完呢！……我刚一松，就发现他眼睛朝一个地方一转，我朝那方向一瞥，啊，他是看办公桌上的电话机呢……正在这时，几秒钟里，他忽然一个侧身，一只手猛朝枕头底下掏去，那一瞬间，他脸上满是憋足狠劲的线条……亏得我反应也快，便整个身子压到了他身上，让他连胳膊带身子都没法子再动弹……我一只手用匕首顶住他脖梗子，另一只手从他那枕头底下摸出了他想掏的一把手枪 …… 在那一瞬间，我心里头受到很大的震动 ……

…… 这不是一个关于"文化大革命"的故事 …… 我讲的这些 …… 是真的，可您不一定相信 …… 您信？ …… 信，对您可能也没多大的意思 …… 为什么？ …… 因为，我觉着，这些事里头，真是没多少跟这个革命那个运动，有特别重要关系的东西 …… 这都是历史外头的鸡零狗碎 …… 不是吗？ …… 当然这都是这些年，才形成的一些个想法 …… 回想那一晚发生的事 …… 那个韩主任 …… 他给我的刺激，就是人性这东西，真可怕！ …… 从那晚以后，我连自个儿的人性，有时也怕 ……

…… 他的枪让我薅出来，拿在我手里了，我一手拿枪，一手拿匕首，我离开了他的身子，他也就还那么仰躺着，两眼绝望地、惊恐地望着我，顿时又充满了哀求的表情 …… 我就跟他说："你嚷呀！嚷呀！" …… 他还是不敢跳起来嚷，因为他知道，他一嚷，我确实很难逃出去，可是我必定先杀了他！ ……

…… 我就举着枪和匕首，命令他坐起来，又命令他跪到离办公桌最远的那个屋角去，他居然照办了 …… 我就倒退着，监视着他，一直到了我进来的那个窗口，然后从那窗口出去了 …… 我在逃离那个大院的每一秒钟里，都等着嚷叫声、警报声和枪声，我横下一条心，死在那大院里，变成一个不齿于人类的狗屎堆，遗臭万年 …… 可是我竟安然地逃了出去 …… 什么响动也没有！ …… 当我回到所躲藏的地方时，我甚至有一种很失落的心情 …… 我想不透那韩主任怎么会居然不跳起来打电话找人抓我 ……

…… 我跟韩主任合演的这出戏，居然被他抹杀得一星半点的渣儿也没有 …… 我没把这晚上的事跟我任何一个哥们儿说，他们都不知道 …… 我很快也就知道，韩主任他也没跟任何人说 …… 而且，他没两天出现在县里的大会上，讲起话来还是那么声色俱厉，还是那么气壮如牛 …… 我继续被通缉，我父亲也继续被监视和批斗，各级的批斗会照开，武斗仍旧不改，只是没了"斗鬼团"那些个最离奇的斗法 …… 当然韩主任换了住处，他和另外的当权派都加强了保卫，可并没传出任何他遭遇到反革命分子威胁的消息 …… 我就一直纳闷：他少了一把枪，可怎么向组织上交代？ …… 然而他一定用了一个很好的法子解决了这个难题，因为县里也没传出有枪支被窃的消息 …… 合算我那晚上根本没到他那儿去过! 您说这事儿 …… 究竟是我赢了,还是他赢了? ……

…… 自那出戏过后,我对打游击似的破坏他们搞批斗,渐渐失去了兴趣 …… 我回到了那几百里外的"死角",继续那种 …… 行,就用您的话,那种"盗马贼"的生活 …… 我在一些个您必定认为是污糟的女人那儿,得着我需要的一种陶醉,一种安慰 …… 可是我的一些小哥们儿继续在我们那个县里活动,而且他们凡做出事来,都说成是我干的 ……

…… 忽然有一天,我有了时间感 …… 一整年了! …… 是我妈她投井的周年忌日快到了! …… 从打小起,我妈对我的好处,全跟电影似的,映在我脑海里,我心里就翻腾起热滚滚的浪头 …… 特别是那些个镜头:遭返农村以后,发给我们的口粮都是些带沙石的玉米粒儿,还根本就不够吃,我妈把那玉米粒细细拣过,又用小磨耐心地把它们磨碎,然后掺上野菜,煮成稠糊糊 …… 吃那糊糊的时候,我爸埋怨我,她也不说什么,就把她碗里的,匀给我一些个;我跟我爸顶嘴,她也不说什么,就又把锅里剩的,都给舀到我爸碗里 …… 唉,我就怎么一点也没预见到,我妈她会突然地那么投井 …… 我对不起她! 她对我,有形无形的爱护实在太多了,可我呢,就连无形的也没给予过她! 真浑啦! ……

…… 我就忽然从那些伙伴跟前消失了,我不停地走了两天两夜,当然,不都是腿着,骑过马,乘过船,搭过手扶拖拉机 …… 整整两天两夜,我没停下来过,一直奔我妈投的那口井而去 …… 我在子夜时分抵达了那口井,我就咕咚地跪在了那井台上,直着腰跪在那儿,低下我的头 …… 我那是干什么? …… 忏悔? 当时我心里并没那么个概念 …… 实质上是? 当时,经过一年那样的生活,我已经变得没什么实质不实质的了 …… 就是说,没那个 …… 您们的词儿怎么说? …… 对,没那个形而上 …… 心里头,只有一大堆感觉 …… 就是感觉,有时候也并不都一大堆 …… 有时那真是非常简单 …… 可能那感觉是挺大的一块儿,可越大,其实也就越简单!

…… 当时我就那么个简单的感觉,很大、很厚、很酽 …… 反正我跪在那井台那儿,心里就觉得做了一桩该做的事 ……

…… 危险? …… 当时没想什么危险不危险 …… 您猜得对 …… 是的,没等到天亮，我就让民兵给抓着了……当然很轰动……终于抓住通缉犯了……先在村里，绑起来游斗……人们围观……我就发现，不少成分挺好的人，特别是大婶、老大娘，那眼神里，明明白白地显出来同情，甚至还有比同情更多的东西……忽然我爸冲过来，举着他一只破鞋，来抽我嘴巴子，嘴里还吼着什么……他很快被人揪开了……他那张脸上的表情，久久地粘在了我心上，那是一种特别解恨的表情，还不只是解恨，那表情里，还有种他可算熬出头来了的意思……悲剧？我从没想过这叫出什么戏！……反正我跟我爸，是再也合不到一块儿去了……不要恨他？都怪……什么？"四人帮"？……别逗您！哪个帮也负不了这些个事的责！……历史的眼光？……这都是历史外头的事儿，您那个眼光不灵！……人性？对，这倒差不离！……可人性这东西……究竟是怎么个东西啊！……

……您听累了吗？没？……您喝这茶……我再给您兑点水……我么，我一贯就喝白水……还不喝热的，只喝凉的……也不是凉白开，就喝自来水……没自来水，就喝井水、山泉水……习惯了……矿泉水？那还行！……

……我说累了吗？没，一点也没！……我挺高兴，我看出来你——我就不您呀您的了，成吗？说您比说你费劲儿……你乐意？好，那咱们就不客气了！……不客气好？哈！在我们圈里头，"那我就不客气了"这话，意思特多……究竟是什么意思，那就要看说的时候是个什么样的口气了！……

……你问后来……后来那还用猜？……批斗、公审、当场带上镣子……锒铛入狱？对，得用这个词儿……逃？那可不容易……再说，我也不怎么想逃……他们根本没能逮住我！就是说，他们逮住了我的身子，可他们怎么逮得住我的心？……他们怎么对待我？……他们手里其实没什么证据……我不承认夜袭"斗鬼团"的事？那当然！可我也不跟他们辩……不管他们来硬的还是软的，我是根本不接他们的茬儿，我就是用我的俩眼珠子，恨着他们……后来他们都不怎么敢跟我对眼了！……我也不是都想赖账……他们要是问我枪的事儿，我一定承认，可他们给我开了那么大一串罪名单子，有些根本和我不沾边的事儿，也栽到我头上，却始终没有抢枪这么一条，他们不问，我自然也犯不上自首……判了我多少年？是无期徒刑！他们跟我说，没把我毙了，就是宽大！……

…… 监狱里的日子？…… 不想多说！…… 那个时候，"旧公检法"砸烂了，"新公检法"乱糟糟 …… 说实在的，我倒没什么 …… 那些个同监的人，要么一听是我他就服了，要么他开头不服，几天下来，他也就服了！…… 那些看守，后来多半也服我 …… 最倒霉的是那些共产党的干部，打成了"死不悔改的走资派"，再加上什么"现行"问题，也给抓了起来，有的也没明确地给判刑，就存心把他们，跟我们这些个刑事犯，关在一起 …… 还有些是知识分子，工程师、技术员、中学老师、大学讲师什么的，这样那样罪名，其实多半都跟刑事问题不沾边，也把他们放在这个堆儿里头 …… 你得知道，刑事犯，确实多一半是人渣儿 …… 我觉着我，也基本上是个人渣儿 …… 你别为我说好话，我自己心里明白，我是有超出他们的地方，可我那不干净的一面，真都告诉你，你能吓晕死过去！……

…… 在大狱里头，我的一大收获，就是认识了不少的党员干部，还有知识分子 …… 当然他们一个个也都不一样，有的我看也是渣子，而且那种捏酸假醋的人渣，更让人恶心！可说公道话，他们里头，好的多！有的那人性，实在好！…… 他们认识了我，那收获可能比我这头还大！说实话，由于有了我，他们才大大减少，或者避免了，跟刑事犯关在一起的那些个痛苦——那本是那么样关押他们的人，所最希望他们遭受的 …… 有的，就在那里头，跟我交了朋友，或者至少是有了些好感 ……

…… 我怎么没把牢底来坐穿？不，不是到粉碎"四人帮"以后，我才出来的 …… 在1972年以后，就有跟我关在一块的党员干部，陆续给放了出去，有的不但平了反，还重新当了官。他们当然不会忘记我，有的就利用他们的权力，或者影响，先是给我减刑，无期变有期，有期又一次次缩短，到1975年，干脆算我刑期已满 …… 我得到释放以后，就安排我在劳改农场当正式职工，看果园子 …… 1978年，我又得到平反，就是说，我根本无罪，整个儿算"冤假错案" …… 当年县里"最大的走资派"，他在市里当上了更大的一个官儿，还专门把我找去，聊了一下午 …… 他问我想干什么？我说我想当个工人 …… 就这样，我被安排到了一家厂子 …… 你看，我有什么神秘的？其实，很简单 ……

…… 我爸他在1978年也得到平反，重新回到城里，恢复了他的厂籍，他又重新做绢花 …… 他的手艺居然没丢，他还带徒弟，不光做绢花，还做绢人 ……

我们俩感情上掰了，可那时还保持联系，有一段处得还算不错……我们从"处理抄家物资办公室"里，领回了爷爷的那把宝剑，还有一对大红绢花——那是我爸我妈结婚的时候，我妈自己做的……我跟我爸说："这都让我保留吧！"他没打磕巴就同意了，可我说："当年是谁检举了咱们家？我一定要查清楚这件事！"我爸他就又急了，他顿脚，攥拳头，咬着牙说："你你你……又要惹事儿！……好容易活过来，你又作死哩！……你别又连累我！……你蛮干，我……我跟你断绝父子关系！……"我觉着他这人真是比死了还可怕，我就瞪了他一眼，扭身就离开了他……

……我暗中查访，终于弄清了是谁使的坏，真让人大吃一惊！……我原以为，是当时哪个造反派搞打击一大片，或者是哪个被揪出来的人胡咬，转移目标，要么，至少是跟我爸有"过节儿"的人，借那么个运动，搞私人报复……咦，都他妈不是，邪门儿了！揭发检举我爸的，竟是一个叫吴砚蚨的家伙！这是怎么一个人？他原来，只不过是厂里的一个小头头，三四把手以外，不起眼的那么一个芝麻官……他外号叫巴儿狗，你想能捞上这么个外号的人，那脊梁骨直得了吗？运动一起来，他怕得贼死，可厂里受冲击最厉害的，当然不是他……造反派也没把他当成个角儿……他拼命跟那头几把手划清界限，写了好些个揭发材料，这倒也罢了，人在危机的时候，保自己，算不上多恶……可是，他保住自己以后，想法就又变了，他本是只求个自保，不挨批斗就成，真不斗他了，他就又想捞点好处……那时候造反派搞革委会，多少总得拉几个原来的领导班子里的排在后头的人，凑个数……他就觉得，不能放过那个机会……可怎么能让造反派信任他呢？他就竟然打上了我爸的主意！……我爸原来跟他有"过节儿"吗？不但没"过节儿"，甚至于可以说，是相当论哥儿们的！……他原也是绢花车间的，有一阵子，他老婆跟他闹离婚，跑回娘家去，不给他做饭吃，他又是个除了下切面，啥也不会弄的人，我爸我妈怜惜他，就常让他下了班以后，到我家吃饭……那时候我家不算宽裕，可因为他来，饭桌上就总得多添些东西，还少不了二锅头酒，连我都沾光……就在我们家遭难那天的一个月前，厂里贴出好些大字报，可还没揪出谁来的时候，有一天，他主动到我家来，说是心里乱，想找个保险的地方，找个老实人，喝口酒……我爸我妈就热情地留下了他……喝酒吃饭的时候，还有黄大叔作陪……黄大叔席间说:"来这儿没错! ……我们都是些个没人理会的萝卜头儿! ……"我爸他多喝了几杯,忽然来了劲儿,得意地说:"咱们是正经手艺人……哪朝哪代也少不了手艺人是不? 咱不是地富反坏右,也不是叛特走资派……这运动,能烧着咱们吗? 它烧咱们干什么? ……就说'破四旧'吧,咱们这样家庭,主动交出些'四旧'来,也就结了! 谁跟咱们这号人较真儿呢? ……实不瞒你们,有的那东西……搁别人家里,得算'四旧',你藏起来,人家也得给你抄出来,信不? 我呢,舍不得,还留着,暂时不挂出来就是了,就撂在那里屋柜子里头……"他光说说也倒罢了,可他居然就到里屋,取出了那把宝剑,拿给巴儿狗欣赏……他还摇头晃脑地吹牛:"……这是传家宝……将军剑啊! ……我爹传给我的,就数这个金贵! ……"当时巴儿狗接过去,抽出剑身,看了半天……没根据认为,巴儿狗那会子就生了用那宝剑害我们家的心……可是,到他保住了自己,又生出来要进入新领导班子里的心以后,他就决定卖人肉包子了! ……他真毒呀! 他不是公开贴大字报,也不是大会上站出来发言,他是写了一个正式的检举揭发材料,交给了掌权的造反派,那材料他写得很有技巧,特别是,他使造反派感觉到,通过揪出我爸,可以进一步把厂里已经揪出来的"走资派",更结实地踩在地上再难爬起——他们竟然包庇、重用我爸这种人,让我爸这种坏人隐藏了这么多年! 这么把"走资派"和我爸连在一块儿,在那么个厂子里,确实会有"爆炸性"效果,是厂里运动的一大突破! ……巴儿狗是疯狗咬人不留牙印啊! 来这院揪出我爸那天,他也没露面……

……吴砚蚨这号癞皮巴儿狗,你也见过? 对,其实不算新鲜……卖人肉包子,往上鬼混……他肯定还卖过别的人肉……到我爸平反回厂以后,他已经是区里商业口的一个什么官儿,过了几年,恢复了政协,他又混上了个区政协委员……

……我怎么报复他的? ……你认为我一定要报复他? 你是不是觉得,我本性难移? ……我不能承认我报复了他……一条癞皮巴儿狗! ……现在? 对不起,他没有现在了,对,他死了,嗝儿屁着凉大海棠了! ……怎么死的? 也没什么稀奇的,这城里免不了常有的事……他死于一次车祸,给撞了个稀烂,可没马上咽气……不不,不是到医院就死了,医院拼命抢救,让他熬了一个星期呢,刚够一星期……一星期刚过,他就咽气了……挨撞的人一个星期以后才死，这在交通事故处理上，就不能算成司机把他撞死的，对肇事司机的处罚，就要比撞死人轻一些…… 什么？你猜肇事司机马上就逃得没影儿了？无头案？你错了…… 听说，那司机撞了他以后，就走出车来，等着警察来处理，对自己酒后开车、违章行驶，供认不讳…… 我认不认识那司机？你这是什么意思？…… 这城里那么多司机，我咋能都认识？…… 只是听说，那司机是个女的……

…… 头几年，我从厂里退职出来，搞了个体…… 也没什么大买卖，也就是开了个饭馆儿，还有个汽车配件门市，另外有个良种马场什么的…… 我哪儿会做买卖，无非是，朋友多点儿…… 前头不是说了嘛，当年蹲大牢，里头有些个干部，还有些个知识分子，难友嘛，他们后来有的又掌了权，有的下了海，生意做得好大，都做到国外去了…… 他们能不帮帮我吗？…… 发什么大财？发那么大财干什么？…… 你当我有多大的财？…… 实说了吧，那富汉开去接你的车，哪儿是我的！是朋友那儿借来的…… 我对发大财真的不那么上瘾，我不图那个乐子…… 图什么？怎么说呢？…… 图个公道吧！……

…… 对了，再跟你说说，那韩主任，他的事儿…… 他后来官运亨通，最后一直做到了外省一个县改市的市长…… 他那把枪？你还记得？他倒再也没追查过，怪不怪？其实也不怪，他那个人性！…… 枪，我在奔我妈那口井去跪着以前，送给一个哥儿们了…… 想必还在他手里吧；是，是把非法持有的黑枪…… 可最该追查的人，韩主任，韩市长，他不追查…… 我是在咱们北京一个别墅区又看见了他的，就在两个月以前…… 他正从一辆小轿车里出来…… 我一眼就认出是他，老多了，可那气派还是挺帅的…… 跟着出来的，估计是他的儿子，眉眼儿一个模子嘛！…… 他们出了汽车，就进了一栋别墅…… 我当时跟俩朋友，就站在离他不远的地方，他大概是没瞅见我…… 他就是瞅见我，怕也认不出我来了，我的变化，那实在太大了！…… 后来我打听出来，他到岁数，光荣离休了…… 他是跟儿子来看房的，还没有买定…… 我打算怎么着？不怎么着！…… 反正，我这辈子是忘不了他，他嘛，现在他退下来了，不忙了，他恐怕更忘不了我啦…… 不过，我想他绝对不想跟我再见面，我呢，会不会哪天跑去会会他，跟他逗个闷子？…… 那倒难说！……

…… 是呀，我今儿个是怎么回事儿？把半辈子的事儿，全跟你端出来了！……

嗓子都说哑了？你没注意，我一起头聊，嗓子就哑的，早哑了！……我是个脏人！比彻头彻尾的渣子，好不到哪儿去！……你能这么耐心地听我聊，对，不光是耐心……是你瞧得起我！我领情！这也是缘分吧！我相信缘分，相信报应，我还相信轮回呢！……今天约的这地方也好，要不是在这儿，我的话兴许还没这么多！……不过，这院子里，老人差不多全过世了，黄叔前好几年就撒手走了……那是又恢复唱传统戏时，他还打旗，打头旗，他说如今年轻人连那么好的戏都不懂得看，还有几个愿意到戏台上打旗儿、跑龙套呢？像我当年那样，乐意到台上去扮个马童、虾兵什么的，翻筋斗的年轻人，如今打着灯笼，不，打着手电棒，满世界找去吧，你找不出几个来了！他说别看他六十好几的人了，到台上打旗儿，他不光觉着那是挺好的职业，他还觉着浑身舒坦，觉着过瘾呢！……可那晚他打旗儿，好像戏码是《群英会》，他刚从台上转回台后，忽然就栽倒在地，连"哎哟"一声都没有，就那么，心肌梗塞，升天了！……黄婶身体也不好，身边一个闺女，还是个弱智……我来帮着办了丧事……黄婶连换煤气罐也费劲，冬天这平房还得生炉子……别住这儿了！我就给她和闺女，在城外买了商品房，楼房，两居室，双气……还把黄婶老家一个妹子请来，住一块儿，有个照应……生活费，我按季度给送去……其实黄叔在世的时候，我就该这么做，可那时候没这个实力不是！唉……

……呀，外头天都黑了，该开灯了……世上没有不散的戏，咱们就先聊到这儿吧……

66

"凤梅！"

在王府饭店的前堂，耳边猛然传来这样一声呼唤，吉虹愣住了。

并不是因为吉虹在片子里扮演了一个叫这名字的角色，而是，吉虹以为那个生活中叫凤梅的女子，重新出现在此地，并且正有一个人在招呼她，所以吉虹闻声并没有回头，而是有点喜出望外朝前面和左右寻觅起来……

"凤梅！"几乎是在脖颈后面，又响起了这样的呼唤，吉虹扭回头，一瞥之中，便恍然大悟，所唤的并非别人，正是她自己；于是她顿感索然……还不仅是索然，简直是让她倒胃！

站在她身后的，是卢仙娣！

这是她在此时此地最不想见到的人。

卢仙娣却俨然自诩为"最可爱的人"，还没等吉虹彻底转过身来，她便一把揽过吉虹的腰来，热辣辣地说："我的将军新宠！谅你还不知道！……整个儿来了个'质变'！……"

吉虹用手拂开卢仙娣的纠缠，对卢仙娣的故作耸听，表现出绝对的漠不关心。

卢仙娣却把吉虹引到了咖啡座，自己先坐下，服务小姐迎上来，她没等吉虹落座——其实吉虹根本不想坐下——便用下巴指点着吉虹，吩咐服务小姐说："先给这位女士一杯意大利黑咖啡！我的，等一会儿再说……"

吉虹坐在了卢仙娣对面，冷笑着问："你请客？"

卢仙娣不接这个"无聊的玩笑"，急急匆匆地把她截获的最新消息和盘托出。

原来，据卢仙娣说，《栖凤楼》结尾的那场凤梅觑破荷生与旺哥的同性恋真相的戏，现在"有关部门"已经表态，倘不做删除或根本性修改，是不会允许片子发行放映的。而且，这样的镜头，就是在东南亚的若干地区，也都难以放行！……因此，闪毅经与其"后台老板"详商，也已经做出了搞两个版本的决策，即一个版本保留原样，另一个版本则将结尾处凤梅雨夜隔窗所见，是荷生竟在杀死旺哥……前一个版本，供送戛纳或威尼斯或柏林或蒙特利尔电影节参赛，及向欧美地区发行；后一个版本，则争取能在中国大陆及东南亚地区发行……

吉虹听着，并不以为这是什么了不起的消息。她的耳畔吸入更多的，并不是卢仙娣的聒噪，而是大堂里那人造瀑布泻落的音响。

服务小姐给吉虹端来了用极小的杯子盛着的极苦的意大利黑咖啡。卢仙娣要了一大客古典鸡尾酒"曼哈顿"。吉虹未动那咖啡。鸡尾酒送到，卢仙娣又要了一碟美国无花果干，她呷着酒，就着那无花果干，话语瀑布倾泻得更其恣肆："……别小看了一两个镜头的改动！这么一来，整个的人物关系，就全盘紊乱了！恰似一个本是非常完整灿烂的珠串，那连线一断，顿时成为一盘散珠，哎呀呀……暴殄天物啊！……按那修改后的第二个版本，观众看到那儿简直莫名其妙！荷生为什么要杀旺哥？难道他是那来偷金印的一伙儿的内应？那他也没必要到旺哥住的小屋里去杀旺哥呀！……可是你猜怎么着？潘藩跟康杰倒高兴得了不得！他们说，这么改太好啦！让观众琢磨去吧！说什么这才叫高级艺术呢！其实，他们对原来的那场戏早就耿耿于怀，认为演出来有损他们自身的形象，所以，他们巴不得整个儿弄成这么个相杀而不是相恋的版本！……祝大导演嘛，他提出来，那就还要补拍一系列的镜头，以'自圆其说'，可闪老板不干，依闪老板的意思，就只再拍几个荷生杀旺哥的镜头了事；连你那个在窗外窥视，见之惊心的镜头，都根本不用重拍，因为无论你是看到了什么情景儿，是他们搞同性恋还是他们互相搏杀，都会是那么一些个表情……前面的戏也不用再插补什么镜头……唉唉唉，这可真是一个典型的个案：在道德与金钱的夹缝中，艺术如何被压榨变形，也就是异化！……原来那剧本提供的是多么前卫的观念，多么震撼人心的视觉刺激啊！没想到，到头来还是不得不异化变质为一个暧昧的、无聊的东西！……《栖凤楼》，《栖凤楼》……你所能容纳栖息的，终究还只能是向陈腐的世俗戒律缴械投降的东西！……"说到这儿卢仙娣仰脖灌了一大口酒，以示她对一件艺术瑰宝遭到荼毒的愤然抗议。

吉虹始终没喝那杯意大利黑咖啡。她优雅地斜倚在沙发上，一只臂肘撑在沙发椅扶手上，几根手指托着下巴，眼睛只对着大堂的转门。卢仙娣虽是"万国通宝"，可是看来并未知悉吉虹与闪毅关系的"质变"。闪毅这回去香港，每晚都跟她通话，情话绵绵；在香港启德机场临上飞机以前，也还给过她电话，告知她回到北京要先去剧组，也就是所租用的那个饭店，等"完了事"，再来王府与她相聚。闪毅在电话中不跟她谈"公事"，不仅是为了慎重，也是她事先所要求，所以吉虹听了卢仙娣的一番报道，心中并不埋怨闪毅"怎么电话里没跟我说"，却只是觉得卢仙娣这样地乐于"抢新闻"，而且抢到她跟前，实在是好笑！

吉虹脸上忽然呈现出欢愉的表情，因为她看到闪毅从转门那里出现。闪毅也很快便看到了吉虹，忙伸臂兴奋地招呼。

闪毅穿着一身运动装。像小学生一样背个双肩勒带的花背包。他直到来至吉虹跟前，还没发现卢仙娣，因此对吉虹没有跳起来，并扑进他怀里迎接他颇感意外。

卢仙娣却一跃而起，并且亲热至极地招呼他说："Hi！ How are you！"

闪毅这才发现还有此人在场，他不由得扫兴地说："怎么你又在这儿？"

卢仙娣只是笑，又眨眨眼，表示觑破了点什么，说："怎么你也来了这儿呢？"

卢仙娣要闪毅一起在大堂坐着"再聊聊"，闪毅却决不愿敷衍她，忙说："您请便 …… 我 …… 想跟吉虹 …… 单独谈谈！"

吉虹便站起来，要随闪毅而去，卢仙娣瞥了一眼桌上的杯盘，吉虹会意，便对卢仙娣说："你尽管再坐坐 …… 她们都认识我 …… 就说都记在我房间号上吧 ……"

卢仙娣便再坐下，爽脆地跟吉虹和闪毅"拜拜"。

吉虹和闪毅回到楼上房间，吉虹一边安排闪毅换衣洗澡，一边说："'万国通宝'都跟我说了，我全知道了！……"

闪毅进卫生间以前，想起卢仙娣，不禁皱眉说："这个娘儿们！她究竟算个什么？总往我那剧组跑 …… 到处'包打听'，到处抛'号外'！…… 她都跟你说了？…… 其实，最要紧的，她说不出来！因为，她在旁边的时候，我根本一字没漏！我跟谁也没漏！我不能漏！……"

吉虹从闪毅眼神里感觉到有比不得不搞两个版本之类的事更严重的事态已然出现，她便在卫生间门边拉住他的手，仰盯着他的眼睛问："告诉我，你在为什么着急？"

闪毅便反过来握住吉虹的手，握得紧紧的，叹口气说："我舅舅，皮定边，他在香港告诉我，他股票上失手，损失很大 …… 这个《栖凤楼》，他一分钱也不能再出了！…… 其实现在不仅是补不起镜头了 …… 整个后期，钱不到位也做不成了！……"

吉虹这才吃惊。

闪毅说："为什么拍这个戏？…… 为了艺术？创新？品位？…… 唉，其实，说到头，还不是为了钱生钱 …… 没钱投入了，钱生不出钱来了 …… 那就宁愿扔了原来的钱，也不能再投新的钱 ……"

吉虹觉得闪毅的手有点烫。

闪毅把吉虹揽在怀里，越揽越紧，痛苦地说："…… 原谅我 …… 我刚才说的，是我舅舅 …… 他投资的全部目的 …… 我，我并不是 …… 那并不是我全部的想

法 …… 亲爱的，我拍这个戏，是为了你 …… 把你推向戛纳，推向威尼斯，推向柏林！…… 你懂吗？懂吗？……”

吉虹使劲地点头 ……

闪毅洗澡的时候，一直在想，无论如何，也要把做后期的钱筹出来 …… 舅舅撂挑子了，再另谋别资 …… 他很后悔——这前期花钱，也未免太泼洒了！……

闪毅洗完，用浴巾擦着身子，走出卫生间；他一抬眼，大吃一惊，不由大声发问：“你这是要干什么？”

他看见，吉虹穿得整整齐齐，甚至戴上了帽子和手套，端坐在沙发上，脚下立着收拾得利利索索的行李箱，仿佛即刻就要启程的旅人 ……

吉虹坐在那里，严肃地对他说：“…… 《栖凤楼》的后期一定要及时做 …… 其实你也还不至于马上没钱 …… 你应该从今天起，节约一切不必要的开支，比如这个套房 …… 我已经通知了他们，今晚结算 …… 并且，剧组那边，既然差不多已经算是封镜，就没必要再让那么多的人住在宾馆里，演员们要首先遣散，我，潘藩，都带头回家去住 …… 韩艳菊他们，也都尽快让他们回那座楼去 ……”

闪毅非常感动。他说：“这 …… 其实不必 …… 这能省出多少来？你知道电影的后期制作，特别是我们要在境外去做 …… 那所需要的资金，不是靠这样节约，就能凑够的 ……”

吉虹却说：“不。这很必要！我忽然觉得，这样子，也许更好！闪毅 …… 我们不能总像顽童一样过下去了 ……”

闪毅手里的浴巾，落在了地下。他头一回发现，吉虹的一双眼睛里，闪着那么可宝贵的，对他来说，是宁愿为其而赴汤蹈火，乃至于毅然捐躯的光芒！

……

在前堂，因为获得了吉虹的记账允诺，卢仙娣爽性打电话把野丁等几位朋友约了来，一个个都点了价格不菲的洋酒，围坐一处，高谈阔论起来 …… 不知不觉，外面早已夜色浓酽，而饭店大堂里也华灯璀璨 …… 卢仙娣说完一个“理论笑话”，别人尚可，她自己却先笑得扭曲了身躯 …… 既然兴浓至此，她便又招手叫过服务小姐，再要一客 Jack Daniel's 威士忌，服务小姐躬身问：“您用现金，还是信用卡 …… 结账？”她把眉毛一扬：“不是跟你们说过了吗？都记在吉虹小姐名

下 ……"服务小姐笑吟吟地说:"六点钟以前,是都记在了她的账上 …… 可她六点以后已经退房结账了 …… 您六点以后点的饮料点心,就都要麻烦您自己来付了 ……"

周围的人还在哄然说笑,卢仙娣却仿佛被兜头泼了一瓢冰水,她惊叫失声:"什么?!吉小姐退房了?她走了吗?这 …… 开的什么玩笑!"

67

一个架双拐的人进入了那个豪华俱乐部,他对给他开门的小姐说:"我要洗个澡!"把那小姐吓了一跳。吓一跳倒不是因为他只有一条腿,而是因为,到这儿来的客人都懂得,站在头道门外的侍应生和站在二道门内的小姐,都是只管笑脸开门,不管别的事的。客人想怎么在俱乐部内享受,是无须向他们说明的。

开门的礼仪小姐略一定神,便打了个手势,请他到总服务台去。

总服务台的值班小姐一见走过来的不仅是个瘸子,而且开口便显出来是个外地来的傻老帽,便不禁收敛起笑容,一本正经地跟他说:"这儿不是你洗澡的地方,这儿是个高尚人士的聚会场所 …… 你要洗澡,请去那种 …… 现在还有那种一般的澡堂子,我可以告诉你在哪儿、怎么去 ……"

那架拐的人竟然回答她说:"我就要在这儿洗!带我洗去!"

值班小姐觉得他实在是无理取闹,便严厉地说:"我们这儿不接待衣衫不整的人!"

那架拐的人生气地反问:"我怎么衣衫不整了?!"

值班小姐再仔细一看,也是,仅就衣衫而言,此人穿的是一身西服,里面的衬衫领子下头也扎着领带,虽然一看那质地就知都是些廉价货,更谈不到配色上的讲究,领带扎得松松垮垮,领带上是些个西瓜皮般的花纹,非常刺眼,透着土气 …… 但似乎也不好断言他是"衣衫不整";不过此人望上去总体而言是脏兮兮的,身上好像散发出非常不雅的气味 …… 于是便坚持原来的态度,宣布:"我们这儿是个高雅的地方,恕不接待不洁净的人 ……"

架拐者更生气了:"不洁净? …… 这话怎么说的!我来就是为了洗嘛!洗完了不就洁净了吗?!"

值班小姐正跟架拐者对峙,值班经理,一位三十来岁的男子巡视过来,见状,插上去和颜悦色地说:"这位大哥,不是我们不让您进去洗,实在是…… 需要您先知道我们这儿的服务项目。就说洗澡吧,您是光在药池里头、喷泉浴池里头…… 洗呢,还是也洗桑拿浴…… 桑拿浴您又选哪一种,是干桑,还是湿桑?…… 还不说您按不按摩,玩不玩电子麻将,吃不吃潮州菜什么的…… 光这洗澡一项,就得好几百块钱…… 您来洗,我们能不欢迎吗?可我们得跟您说明白了,这儿是个高消费的地方,您是不是有能力进行这个消费呢?……"

架拐者还没听完,便从西服口袋里往外掏钱,一卷一卷的大票子,都用橡皮筋勒着,边掏边把钱搁到台面上,并且喘吁吁地说:"钱?我有钱!我能高消费!…… 你们看,这些个够不够?怎么着?还不让进吗?"

值班经理望着那些虽然是真的,却显得格外肮脏皱巴的票子,不禁反胃;又想到这样一位人物进了浴池,说不定会吓跑常客们,便又尽可能和气地说:"对不起,我们俱乐部是实行会员制的…… 我们一般不接收现金,到我们这里是凭金卡、银卡记账消费的……"

谁知那架拐者强硬地说:"凭卡?那我就买卡,这就买!你那金卡多少钱一张?"

人跟人之间最怕话顶话。其实这个俱乐部的卡并没卖出多少,还是要靠散客维持经营;按说来了这么一位买金卡不眨眼皮的豪客,理当无比欢迎,哪儿能拒之门外?可在总服务台值班的小姐和值班经理因为心理上未曾有遭遇这独腿怪人的准备,又在顶牛的过程中积累了越来越浓烈的鄙夷与反感,所以还是拒绝接待他;偏那独腿人并不抱惭而退,犟在那儿,跟他们吵了起来……

忽然过来了一个人,介入进去,使这纠纷很快平息。

来的并不是总经理或什么掌有决定权的人。来的是"赛麻姑"。

当值班经理刚刚过去跟架拐人对话时,来这俱乐部按摩室上班的"赛麻姑"恰好进门;她一眼便注意到了那个高大的独腿人;她旁观了双方的冲突过程……

"赛麻姑"实在是个说不清的人物。她究竟是外地人还是北京人?说不清。有人说她是个外地"盲流",原籍好像是四川,在广州、深圳混了一段时间,按摩的手艺便是在那边学出来的,可她的北京话却很到位,比如她会用"你别那么急赤白脸的好不好"来劝人"慢慢道来"。她究竟多大岁数? 也说不清。有时候她化淡妆,举手投足上都显得颇为老成持重,你便会断定她已是"徐娘";可她更多的时候是化浓妆,发型和衣着都极为青春,比如这天她出现时,扎着两根短短的粗辫,额头上有俏皮的刘海,进门脱了大衣服,里面穿的是银闪闪的连体超短裙,露出两条穿黑色网状袜的大腿,足蹬一双黑色的高跟长筒靴,露出的胳臂上也套着跟袜子配套的黑色网状长统手套;至于耳环、项链、手链、腰带嘛,又都是比洋红浅些、比粉红深些的那么一种红色的合成制品,并且她的唇膏和指甲膏相应也是这样的颜色;这样的一个尤物,轻盈灵活地飘然而至来到眼前,俨然豆蔻年华的模样,你猜她年龄,撑死了猜个二十啷当岁罢了! 她究竟是不是个荡妇? 这也一样说不清。俱乐部内外都有一种传说,就是按摩女都兼作那种营生,而且"赛麻姑"更是个不待"唐伯虎"点就能主动献身的"秋香";可是谁真正抓着过她的实把柄呢? 况且,那天来的一位司马什么,据说算个局级干部呢,按摩过程里对她"反按摩"了几下,竟遭她扇了一记耳光,她虽扇了他,却又咯咯咯笑,说是给他按摩颜面肌呢,吓得那主儿再不敢有非分之想,她倒也并不再深究。你说她这人究竟淫荡不淫荡呢? "赛麻姑"在这俱乐部里的地位如今也说不清。她连领班都不是,可总经理跟她称兄道妹的,总经理自有情妇,她跟总经理看来并非"有一腿",可在有些事情上,总经理却很听从她的建议,比如俱乐部不但设置了洗衣房,还增添了干洗业务,来俱乐部的人不仅可以洗净身体,还可以洗净所有的衣物,包括得到免费洗汽车和擦皮鞋的业务,这些点子就都是"赛麻姑"提供,总经理采纳,并很快取得了增加客源的效果……

且说那独腿人执意要进去洗浴,总服务台的小姐和值班经理都甚厌恶,想出各种刁难他的话来,想让他知难而退…… 争吵中,值班经理指着他的断腿说出了这样的话:"…… 你这么个情况,让你进去,你也洗不了! 你当我们那里头都是有扶手的小澡盆子呀!"

独腿人便大吼道:"我出钱! 你们派人给我洗! ……"

总服务台的小姐反感到极点,便说:"你以为金钱万能吗? …… 像你这号人,就是你肯出钱,谁又愿意伺候你呢? 也不对着镜子照照!"

独腿人大怒，几乎要操起一只拐朝那小姐打过去，值班经理便欲招呼保安人员。

这时"赛麻姑"插到了他们当中，先对值班经理他们说："咦，这是怎么回事儿？来的都是客嘛！俱乐部俱乐部，俱乐就是大家都开心嘛！哪儿有来了客还往外头撵的道理！"又爽脆地对独腿人说，"这位大哥，跟我往里头去！我找人帮您洗！洗完了，我给您按摩！"说完就带那人往男部入口处而去……

……独腿人进了那里面，开头还气呼呼的，可是很快他就觉得那里头的一切都让他不习惯、不自在，他的气直往心窝子里头钻，终于不是气呼呼而是生闷气了……一进去，先要把所有衣服都脱下来，换上俱乐部统一的"夏威夷沙滩装"……然后你再进入洗浴室前厅，选一个柜子，脱下那"沙滩装"，存起来，锁上，把那钥匙取下，用橡皮筋把钥匙箍在手腕上，这样你手腕上便勒上了两个橡皮筋——因为存衣服时已经领了一个带橡皮筋的牌子……然后你进入洗浴室，那里面很大，布置得怪里怪气，有许多个形状不一样的池子供你选择，有热水浴池，有温水和冷水浴池，有药液浴池和喷射穴位的浴池，然后还有许多的淋浴喷头……还有一个通向桑拿浴间的走道，桑拿浴又分两种，一种门上写着"干浴桑拿"，一种门上写着"湿浴桑拿"，进门时会有人记下你存衣牌上的号码，因为桑拿要另外收费，并且干、湿桑拿的价格还有区别……最后你取衣服时，会把所有洗浴的钱汇总起来计算……独腿人是头回来到这种场所，他虽向往已久，可是进来前受了那样的歧视，进来后又无所适从，兼以他每到一处都得架着他的拐，而满眼所见的都是别人完整的胴体，心灵上真是受到很大的刺激……

……独腿人观望了一阵，想了想，便来到药浴池边，坐下，放好拐，滑进了药浴池中。他身边有个胖子，见他滑进池里，竟赶忙躲开，爬出去了，嘴里好像还嘟囔着什么……

……独腿人爬出了药浴池，有个穿着短裤的半老头子来到他跟前，那是浴池里的管理员，他得到"赛麻姑"传来的话，让他照应一下独腿人；所以那半老头子便问独腿人："要我帮帮您吗？"独腿人粗暴地回答说："不用！"半老头子只好摇摇头，走开了。

……独腿人也没去享受桑拿，便很快退出了那浴室；他取出衣服，很快穿上，他架着双拐，把俱乐部前堂的大理石地面敲击得回响格外震人，走了出去……

栖 凤 楼

这件事很快便让那天的值班经理等人忘记了。

可是三天以后，俱乐部总经理便遇到了一个不可解的问题，他把分管环境卫生的经理叫来，问他："怎么一回事儿？咱们餐厅的泔水怎么积了那么多没人拉走？还有垃圾，怎么每个垃圾桶都满得溢出来了，还没给收走？"

那部门经理说："收泔水的一直是天天来的呀，有时候一天来两次呢，谁知道怎么忽然三天都没来……"

总经理说："他不来，找他呀！他那儿没电话吗？派人到他住的地方找呀！……就是找不到他，另找别的人来收，不也行吗？你就那么没办法！"

部门经理说："他没电话，说实在的原来也没在意他住哪儿……原来他自己来不了，总有替他来收的……谁想得到忽然谁都不来了呢……也许是病了？是不用等他，我可以亲自去跟那边饭店的人联系，让给他们收泔水的来收咱们的，或者让他们给介绍另外的人来收……如今泔水行市好着呢！白给的便宜，能没人来捡吗？……"

总经理说："不要坐而论道！要赶快落实！三天的泔水再淘不走，新的泔水也没东西盛了！难道咱们再去买大缸大桶，开泔水展览会吗？"又布置，"那垃圾，你是不是跟清洁队联系一下，让他们赶紧来人给收走！"

部门经理说："我打过电话，他们说咱们俱乐部的垃圾一贯是包给了外地人，不由他们收的……而且他们现在光是完成每天的定点任务，已经觉着人手车辆严重不足，所以拒绝来收……说也奇怪，那些个外地人，从来每天来了都是把垃圾桶掏得干干净净的，怎么一下子三天不见影儿？因为是无偿地让他们收走，没收过他们钱，也没付过他们钱，所以并没记住他们的名字住处，现在想找他们也没个方向……"

总经理暴躁起来："你怎么搞的嘛！后天全市卫生大检查，你不知道吗？难道因为这个事停业、挨罚？……你也别跟我解释这个说明那个了！限你明天一天之内，解决这泔水和垃圾的问题！"

第二天上午那部门经理给总经理打来电话："……我在金龙饭店，问题解决啦！我找着来这儿收泔水和垃圾的人啦，我让他们今天下午一定来咱们俱乐部，他们自己来不了，请他们转告一块儿的老乡，谁来都欢迎……我答应他们，来了以后，一桶泔水付他们 10 块钱，一桶垃圾付他们 5 块钱 …… 这钱都由我个人出 ……"
总经理嘘出一口气来："这点钱算不了什么！只要能解决问题就好！"

谁知那天下午，部门经理约请的人并没有来，等到天黑也不见一个人影！

当晚，总经理召集了全体部门经理会，济济一堂的英才们，面对泔水和垃圾
困境，竟然想不出一个良策来！到哪里去找临时工来？即便找来了临时工，用什
么工具来运送泔水和垃圾？俱乐部有小轿车面包车冷藏车若干辆，哪一辆都不能
用来运泔水和垃圾啊！有人提出来，租车！可如今泱泱北京城，哪里有租运泔水
和垃圾的车子的公司？再，就算租到了，这泔水往哪儿运？垃圾往哪儿卸？乱放
乱卸，被逮住了，那款罚得也是厉害得很的啊！……

而俱乐部的泔水和垃圾，每一小时都在增多！现在厨房的工作人员已经表
示，由于泔水缸里的气息禁不住一阵阵地飘进操作间，他们已然无法正常工作！
并且已有客人在抱怨，一下汽车，还没进门，就感到整个俱乐部有种秽气扑鼻袭
来；更有客人没进门便又钻进车去，另觅其他的俱乐部 …… 这样下去，明天不用
有关部门勒令，俱乐部自己也只好暂且关门停业！

竟是一筹莫展！而且，百思不得其解：怎么搞的？！

总经理正在会场上发脾气，"赛麻姑"闯了进来。

"赛麻姑"冲破秘书们的防线，直逼到会议桌前，大声宣布："我知道这事是
怎么引起来的了！"

大家便大眼小眼都盯准了她。这晚她是淡妆，长发披肩，一身浅咖啡色的羊
绒连体长裙。总经理问她："你说是怎么引起的？"

"赛麻姑"回答："咱们得罪了一个人！"

都问："谁？"

"赛麻姑"便把那天的事讲了一遍，然后说："我想来想去，都是因为得罪了
他，那个架双拐的人！别小看了他，以为他是个外地人，乡下人，土老帽儿，单
腿瘸 …… 一定是他一声令下，谁也不敢来收这俱乐部的泔水和垃圾了！…… 你
们以为只有你们才人五人六的算个角色！告诉你们，如今的世道，谁也别轻易看
瘪了谁！哼 ……"

那天把那架拐人往外轰的经理低下头，恨不能把头别到胳肢窝里去 ……

总经理便问"赛麻姑":"人是已然给得罪了,那你说怎么办?"

"赛麻姑"说:"找到他,请回来,赔礼道歉,好好伺候……"

经理们面面相觑:"到哪儿找去呢?""岂不是大海捞针?""找到何时?"……

"赛麻姑"说:"听说长城饭店往东,有个垃圾场,很大,那里头住着些外地人……"

总经理把桌子一拍:"找去!这就去!"

一刻钟以后,总经理,"赛麻姑",还有那天得罪了架拐人的值班经理,已经坐进了蓝鸟车中,总经理亲自开车,往那垃圾场而去……

深秋青黛的夜空,斜悬着一个惨白的月牙儿。

68

从地铁出口拥出来许多人,其中不少年轻人都朝着不远的 JJ 迪斯科舞厅而去。

正是华灯初上的时候。街上商店的霓虹灯色彩多半桃红柳绿地显得俗艳。哪家饼屋有新面包出炉了,飘散出"可疑"的气息——初闻以为是奶油,细品方知是"人造奶油"麦琪淋——这气息与过往汽车排放出的尾烟搅在一起,令刚吃完吉野屋日本面快餐的春冰不禁反胃。

但春冰还是很高兴。宁肯走在她前头,离她十来步远。他们说好不要并肩而行,在进门以前甚至要装作根本不认识。

春冰这晚女扮男装。她穿了一身铜制铭牌和铜扣都很大的牛仔装,足蹬笨重的圆头高靿猎鞋;头上戴了一顶长檐运动帽,把所有头发都尽量塞在了帽子里。因为这样的装扮也还是不足以体现为男性,所以她还在鼻子底下粘了两撇胡子。她走起路来也故意雄赳赳的,大有"鬼子进村了"的架势!

毕竟时代变化了,春冰如此这般的奇装异服与形迹可疑,也没有任何路人朝她哪怕是多看一眼。人们都更个人化、个性化、私密化了,那最重要的心理变化,倒还未必是更注意自我形象的包装与塑造,而是对事不关己的他人和事物越来越冷漠疏离。

春冰自己边往前走边忍俊不禁。她不时伸手去摸一下那鼻下的假胡子。心里想:真的会有"那种姑娘"来招惹自己吗?她既充满好奇,也不免有些个紧张。

刘 心 武 文 存 3

她是来跟宁肯做一次"试验"。宁肯他们打算做一期关于歌厅舞榭中的"陪女"的节目，这是个社会报道性节目，他们不想"主题先行"。因为听说"陪女"的情况很复杂，有的已未必仅是"三陪"（陪舞、陪歌、陪酒），有的确实是"卖笑不卖身"，有的据说根本是歌厅舞榭的隐形雇员或有关部门的"特工"……究竟是怎么一回事儿？必得先来一番调查研究，方可升华出这期节目的"说头"。因此，便拟定了"试验计划"；开头哪儿有春冰的事儿，可是春冰听说了他们的计划，因为一向是常给他们专题节目充任播音员的，所以便不仅热情卷入，更发展到女扮男装、"入虎穴掏虎子"的地步。

接近 JJ 迪厅了，宁肯已经在前面被一位姑娘截住。因为迪厅一般实行一位男宾可免费带进一位女宾的营业策略，所以每晚这时总有若干单身姑娘守候在迪厅外面，一旦看准来者是单身男士，便大方地迎上去，用约定俗成的话语表示其意愿——"我请你吧！"

对宁肯说"我请你吧"的是个长得很丰满的姑娘，穿戴得很时髦，戴着副眼镜。宁肯凭直觉问："你哪个大学的？"那姑娘爽脆地说出了一个工科大学的名字，并反问："你呢？"宁肯便说了自己上过的学校，"不过，早毕业啦！"又问："怎么不跟同学们一块来玩？"那姑娘不屑回答这个问题，只是说："我在请你呀！"宁肯于是笑笑说："你常来吧？……我倒一直想问，为什么不说'你请我吧'，偏说'我请你吧'……不都是男士请你们吗？""我们？谁们？"那姑娘推推鼻梁上的眼镜，撅撅嘴说，"我……就是我在请你嘛！你不乐意？那我请别人去！"宁肯还没决定下来，她一扭身，另"请"别人去了……

宁肯往常到迪厅都是一伙子去，自然都有女士在其中，并没有过"独身"经验，因此遇到这么个情况，颇为尴尬。他被"甩"了以后，不由得扭身朝后面，看春冰是否比他"幸运"……

春冰已然快走到宁肯跟前，却并没有任何姑娘来"请""他"。

宁肯来不及跟春冰对眼，已经又有个姑娘来"请"他了，这回宁肯也没把对方看清，便立刻应允了。

春冰在迪厅门外转悠，好半天没人答理她。这倒未必是她看上去不像个小伙子，而是"他"这个小伙子实在太"袖珍"了，哪个姑娘不想"请"个"爷"来招待自己呢?

可是春冰注意观察那些"请"男士的姑娘,她发现多半是些个外地来的妹子,天气已然转冷了,这些妹子穿的还很单薄,不过,衣衫虽一望而知均属廉价,式样却都很俏。她们的"约请"有时会遭到拒绝,但大多数情况下,都会很快如愿以偿……

迪厅里已经开始放送震耳欲聋的摇滚乐,顶棚上的霹雳灯翻滚转动,无数道射灯忽明忽暗,上千平方米的舞池里已有许多红男绿女在狂舞乱摇……

宁肯进入迪厅后,那"请"他的姑娘很快就溜得无影无踪,原来人家不过将他当做一张"入场券"而已!他顿生失落感。

宁肯往小卖部那边去,劈面遇上了春冰,于是大声问:"哥们儿!你的妞儿呢?"

春冰摊开手、耸耸肩,反问:"你的呢?"

两人大眼瞪小眼。

……买了几罐可乐,且在小桌旁坐下。宁肯说:"真到这儿来偷拍,光线暗倒还问题不大,问题是怎么录得下说话?……"确实,摇滚乐声响统治着整个迪厅。他们说话也只能是凑拢脑袋,放大喉咙……

宁肯说:"看来并没有什么太稀奇的人物……只不过是有些个姑娘好玩,又没男朋友,就通过'请',省个门票钱罢了!"

春冰说:"怎么没有?……我看见不少'外来妹',她们就很可疑……难道她们光是好玩,喜欢蹦迪?……她们显然是别有所图!……"

两个人的观察心得,竟然大相径庭。

忽然过来了一个姑娘,一屁股坐在他们旁边的椅子上,拿过他们一罐可乐,笑嘻嘻地揪开易拉盖,仰脖便喝。

宁肯和春冰便四只眼盯住她研究。那姑娘打扮不俗,年龄似乎已然不小。宁肯觉得来的是个浪荡的北京娘儿们,春冰却觉得还是个"外来妹"……

姑娘饮完几口可乐,朝他们俩笑,宁肯便说:"咱俩一块儿蹦蹦吧!"

那姑娘却理理披肩发,撒娇地说:"我最爱吃美国开心果!"

春冰便离席去买开心果。

宁肯问那姑娘:"你男朋友呢?"

那姑娘弯着两只眼，现出一个妩媚的笑容说："不就是你吗？"

宁肯故意说："我女朋友……她去洗手间了！……"

那姑娘满不在乎地说："是吗？……没关系，咱俩先跳一个钟！……"

"一个钟？"宁肯觉得自己没有听错。在高级俱乐部的按摩室，按摩的计价都是以"几个钟"来算的；"一个钟"并非"一个钟头"，而是四十五分钟的意思。

那姑娘说完便站起来牵宁肯的手，宁肯说："你不吃开心果啦？"

那姑娘笑说："我不吃他的，我吃你的！"

春冰买来开心果，座位已然空了。

舞池里蹦迪的人越来越多，是爆棚的形势。在变动闪亮的射灯光线下，舞动的人影构成一连串影视中的"定格"效果。

春冰站在那儿观望时，他们原来所坐的那张桌子已被别的人占领，那看来是两对正常的情人，刚才蹦得喘吁吁的，现在落座后一个个瘫在椅子上，大懒支小懒地互相推诿着买饮料的任务……

春冰只好游动着……忽然一个高大的小伙子迎到她面前，认真地说："小姐……我请您一起跳……可以吗？"

春冰瞪着他，很气愤……伸手一摸，原来鼻子上的假胡子不知什么时候已经掉落了。

春冰便说："对不起……我这靴子……太沉……"

那小伙子不以为意地说："那有什么关系……你可以脚不离地，光摇晃身子嘛！"……

大约"一个钟"以后，宁肯与春冰在小卖部附近重新聚合。

"你的胡子呢？"宁肯问春冰。

"你那妞儿呢？"春冰问宁肯。

"她跟别人跳呢……那人答应再跳'一个钟'，就带她出去吃夜宵……你怎么个情况？"

春冰直给宁肯使眼色。那个大高个儿来到春冰面前，高兴地说："……你在这儿呢！怎么一转眼就没影儿了，你！……我看你穿着这靴子是没法儿再跳了……咱们一块儿消夜去吧……你同意？……"

宁肯便挺身而出："怎么回事儿？老兄，她是我女朋友！"

那大高个儿这才注意到宁肯，非常吃惊，瞪瞪宁肯，再望望春冰，春冰便对他说："啊，对不起 …… 确实 …… 这是我男朋友 …… 不过 …… 刚才我很高兴 …… 谢谢你！……"

那大高个儿失望地离开了。

宁肯和春冰不禁相视大笑 ……

后来，他们一起下到舞池，一起蹦迪。兴到浓处，春冰爽性脱掉了靴子，穿着袜子蹦；又把帽子甩到一边，让一头秀发滚落肩头，舞动中，她摇颈晃头，把头发一会儿甩到前面，一会儿甩到后面，仿佛掀动着一块黑绸 ……

不知过了几个"钟"……

当他们两人出了JJ，坐在一家小饭馆里吃夜宵时，开心之余，不禁又都感到惭愧。

春冰说："没能完成任务！…… 我反正是一点也没弄明白！…… 反正，那个约我蹦迪的大高个儿，不像是有什么歹心 …… 因此，反过来说，被陌生男人约请的姑娘，也不一定有什么问题 …… 就是青年男女交朋友嘛 …… 最后男的请女的吃个夜宵 …… 你说算多大的问题？……"

宁肯说："是呀 …… 那个跟我套磁的姑娘 …… 也就是爱占小便宜 …… 也许她按几个'钟'收陪舞费 …… 可我跟她蹦完一个'钟'，没给，她也没讨 …… 我们能武断地说她除了跟人吃吃夜宵，还干些别的什么事吗？……"

春冰说："可是 …… 以这个为职业 …… 总不那么光彩吧？……"

宁肯笑说："也奇怪 …… 在文学艺术里，风尘女子倒总是惹人同情的角色，像怒沉百宝箱的杜十娘，《桃花扇》里的李香君，《玉堂春》里的苏三 …… 外国还不是一样，像茶花女，还有陀斯妥耶夫斯基笔下的那些个妓女 ……"

春冰接上去说："…… 一直到曹禺笔下的陈白露、'小东西'、翠凤，还有老舍《月牙儿》里的那个没露名姓的自述者，还有他《茶馆》里的小丁宝 ……"

宁肯大笑："怎么搞的，牵出这么一大串儿！…… 对对对，现在街上正演着的《红粉》、《红尘》，不也是对风尘女子大表理解与同情吗？有的岂止是同情，简直是把她们捧成人世间最纯情、最圣洁的神女！…… 真是中外古今，概无例外！……"

　　说到这儿两人面面相觑。以前倒从没从这个角度去观察思考过……

　　宁肯长叹一声说："当然！……新闻跟文艺两回事儿……我们现在真要拍这个题材……那可不能立足于理解和同情，甚至从中去挖掘'出污泥而不染'的'人性闪光'……"

　　春冰说："我们现在当然还是要谴责啦！……可是别光谴责那些女孩子，你这节目应该让观众想到一些深刻的东西……"

　　宁肯摇头说："电视嘛，整个儿是肤浅的东西……它很难深刻……不过我们还是下决心来拍一回吧……"

　　春冰晃着头发说："咱们别讨论这个了……哎，反正我今天真开心！……"

　　宁肯笑应道："是呀，目的是并不重要的，可贵的是这奔向目的的整个过程……"

　　春冰说："亏得那位雍大作家不在这儿，他要听见，又该叹气了！……"

　　那是确实的，雍望辉跟他们这样的年轻人混在一起的时候，总是感叹：你们是重过程轻目的、重心情轻思想、重此刻轻来日的一代！由你们形成的未来，想起来真是惊心动魄啊！

69

　　百盛购物中心比起赛特、燕莎、国贸、城乡、双安等豪华型购物中心来说，地铁出口与其相连是一大优势。

　　他如今在地面上不大坐公共汽电车了，打"的"已成家常便饭。可是他常常利用地铁。乘坐地铁虽然拥挤一点，可是十分快捷。百盛既然与地铁相连，也便成了他购买生活用品的常往之处。

　　这些天他深居简出。他基本上是坐在那城内平房院的书房里，心里漾涌着写作的冲动，可是一旦坐到书桌前，他却又不能顺利地写下去……结果往往是又从书桌前移到书柜前，凭着一时的直觉抽出某本书来，坐到摇椅上，翻看起来……但最后竟然多半是仰靠在床上，书掉到了地上，痴望着天花板……那脸盆里的水影折映到天花板上，幻化成许多的象征性符号，牵动着他许多或忧郁或狂放，或混沌或清澈的思绪 …… 在那不觉时间推移的冥想中，他便睡着了 …… 从一个或险恶至极或欢愉无度的梦中惊醒过来时，他便不仅感到身上寒冷，而且腹中饥肠辘辘 ……

他懒得做饭，也不甘心总是吃方便面，于是他就往往走向街头觅食。这天因为还想买点东西，便乘地铁来到西长安街复兴门路口的百盛购物中心。

他先乘电梯直奔顶层。那里有面积很大的"美食天地"，并且还有一隅卖现出炉的热面包，兼卖热饮。他便去自选了两个咖喱面包，要了一客热咖啡，找了个靠大玻璃窗的空桌，坐下来先解决肚皮的问题。

他边吃边想：我的写作为什么总不顺利？是因为我没了生活积累？是由于我失却灵感？抑或是我总找不到一种最顺手的叙述方式？ …… 都不是，的确都不是！ …… 那是怎么回事？ ……

他朝玻璃窗外望去。外面是复兴门立交桥。车水马龙，显示出社会生活急促的脉搏。对面不远处，几座新封顶的高层建筑进一步改变着这个都会的天际轮廓线。他贴紧玻璃窗俯望，则看到一个个具体而微的人，正进进出出于这栋购物中心 …… 有两个人，一男一女，可能是两口子，不知为什么竟在这购物中心门口反目，揪揪打打，将手中的东西亦掼到了地上；然而从他们身边擦肩而过的人们竟没有一个人站出来为之劝解 …… 也未必是"事不关己，高高挂起"，那些人更可能是根本就并没意识到正在发生一场小小的冲突 …… 人们虽然离得这样的近，却各自过着属于自己的生活 …… 近了，又远了，远了，也许就再不会相遇了 …… 这似乎极其无聊，也并非多么古怪的小小一幕，却忽然使他有一种憬悟！ ……

是的，我明白了——他对自己说——我写不下去，是因为，我不能确定：究竟是"向内写"，还是"向外写"？ ……

"向内写"，就是基本上只面对自己的心灵，或从个体生命的体验中，提炼记忆存储的精华 …… 比如，砰砰砰，霍木匠挥锤钉窗，短胳膊上肌肉的律动，上下唇挤得紧紧的，前伸为一种怪异的神情 …… 由此生发出种种情愫，可能包括沉痛的控诉，更应当饱含真挚的忏悔 …… 或者连个人记忆也不必挖掘，而是任凭个人艺术趣味的游弋，营造出一个自我圆满的想象空间，比如祝羽亮正在做后期的那个《栖凤楼》 …… 是的，"向内"，也许确是一种现时代的莫可抵御的创作潮流，具有某种毋庸置疑的合理性，并且对创作者来说更具有妖娆的魅惑力……

"向外写"，却是为自己设定了一种不仅要诠释自我，更要诠释自我所置身的环境，包括他人，包括种种目睹身受的社会群，包括与个体生命共时空的种种生态风情与相激相荡……这样，就或者要努力为一个时代的瞬间留下一份生动的记录，或者以变形的寓言手法为后人留下解读这个时代的一把钥匙……

无论"向内"还是"向外"，他以为终极的追求应是探索人性……

然而，究竟是"向内"还是"向外"？既"向内"又"向外"？这实在太难了！这恐怕是弃巧求拙的笨伯才会选择的荆棘之路……

不知不觉地，他已经吞下了那两个面包。咖啡有点凉了，他小口地呷着。

忽然有个人，端着托盘，坐到了他对面，招呼着他，对他露出整齐的白牙，笑着。

他定神一看，是纪保安。

"……您在这儿，出什么神啦？"

"咳……我么……还不是在琢磨，我那小说，怎么个写法……"

"您现在写的这本，什么题材？"

"怎么说呢……不好说……个人记忆，加上某些他人记忆……当代众生相……总想探索：人性，究竟是怎么一回事儿？……"

"众生相？那一定好看！……里头有没有英雄？……我说的可不是'高大全'那样的人物……我总希望在当代作家的书里，看到些激动人心的东西……"

"现在人们的心，是很难让它激动的了……你在电视台的那个言论节目，有激动人心的效果吗？你跟我说老实话！……"

"……那是，我虽然收到一些观众来信，可没谁说听了很激动，除了提意见的，多半是提问题希望下回给予解答的……我那毕竟不是文艺节目……小说什么的就不一样了，当然，我懂，小说也可以是各式各样的，有的小说它并不指望读者激动，作者冷静，他要读者也跟着他冷静……有的小说甚至是非理性非情感也非逻辑的，只是叙述方式上新颖奇特，游戏文字，引入惊奇而已……可我总觉得最该有的一种小说，还是能让人读了怦然心动的，不激动也感动，不感动也多少引出来一些个思索……"

"有人会认为你是在坚持一种过了时的，古典的小说观……当然我是理解你

的想法的 …… 古典，也往往就是经典 …… 用这样的标尺衡量 …… 你的期望值够高的！ ……"

"…… 也许，我这种期望不仅是太高，也太不合你们文坛的时宜 …… 我总希望在小说里看到承载着崇高理想的英雄形象 ……"

"…… 你要什么样的英雄？你奶奶那样的？ ……"

"我要现时代的！"

"如果写小说的他一时还没遇到那样的人物 ……"

"那就想象一个出来！"

"…… 啊，其实不必想象，有了 …… 林奇！我们文坛上本来就有英雄啊！ ……"

"谁？ …… 哪个林奇？ ……"

他便加以说明。纪保安没等他说完便说："啊，他呀！知道知道 …… 那算什么英雄！那是个怪人！"

"可不少人，特别是年轻人，对他崇拜得五体投地！"

纪保安笑说："我也不老啊！我这样的年轻人也不会很少，我们心目里的英雄可不是这样的！ ……"

"保尔·柯察金那样的？"

"坦率地跟你说，也不是！"

"也不是？"

"…… 你以为我的思路，跟我爸一个样？ …… 他们那一辈的，有不少都跟他一样，还没从苏联的模式里超越出来 …… 这当然也难怪！ …… 十月革命，阿芙乐尔号的一声炮响，当然了不起，开放出了灿烂的理想之花！奥斯特罗夫斯基写的那本小说，不但充溢着正义的激情，艺术上也是成功的！保尔·柯察金这个形象，他那为理想献身的精神，那坚强的意志超绝的毅力 …… 不消说都是非常值得当代中国青年钦佩和学习的！ …… 可是，我跟我爸他们的分歧就来了——我认为这本很好的书，保尔这个很不错的艺术形象，也是有明显的缺点的 …… 这本小说里，显示出对市场经济、个人利益、民间空间的偏激批判与排斥，比如保尔对他哥哥的那种否定与批判，我以为就并不恰当 …… 我这样说并不是苛求一位早已作古的残疾作家，更不是诋毁一本久负盛名的革命小说；我的意思是，面

对苏联的解体，我们应当深思，苏联式的社会主义，其本身是否确实已包含着无
法再支撑下去的消极因素？…… 我们现在所搞的，所维护的，都并不是苏联式的，
保尔所参与的那种社会主义，对不对？何况时代已大大不同！…… 我们现在搞
的是有中国特色的社会主义，所以我们现在没必要再把这本书当做教科书，而只
能是当做参考书；保尔这个英雄形象也只能算是个精神上的正面参照物，而不能
将其小说中的思想行为移到今天的中国进入操作……"

"嘀，你这真是惊世骇俗之论！"

"我自认真理在我——还不仅是我——跟你说，我的同志不敢说很多，却也
不少——真理在我们手中！…… 是的，真理往往既不在极少数人手里，也不在
绝大多数人手里，而是在一部分人手里！…… 不要总让苏联的解体像噩梦一样
缠绕着自己！……"

"你为什么总苏联苏联的？现在好像都要说'前苏联'……"

"我不采纳那个提法！没什么道理！苏联就是苏联！它解体了，也还是要称
它为苏联嘛！就像苏联出现以后，我们称老托尔斯泰时代的那个国度，就说是俄
罗斯，而用不着说'前俄罗斯'！…… 你嘴上'前苏联、前苏联'的，什么意
思嘛！难道有个'后苏联'吗？…… 比如《钢铁是怎样炼成的》这本小说，说
它是'苏联小说'，准确得很嘛！说它是'前苏联小说'，画蛇添足嘛！…… 你
笑什么？"

"请原谅…… 我不是讥笑…… 我只是觉得实在新鲜！…… 现在传媒里都是
用'前苏联'的提法啊……"

"那也不是一概没有道理，但那只是一个特指，比如说到乌克兰，为了尊重
历史，可以在某种情况下称它为'前苏联成员'…… 我在我那个专题节目里，一
般情况下就直呼苏联，比如我说'苏联歌曲《卡秋莎》'而不加个'前'字；苏联
虽然解体了，它留下的艺术瑰宝却没必要随之连产生的时空都没个准确的归属
了！好比我们说到欧洲历史上早已解体的普鲁士，普鲁士就是普鲁士，谁非说它
是'前普鲁士'呢？再好比我们说曹雪芹是清朝作家，这就够了，有必要说他是'前
清朝作家'吗？……"

纪保安咄咄逼人的雄辩，多少有点挫伤他的自尊…… 他不禁说："没想到真

正的新潮人物在这儿呢！卢仙娣、野丁之流真是相形见绌了！……"

纪保安继续振振有词地议论说："……我们确实正在开创非常新鲜的事业！我们正在进行制度创新！中国，将向全人类昭示：它既不走苏联那走了七十多年走不下去的路，更决不走西方那条路！其实中国几十年来的发展过程里，只有很短一段是'全盘苏化'，并且那一段里也还并没有真的'全盘'，60年代中国已经另辟蹊径……到80年代，更是自有特色！我就常跟我爸吵：紧张什么？我们早已不是苏联那种社会主义！它解体是它的事！心里去跟它类比，没必要！……担心中国'全盘西化'？更不用焦虑！中国不应该，也走不了西方的路！现在的中国，其实已经初现端倪——为人类开创出一种既不同于苏联模式，更有别于西方资本主义的新型社会主义体制！……且看21世纪的中国吧！一种以往人类社会中没有过的，行之有良效的崭新体制，将令世人刮目相看！"

他并未被纪保安说服。只觉得纪保安眸子里闪动的光芒，确有一种撩人心弦的力量。他不禁说："当代英雄，就是你这样的人吧？……你无妨自己来写你们，写你们当中最杰出的角色！"

纪保安认真地说："可惜我驾驭不了小说这种形式！……我倒真想把我知道的一些个人和事讲给你听……"

他便说："有机会听听……"

说实在的，他当时并没那份兴致。他的咖啡已然喝完。纪保安也吃完了他的面包、喝完了他的红茶。到了晚餐时间，整个"美食天地"里人声蝇蝇不息。

纪保安却问："你忙着要到哪儿去吗？"

他说："那倒没有……"

纪保安便说："那我们何妨多坐一会儿！我再去买两杯咖啡，你等着……我要把我们一位副部长的事儿跟你简单说说！……"

纪保安取咖啡去了。他仍了无兴致。副部长？一位官员！他为什么要听这人的事儿？……他脑际不知为什么飘出卢仙娣笑歪了的脸，跟着又是林奇炯炯逼视他的一双眼睛，还有老豹抖动的腭筋，以及听了老豹自述后，这些天来所想象出来的那个韩主任、韩市长的发了福的身影……

他差点儿离座而去。

70

…… 你怎么回事儿？ …… 疲惫？ …… 哈，别以为我看不出来——你不是没精神，你是没兴致！ …… 你为什么只对《栖凤楼》那种东西感兴趣？ …… 不？ …… 那你是对那个林奇，对他那一套感兴趣？可林奇那一套，能给千千万万的普通人，带来什么实际的好处？ …… 对了对了，你是对你自己感兴趣罢了 …… 创新的艺术啦，走向世界啦，超凡的品位啦，文本的颠覆啦 …… 总之，你不想听我给你讲我们副部长的事儿 …… 你那心理有障碍，我明白！ …… 可是我以为你无妨听听 …… 你愿意听？本来就愿意听？ ……

…… 你会听见些什么？也就是说，我要给你讲些什么？ …… 讲我们的副部长，怎么自己忙得连盒饭也吃不上，可却向灾区捐献了 3000 元？或者讲他怎么接到母亲病危的消息，却顾不上赶去见上一面，以致家乡一些亲戚责他无情不孝？或者讲他在国外访问时，如何用莎士比亚喜剧里的名句，巧妙地顶回了对方的无礼要求？ …… 我会使用一种什么样的叙述策略，来让你感动得热泪盈眶，或至少是鼻酸难忍？ ……

…… 我知道你这种人的脾性，能感动常人的事物，未必能感动得了你 …… 可我其实也并不是想让你感动 …… 我们正处在一个认知的时代，而不是感动的时代，对吗？ …… 我们的副部长今年刚过 50 岁，他是 1965 年的大学毕业生，毕业以后被分配到边疆一个小县城，当一个小厂的技术员，他在那儿经历了整个"文化大革命"。"文革"结束后他从技术员升成了工程师，又从小厂调入了大厂，从车间主任，升副厂长，升厂长，再调行政管理部门当副科长、科长、副处长，再升处长，然后是副局长、局长，一直当到副县长、县长；在他一级一级升上去的过程中，这个县的面貌一步步地发生着明显的变化，当然那不是他一个人的功劳，但除了少数讨厌他的人以外，县里绝大多数人，尤其是普通老百姓，对他是有口皆碑。这样，到 1984 年，他就又升到了副市长的位置，很快又成了市长，结果那个市又富裕起来，引人瞩目，到 1992 年，他当了副省长，去年，他调北京，当了我们部的副部长。他官运亨通？是不？可他出身贫寒，没有什么现成的上层背景，他是靠自己的能力，靠一个台阶一个台阶地往上升 …… 你说是爬，对，他就是这么一个台阶一个台阶爬到了今天的位置！……是你说过的吧——人们到处生活，是这样，人们到处生活，到处都有各种各样的人，因此有各种各样的志向，各种各样的想法和活法……我们这位副部长可以说就是一位跟你们那个圈子里的人很不相同的人物。他承认，他从小就想当官，走仕途，他上小学时当上了少先队大队长，上中学时当上了团支部书记，上大学时是学生会主席……就是在"文化大革命"当中，他也一度是"保皇派"组织的"勤务组长"，后来又成了"革命委员会"的副主任……他承认自己总想当个负责人，觉得自己能担负起很大的责任，他不讳言这一点，但他说，他每往上升一级，对，就是每往上爬一步，都是遵守社会公德，遵守官场的"游戏规则"的，他从不胡来，不犯规……并且主要是靠政绩升上来的，他对此引以自豪……

……说真的，我原来对他是很不以为然的。有人到处宣扬他自己忙得吃不上盒饭，却向灾区捐献了 3000 元，其实他这人是并不放弃一切规定范围之内的待遇的。他家离办公大楼并不远，可是他还是让司机每天开着桑塔纳轿车接送他；他出差在外，总是住带套间的客房；他每次出国，该领的补助从来不放弃……忙得吃不上盒饭的事固然是有，可总共也没有几次；倒是我们这种处以下的干部，可能忙得盒饭都凉了还顾不上吃的情形更多些吧……捐钱的事我更清楚，那是他牵头整理并领衔署名的一大本专业著作，发下稿费，连同评上了一个奖，到他名下整 3000 元，他得的份额比其他人都多，所以他就捐了……你明白吗？这就是他善于当官之处！……还有他没回家乡给他母亲送终，那一来实在是因为工作离不开，二来，有一回他跟我吐露了心迹，说是他对母亲感情确实并不怎么深厚，因为他从小就由伯父伯母抱养，后来便一直独立生活，所以他得到母亲病危的消息时，只是及时地跟家乡的弟弟通了电话，又汇了一笔款去……有人宣传他如何如何因公忘私，那是夸张了！……至于引用莎士比亚喜剧中的名句，顶回洋人的不敬之词，事后他跟我说，其实他的英语水平并不高，那引用并非是"随手拈来"，而是根据以往外事活动中的经验教训，有意事先准备好了十来句类似的"杀手锏"，本也不敢轻易使用，偏那回恰好对榫，便抛了出去，竟收奇效……所以，我对他的佩服，也并非来自这些个方面……

……我佩服他什么？……怎么跟你说呢？我知道，你们不喜欢听种种抽象的议论，而是喜欢细节，生动的细节 …… 细节当然有，谁的生活不是由一串串的细节构成呢？…… 大约 50 个小时以前，我和副部长一起，在部里计算机中心的机房里，参与从 Internet，也就是全球信息联网，所谓"信息高速公路"上，去获取某种我们必须掌握的数据 …… 我感到他，就是副部长，处在一种亢奋状态，为他自己能这样地参与，并且指挥，最后据以拍板，而容光焕发 …… 他显然有了一种成就感，他的个人价值，在这样一种国家价值的推进中，得以体现！…… 大约 40 多个小时以前，我们又是在飞机上了，飞机上供应鸡肉饭，热腾腾的，他吃完一份，又要了一份，还喝了一份红酒 …… 我们到了下属一个机构，立即召开了一个会议，他听取了汇报，干脆利落地发布了几项指示 …… 下午我和他，由下属部门头头们陪同，来到一个基层单位做实地考察 …… 临走时，他根据基层所反映的情况，补充了两点指示 …… 我们又驱车来到机场，可是因为天气原因，飞机不能起飞，于是他让我马上电话联系有关部门 …… 我们赶往火车站，乘软卧回北京 …… 按规定我只能坐硬卧，他当然不那么教条，他让我陪他坐了软卧 …… 车厢里只有我们俩，都很兴奋，便都不睡，坐在那儿侃山 …… 我问他："你为什么这么喜欢当这个官？"他笑了，说："你看出来了？是的，我喜欢！官场很凶险，官场无朋友，官场风云变幻，乌纱帽重如铁罐 …… 可是，毕竟，我觉得我所做的，是能让国家富起来的事！当然，国家富了，还有个分配公平不公平的问题，而我也还能在促进公平分配上，起些个良性作用 …… 这就过瘾！…… 为了这个，经些个风吹浪打，就算最后乌纱帽压瘪了脑壳儿，也认了！"我就说："这也是'过把瘾就死'啊！"他听不懂，他不知道有个作家叫王朔，更不知道王朔写了个小说叫《过把瘾就死》……

…… 他精神头真大！我们侃到深夜才躺下睡觉，我一觉醒来，对面铺上没他，推开软卧间的门，他在过道的小凳上坐着呢，朝车窗外凝视 …… 外面的天光还朦朦胧胧的，东边地平线上，是些殷红的云影 …… 火车穿过了一个隧道，沿着一条河行驶，河对面是一座小山，小山有座孤零零的房子，窗里透出灯光 …… 我和他都看见了 …… 忽然他对我说："谁住那里头啊？…… 他们可到哪儿打酱油去啊？……"他说这话时，脸上的表情很认真 …… 我一下子对他大佩服 …… 是的，大佩服！…… 这是我接触那么多的大干部，没遇上过的情况 …… 你觉得好笑吗？……我太幼稚了？……随你怎么说我，反正我一下子意识到，这块土地上有各种各样的人，有理想的和没理想的，有这样理想和那样理想的……而我们的这位副部长，他是真有理想，并且他的理想是很实际，很淳朴，也很美丽的……就像那地平线上越来越红得像玫瑰花瓣似的天光……

……这是大约 12 个小时以前……下了火车有车来接我们……我们各自回家……大约 9 小时以前我们又在办公大楼里见面，他居然又头发梳得光光溜溜，胡子刮得干干净净，西服笔挺，换了一条赭色的领带……他正在外事局长陪同下往外走，显然是去跟老外谈判……他看到了我，可顾不上跟我打招呼……我则去办我的事……直到下班……我在这儿遇上了你……

……这算得上什么英雄人物？你问得有道理。还算不上！一般来说，当干部的，就算是很不错的干部，只要他还活着，就总难被人视为英雄；但是如果死了，那就会把他一生的好事都堆砌在一起，堆成一座闪闪发光的英雄山，对他的宣传表扬，那是不到逼出你的眼泪，绝不罢休的！……这是个什么规律？你也无以名之？但这确是一种约定俗成的政治文化，对不？……

……我并不是说，我们的这位副部长，就算得一个英雄人物了，但他够得上是个正面人物吧？……你反对"正面"、"反面"这类的简单化提法？是的，你们那个圈里的人，认为每一个人都是复杂得一塌糊涂的，说不清道不明的，亦反亦正的，变幻莫测的……你们的那个道理很有魅力，但是，对不起，我要跟你说，每一个人固然都确实是复杂的，但那复杂的总和，却各不相同。有的人他那总合起来的趋向，便是恶，有的则是善，善即是正面，大善大智大勇，即英雄……我是主张弘善抑恶的，因此我渴望在文学艺术作品中看到理想的闪光，看到以正压邪，看到正面形象，看到英雄人物！……

……你说我们这位副部长太一帆风顺？说他一帆风顺，倒也是，不过要去掉"太"字；是的，他倒大霉的时候不多，也就是"文革"当中，他被"造反派"当做"保皇派"的"坏头头"揪了出来，挨了批斗，下了"牛棚"，受了一阵子罪……不过那时间不算太长；揪他的那一派，是北京地质学院来串联的"红卫兵"封成"造反派"的，地院"红卫兵"的总司令叫王大宾，是"通天"的……你当然知道，你都经过的！……谁知王大宾他们好景不长，没过两年，70 年代初，就不灵了，我们副部长他们那一派，就"老保翻天"了，他在"老保"里又属于温和派，不搞报复，通情达理，所以颇得人心，没过多久就当上了"大联合"以后的"革委会"副主任，他的"升官图"，其实是那时候才正式画起的……我知道，他跟当年整他的某几个"造反派"头头，还保持着一定联系，那几位如今混得都没他好，有的可以说是相当地潦倒……有一回，也是跟他一起出差，路上闲聊，提起"文革"往事，他跟我叹息说："其实那时候我们年轻人，凡当头头的，不管是'老保'一派，还是'造反'一派，都是很聪明能干的，都想在时代潮流里，充当一个成功的弄潮儿……可惜我们那时都没成功，因为，我们的激情和奋斗，只是推进着极端的理念，而没能落实到富裕这脚下的土地，和使这土地上亿万人过上安康快乐的生活……"

……他在仕途中，其实是经常遇到顶头风和暗算的，不过他运气好，总能越过去，总没给绊倒……就是去年，他也还被暗算过，那真是癞蛤蟆蹦上了脚面——咬是没咬着，可恶心到极点！……我在部里，还有个纪检会委员的兼职，有一天，我们的纪检组组长把我们所有兼职委员都找了，让我们传看一封匿名检举信。那封信举报说，我们那位副部长在出访德国期间，到性商店买回了一种"夫妻快乐器"的淫具……这搁在西方国家的阁员身上，也是有失身份的事，何况在咱们国家！……我是跟副部长一起去德国的，我就说我可以作证，他每天日程排得满满的，我作为随员一直在他身边，译员也可以作证，他根本不可能去性商店！……可是，议论中，有一位却阴阳怪气地说："那他可以在晚上，你们都睡了以后，自己一个人去呀……"这真是匪夷所思！气得我一时说不出话来……由此可见，我们部里人际间关系是复杂的，人心所思更是大相径庭的……纪检组组长最后做出决定，一是由他亲自找副部长本人谈谈，二是所有当时与会的人，一概不许扩散这封信的内容……纪检组组长找副部长谈时，特别把我叫去，我就坐在一旁听他们谈……一开始，副部长非常生气，他没想到有人会这样算计他；后来他冷静下来，说他家确实有那样一种东西，不过那并非是他从德国购买的，那种东西其实在北京的"亚当夏娃商店"早已有售，也确实是从那家商店里买出来的，但并非他自己买的，而是他的一位中学同窗，现在在大学里专攻韩非子的学者，买来送给他的；这是一种少年时期的同窗间的幽默行为；他接受这位同窗的这一礼物，丝毫不会影响到他所负责的公务；而且这东西虽奇特，却也值不了几个钱……他说他百思不得一解，他家卧房里的事儿，怎么也有人拿来作为控告他的材料，这完全是个人私生活中的隐秘嘛，怎么可以拿个人隐私来进行攻讦？……我在一旁听着，一言未发；纪检组组长听完说，就这样，这事都不要再提了……后来纪检组组长向部长做了汇报，据说部长听完说："乱弹琴！唯恐天下不乱！"那时候他正倚仗我们那位副部长抓一个大项目，这个"癞蛤蟆"蹦到副部长的脚面，不影响情绪那是不可能的……

……后来，有一天，也是我们一起出差，很晚了，在他住的套间外头，我们坐在沙发上谈完工作，他主动说起了这件事，他告诉我，他和他爱人分析了很久，最后恍然大悟——他们把那东西的包装盒，搁进了垃圾袋；他们那栋公寓楼，各家的垃圾都是装在垃圾袋里，送到楼下的指定地点，以便清洁工来统一装运的；他说，估计是有人在清洁工来敛运前，有针对性地取走了他家的垃圾袋，打开进行了搜索！他说："这实在是个悲观至极的判断！可是我爱人她有一天发现过某邻居的这种古怪行为……"他没点出那位邻居的名字，可是我熟悉他们那栋楼里的所有住户，住的大都是我们部里副局级以上的干部，其中有一两位，据我所知，是实事干不来，而官迷心窍，走火入魔的角色，一天到晚就憋着要混个副部级，你要当副部长，你拿出真本事来，做出成绩来，公开竞争嘛！可是他们却净搞些个歪门邪道，主要是时不时地整现任副部长的黑材料，有时公开向纪检组呈递，有时就化成匿名信寄来，从罗列其"错误言论"到举报其"淫秽行为"，无所不用其极！……他们中会有一位无聊到从别人垃圾袋里挖掘"罪证"的下三烂地步吗？……你没有这样的想象力？可我却深信有这种败类！……当然，这只是极个别的现象，官场总体而言，也还不是滑稽到了这种地步……副部长就这样跟我谈心……我是他的心腹？你可以这样看问题……实际上每一级的官员总得有他的心腹，是心腹，那有时候就会推心置腹地谈谈……我就问他："你不觉得可怕吗？连家里的垃圾都会有人扒拉检索？这不是防不胜防吗？"他笑笑说："其实也没什么好怕的……我想开了，因此我现在不设防……以不设防对阴沟里射来的明枪暗箭！"……

……那一晚，我更深地理解了他……他是下定了决心，要以在修身齐家方

面的无懈可击，以治国平天下方面的政绩实力，继续在政坛上步步迈进 …… 他
有野心？不，我以为那不是野心而是雄心 …… 正像你们那个圈里的人，有的想
写出不朽的作品，有的想成为国际大导演，有的想成为戛纳电影节影帝影后，有
的想成为中国的毕加索或在世的齐白石，有的想成为以其理论震撼全人类的思想
家，有的，比如林奇，看来是想成为新一代的教主教宗 …… 那么，现在你要知道，
也有我们副部长这样的人物，他想成为一个政治家，一个在组织社会生活中起到
很突出的良性作用的大公务员 …… 对，就是想当大官，一个好的大官 …… 这也
是多元的人生取向中的一种，并且是不可忽视的一种，对不？ …… 你为什么笑？
你说我是在步他后尘？那又怎么样？至少，我们扬起的步尘，不比你们那些个人
生追求所扬起的步尘，更令人齿冷！ ……

　　…… 那一晚，他主动跟我讲到了他的私生活 …… 他说他的爱人，是在他最
困难的时候，就是他 26 岁那一年，被"造反派"当做"保皇派"的"坏头头"
揪出来，押到农村养猪的时候，跟他结合的 …… 他说他开始简直没有意识到，
那个跟他一起在猪圈里起粪喂猪的贫农姑娘，竟看上了他 …… 那是一个夏日的
晚上，他在猪圈旁简陋的土房里煮猪食，整个茅草顶的土屋里弥漫着灶里冒出的
白烟，还有浓酽的猪食的气息 …… 那爱他的姑娘来了，帮他做事 …… 外面天黑
了下来，当他坐到木床上小憩时，正跟他说着一些很平常的话的姑娘，突然一下
坐到了他的身边，他还没回过神来，姑娘已经扑到了他身上，两只丰满的胳膊紧
紧地箍住了他的身子 …… 他们便在那间土屋里，双双互献了童贞 …… 他说要不
是出现了那样一个奇迹，他在那种万念俱灰的情况下，是很可能投湖自杀的 ……
他说那地方有个湖，不大，却像一口锅一样，滑落进去，会一直落到很深的"锅
底" …… 湖里有些长得很怪的鱼，村里人从不吃那些鱼 …… 在他绝望的时候，
他望见那湖，总觉得是一张巨大的嘴巴，仿佛在时不时地跟他说："来来来 ……
让我吞掉你 …… 我吞了你，你就痛快了 ……"可自从他和那姑娘发生了关系，
再看见那湖，那湖就总像一只巨大的眼睛了，风吹过去，湖上水面起皱，就仿
佛是在跟他眨眼皮，跟他说："怎么样，不错吧？不管怎么样，活着总是挺不错
的 ……" …… 到他平反以后，他们就结婚了 …… 后来他步步高升，他爱人随他
从县到市，从市到省，从省到中央 …… 现在他爱人是另一个部行政处的一个普

通办事员 …… 他现还爱她吗？是严格意义上的爱人，还仅仅是妻子，甚或有可能一朝成为前妻？…… 是的，他们的爱情和婚姻有危机，这位女士文化水平很低，实际上连小学毕业都是"号称"…… 农村出来的女人，年轻时或许还能以丰满的身躯与充足的血色取胜，过了 40，便不免呈现出粗糙的黄脸婆面貌 …… 还有，对，你可想而知，他们的共同语言不是越来越多，而是越来越少 …… 这位副部长夫人当然非常担心，担心遭到抛弃 …… 副部长跟我坦言，维系正常的夫妻生活，能起到"此时无声胜有声"的作用 …… 他说他不是没有爱其他女人的权利，更不是没有那样的机会，可是他放弃那个权利，并且不利用所有的机会，这里面自我道德约束还不是最主要的因素，起支配作用的想法是他必须做到私生活上中规中矩，以便在越来越趋于透明化和取决于公众印象的政坛上，能具有更大更高的爬升率 …… 他说他爱人毕竟是农村里出来的，别看已近 50，那方面的要求还是很强烈的，在数量和质量上都有不含糊的索求，因此他必须尽丈夫的义务 …… 这也是他接受了那位韩非子专家，那位中学同窗好友的奇特馈赠的原因 ……

…… 你为什么脸上总挂着这么一种微笑？…… 没恶意？…… 我真的不知道你听着我这些话在想些个什么！…… 不管你怎么想吧！反正我是要告诉你，社会生活需要人来组织，而这个体制它是还有充足的组织能力的，因为它其中有一批像我们这位副部长这样的 …… 你说是技术官僚？你说这称呼没有恶意？好吧 …… 你应当了解他们 …… 不要总把他们写成一些比如说拒绝应享的待遇，因此竟英年累死的英雄；或仅仅写些包公式的清官，如何平反冤狱，解救平民，整倒了赃官 …… 那一类的故事 …… 其实我们这个社会现在最重要的是以先进的技术和管理手段来使民族致富，以及建立合理的"游戏规则"，使每个公民都有获取成功的机会，还有健全抑制暴富和救济穷人前提下的按劳分配机制 …… 因此，真正的好官员，有很多是从事这一类工作的 ……

…… 你累了吧？…… 很抱歉，我让你听我说了这么久 …… 感谢？你真的感谢？……

…… 看，外面已然是华灯闪烁了 …… 好，就这样，再见！

71

漆铁宝和老伴一起来到那个商场。那是一个中等规模、以出售中低档商品为主的国营老商场。漆铁宝租用了商场北门一小块地方,摆上了电动爆花机,卖"美国爆米花"。老伴则揽了个在商场门口看管汽车停车场的活儿。那个早上天色阴沉沉的,仿佛要来场雨夹雪。商场还没开门营业。漆铁宝进去做开爆的准备,老伴则把一个标志其身份的红袖箍套在了胳膊上,手里捏着一沓停车收费的标价收据。

商场前的大街上已然车水马龙,上班的工薪族挤满了公共电汽车,骑自行车的人流时时溢出慢车道去,有的小轿车司机便从车窗里对违章的骑车人发出怒骂 …… 但商场前那块不算大的停车场还是空空荡荡的。

漆铁宝爆出了头锅玉米花,因为舍得搁糖稀,所以从商场尚未开启的大门那门缝中,飘散出阵阵诱人的甜香 …… 老伴任那股甜香袭上鼻端,心里暖洋洋的;她在那块地盘上转悠着,想到头晚两口子算出的收入账,半个月净挣了三百来块钱 …… 这下心里头踏实了,不光能按计划收回投资的成本,年底换台彩电看的愿望也不难兑现了啊 ……

漆铁宝老伴忽然发现有辆出租车开过来,不当不正地停在了那儿,她忙赶过去,吆喝说:"嘿,我说那位师傅 …… 那儿不准停车!你把车开进来!"她打着手势,让那车开进停车场里白线画出的车位里。可那司机根本不理她的碴儿,她急了,凑拢那车,弯下腰,朝车窗里瞪视着;她只剩一只眼还有视力,所以她那张望的模样挺古怪,这让司机很不愉快;司机很不客气地跟她说:"嘿,你离远点成吗? …… 你不就是想收我的费吗?你今儿个还没开张对不?成成成,给你给你 ……"说着便递了两块钱到窗外。那漆铁宝老伴且不接那钱,理直气壮地说:"你开到位子上你再掏钱!咱们可是有领导有规矩的 ……"司机不吃她那一套:"嘀,你还有领导!你把他请来! …… 我在这儿等个客,这就到 …… 到了我就开走 …… 交通警还没管我呢,就轮到你给我立规矩啦? ……"

两人正纠缠着,从人行道上急匆匆来了一个人,是个穿高跟鞋的女人,她那鞋跟敲得路面一串脆响 …… 来到车前,她连眼皮也没映漆铁宝老伴一下,打开车门就坐到了后座上;而司机没等她坐稳,也就把车开动起来 …… 漆铁宝老伴后退一步，望着那车屁股朝马路当中扭去，后悔自己没接过那两块钱来……开车的司机是富汉，坐进车里的是自称凤梅的女人。车都已经开到马路上了，富汉才问："去哪儿？"

凤梅说："机场。"

方向根本不对。富汉也不说什么，只是暂且还往前开。凤梅知道一时还不能掉头，也便不再言语。

富汉的呼机是一大早得到凤梅的呼叫的。通话中，凤梅让他到这个商场门口来等她。这个会合地点他们以前从未使用过。富汉不问"为什么"，也不问"干什么"。这一半是因为性格，一半是因为在江湖上不兴那么多嘴多舌。互相既然信得过，那就用不着那么多废话，一切都有待于"到时候看着办"。

凤梅自然有过多次赴机场乘飞机旅行的经历，可此前她去机场都没让富汉送过。这回她除了一个随身挎包，连一个小拖箱也没带，实在不像出远门的样子。可偏偏这回，她很可能是一去不返了……

汽车终于在一个可掉头处掉转了头，富汉简捷地问："几点的？"

凤梅回答他："来得及。"

汽车出了二环，朝三环而去……

凤梅望着车窗外连续掠过的高楼剪影，石头般的心肠有些个糊化。当直插云霄的京广中心映入她的眼帘时，她蓦地回忆起头一回进入大饭店时，被那富丽堂皇的景象所震慑的心情……还有头一回得到镶蓝宝石的足金项链——那是一整套，装在一个紫红色泛绿光的丝绒盒子里，还有与之相配的戒指、耳坠和手链——当时，"心花怒放"再不是书本上的一个僵死的词汇，而成为流动在全身血液里的一首歌曲……可是"好景不长"，没过半年，因为一切都来得太容易了，当她再次走进豪华的购物中心，所有标价最高的商品对她来说都没有了"买不起"的心理压力时，她那份失落感啊！有几个人能领会，能相信呢？那真是痛苦得没法子排遣！……当她一个懒觉醒来，日光映上她床铺，那粉浪般的鸭绒被散发出法国幽兰香水的气息，而她想来想去，满京城再也想不出一个新的有吸引力的消遣场所时，又是怎样地受煎熬啊！是呀是呀……到哪儿去？去干什么？……去昆仑饭店吃上海风味餐？到顺峰点上一大客龙虾？往东湖别墅去再试试那儿的西餐？还是到丽都假日饭店喝杯德式鸡尾酒？凯宾斯基饭店和香格里拉饭店虽最称雅致，可难道还没去够？大世界娱乐城太俗，Hard Rock 餐厅太吵，竹园宾馆有点阴森，懋隆的首饰总无新款……而最最要命的还不在这些个吃呀穿呀喝呀玩呀什么一概乏味无趣……最最要命的是，怎么她见着谁都讨厌？……

……如今这一切总算都可以画上一个……不是句号，也是分号，一个大大的分号……她想到了他那张油晃晃的脸，脸上的那副"价值连城"的眼镜，那眼镜后鼓鼓的眼珠……慌什么啊！……不是才查到无锡吗？……无锡的糖醋小排骨实在不怎么样！不合我口味！苏州卤汁豆腐干还差不多……"你怎么这时候还说这些个！"那你要我说什么？我说"你甭慌"，你听得进吗？……好，先把我送出去，我正想挪挪窝呢……护照签证什么的都是现成的……那我现在成哪国的人啦？我算是他们哪国的哪门子杂种了呢？……话太难听？那当初你怎么不找个舌头尖上光开花不带钩子的主儿呢？……

……那边机场有人接应……是呀，能从银行里随便拿出大把钱来的主儿，自然也就能把那些个钱三变两变变成大把的外国钱，在境外注册连妈带儿子的一串子公司……我有了那其中一个儿子公司的总经理身份，自然一下飞机就有车来接，有房子好住，有秘书好支派，有女佣来照应……是的，那叫做"小心伺候，色色精细"……类似这样的"八字方针"他还叨唠过多少？……"食不厌精，脍不厌细"；"人别犯我，我必犯人"；"只能干赚，绝不包赔"……听惯了，也跟着惯了，不以为奇了……可现在望着这街边公共汽车站那一团团的等车的主儿，耳边的这些个沙嗓子讷出的"八字诀"，实在是有点子伤天害理、惊心动魄！那些个等着挤车，却一时还等不来车，在寒风里拱肩缩背的主儿，一月能拿多少工资？归里包堆，所谓的"乱七八糟"加一块儿，能有怎么个数儿？四五百？七八百？撑死了一千出头？还不到我这手包上镏金扣儿的价儿，也就是一瓶轩尼诗 XO 的开瓶费而已……可他们未必有我这么心烦……那个裹着块廉价头巾的娘儿们，她逛燕莎友谊商城的时候，来回来去地挑拣、算计，该多有意思！我能有那个乐吗？总想着我一个电话能把你整个商场端了，归到我们那公司名下，在那里头转悠，岂不是索然寡味吗？唉唉，是她应该羡慕我，还是我应该羡慕她呢？……

栖 凤 楼

　　汽车已经过了三元立交桥，驶入了通往机场的高速公路。凤梅的胡思乱想更如风中柳絮，上下左右搅动翻飞……

　　……吉虹还算有点子意思……有意思就在别看她列入"星系"，其实傻妹子一个，好比是张空白还挺大的新纸，我可以在那上头随意地涂涂画画……也真逗，她竟始终搞不清我这个庭院深深深几许……等着她那个《栖凤楼》在外头公演吧，我肯定去捧场！凤梅看凤梅，大眼瞪小眼，嘻嘻……"真真假假，真不敌假"，又是他的"八字诀"！我算是掉这个坑里爬不出来了！……

　　……我究竟是谁？凤梅？……总共有多少个化名？这护照上又添了个怪有味儿的名字……什么风味的？串了味儿的！……是的是的，明白明白，我这次去，是给他"打前站"……他"早晚得走，敢不让走"……那可难说，兴许一下子就愣不让走，走不成了呢！不过，我会在那边接应他的，"谁都卖我，你不卖我"，他这个"八字诀"倒还算中听；是的，他知道我这个人，"能送掉我，不会卖我"，说对了，我就是这么个凤梅！咱老娘不高兴，把你一推了事，可咱不会贪这个怕那个，把你给卖了……就好比跟富汉的事儿，跟你挑明了，你看着办！瞒你有什么意思？我能伺候你，继续伺候你，可你伺候不好我。我不能再忍，富汉我们俩能相互伺候得筋酥骨痒的，你说你忍不忍吧？……

　　……凤梅想着想着，便望着富汉厚实的脖颈，又望望驾驶座前的后视镜，从那镜子里她看见了自己，歪歪头，镜子里是富汉那棱角鲜明的脸庞，但富汉并没在那反光镜里跟她交换眼色……她呼富汉时，并没透露她要远走高飞，富汉心里在想些个什么？想不想跟她上床？对了，富汉跟她说过，男人不能跟娘儿们在清早干那个事，凡清早直到上午想干那事的男人，都一定是"有病"，并且注定了一辈子一事无成！……

　　富汉把车开得风驰电掣，转眼到了琉璃牌楼似的收费站。凤梅任由富汉交了10元过站费。富汉还是没跟她对眼。

　　车到天竺机场，驶上出港坡道，凤梅才说："停国际航班入口。"

　　富汉这才知道她是要飞境外。多少有些出乎意料之外，因为她一身轻装，没有一件行李。

　　车停在那儿。富汉等凤梅下车。凤梅忽然舍不得这就下去。

富汉说:"快下。这儿不让多停。"那儿的管制确实很严,已经有人来干预了。

凤梅只好下车。临下车她嘱咐富汉:"你快把车搁停车场⋯⋯ 我在里头等你!"

富汉没表态。车开走了。凤梅望着那车远去,忽然有种害怕丢失东西的惶急感蹿上心头。好久没有过这种心境了。那回在王府饭店,整个儿手包弄丢了,跟保安部说明其中有 3000 美钞、四种信用卡和价值上万元的首饰等等时,她的平静让保安部的人难以理解⋯⋯ 是的,那么大的丢失她怎么都不着急呢? ⋯⋯ 可现在,她确实非常担心,担心富汉是径直开车回城去了⋯⋯

凤梅进到航空港内。电子显示牌正刷刷地变换着显示,她所要搭乘的那个国际航班早已开始办理登机手续,估计已经开始放客进舱。她交了机场费,仍不进隔离区,她等着⋯⋯ 可是一分钟又一分钟,富汉没有露面。她咬着嘴唇。难道就此永别?她鼻息中忽然感受到富汉那特有的体臭⋯⋯ 那对她是极珍贵的!⋯⋯

候机大厅中回荡着播音员柔和然而不动感情的声音,是在催她所要搭乘的那个航班尚未登机的旅客抓紧时间登机⋯⋯ 奇怪,世界上各处航空港的播音小姐都是这种腔调⋯⋯ 人类何必要这样的约定俗成?⋯⋯

她必须进去了⋯⋯ 她直到拐进出关闸口那儿,还回身探头朝外面大厅张望⋯⋯ 富汉死不露面!富汉一定是以为,过不了多久她便会回到北京,并且再次呼他,说不定再呼他就是一起到那别墅去,互相痛痛快快地享受一番⋯⋯ 莽富汉啊!你怎知我们从此很可能天各一方,再难绞作一团!⋯⋯ 她其实应该在车上跟富汉透露一下她此行的非同小可,或至少更明确地要求富汉搁好车来跟她正式告别⋯⋯ 她很后悔!⋯⋯ 可她也实在不能说,即使跟富汉,因为她答应了他——那个使她除了爱情什么东西都得到了的人——守口如瓶⋯⋯ 可她现在成了怎样的一个瓶子啊?盛满了苦涩的浑水儿!⋯⋯

她顺利地通过了海关。他曾一再嘱咐她,过关时千万不要紧张。她顾不上为那个紧张。她只想再见富汉一面,哪怕远远地再看上一眼,就是一个朦胧的剪影也行⋯⋯ 那是个真正的男子汉啊!猛男!壮哉富汉!⋯⋯

富汉确实是懒得把车开到存车场,找车位,交费,再步行到候机室⋯⋯ 他根本没有送行的习惯,除非是还有什么具体的事需要他帮忙,可凤梅并没行李什么的，根本不用他再帮什么忙嘛……富汉更懒得在机场排队揽一个回城的活儿，他径直开走。凤梅出关的时候，他已经又来到高速公路的交费口了……

……且说富汉和凤梅一早碰头的那个商场门口，已经停满了各种车辆；漆铁宝老伴走进商场大门，一来避避寒，二来看看漆铁宝的爆米花卖得怎么样了……她看漆铁宝卖完一锅，又爆出了一锅，很是高兴……她跟漆铁宝说："今儿个你猜我瞅见谁啦？"漆铁宝问："谁呀？"她说："你记得吗？咱们楼后头……17号大院……范家的三姑娘！……"漆铁宝想不起来："哪个范家三姑娘？"她说："……准是她！别看她人大心大，成了个阔主儿……七八年不见。我还是一眼就认出来了……嗬，如今谱儿可真大！……一早就有出租车跟这外头等着她！……"漆铁宝说："你那眼睛！能认准什么？……她要真成了阔主儿，老范他们两口儿还能那么窝囊？怎么总没见她回十七号看看？……"正说着，老伴忽然"哎哟"一声，身子便打晃……漆铁宝赶紧迎上去搀扶……原来是，她那脑子里的猪囊虫猛地一蠕动，这回一下子挤破了脑血管……

商场门口忽有老人大放悲声，装成一小口袋一小口袋的爆米花被他自己碰掉在地，爆米花散落各处，很快有顾客围住了漆铁宝和他搂住的昏迷过去的老伴……

响起了杂沓的声音："怎么搞的？""快来救人！""商场怎么能在门口设摊嘛！""有没有大夫？""快闪开！""打电话叫急救车！"……

而在同一时刻，在天竺机场，一架国际航班的波音747飞机正从跑道尽头抬身爬空，那位凤梅女士仰靠在座椅靠背上，闭住眼睛，一脸复杂难喻的表情……

72

一辆本田汽车在崇格饭店门口停稳。车里下来两个人，一男一女。男的西服革履、挺拔英俊，可是一挪动便显露出有条腿很不灵便。女的珠光宝气，香味四溢。女的挽着男的，一起进了饭馆。女的是"赛麻姑"，她把男的叫做旺哥。

老板哈敬奇把他们迎到了雅座。

他们已经接触了多次。"赛麻姑"是穿针引线的人物。仅仅两年前，"赛麻姑"

还在崇格饭店西边的那个小发廊里混事由；现在她已是顶尖级俱乐部里的名按摩师了。她"旧地重游"，与哈老板邂逅，言谈中，哈敬奇叹息说总不能大发，她便引来了旺哥——头回来还架着拐，没安假腿——给他们撮合。那意向，便是由旺哥与哈老板合资，进一步扩大这饭馆——把隔壁早已经营不下去的一个"雅舍书屋"和一个精品店的地盘都兼并过来，"鸟枪换炮"地大干一番。

初次见面时，"赛麻姑"给哈敬奇介绍旺哥，哈敬奇一听就说："怎么这么巧？我这儿的常客，尽是拍《栖凤楼》那电影的明星……《栖凤楼》里有个旺哥，康杰演的嘛！怎么电影外头真有个旺哥！""赛麻姑"也不给旺哥保密，挑明了说，这旺哥的财是怎么发起来的；哈敬奇倒并不怎么吃惊，只是忍不住笑道："这可更巧了！电影里的那个旺哥，是个花把势，整天跟香喷喷的东西在一块儿；这位旺哥呢，可好！……"旺哥也不在乎这种对比，很坦然地承认："我发的是垃圾财！泔水财！谁让你们本地人放着这财不发呢！嫌臭不是？其实分什么香的臭的，凡不是偷的抢的，那财搂在怀里都是甜的呢！"哈敬奇这饭馆的垃圾既无分量更无质量，都是倾倒在后门外的垃圾桶里，由环卫部门按时收走；泔水也是外地人来收，可并非旺哥旗下的人；哈敬奇懂得，并不是每一个收垃圾泔水的集团都能产生出旺哥这样的人物，旺哥的那个二环路和三环路之间，充满了豪华大饭店、餐馆、俱乐部的地盘，实在是得天独厚；经过一番春秋战国式的恶斗，现在旺哥终于成了那一片的秦始皇，他不仅再不必亲自战斗在第一线，买了房，购了车，有"大哥大"遥控指挥，而且他还能"登泰山"、"观沧海"，有了投资其他方面的能力……来跟哈敬奇合资扩大这家饭馆，其实只算是个小项目，而且主要是因为"赛麻姑"有这么个兴趣……自从他在那个俱乐部与"赛麻姑"相遇，他便将"赛麻姑"视为了红颜知己；对"赛麻姑"，他是言听计从的……

中午饭馆里没什么客。哈敬奇让服务小姐先给他们布些酒菜，开瓶剑南春来，且喝且谈。

"赛麻姑"说："还是那话……你开饭馆想发财，不瞄准了公款包桌消费，光指着散客小打小闹，那你开上一百年也别想起楼做大！……要想把公款吸引到这儿来，你没点新鲜招数可不行！……"

哈敬奇说："公款不就讲究吃个生猛海鲜什么的吗？要么就是潮州菜，往精致

上发展 …… 咱们也一进门搞它一溜水族箱，从别处高薪挖几个潮菜大厨来 ……
不结啦？"

"赛麻姑"说："哎哟，您这是哪年的皇历啊！如今粤菜臭了一条街，潮菜也
饱和了！如今时兴八大菜系以外的名堂，什么东北菜呀，海南菜呀 …… 还有各种
各样的小风味，什么宁波菜啦，梧州菜啦，西安饺子席啦，福州鱼丸席啦 ……"

旺哥便说："那就开个洛阳水席馆 ……"

"赛麻姑"伸出拳头砸在旺哥肩上，笑说："得了吧你！你们那洛阳水席，听
说每道菜都是一钵子汤，寡味得很，谁爱吃那个！"

哈敬奇问："怎么会全是汤？那怎么吃得下？"

"赛麻姑"解释道："听说是因为到清朝的时候，那地方已经缺水，所以最尊
贵的吃食倒不是别的，是水 …… 水席水席，让你喝足了水嘛，你就高兴了不是？"

旺哥说："哪儿是那个道理？水席香着呢！"

"赛麻姑"说："反正，你搞水席赚不了几席的公费，少那么铤而走险！ ……"

哈敬奇说："都打通以后，要多搞点单间，配上卡拉 OK……"

"赛麻姑"说："重新起照的时候，把这店名儿改了 ……"

旺哥响应："中啊！ …… 你这店名 …… 啥意思嘛！叫不响嘛！"

哈敬奇有点为难："这 …… 再商量吧！ ……"

"赛麻姑"眉毛一挑，尖声说："哪儿还有再商量的工夫啊！今儿个都把它定
下来！一定下盘子，旺哥的资金立马到位！"

偏正议论到这儿，哈敬奇一眼瞥见，林奇进了大门，他坐不住，说了声："对
不起，你们先喝着，我得招呼个熟客 ……"便起身去迎接林奇。

哈敬奇迎到林奇跟前，热情地招呼说："郄爷！您好久不露 …… 今天
高兴？ ……"

林奇懒懒地问："雍望辉到了吗？"

哈敬奇就知道林奇约了人，忙说："雍老师还没露 ……"

林奇问："几点了？"

哈敬奇知道林奇从来不戴手表，忙伸腕看看自己的手表，再抬头对酒柜那
边的挂钟，报告说："差两分一点整 …… 您约的一点？ …… 雍老师一向准时，

估摸着这就要到 ……”他在前头往另一空的雅座间引，林奇却并不往那儿去；他发现林奇是径直地往酒吧柜台前的一个车厢座走去，这才又赶忙抢上前去布置 ……

　　他亲自给林奇端上了一玻璃杯撒进一小撮精盐的蒸馏水，又布置了白煮草鱼菜式，吩咐专门弄一大钵生香麦菜叶，要洗得格外干净 …… 给厨房下完命令，他恭敬地坐到林奇对面 …… 林奇抬起眼皮观察着他的店堂，他感觉那目光是苛刻而严厉的 …… 他想跟林奇说点什么，可是却忽然有种失语的尴尬 …… 怎么搞的呢？他对林奇的尊敬有增无减，可是却变得无话可说 ……

　　“忙你的去吧。”林奇淡淡地说。

　　哈敬奇如聆大赦，暂且回到“赛麻姑”和旺哥那边。

　　“工商的？ …… 税务的？ ……”“赛麻姑”内行地小声问他。

　　他摇头。

　　“他在这儿有股？ ……”“赛麻姑”又斜着眼问。

　　“咳 …… 他是我哥他们 …… 上山下乡时候的 …… 战友！ ……”哈敬奇解释。

　　“赛麻姑”跟旺哥对视一眼，便着嘴角盯住哈敬奇，满脸的细节都仿佛在说：“咦，咱们既然合作，那就得实打实地来啊 …… 掖着捂着什么，那可不合适哟 ……”

　　哈敬奇想把事情说清楚，可是林奇此刻就在那边坐着，使得他感到难以开口 …… 他便嗫嚅地说：“…… 真的不过是个熟客 …… 咱们还是接着合计咱们的吧！ ……”

　　……

　　林奇坐在那儿，呷了口加盐的蒸馏水，满心烦躁。雍望辉居然没有按时到达！岂有此理！林奇不能容忍别人拂他的意。尤其不能容忍雍望辉这样的人竟然在答应得好好的以后，却爽约不至！他雍望辉算个什么东西？所赢得的那种俗世的虚名，凭藉的是些什么杂碎？俗世的芸芸众生懂得什么是真正的美文？他们只会捧雍望辉这号码字儿先生的臭脚！雍望辉毫无自知之明，整天还在那儿学西子捧心，煞有介事地！你整个儿一个村妇东施嘛！而且近来更堕落到去当什么《栖凤楼》的“文学顾问”！难道你生产的文字垃圾还不够多，还要助纣为虐，去帮助视听垃圾的倾泻吗？ ……

其实一点刚刚过去六分钟，林奇却仿佛经历了六个世纪……他浑身冒出隐形的火苗。雍望辉怎么没来？怎么不来？怎么敢于不来？怎么可以不来？……林奇由此又一次感到被背叛！这堕落的人世，给他一次次背信弃义的刺激！……倘若他一朝大权在握，真有了生杀予夺的操作机会，他的头一批命令便是逮捕和处决背叛者！而那头一个该杀的，不是别人，便是雍望辉！……

林奇猛地起身，朝门外走去。那一刻哈敬奇正听"赛麻姑"发话，没瞧见林奇的离去。林奇刚刚走出崇格饭店，雍望辉便从一辆出租车里跳下。雍望辉赶紧挥臂招呼："林奇！"林奇却视若不见、置若罔闻。雍望辉觉得很奇怪，林奇怎么不理他呢？林奇若无其事地往北走去，神态平静，步履持重……雍望辉跑到他眼前，喘吁吁地说："……老兄！……堵车……我其实早就出来了……晚了十分钟……对不起！……"

按说，雍望辉这样的道歉，林奇应该莞尔一笑泯恩仇；可是林奇并没有停住脚步，也没有绕开雍望辉，而是逼使雍望辉退到他一侧……雍望辉说："嘿！老兄！你怎么回事儿？我只不过晚了十分钟！……"林奇仍在往前走，神色自若，淡淡地说："对不起……我下面还有活动……"雍望辉随着他走，说："你算了！你这人！……难道你约我来，只是为了跟我待十分钟？……你怎么那么矫情？……连我晚了十分钟……老朋友了……你都不容！"

林奇脸上毫无愠色，甚至还显露出一点柔和的微笑。他闲庭信步般地往前迈进，眼光并不落在雍望辉身上，蔼然地说："我的日程表不能打乱……我们以后再联络吧……"

雍望辉停住脚步，任林奇往前走去。他盯住林奇那颀长的背影，久久地……突然，他挥起双臂，吼出一声："格瓦拉会这么对待别人吗？！"

73

那个两颗星的宾馆里乱成一团。《栖凤楼》剧组正在全面撤退。韩艳菊他们那些暂住户也都在准备打道回府。人们议论纷纷，谣诼满天飞。宾馆经理找闪毅找不到，问到祝羽亮面前，祝羽亮说："我又不是他的保镖，我怎么知道他现在在哪儿？"祝羽亮那间房没退，他还要住几天，但也是乱糟糟的——他那间屋一贯乱糟糟，服务员早就啧有烦言：收拾他那间屋总要费收拾别的屋两倍的时间，而已收拾完他还总要说你弄乱了他的"要紧东西"，可你收拾得马虎一点，他拍完戏回来又总要给服务台打电话提意见……宾馆经理说："希望闪先生及时跟我们结算一下……"祝羽亮只是摆手："您的希望我管不着！正如我的希望您爱莫能助一样！……我还希望他这就跟我结账呢！……"

闪毅带领大队人马来这宾馆安营扎寨时，说好先包租两个月，并预付了一个月的房钱；他给剧组的大多数人也是预付一半的酬金，除吉虹另说外，连祝羽亮、潘藩、康杰等都是预付一半；可是这两天传来一种说法，就是闪毅他那个公司在境外经营受挫，资金顿时紧缺，甚至濒临破产的边缘，因此《栖凤楼》的后期还能不能做得成，已经都成了问题；所欠付的各方面的款项，搞不好就不是个拖欠的问题，而是很可能泡汤！

这天离说好的两个月包租期到限还差五天，可是闪毅就开始组织撤退，这不能不让宾馆经理提高警惕。他头天找着了闪毅，问："您原来不是说，两个月恐怕还完不了事儿，还要续租的吗？怎么忽然急赤白脸地要提前撤呢？"闪毅的解释是："我的公司还在这儿嘛！有的房不撤嘛！……大部分撤，那是因为剧组的人凑一块儿久了，无事生非，烦不胜烦……现在这个戏已然提前封镜，后期我们要到国外去做，以保证质量……所以不想再在这儿给你们添乱了！……"这天宾馆经理又几次去闪毅租来当办公室的房间找他，却回回都见紧锁着房门——那几套租作办公室的房间，钥匙一直由闪毅掌握着；给闪毅的手机拨电话，发现他那手机一反往常地总不开通；经理于是有点慌了，因此跑来找祝羽亮探个究竟，祝羽亮看出了他的心思，跟他说："行呀行呀，你怕闪老板拍屁股溜之乎也了，对不对？……他也真没准儿就此'黄鹤一去不复返，白云千载空悠悠'啦！……不过他不是把我当人质留在这儿了吗？他不来跟你结账了，你就把我扣下来，论斤卖了不得了吗？我这么个获奖导演，怎么着也卖得出个好价钱吧？如今不是都讲究什么艺术细胞吗？你拿我的肉蒸热包子卖，广告上大字写上：孩子吃了能长艺术细胞，准有望子成龙的家长跑来抢购！……"宾馆经理直给他作揖："您别说得这么邪乎成不成？……我不过是拜托您，闪老板一露您就好歹给我个信儿！……"祝羽亮说："成！那没问题，我逮着他，一定五花大绑，押到您那儿领赏！"经理只好摇着头走了……

其实祝羽亮心里也乱糟糟的。拍这个《栖凤楼》他算是铆足了劲儿，看毛片也还差强人意，但无论是跟制片人还是几位主要演员的合作，都一直是在磕磕碰碰的状态里持续下来的。闪毅就资金遇到困难一事跟他亮了底。闪毅说无论如何片子后期还是要马上做的。他相信闪毅的决心是真的。他现在心里最乱的还不是这个。让他心烦的是搞两个版本的事儿。的确，目前在中国大陆，多数公众还是很难心平气和地、客观地看待同性恋。为在大陆顺利放映，把结尾的那本是极具震撼力的"点睛"之笔，变成个荷生杀旺哥的"儿戏"，这不成"睁眼瞎"了吗？而那供境外放映的版本，即使他最后精心剪出，在这已把同性恋视为"家常便饭"的西方社群中，又会不会以为这部片子只不过是"东方人也跑来凑热闹"呢？平心而论，无论原著，还是据之改出的剧本，确实都相当深刻：揭示出几乎涌动在我们每一个体生命中的原欲，与他人，与环境，特别是与社会规范之间那无可逭逃的悲苦冲突……这是个体生命生存困境的浓缩写照啊！就所拍出的毛片而言，摄影师充分达到了他的要求，许多镜头的角度与运动都有种"偷觑命运"的韵味，而吉虹的表演经他那"风刀霜剑严相逼"（这是吉虹自己说的），也确实具有了一定的深度，有几场戏令人不寒而栗——最有感悟力的观众，应懂得这部片子绝非唆人纵欲；恰恰相反——看了它痛定思痛，会在内心更宽容自己和他人的隐秘欲求，然而在作为一个"社会人"时，却会更具悲剧意识，从而更能抑制自己的欲望，以适应群体共存的必要规范……

宾馆经理走了，祝羽亮忽然感到满头皮的发根都在刺痒，他进到卫生间，决心洗个痛快。对着卫生间里的大玻璃镜，他把头往前伸，镜面映出他的形象，把他自己吓了一大跳。这些天来他不断从摄影机镜头里仔细推敲演员们的造型，却简直没有时间观察自己。原来他的头发已经疯长成了狮鬃模样，胡须则仿佛一片被践踏过的草丛……瞪视了一会儿，他又使劲眨眼睛，把头朝后移移……终于自我欣赏起来。这是怎样的一种气质和韵味啊！他都舍不得把这个自然浑成的艺术家形象洗剃成一个普通的男人了……

他的房门本没有关严，这时有两个人大摇大摆地推门而入。来的是卢仙娣和野丁。

卢仙娣一进门就大声呼唤:"阿亮! 阿亮呢?"

祝羽亮从卫生间出来,一看是他们两个,便做出个举手投降的姿势。遇上了"万国通宝"和"P派大师",那在抵抗和投降之间你只能选择投降。

卢仙娣耸起眉毛说:"哎呀阿亮! 你怎么还这么悠哉游哉的? ……《栖凤楼》正在呼啦啦似大厦倾,昏惨惨似灯将烬啊……"

卢仙娣引用的是《红楼梦》里关于王熙凤的"判词",祝羽亮却根本没通读过《红楼梦》,所以完全不能体会卢仙娣这悲叹里的"文化韵味";他只是从这句话里知道,卢仙娣关于《栖凤楼》的困境已然了如指掌。

卢仙娣继续说:"…… 不改收尾前那关键的镜头,片子就不能在境内放映 …… 月晕而风,础润而雨啊 …… 看来从此天下又要多事了! ……"

野丁跟上去说:"恐怕不是《栖凤楼》这一座楼要触霉头啦! "

他们俩边说边不请自坐地落身在沙发上。

祝羽亮倚在墙上,双臂抱在胸前,望着他俩。不洗耳,姑妄听之。

卢仙娣和野丁两人坐在那里,你一言,我一语,说起了这个消息,那个传闻;又提起一份发行量不断萎缩的报纸上的一则什么"微妙的消息",以及一份印数本来就少得可怜,而且基本上是印出来便大部分堆在编辑部里,越堆积越多的什么刊物上的"好厉害的文章"……卢仙娣还提到从杨致培那儿看到的港、台报刊上的某些"一针见血的分析"…… 两个人又都提到前天遇到纪保安的父亲,亲耳听到的"不是一般的警告"…… 野丁甚至还形容起某些文化人风雨未至而已"乌龟缩颈"的丑态 …… 他们俩似乎也并不是专门说给祝羽亮听,实际上,他们更多的是在宣泄自我心中此刻的情绪 ……

祝羽亮自来没这么些个思缕。他这一代的艺术家,早对此种"时评"不感兴趣。他忽然对着沙发上的二位大笑起来:"哈! …… 天哪! 你们这是怎么啦? …… 你们还是你们自己吗? …… 我简直怀疑 …… 是不是有两个人 …… 来这儿假装'万国通宝'和'P派大师'了呢? ……"

两个人便都暂且停嘴,望着祝羽亮。

栖 凤 楼

祝羽亮说:"天怎么会塌下来？无非是闪老板那儿资金有点周转不过来 ……
这算什么大不了的事儿？ …… 拍电影，此乃'兵家常事'！ …… 他前期投入了
那么多银子，既已到了这个份儿上，他怎么着也得撑下去，是不是？ ……《栖凤
楼》倒不了！ …… 下周我就到日本做后期去！ …… 至于这边通不过那几个镜头，
扫兴固然扫兴，可是，一来还可以跟他们磨，说不定最后一分钟他就改了主意，
那意思还让咱们点到，十秒钟的镜头剪成四秒钟了事 …… 二来仔细想想，这边
的民智确实还没开化到那个层次，对不对？都改掉就都改掉，观众看不见那意思，
总还能一传十、十传百，听说到那么个意思嘛！于是乎一个个都想进电影院看看
究竟是怎么个意思，那对我们也未必不是个大意思！ …… 总之，我听不来你们
那一串一套的什么'山雨欲来风满楼'的论调！ …… 还是雍老夫子昨天说得对，
人家要求给那结尾的镜头改掉，无非是采取了'个案处理'的态度，并没一棍子
整个儿打死，也更谈不到要以此类推嘛！ …… 张艺谋的《活着》，这边通不过，
不照样拿到外头满世界演，还在戛纳电影节大出风头嘛！ …… 人家都习惯于'个
案分析'、'个案处理'了，你们怎么倒还总在那儿上纲上线，内勾外联的啊？ ……
唉唉，若是别人，倒也罢了，偏偏你们今天到我跟前丑态毕露！ ……'万国通宝'
怎么变得这么小家子气，惊惊咋咋的？'P派大师'本应还给那'不是一般的警告'
一大 P——'你警告个 P！' …… 那才对啊，怎么倒成了'非常警告'的传声筒
了呢？ …… 有人'乌龟缩颈'固然丑态可掬，二位跑到我这儿来，乌鸦般地呱
呱号丧，岂不也大跌其份儿？ ……"

野丁还想把祝羽亮 P 回去，卢仙娣却长叹一声，捋捋鬓边头发，笑说:"不愧
是大导演！ …… 是哇，这是怎么搞的？这几天我自己也觉得 …… 乱七八糟的！
我怎么也会错起位来！ ……"

野丁瞪圆眼睛望着卢仙娣，颇为吃惊。在他的记忆里，卢仙娣从无当面服人
认输的先例。这确实是大错位现象！

卢仙娣说:"…… 都在错位啊！ …… 这是个什么时代？我们都是些什么昏虫
啊！ …… 真可怕，我简直理不出个逻辑来了！ …… 人家法国使馆签证处说可以
给林奇签证了，可林奇又表示不去了 …… 我骂他:郯爷，你怎么搞的？你要么干
脆就别申请！你不是反西方价值观的东方格瓦拉吗？你本来就不该申请去法国的

签证！……你们猜他怎么说？他就一句：霍梅尼也去过法国。我急了，我继续骂：那你就也去呀！干什么人家给签证你又不去了？这不是抽风吗？……他也只回了我一句：霍梅尼只有在自己国家才成其为霍梅尼。这人！……他这么出尔反尔，人家什么印象嘛！他自己不去倒也罢了……影响别人呀！……大导演你别那么看着我……我知道你也想问我：你那么推崇赛义德、霍米·巴巴、乔姆斯基什么的，成天跟别人弘扬'后殖民主义'、'文化殖民主义'什么的……那为什么还想去西方？……其实这也很简单：猫总转着圈儿对付它心目中的对手——可那躲闪它的，正是它的尾巴！它们本在一个身子上啊！……最严厉地批判西方的学者和学说都在西方，所以我要去那儿，以便更好地站在'东方主义'的立场反西方！……你笑什么？难道不是这样吗？现在最热烈的爱国者——那是真的，绝不是装的——也是常常被接见，并且登在报上让国人特别是青少年学习的爱国者，不常常恰是拿着西方绿卡的人物吗？……而且，兜里揣着西方绿卡的人往往对西方仇恨最深，并且总是对我们一直没出过国的人指手划脚，教给我们应该怎么爱国！……难道我说的不是事实吗？……怎么，这不像'万国通宝'的话了……哈哈！……"

祝羽亮却回应说："哎呀……这回我才真听见'万国通宝'的心音了！难得难得！"

野丁说："我也有真的心音啊！……他妈的！什么'东方格瓦拉'！他竟正式致函给出版社和有关报刊，甚至致函到我联系的澳大利亚那个大学的东亚系，声明我的那本《林奇评传》跟他毫无关系！这倒也罢了，他还说他从来不同意任何人给他树碑立传！……"

祝羽亮说："那有什么！你愿意给谁树碑立传是你个人的事情，确实无须借助任何人的关系和态度……你照写不误嘛！"

野丁骂回去："写个P！他这么一申明，哪个出版社还愿意出？哪家报刊还愿意摘登？澳大利亚方面的邀请也黄了！……就算他不想过桥了，那也没必要拆我架的桥，是不是？说穿了，我架这桥本是超度我自己的嘛……这几天，我倒真盼山雨快来，干脆电闪雷鸣，霹雳灌顶……玉石俱焚算了！……"

……

栖　凤　楼

　　不说祝羽亮那屋里的聒噪，且说康杰提着个旅行袋，正要撤出那宾馆，忽见一个熟人从门外挎着个帆布工具袋进来，不由得高兴地招呼："十四点！"

　　来的是给这宾馆修理厨房灶具的欧阳杰。他见了康杰也挺高兴，可认真地说："别叫我'十四点'了，行吗？"

　　康杰说："怎么啦？十四点，下午两点整，火力还旺嘛……咱们哥儿俩，不都是'十四点'嘛！……"

　　欧阳杰说："杰字不光是'十'跟四个点呀……那时候真是瞎取外号！……"

　　康杰说："是还有个'八'……十四加八，二十二点，晚半晌儿十点钟了。黑黢黢的，那好吗？……'八'就可以忽略不计了嘛！……"

　　欧阳杰说："干吗忽略不计！……前几天我去北大，给一位谢教授家里修热水器……闲聊时候，说起这个外号，他直摇头……他说不该把那个'人'字忽略不计……那不是'八'，那是'人'字啊！……谢教授说，中国人不能再总是把这个字忽略不计了……所以我不打算再让别人叫我'十四点'啦！……"

　　康杰听了，不由说："嗬，你干这一行，什么地方都去，什么人都见得着，什么话都听得见……收获可真不小啊！"

　　欧阳杰就说："那是！……你见识不比我更多吗？你那收获才叫大呢！我哪儿能跟你比？……"

　　两人又说了会儿话，欧阳杰便忙着往厨房去了。

　　康杰出了宾馆，竖起大衣领子。风吹到脸上，他才感到自己脸在发烫。

　　跟欧阳杰这短短的邂逅，几句话之间，使他心尖受到了触动。他原来心底里总觉得欧阳杰毕竟是沉落在了"底层"，自己应随时注意不要得意忘形，要多给欧阳杰温暖慰藉……可是此刻他忽然恍悟，欧阳杰除了没他有钱，并且由于借了他两万块钱成为他的债务人而外，在其他方面，其实一点儿也不比他低下贫乏……是啊，不能把"人"字忽略不计！……像这样富有哲理意味的话语，他所置身的影视圈里似乎充耳盈蜗，甚至有时根本就是台词，可他何曾像欧阳杰这样地重视过，这样铭心刻骨地当做过人生旅程中的宝贵启示！……他忽然有一种羞愧感……并产生出一种急欲提升自己的欲望……

　　……

在宾馆五楼，韩艳菊已经收拾好了东西，只等着单位派车接她回去。闪毅借用的那楼虽已"归赵"却尚非"原璧"。闪毅答应每户受影响的家庭按面积再补贴若干装修费，有的住户提出来要再住在这宾馆里，等那边彻底装修好了再往回搬，闪毅就提出来，凡愿即日撤离宾馆的，他赠送一周的住房费……韩艳菊带头响应，因此所有的那"栖凤楼"的住户都乐于拿一笔丰厚的款子搬回原处。其实闪毅只是按那总数付出了一半给韩艳菊他们单位，另一半先由韩艳菊他们单位垫付给那些住户。闪毅答应片子一经公映有了收益，一定马上付那另一半款项。韩艳菊怎会答应下来？那其实也很简单：闪毅以她家住屋在拍摄中使用率最高，因而应另给酬金为名，给了她个人不菲的"红包"；这事即便一旦公开，也说得过去，所以韩艳菊欣然接受。

此刻韩艳菊和司马山两人心平气和地坐在一处，喁喁协商。

司马山称已终于与先住王府后到新世纪的那位"活凤梅"挂上了钩，并又通过她见到了"真佛"，已大体谈好了立项贷款组建公司的事宜；那贷款额可非同小可！"从银行里直接拿钱花"，过去是嫉妒人家，如今该有多少人羡煞咱家！……

韩艳菊说："咱俩一个战壕里混了这么多年，没了爱情还有战友情嘛！……你的贼心我知道是收不回来了，我也就丢掉幻想……这回我搬回去，咱们就正式分居吧……反正你也有你的房子……可你那公司，你不能专门利己，毫不利人！你至少得把 12% 的股份，算做我这个单位的投资！条件成熟的时候，我就把它拉出来单练！行政职务不能兼，我就也转到公司，当董事长！……咱们俩竞赛一下！我就不信我干不过你！别看你资金雄厚七八倍，我还不知道你，贷款到位头一天，你不就豪华车手提机什么的立马武装到牙齿，然后就三天一大宴五天一桑拿，出国考察游山逛水……那么多的钱，就这么浪花，一笔生意做不成，十年也荡不光啊……可你很可能是坐吃山空！搞不好还让人家来个'堡垒从内部攻破'，败在你的那些个'亲密战友'手上！……我呢，我可是要战略上藐视发财，战术上重视发财！我能迅速让钱生钱，而且我最能对付'钻到肝脏里的敌人'……哼，走着瞧吧：试看天下谁无敌？……"

司马山微笑着，吸一口烟说："你究竟还是你！这么多年了，总是忘不了拔尖儿！"

韩艳菊也笑说："你呢？我看你这么些年也是本性难移！……你那眼珠就总

认不准人！好比当年，你把那印德钧看准了吗？你以为你捧着他，他就总跟你客气呀？1979 年以后，咱们可没先反他，他倒来劲儿了 …… 拨乱反正，他把那金殿臣也给平反了！我当时就跟他争：拨乱反正是个政治范畴的事儿，那金殿臣是个臭流氓，那是个刑事犯罪问题，道德败坏问题 …… 他依了吗？ …… 后来关于提升我的问题，跳出来作梗的不还是他？ …… 前几年要不是我下决心带头把他轰走了，你能当上一把手？能升到现在这把交椅？ …… 好啦不说这个退出历史舞台的绊脚石了 …… 你笑什么？笑得出来！跟你说吧，历史的教训不能忘记，忘记就意味着 …… 失败！现在我得跟你说说那个罗某，他现在就好比是当年的那个印德钧，处处宠着你，帮衬你，给你开路，给你方便 …… 可我看这人比印德钧更该防范！ …… 怎么，你听不进去？ …… 你听着！好比说，那个说是帮雍望辉的死老头子印书的事儿，是他背后出的点子，也是他收了人家的稿子，可一起头出面的是你，雍望辉熟悉的也是你，你以为过几天说声'出不成了'就能把雍望辉打发了呀！姓雍的现在有了点名儿，他要是较起真来，指不定会惹出场什么风波呢！ …… 你老老实实给我听着！姓雍的倒不是太难对付，我要说的是，那姓罗的指不定关键时刻就把你卖了呢！ ……"

司马山大不以为然："你这是些个什么逻辑啊！ …… 女人家，心细点本是好事，可要是这么没边没沿地疑起人来，那还能做成什么事儿？跟你挑明了吧，如今是没有鸡蛋做不成槽子糕！罗某就是个现成的鸡蛋 ……"

两人虽说是马勺锅帮不住地碰撞，因为"直接从银行拿出钱来先花着再说"的美事将成，一时却也其乐融融 ……

74

《城市绿林》借那个俱乐部拍影片中的部分场景。其中一场戏是潘藩所饰的当代民间好汉与一位赃官在按摩室里语带双关、互相试探的智斗，导演请"赛麻姑"跑龙套，以她本来的面目出现。没想到"赛麻姑"在镜头面前十分松弛、自然，这给潘藩留下了深刻印象。于是在剧组撤出俱乐部以前，潘藩便插空跟"赛麻姑"套磁，互留了呼机号码，说是以后要保持联系。

这天潘藩得闲，他便呼了"赛麻姑"，"赛麻姑"给他回了电话，他便在电话里说："今晚上请你吃个饭，不知道肯不肯赏光？""赛麻姑"在那边笑嘻嘻地很老练地问："多谢您的好意……不过，您的意思是要'单打'呢，还是也可以'双打'？"潘藩不禁问："什么是'单打'？什么是'双打'？""赛麻姑"大有嘲笑他"大明星怎么连这话也不懂"的语气："哎呀……'单打'就是一对一嘛，'双打'就是你也带上朋友，我也带上朋友，咱们一块儿乐乐！"潘藩忙说："只要肯赏光，怎么'打'都行啊！'团体赛'也没关系！……"

潘藩的想法，并不是要跟"赛麻姑""桃色"一下。他因为跟老豹失却了联系，正愁对这个大都会里的潜龙卧凤的进一步探究没了渠道，在那俱乐部拍戏时，听了俱乐部经理几句介绍，又在拍戏的实际接触中感受到"这个女人不寻常"，而他要进一步拍好《城市绿林》这部戏，把握此类民间存在的精髓，跟"赛麻姑"接触，引她讲述出她自己以及她朋友们的命运遭际，对他来说是至关重要的。"赛麻姑"还愿带些其他人来，那更好了！

"赛麻姑"她们那个俱乐部里面，就有很高档的潮州菜和韩国烧烤餐厅，想必请她和她的朋友们到高档场所吃高档菜肴并不会产生惊喜感激的效果，所以潘藩决定请他们到崇格饭店，以别具一格的家常菜和文化氛围来促使他们敞开心扉。于是他给哈老板打电话，谁知这天总打不通，好像是那边电话出了问题。他便干脆亲往预定。谁知他一到门前，便看到一派大兴土木的扩建景象，不仅原有的门面已然拆毁，隔壁一家书店什么的也都正在合并改容，并且他注意到，在蛇皮布的围栏上挂了个施工单位的责任牌，落入眼里的第一行竟是"施工项目：天益滋补食疗火锅城"，令他吃了一惊……急忙绕到里面，迎面见到正在监工的哈老板，也不及寒暄，他直截了当地问："怎么回事儿？你怎么不崇格啦？"哈老板笑嘻嘻地说："不是我不崇他了，是他不宠我了啊……"潘藩便说："怎么不宠你了？你这崇格饭店，文化圈里小有名气了嘛！最近文化界多少的创意，产生在你这饭馆里啊！你怎么能轻易地就改了名儿呢？"哈老板坦然地说："欢迎你们继续赏光啊！不过，咱们实话实说，凭做你们文化人的生意，我能赚几个钱？你们演艺圈的还好一点儿，像前些时候雍老师在我这儿张罗的什么'比较文化学会'的聚餐，酒水在内我算他们480元一桌他们还吐舌头，最后我让到360元一桌……

主菜有基围虾、石斑鱼和水鱼煲,末后还有甜食和果盘……如今进料是什么价儿!您帮我算算! 说实话我赔倒没怎么赔,可一个子儿的赚头也没有……老这么着经营下去,您说我图个什么? 不如到文化部去办个食堂! ……如今干我们这一行,说穿了你就得瞄准那公款消费……那些个公务员爷们儿嘴刁着哪,你没点新鲜花样他们还懒得进门儿,这不,琢磨了半天,决心改这么个火锅城……一般的火锅他们也不稀罕,他们不都挺惜命,讲究滋补养生什么的吗? 所以我今后就搞点号称滋补食疗的火锅,让他们来这里提神养气……他们吃完说起来也无非是吃了个火锅,广州那边叫'打边炉',算是很平民化的,报销起来也没什么心理障碍对不? ……"潘藩说:"哎呀你就是瞄准公款你也还叫崇格有什么关系嘛……"哈老板说:"那问起我来,我怎么说? 照实说? 多半会让他们嗓子眼儿噎着……所以莫若改了……我现在这名儿是专门请人测算过的,我属虎,是金命,'天'是乾位,恰好含金……天让我受益,谁还能妨碍我赚钱? ……"潘藩叹口气说:"林奇他要是再来,心里不知道该是个什么滋味了啊! ……"对此哈老板显然已经想过,回应说:"林奇他前些天来过一趟,我这些个计划还没成形儿呢……不知怎么搞的,他没待几分钟,我眼错不见,又忽然走了……给他做好的菜端出来早没了影儿……他是个好人、圣人,那没得说,可咱们俗人不能照他那个活法依葫芦画瓢啊! ……他再来咱们一定还照菩萨那么供着,可他来了要是不满意,或是从此不来了,咱也没办法是不? ……"潘藩想再说点什么,嗓子眼儿仿佛被什么东西噎住了……

于是潘藩只得另选了孔乙己酒家,请"赛麻姑"他们来聚聚。

既是打破"单打"格局,潘藩也准备另邀自己方面的熟朋友来作陪,首选是吉虹。他先把电话打到王府饭店,这才知道吉虹早已退了房。他打到吉虹自己的那个单元,没人接听。本想打到闪毅那儿,那是一定能打听出吉虹踪迹的;可一想到闪毅很可能出现的心理反应,也就作罢。于是又想到了电视台前些时采访过自己的小妞春冰。春冰一定会欣然赴宴。可随即就想到春冰说不定把纪保安勾来;他对那个动辄对人说教的小官僚实在是不"感冒"! ……又想到了几位漂亮女性,却都要么联系未果,要么他最后又觉得容易横生枝节,妨碍他套出"赛麻姑"等的身世秘密……到头来决定还是"单刀赴会"。

…… 孔乙己酒家的店堂设计得蛮有特点，是仿绍兴的旧式木结构建筑，一派灰瓦、白墙、赭柱、纸窗的素雅情调 …… 他提前先到，不一会儿"赛麻姑"和一位走路不大灵便的男子来了，"赛麻姑"跟他介绍说："这位 …… 您叫他旺哥就行啦！"他听了吃了一惊；可看"赛麻姑"那表情，又不像是开玩笑；于是落座后，他爽性问"赛麻姑"："旺哥 …… 是您的 …… ？""赛麻姑"咯咯咯笑，望着旺哥，说："你是我什么？兄弟？丈夫？情人？ …… 你自己交代！"旺哥憨憨地笑着说："那都不是 …… 是朋友！ ……"潘藩从旺哥一出现，就觉得他那相貌神态都很像一个人，这时忍不住说："你真像魏鹤龄！"旺哥和"赛麻姑"面面相觑，不知道他说的是谁，他便解释说："我说的是电影界的一位老前辈，如今已然作古了，可他演的片子还经常在电视上放 …… 像 30 年代他跟赵丹、周璇演的《马路天使》，他在那里头演个卖报的小贩；还有解放以后跟白杨演的《祝福》，他演贺老六 ……""赛麻姑"和旺哥却对他提到的老演员印象模模糊糊的，旺哥说："我哪儿比得了人家！我是个拾破烂的！"潘藩没把这话当真，以为"拾破烂的"不过是谦极之词罢了。他又问"赛麻姑"："你干吗非让我叫他旺哥？你知道我刚拍完的《栖凤楼》那故事？你这不是又糟改了我也糟改了他吗？""赛麻姑"听不懂他的话，几句问答过去，他相信来的二位确实从来不知道也不关心什么《栖凤楼》的拍摄，这才释然。确实，旺哥算不得什么冷僻的称呼，这巧合并不怎么离奇。

他们正喝着茶，忽然"赛麻姑"站起来，招呼起两位走过来的男女；潘藩才知道真是要打场"团体赛"，只是他这边未免太势单力孤一点了 ……"赛麻姑"跟他介绍来人，指着一个年纪怕已花甲但看上去还挺健壮，穿身未免显得太老派的对襟褂子的男子说："您就叫他王师傅吧！"又指着一位胖胖的中年妇女说："您就管她叫 …… 欧姐也行，欧嫂也行！"这可把他弄糊涂了，"姐"和"嫂"分明意味着两种概念，怎么会"都行"呢！他衡量新到的二位，觉得这回该是两口子无疑了吧，谁知都落座以后，听"赛麻姑"问他们的那些个话和他们各自的回答，又分明不像 ……"赛麻姑"跟他说："我们的人，都到齐啦！"他这才忙说："我没约别的人 …… 就咱们五位聚聚 …… 真是幸会！" …… 点菜的时候，他跟他们介绍说："这儿的荷叶排骨很有特色！""赛麻姑"便跟着嘱咐服务员："这回可别弄得太咸了！"他这才恍然，"赛麻姑"本是此处常客 …… 只是这样的四个人，并非两对夫妻，老少差不多是三辈了，他们是怎么凑在一处的？"赛麻姑"怎么不找别人，偏约这三位来跟他见面？……他觉得这民间社会里，真是隐伏着无尽的奥妙！……

……要了花雕，锡壶烫好，服务员给每位斟到搁了话梅的锡杯里，先就着几样小菜，边吃边聊……潘藩便先从"赛麻姑"上镜头毫不紧张赞起，把气氛先活跃起来……

席面上，活跃的只是两位女士，"赛麻姑"和欧嫂的酒量竟都了得，话也多，笑得也极烂漫；潘藩便试着插进她们的话里，问她们哪儿的人？来北京多久？看电影和电视多不多？觉得在北京生活容易不容易？……

欧嫂便大声说："我打哪儿来？我祖奶奶许是从关外来的吧？我打一生出来就没离开过北京！……"又代王师傅说："他也如是！我们都算老北京吧？可如今老北京差不多都蔫啦！……"又指着"赛麻姑"和旺哥说："如今是他们外地'盲流'乱北京！您瞧，他们这些个外地来的社会闲杂人员，哪个不比俺们正经北京人混得滋润！……"潘藩便说："其实我也是外地'盲流'……我是南京人……"欧嫂便笑说："您可别往我们堆里扎！您是上等人！我们可都是'五鸡子六兽'！……"潘藩问："什么叫'五鸡子六兽'？"欧嫂笑得更厉害了，她的笑声很放肆，惹得别桌的一些食客朝她侧目；她说："可见咱们不是一个群儿里的！……'五鸡子六兽'就是不入流的命儿！……您问我是干什么的，您猜得着吗？我是个耍大熨斗的！哈，听不懂吗？……懂啦！他，王师傅，原来是扫厕所的，现在蹬'旅游三轮'……您没坐过？那您该坐坐！他蹬得可顺溜啦！整个儿一个骆驼祥子还阳！……旺哥嘛，他自个儿说没说？甭看他坐这儿西服领带，人模狗样的，他是个破烂王、泔水王！……也就是咱们'赛麻姑'，那活计香一点儿！……文词儿叫什么来着？'日式指压'？她那手指头，倒没少压迫当官儿的跟大款们，可她自个儿……怎么说呢？让不让我说？……嗬，跟我瞪眼呢！……"她就没再说下去。

潘藩真希望他们哪位能说说自己的身世。可王师傅只是低着头喝酒吃菜，旺哥虽不时朝他很随和地憨笑，也只是简单地说："嘿嘿，我一身的臭味儿，也是这几天才消尽了吧，这西服……说实话，我也还是刚觉着穿起来不那么别扭呢……"

只有欧姐说自己多点儿,但听来并不怎么曲折;"赛麻姑"竟是点水不露,就连一再地问她原籍哪里,她都总用"您猜猜看"、"您那么聪明都猜不出来吗"、"跟您猜的差不多吧"……之类的话滑脱过去;越是这样,潘藩就越想探究"赛麻姑"的底细;他忍不住又问"赛麻姑":"他们怎么都能听你招呼?真是招之即来啊!……""赛麻姑"只是笑说:"我有人缘呗!"潘藩还是不得要领。于是潘藩便讲起他正拍的《城市绿林》的梗概,试图让他们相信,他对民间的"绿林"好汉实在是充满了亲近的愿望……谁知旺哥听了竟问:"啥叫绿林?"

……都吃完荷叶排骨了,还是一无所获。潘藩有点急躁,他想了想,便干脆问他们:"你们听说过老豹这么个人吗?"他注意到,旺哥望着"赛麻姑","赛麻姑"只顾吐骨头;王师傅喝了酒的脸红红的,朝他望,可脸上看不出有什么表情……欧嫂正面回应他:"你说谁?老什么?哪儿的?"看那模样似乎不是装傻……

潘藩便进一步问:"那你们认识一个……出租汽车司机,叫富汉的吗?"

还是欧姐积极地回应:"他姓什么?"

潘藩却答不出。实在也是,他从未问过富汉姓什么。

看来这些人跟老豹、富汉什么的都不沾边。

干笋酸辣汤上来了。这时"赛麻姑"方笑吟吟地跟潘藩说:"潘先生今儿个真给面子!说实话过我眼皮儿的人多了去了,能这么着跟我们这些个下九流的人一桌子平平等等说说笑笑的名人可真不多见……我也就不瞒潘先生了!今儿个我愿意跟潘先生亲近亲近,那是我有个私心……我不能总干这个'日式指压'对不?如今我自己攒了几个钱,旺哥再帮补我一把,我想自己开个美容院……别的我也不多说了,单这么着告诉您我的雄心壮志吧:我那美容院的顾客,一律都打前门进、后门出,为什么呢?我前门派个人,用那宝丽来一次成像的照相机,给顾客拍张照;等顾客在我的美容院享受完了服务之后,出我那后门之前,再用那样的机子给拍张照,两张照片我都免费送给顾客……说不定我都给照两张,我美容院还留一份底儿……我那什么意思?……对,用文词儿,就叫做'判若两人'!……我就是要那么个效果!如果一进一出两张相片差别不大,那我宁愿不收他钱!……今天为什么来亲近潘先生,就是为了请您多帮忙,多关照!……因为我知道,你们拍电影电视,有那特别棒的化妆师,您能不能帮我请到他们,抽空来给我请的美容师傅,上上课;他们要愿意来我的美容院兼职,哪怕每位一个星期来一次,我也要念阿弥陀佛……还有服装师,我这美容院不光管人身上的那层皮儿,也管衣装,一直管到帽子领带首饰鞋袜皮带钱包挎包手包手绢香水什么的……反正你进来是个打蔫的,出去的时候保管让你光彩照人!不年轻十岁也漂亮十分!……还有,就是希望潘先生您,还有您那演艺圈文明界的朋友们,都来捧捧场,我免费为你们服务一次,再赠送金卡、银卡,以后来就享受八折、九折的优惠……今天这儿的四位,都是未来美容院的元老,旺哥他是董事,我是总经理,欧嫂和老王都是部门经理……"

潘藩听到这儿开怀大笑起来。"城市绿林"真叫厉害啊!他没能逮住他们,反倒被他们逮住了!他端起酒杯,说:"来来来,为咱们的美容院,干这一杯!"……

75

奶奶又在里边那屋给她的老战友通电话。这回又是为一篇谁写的回忆录,奶奶觉着里面几个关键的地方与她亲知的史实不符,并且撰写者的某些口气也令她感到未免太自吹自擂,所以很详细地在电话里核对那段史实,并交换对那整篇文章基调的看法。纪保安从偶然飘进耳朵里的只言片语,体味到一种复杂的况味。他悟出,每一个生命个体,他的记忆储存里,都一定会有他独特的敏感区与痛楚点;然而作为历史的见证者,即使他并不想歪曲与隐瞒什么,他所提供出来的文本,还是很难得到在同一时空里生存过的人们的欣然认同。因此,究竟什么是历史呢?除了最原始的那些资料外,所谓事后回忆,该怎样评估其可信度与史料价值呢?……他还从奶奶有时是很急迫动情的语调里,感受到一种从历史中走过来的老人的独特心态,就是亟欲对历史负责,而有时这种责任竟比对现实中可即刻投入操作的责任要沉重得多,也更难得到确认与施展……不过,仅仅是这样地听了一两耳朵,他便对奶奶更增添了尊重与敬畏。不管怎么说,奶奶的个体生命与历史中那巨大而坚实的核心部分,与一个时代澎湃的主潮是联系融会在一起的……这让他感到深深的骄傲与羡慕……

纪保安又在奶奶家和父亲相会。他们父子间的关系真是微妙。因为纪保安的生母已去世多年，父亲的续娶妻子是个比纪保安大不过 10 岁的女子，所以纪保安基本上不去父亲那个家，过春节时去一下，也仅是相互以礼相待，全然没有亲情的温馨。但纪保安经常在奶奶家跟父亲见面。在奶奶这里即使相互间意见相左，甚至争执得很伤感情，但也许是血管里毕竟流动着有传承关系的血吧，总还是笼罩着一种"自家人"的特殊气氛。

此刻也是如此。奶奶在里屋打电话，纪保安和父亲各自坐在客厅一角，纪保安在看一本杂志，父亲在看一张报纸。

父亲近来总是眉头纠结，牢骚满腹。他年过 65，不得不从原有岗位上退下来，但余热甚炽，不甘就此"袖手"，经过一番努力，总算又被安排为系统所属的培训中心的双主任之一；对此，纪保安本来很为父亲欣慰；组织上本已明确，中心的工作，主要由另一年轻的主任操持，但父亲到任后，竟很快便大权独揽，跟那年轻干部关系自然也就趋于紧张；这倒也罢了，谁知父亲权欲高涨，他又提出来，今后本系统的副处以上的干部，一律需经过中心培训，获得由他签署的"上岗准许证"，才能上岗；这下他就跟系统的党委和组织部门顶牛了，因为任命和考核处级以上干部的权力，应属于党委特别是组织部门；培训中心并非党校，怎能替代党校的作用呢？党校也不能越过有关组织部门决定干部的任免啊！对此不仅纪保安对父亲诚恳进谏，奶奶也提醒父亲"你要多想想'培训'两个字，不要一天到晚迷恋那'中心'两个字"！

但纪保安父亲固执地认为真理在自己的手中。他认为现在的党委和组织部门都不能让他放心。他更认为这几年所提升起来的新干部大都有问题，比如纪保安在那个部里升为处长，他就认为并不恰当！他能有如此这般的严正态度，还能说是有私心吗？当然他认为问题更大的是那位倚重纪保安的副部长，把那么大的权力交给那么个小县城里提上来的爱摆弄电脑的"老大学生"，"政治成熟"这条最重要的标准岂不是扔到字纸篓里去了吗？！

纪保安父亲所翻看的那张报纸的"文摘"版上，摘了野丁所写的一篇关于林奇的文章中的近两千字内容。

其实野丁和林奇的关系，这些天已经有所变化。野丁那篇文章，登出已久。但该报"文摘"版的编辑哪知道文章作者与所歌颂者关系已然淡化乃至趋于恶化，只是觉得该文颇具热点效应，所以积极摘登。纪保安父亲听说过林奇的名字，知道是个作家，却从未注意过其观点倾向。现在读了这篇文摘，忽然眼亮心热。野丁以其煽情的文笔，先列举了商品经济大潮中的种种负面现象，诸如贩毒嫖娼、拐卖妇女儿童、白日抢劫、夜市"三陪"、索贿行贿贪污腐败、崇洋媚外丧失国格、假货猖獗、黄毒泛滥……然后，在这一派污浊的背景上，凸现出林奇执真理之旗、扛战斗之枪、唱神圣战歌、横扫俗世堕落颓风的英雄形象，写得气势磅礴、悲怆动人……纪保安父亲不看则已，一看之下，顿有"他乡遇故知"之感，不禁击节赞许，拍案称奇，看罢遂问纪保安："这位林奇，你一定是认识的咯！你怎么不跟他多交往交往？……真该马上请他到我们中心讲几次大课！你有他的地址电话吗？"

纪保安便对父亲说："林奇当然认识……野丁这篇文章，是他写的《林奇评传》的开篇部分，我全文读过的……可您难道没感觉到，他并没把林奇所追求和坚持的东西写明白吗？其实，我倒是了解的……"

父亲一听就感到逆耳。沉吟了一下说："这个林奇，他头脑很清醒嘛！他反对堕落、坚持崇高，在当前是多么难能可贵啊！……"

纪保安便耐心地跟父亲介绍了一番他所了解的林奇，告诉父亲林奇从郄·格瓦拉的崇拜者，发展到狂热的"红卫兵"，又发展到立即消灭一切私有财产的乌托邦的实践者，再发展到现实的全面否定者，以及视俗世芸芸众生皆为"臭鱼烂虾"的孤独的"超人"式英雄……他说："是的，他对现实持严厉的批判态度……对当前市场经济中的负面现象的批判，是合理而且也及时的；但他哪里只是批判负面现象，他其实是根本不承认市场经济有正面作用的——他是根本否定市场经济的！……"

可是这话并不能说动父亲。因为说到头，他父亲心里，也一直对市场经济持怀疑的态度……

纪保安继续说："……当然，林奇作为一个作家，一个没有公务职责的人，他可以对现实持有自己独特的看法……可是，您得知道，在他的思想里，不仅现在搞市场经济是一种背叛，而且……他认为早就背叛他了！……他是把自己和所有伟人并列的……他就亲口对我说过：远了不说，从1972年就完全不对头了，怎么能跟美帝国主义握手言欢，承认世界革命者的公敌所盘踞的地方是一个合法的国家呢？！还有那个分明是帝国主义工具的联合国，怎么能去争取恢复什么'合法地位'呢？！一个对世界革命者来说分明是非法的机构，它里面怎么会有革命者的'合法地位'？！……他至少是从那时候起，就冷眼看世界、看中国、看现实了……"

父亲听不懂他讲的那些个意思，只是觉得他忤逆太甚，便断喝道："给我闭嘴！你说一千，道一万，我反正是不能听你的！……我看这个林奇很好！现在需要的就是他这样的不忘革命的一代新人！……从你的嘴里，我几时听到过'革命'的字样！满耳朵只有'生产'……甚至只有'科学技术'……什么'微观电子'……"

纪保安纠正说："是'微电子技术'……"

这一句更惹得父亲暴怒："用不到你指导我！……我还就要请林奇到'中心'讲课！"

纪保安便说："您请呀……只怕林奇根本不吃您那请呢……"

父子俩正顶撞着，奶奶打完电话回到客厅，倒也见怪不怪——这几乎已成她这客厅里的家常便饭了——老人家边落座在沙发上边说："好啊，你们有那么多的力气争论，那就先给我争个水落石出——今晚上是跟四嫂一起包饺子，还是烙韭菜合子吃？……填饱了肚子，你们再接着争这个林啊什么的好了！……"

76

林奇正在自己家中他那间"静室"趺坐。

那是一间只有八平方米的屋子。他把整个屋子的六个面——四面墙壁和屋顶特别是地板，都漆成了浅蓝色。这间屋子不放任何家具。只在屋子当中搁了个一米见方的大鸭绒坐垫。他便趺坐于那个垫子上，背对着有窗的那面墙。这屋子的门关上后，门背后也是与四壁一体的浅蓝色。此时窗帘已拉上。窗帘也是浅蓝色。

他按自己的方式趺坐。双手并不合十，也不是摊放在膝盖上，而是回放于肩下，两手的中指正按在肩沿。这若被俗人看见必会以为古怪。可是这姿势强烈地体现出他独立不倚的精神境界。到目前为止，他尊重人类的三大宗教：基督教、伊斯兰教、佛教;同时也不以中国固有的道教和儒教(如果算得上是宗教的话)为敌;但他个人并未被其中任何一种所彻底征服。是的,他曾是马克思、铁托,尤其是格瓦拉的崇拜者,持无神论的立场。但他现在感到内心有一种强烈的欲望,便是为芸芸众生中尚可救药者创建一种超越现有宗教的新的神圣信仰。他以为于他自己而言,这也并非放弃了无神论立场。因为他本人并不需要神,但他认为俗世众生需要一个像样的神,他将向他们提供这样的神。

在他所面对的那面墙上,挂着整个屋子里除那坐垫以外唯一的东西———一幅干笔油画,画的是一个人的肖像。你可以认为那是他的自画像,也可以认为是另一现代人的画像。那确是他的手笔。

每回刚趺坐在那浅蓝色小屋的坐垫上,林奇便陷于深深的痛苦中。世人不仅普遍堕落,而且接踵背叛。真人在哪里? 真人恪守信仰,决不妥协,宁为玉碎,不为瓦全。现在除了我,世上还有几个真人?

那也是浓酽的寂寞。没有够资格的对话者。

然而,他总是通过凝视那壁上的画像,逐步地达到平静。

这个世界是为真人而存在的。不需要很多的真人。凡非真人的庸人、懦夫、屠头、下流坯……应当统统予以清除! 是的,这世界应当是清洁的。一个澄明的蔚蓝色世界。每个真人都是健壮的、美丽的、睿智的、无私的。他们不懂得什么叫做私有财产。他们一起劳作,一起休息。不需要太多的产品。关键是那产品必须新鲜、朴素、洁净、有益。他们一起过着高尚的生活。在他们的精神生活中只有高雅的成分,容不得半点庸俗。他们不需要奇形怪状的高楼,只需要坚固实用的平房。不需要五彩斑斓的服饰,只需要遮耻御寒的衣衫;不需要汽车高速公路,只需要良马黄土通道。不需要电子视听文化,只需要经过精选的少数读本。尤其不需要电脑,而格外需要服从和遵守纪律的训练……当然,那也就意味着不需要无聊的纷争,而需要完美的领袖和至圣的箴言。

他从平静的憧憬,又逐步进入一种神妙的欢愉。每到这时,他便感到四壁、天花板和地板都化解为一派蔚蓝的天宇,而他自己则升腾漂浮在宁静肃穆的纯粹中。至少这堕落的人类还拥有他这样一个真人! 这肮脏的世界还有他发出的光芒!

　　……那是他每回从事这种"心灵行为"创作的高潮：感到自已在银河星系中庄严旋转，猛地达到一种极度的欣悦……

77

　　那座楼在用以拍摄的过程中，闪毅只当它是一堂巨大而省钱的布景。他在那楼里楼外楼上楼下出出进进走来走去时，满脑门子尽是关于他所投资的那部影片的种种事宜，他几乎完全忘记了在这座楼里所度过的那些童年岁月。可是这天他来到这座楼时，却忽然有种梦醒时分的怔忡，并且随着他往楼上去，那怔忡更化解为许许多多越来越滋生膨胀的复杂况味。

　　那座楼及其附属庭院已然消除了拍摄电影的所有迹象，恢复为一派家居的氛围。尽管这二十多年后的众生生态与二十多年前有了许许多多的变化，但楼毕竟还是那座楼，无论人们如何给它重施脂粉、新潮包装，它的古旧，它的沉重，它那中西文化在碰撞中凝固出的怪诞，它那历经沧桑阅尽奇诡的种种细节，处处都显示出它无言的悲怆、丰沛的感慨。

　　闪毅本是来处理几件借用拍摄的善后事宜。事毕，他特意登至楼上，到故居小坐。那里的住户是完全不认识的人了。一位退休在家的老头礼貌而淡然地接待了他。那居室装修得已面目全非，然而从门窗望出去的阔廊与外面的树杈、天空依然是那么样的熟悉，就仿佛还是那个刚刚成立了"向阳院"的初冬……

　　他不便久坐，道谢告辞。他脑子里刚活现出姥姥隐忍着内心巨大痛苦然而慈蔼平和的面容，却在下楼时忽然被走廊里的一样东西刺痛了心尖……那落入他眼帘的是一个带盖子的白搪瓷尿盆……偏偏也搁在了那扇门外！……仿佛那个"荣誉军人"，不，"反动兵痞"，那个"独眼龙"潘国成，就要推门而出，并且责怪他为什么"现在才来？！"……他扶着粗大而结实，并且雕有装饰花纹的楼梯扶手，停在那里，许久，才使心尖的痉挛终于平息。再往下走时，他每一步都格外沉重。

　　他没想到，韩艳菊在一楼回廊里等着他。

　　他们其实才分手没多久，是在隔壁院她的办公室里。他不知道，韩艳菊还想请他到家里再谈谈。

"…… 怎么样？鸟枪换炮了吧？你那故居 ……"

他觉得眼前的韩艳菊在这声问话中才由朦胧而凸现。他心头的种种光影阴霾也才缓缓弥散开去。

"…… 请进请进 …… 来来来 …… 歇歇 …… 来凤梅家喝杯上好的龙井 ……"

他没多想，也许是出于需要镇定一下的心理需求，他跟着韩艳菊进了她家那个双开门 …… 韩艳菊没在厅里停留，而是把他引入了一间内室 …… 司马山俨然在座，见他来了，站起来迎，满脸笑容 ……

跟他们两口子落座在沙发上，呷了一口韩艳菊沏好端来的特级龙井茶，有一搭没一搭地对了几句淡话，他忽听韩艳菊说："…… 听说你那片子，连做后期的钱都不够啦？ ……"

这话仿佛一锤砸在了心窝，他顿时全身神经一震，霍然清醒。他望定那个女人，问："你听谁胡说？"

韩艳菊呵呵地乐，拍着手说："瞧，这不你自己说出来了吗？ …… 你这个神情儿，是开了锅的饺子露出馅儿了啊！ ……"

他大不悦。他的商业机密，不希望别人打探。当然，他知道，这些天来，提前撤离那宾馆等种种举措，用不着有人透露，聪明如韩艳菊者，是一定会窥破他资金周转不灵的底细的。但韩艳菊在大面上，在她的办公室，当着别的人，一直没有这么样地来戳穿他 …… 她不是跟司马山掰了吗？那怎么偏当着司马山来跟他说这个？ ……

他便顶了回去："我说韩阿姨，我这锅饺子留着自己吃，您着哪份子急呢？我给您的那锅饺子，咱们不都交接妥了吗？那锅饺子煮得怎么样，可就都看您的火候了 ……"

韩艳菊笑得两只眼睛像要爆出豆儿的豆荚："是呀是呀，我也真贪是不？把着自己这锅，还瞅着你那一锅 …… 其实我是为了给你们俩牵线，当一回经济红娘！ …… 咱们成人之美，分文不取！ …… 来自五湖四海，都是为了一个共同的目标嘛！ ……"

闪毅不明白这两口子究竟是怎么回事儿。司马山一旁终于开了口。他一一道来，逻辑清晰，结论诱人……

原来，司马山是接通了"上线"，有了"直接从银行里拿钱来用"的机会；可是要拉起一个公司，达到"师出有名"且"大有道理"，也还需要"另辟蹊径"。于是想到了"中外合资"的招数。现在闪毅是活生生的外商；如果闪毅没有资金周转上的困难，恐怕也懒得考虑合资的事；司马山要不是闪毅这种处境，也难以向闪毅开口；也是双方的缘分凑迫，只要闪毅愿意"挺身而出"，他那"外资"份额，可以用司马山"从银行里直接拿出来的钱"垫算，待他一旦度过了危机，再"落实"不迟……

这方案当然令闪毅怦然心动。《栖凤楼》的后期制作费竟可"得来全不费工夫"！何乐而不为？

……走出那座楼所在的院落，坐进自己的汽车时，闪毅已然忘记了他在当年"潘大大"住屋外，猛然看到那个搪瓷尿盆时所受的刺激……

78

好久没接到过印德钧电话了，当雍望辉听到那熟悉的声音时，真是非常高兴。印德钧约他去智化寺看一个民间收藏家自己组织的展览。

真没想到印德钧有这样的好兴致。在他记忆里，印德钧似乎是不怎么爱看展览的。也许是因为快退休了，现在担任的又是个闲差，所以业余的爱好情趣也丰富起来。

他答应去。

智化寺深藏在闹市的胡同群中，即使老北京，也有很多人不太知道有这样一所寺庙。它虽然不大，却保存得颇为完整。它最著名的是其后面的藏经楼建筑，据说基本上保持着明代以前的结构，在古建筑中别具一格，极具文物价值。另外这座寺庙曾产生过一种风格特异的佛教音乐，一直留传至今；现在恢复了一支由僧侣组成的佛乐队，所演奏的法曲使这方面的专家激赏不已。不过，以上两大特色仍不能吸引一般市民和旅游者光顾，所以，寺庙的管理部门便将庙中厢房廊房辟为了民间收藏品的展厅，一些民间收藏者自发组成并经民政局登记注册的协会联谊会，也便将这里作为他们展示自己收藏成果、进行交流的一个乐园；这样也便吸引了一些市民和外来旅游者到此观览。

雍望辉和印德钧在智化寺门口会合。

进去之前，印德钧跟他说："在北京几十年了，我也是头几天才偶然发现这个地方的……"原来，印德钧参加了"希望工程"的助学活动，包下了家乡最偏僻的山乡里两个孩子的学费和生活费；前些时那所小学的一位教师随一个参观学习团来北京，特意到他家致谢，并带来了那两个孩子的优秀作业和孩子家长托带的红枣和柿饼；印德钧自然非常高兴；那家乡老师走那天，他到火车站送行，除了托老师给两个孩子和他们两家带去些礼物，还买了一大包书和一大包文具，送给那所学校；送完出了北京站，他心情甚畅，便不忙坐车回家，且闲庭信步般地漫游……他不喜欢大街上的喧闹，便往胡同里转悠，这么三转两转，就在无意中发现了智化寺……

印德钧对雍望辉说："……进去看吧，准让你大吃一惊！……"

雍望辉感谢印德钧对他的好意。他虽然尚未来过这智化寺，可他的生活视野比印德钧开阔多了。说实在的，各种千奇百怪的世相见多了以后，他已经变得很难吃惊，尤其难得大吃一惊。就拿社会上的各种"发烧友"来说，他见识得已然不少。比如说，他就到过一个音响"发烧友"家里，那人的正式职业不过是自来水公司的一位业务员，收入当然不高；刚进他家，举目四望，可真是"家徒四壁"，举凡一般人家都有的种种日用器具，如组合柜、沙发椅、电冰箱……他家竟都暂付阙如；他家的住房也实在狭窄；但他为自己布置了一个"听音间"，那是用隔音材料在居室中单切割出来的一个小小空间，只容得下他心爱的音响设备和一张自制安乐椅；他就经常一个人钻进那里面，调好音响设备，放送最喜爱的 CD 盘或卡带，躺在安乐椅上，陶醉在乐海仙音之中……据该人自称，他花费在那听音间里的钱，已逾6万元！雍望辉在和他交谈中，不断地被他纠正所用词语与概念，比如雍望辉总顺口称他的设备为"组合音响"，他就一再纠正："我这不是组合音响，而是音响组合！组合音响是所谓的'套机'，厂家已经给你配置好了，甚至是连为一体的东西，那种音响一般是供外行用的；音响组合则是我们根据自己的喜好，用各国的不同品牌的机件自己装配的……"雍望辉原来只知道若干日本厂家的牌号，以为那便是挺不错的东西了；这位"发烧友"却告诉他，日本出的音响一般都是"大路货"，他们一般很少采用，他的主机便是德国的，CD机是丹麦的，音箱是法国的，而馈线则是美国的——一根看上去极不起眼的馈线便价值1万元！……"发烧友"说出了一大串欧美名厂家的著名品牌，他简直耳不暇听……后来他坐上那把安乐椅，听了一段不是音乐的声音——极为精确地记录了一只玻璃杯掉在水泥地上碎裂为八块的全过程，他承认，"连杯中的酒所溅发出的水汽都表现出来了"……自从那回走出了那位"发烧友"的"听音间"，他便不再为其他"怪人怪事怪现象"大惊小怪了。确确实实，中国大陆已然出现了一个广阔的民间空间，其中已疯长出了千奇百怪的乔木、灌木、藤萝、草菌……妍媸并存，香臭杂陈；对此他已从心生焦虑，逐渐地变为了冷静观察、慎重评判。

所以，当雍望辉随着印德钧步入展厅时，尽管印德钧的表情很是兴奋，他却只怀一种姑妄观之的淡然情绪，懒懒地观望。

同时有好多个收藏者在那里面展示他们的收藏品。一位收藏的是蝴蝶标本；蔚为大观；也许是印德钧已然看过一回，竟不再流连。一位收藏的是各种古钱；虽数量不大，却精品迭现。还有一位收藏的是明清刺绣。另一位收藏的是清末迄今的各式茶叶罐，难得他有这样的兴致……印德钧为什么只顾往那边引？那边的展示能更新奇有趣？……

雍望辉跟过去，啊，那收藏者的选项确实特别——他收藏各式各样的锤子，从最一般的具有实用价值的，到银制的镀金的玉雕的玛瑙的镶宝石的木变石的等等供摆设用的……直到近年来庙会上发售的塑料材料做的吹气锤头模型；其中最小的仅有指甲刀那么大，最大的木槌据说是用来敲酒库里那巨型酒桶的桶箍的，槌头足有人脑袋那么大……

可是这又有什么好吃惊的呢？就是有人专门收藏中外古今各式马桶，一一陈列于此，并用射灯照得轮廓分明，那也实在不必为之吃惊；以世界之大，人类之众，心灵之诡奇，趣味之分流……这实在都并不能使他觉得触目惊心！

"来来来……你来看……这是谁？……"印德钧拉着他衣袖，把他引到这个展区的起始部分，让他看那前面的说明。

那是很简单的一个说明，开列着那收藏者的姓名、所在单位、在收藏爱好者

栖 凤 楼

协会中的职务、收藏简史等等;并附有一张收藏者的近照。

雍望辉拿眼一看,感到心口被重锤猛地一击。他大吃一惊。不,这样说还不够分量。他简直是因大出意料而震惊得晕死过去……

那收藏者是老霍。就是当年一锤锤猛钉金殿臣宿舍窗户,因为过于恪守其职,而在钉窗的过程中将他的双唇尽情前伸,把那副神态烙刻在雍望辉心灵上,至今不仅难以消退,还常常在他的梦中,在他的潜意识中拱动,甚至牵引着他的写作冲动,使他常常欲写不能,罢休又不甘,处在尴尬与迷惘中的那个……久未谋面的老同事!

那照片上的霍木匠,老了许多,但双唇仍是微微前拱,体现出其特有的专注神情。

"是他!"良久,雍望辉才倒吸了一口气。

"是啊!……这就是今天我约你来这儿的原因啊!……我那天也是着实吃了一惊!……他是多年的老木工,收藏这个并不算稀奇,对吧?稀奇的是,他那么个当年政治情绪恨不能冲天高的人,如今怎么成了这么个闲情雅致数一流的人物呢?……还有那个金殿臣,当年即便没挨司马山那顿整、打成了个'坏分子',那也是单位里公认的落后分子呀;谁会从政治上看重他呢?嘿,二十多年过去,我跟你说过了吧?你在电视上看见了吗?他如今又是个什么人物呢?……他变成先进的了,这倒也还不算什么大爆冷门,可他不是技术革新的先进人物,不是管理模范也不是创收典型……他是优秀共产党员!他穿着一身中山装,接受西服革履油头粉面的年轻记者的采访,一本正经地回答记者的提问,向广大电视观众表明:新时期里共产党员要立新功,要一如既往地发挥模范带头作用!……可他的'既往'该有多窝囊呀!你我记忆犹新嘛!……望辉,你是专门解剖人的灵魂的,你把他们俩的灵魂解剖给我看看……当年怎么回事?如今怎么回事?……"

雍望辉一时只是呆呆地站在那些个大大小小的锤头前,心头久久地回响着印德钧所提出的那个问题……

79

　　每回应邀赴矫捷的饭局，宁肯不仅兴致盎然，而且总是及时到达，不让矫捷久等。这倒不是他嘴馋，而是因为这位与他属于同一代人的大款，使他感觉不俗，相聚侃谈，颇多收获。这回他出发较晚，路上又堵车，当他赶到太上宫酒楼，跨进那个单间时，惊讶地发现，别的客都没到，只有矫捷一个人坐在餐桌边抽烟。

　　"嘿，这回不要你'缴械'，是我该跟你缴械了！……"宁肯笑嘻嘻地过去招呼。谁知矫捷一反常态地板着个脸，也不给他递烟。

　　"怎么啦？"宁肯坐到他对面，不解地望着他："你怎么这么不高兴？……路上堵得厉害，保安可能也是因为……"

　　矫捷截断他的话茬儿，闷闷地问："春冰不来？"

　　每回宁肯和春冰总是双飞双翔的，也难怪矫捷要这样问；宁肯心想解释一下也便罢了："她要过会儿再来……让我跟你老兄先请半个钟头假……她给人家当主持呢……"春冰这样年轻美貌的播音员，常被这样那样的"堂会"请去当主持，一来请方大多有人情面子的因素在内，往往不好推托，二来每次总要给个"红包"，少则三五百，多则一千元，其诱惑力也很不小；宁肯认为对此矫捷是早已知道的，不该有半点惊讶，谁知他话音未落，矫捷便恶声恶气地说："哼，又卖唱又卖身……贱卖！"

　　宁肯听了一愣。只见矫捷的大狮子鼻的两扇鼻翼正在抖动，倘若他真是一只狮子，那恐怕跟着就要扑过来噬人了！

　　宁肯一头雾水。这是怎么啦？春冰什么时候得罪矫老板啦？大家不是朋友吗？干吗说话这么难听？……既然如此厌恶春冰，那又为什么还约她来？……

　　纪保安身上还响着风，匆匆走了进来。他一点没意识到局面的紧张，打着哈哈说："嘀，三缺一啊！……"

　　宁肯便对纪保安说："晴转阴……北风三四级转五六级……有霜冻……大风降温呢……搞不好没准还来场热带风暴！……"

　　纪保安笑着坐下，望望两个人，不明白："怎么回事儿？什么事不顺心？"

　　矫捷狠吸了一口烟，又尖着嘴唇吐出一串烟圈，把还剩一大截的香烟往烟碟里狠戳几下，这才向他们说出原委。矫捷投资生产的一种胡萝卜饮料，经过试销，口碑不错，批发形势很好；但忽然有一家杂志斜刺里杀了出来，发表了他们的所谓"市场调查"，大捧另一种"什菜饮料"，大贬矫捷所投产的胡萝卜饮料，声称"据专家说，胡萝卜经高温处理后，所含的营养价值几乎全部丧失"，又以"读者投书"形式，说什么"喝了这种胡萝卜汁，出现了呃逆、腹泻的情况"；该杂志本来并不知名，问津者寥寥，但最近召开了一次"改版新闻发布会"，把不少报界、广播台、电视台的记者找来，使用"红包战略"；这几天竟造成了相当的影响，该杂志"改版"号上的那些捧"什菜饮料"贬胡萝卜汁的内容，迅即造成了矫捷所投产的胡萝卜饮料的退货浪潮……截止到今天，毛算起来，矫捷已损失达50万元之巨！倘形势进一步恶化，后果不堪设想！……而那杂志所搞的"改版新闻发布会"，便是春冰去做的主持！所以矫捷不仅要在他们面前痛骂春冰，还打算当面怒斥春冰一番！

宁肯听完，马上说："我敢保证，春冰根本不知情！她肯定是临时被什么人拉去充的主持！说不定她根本就没细看那本杂志，根本不知道自己得罪了你！她要是明知故犯，今天我给她打电话，她怎会说一准来呢？"

矫捷说："哼，她并没来呀！她怕是不敢来了！这个妖精！……先不去管她！……你们要给我主持公道！帮我想办法斗倒他们这拨流氓！……"

纪保安说："你不用着急，那杂志这么搞，显然很离谱，那是帮'什菜饮料'搞不正当竞争嘛！你可以去法院起诉嘛！如果你能拿到杂志社和'什菜饮料'的产家或批发商相互勾结的证据，那你就更占理了！"

矫捷说："告是要告，可是我耽搁不起打官司的工夫！就算到头来我胜诉，我那生产线早停了，要么我就爆库了，我再销也难销动了！……我现在必须有应急的一手！……"

宁肯说："那你也搞一个新闻发布会！……你也找一家杂志嘛！……我让春冰去主持你的发布会！……你给她一个将功赎罪的机会嘛！……"

纪保安说："这么干可不明智……效果未必好……多半是两败俱伤……你的目的还应该是保证你那饮料的正常销售嘛！……"

矫捷哪儿还有丝毫"缴械投降"的幽默，他狮子鼻一撇，恶狠狠地说："两败俱伤我也在所不惜！这回我宁愿鱼死网破！……"

宁肯望着矫捷，心中暗暗叹息。自结交这位同乡大款仁兄以来，他是头一回看见他露出这样一副嘴脸。原来商界真比文化圈更充溢着杀气……

服务小姐来请矫捷点菜，矫捷大声地命令说："先上10瓶胡萝卜汁！"

服务小姐犹豫地说："不知道还有没有了……"

矫捷两眼一翻，怒气冲冲地说："就得给我先上这个！要不我就不在这儿吃了！……把你们经理给我请过来！……"

纪保安便劝他说："你也是！冷静点儿！……人家的意思，也许是……胡萝卜汁大受欢迎，说不定都卖光了……"

聪明的小姐马上接过这话，笑吟吟地说："正是这么个意思……"

矫捷这才按捺下胸中恶气，挥挥手让服务小姐离去。

宁肯带的手机响了，一接听，是春冰；真是"商女不知亡国恨"，她竟在那边嘻嘻地笑着说："……让'缴械投降'老老实实地给我点大龙虾！没有'一帆风顺'的大龙虾我可不去！……"宁肯真不知该怎么跟这傻丫头点明形势，他心想真是别来算了！……趁矫捷和纪保安在一旁说话，他压低声音向春冰暗示："……你吃什么还没吃够？……太累，你就歇菜算了……这儿……刮西北风呢！……"春冰哪儿听得懂，反而说："刮台风我也得去呀……要不，我还不成六国反叛啦！……我这就出去打'的'！"

那边纪保安正在给矫捷出主意："……最省事的办法，是你投书那家杂志，要求它在下期刊出，以挽回影响……"

矫捷使劲摇头："……用你说！早找过他们了……社长、总编躲着……一个什么编辑部副主任出来打'太极拳'，说他们下一期已经付印，再下期也已经排好版……我提供的文章可以留下，他们考虑好了再通知我……他妈的！就是他们登，驴年马月去了！我早破产了！……"

纪保安说："那你就先找家报纸登……"

矫捷顶回去："馊主意！那不成了扩散他们的污蔑！……那不如我干脆花钱做广告！……我请你来，就是为了听你这些个馊主意吗？！……"

纪保安便问："那你自己究竟是个什么主意呢？"

　　服务小姐端来了一托盘胡萝卜饮料，一边往桌上布一边说："对不起，就这 8 瓶了……"矫捷瞪她一眼说："还是把你们经理给我请来！……他原来定了 100 箱！……他为什么不继续去提货？！……"

　　服务小姐脸上僵着一个微笑，无言以对。

　　纪保安努力把矫捷的注意力再吸引到自己这边："……'缴械大哥'，你冷静点嘛，把你已经想好的主意给我们说说……大家帮你合计……"他把服务小姐斟好的饮料端起来喝了一口，赞赏说："唔，口感很不错嘛……"又动员宁肯喝："你尝尝，味道很纯正，对吧？……"

　　宁肯一时不慎，说出了直觉："……这瓶子造型差点儿……纸标颜色有点'怯'……"

　　矫捷猛地一拍桌子："……汉奸！"

　　这话的含义很明确。宁肯难以承受，他就把端起的杯子又搁回了桌上……

　　纪保安还是很有耐心地劝矫捷冷静："……你也不要一点儿听不得意见……消费者他有权对商品提出意见的……不过，当然当然，那杂志显然不是在一般性地提意见，而是在搞手脚……明白明白，他们可能是私下里得了那个'什菜饮料'方面的好处……现在你打算怎么办呢？你先说说……"

　　矫捷总算稍微冷静了一点。他喝了几口胡萝卜汁，用餐巾纸揩了揩嘴说："……把你们找来，就是要你们帮忙嘛……我的想法很简单：他道高一尺，我魔高一丈！他会搞'猫儿腻'，我就朝中无人吗？……保安，我知道，你跟的那个副部长，他跟新闻出版署的一位副署长，是从同一个省同时调进北京的哥们儿……我想写一份材料，通过你，你再求你那副部长，给我转到新闻出版署去……直达那副署长的办公室案头……请他批上几个字，哪怕是仅仅让调查处理……那么，好！……"

　　纪保安正和宁肯互换眼色，矫捷把眼光又盯准了宁肯，接着说："……底下就是你小子的活儿了！……既有新闻出版署的态度，你跟你们台里领导说一下，就在这几天给我上一回时评节目……解剖一个麻雀：看不正当竞争如何扰乱了市场！……这么着一来，我的货就又能顺利地批出去了……"

　　纪保安说："……我们副部长他可绝不会干这种事……"

矫捷说:"…… 其实用不着他亲自出马 …… 谁不知道你是他的一号亲信 …… 只要你给那副署长打个电话 ……"

纪保安说:"我也不能那么做啊 ……"

矫捷生气地说:"怎么回事儿?我又没贿赂你!又不是让你干坏事!只不过是请你站出来主持一下公道罢了! ……"

纪保安说:"咱们交朋友 …… 公私要分开啊 …… 你每次请客,我都来 …… 可要是变成这样 …… 我 …… 我不就等于 …… 等于吃了影响我使用行政权力的宴请了吗? ……"

矫捷明快地说:"你以为你没吃吗? …… 我'养兵千日,用兵一时'啊!"

纪保安站起来抗议:"你怎么这么说话?谁是你的'兵'?!用得着你'养'?!"

宁肯忙起来拉纪保安,让他再坐回去。纪保安是因为到电视台做节目,才认识宁肯,并通过宁肯,才结识矫捷的。所以出现这么个局面,宁肯感到很过意不去。他对纪保安说:"…… 他是正在气头上 …… 你别放在心上 …… 其实他心里并不是这么想的 ……"

矫捷却大声说:"我怎么不是这么想的?就是这么想的! "又冲着纪保安说,"你别跟我假模假式的!谁不知道,你们衙门里头整天不就是电话来电话往,你递个条子给我,我递个条子给你,你在我送的材料上批两行,我在你送的材料上批几个字 …… 那就是你们的日常生活! …… 蒙谁啦蒙?以为我们老百姓不知道你们? …… 我这说的还是好的呢! …… 至于那些个见不得人的'猫儿腻',我今天就先不捅那窗户纸了! …… 你不愿帮我的忙,那说到头还不是你觉得从我这儿揩不出多少油水儿来!这样的饭局知道你不稀奇,你们公款消费那比我气派!所以你没当成一回事儿! …… 你以为我就是个陪你们开心,讲点笑话让你们增加点民间知识的混混吗?哪回不是你们拍屁股一走了事,我来埋单!我就为了白白埋单吗?我的钱赚得那么容易吗? …… 我当然也是为了一旦遇到危难,好请你们拔刀相助!现在还没请你们拔刀呢,只不过是求您小小不言地拨个电话,嗬,就跟我来这一套!装什么洋蒜啊你? ! ……"

宁肯一直拉着纪保安衣袖。矫捷虽是两个人一起骂,重点还是纪保安。纪保安气得一直说不出话来,只是也瞪视着矫捷。矫捷的目光也不退让,两人竟是仇人眼红的那么个阵仗 ……

纪保安心里往上冲涌着最恶毒的念头:"好呀好呀 …… 这个往井里杀害过红军的 …… 后代! …… 你是永远不可改造的! ……"

矫捷心里也往上喷射出最刻薄的话语:"什么了不起的! …… 以为凭着你奶奶什么的 …… 就稳当你那官儿了 …… 你们那一套瞒得过别人瞒不过我! ……"

宁肯心乱如麻,嘴里只是很不顶劲地喃喃:"别 …… 都别 ……"

偏这时候春冰翩然而至,她小碎米步子跃进包间,还没看清那场面就娇滴滴地嚷:"'步步高升'和'一帆风顺'都还给我留着啦? ……"

可当她定睛一看,顿时傻了。桌上除了一些个盛着胡萝卜汁的瓶子杯子,什么别的吃食都没有,而坐着的矫捷和站在一处的纪保安和宁肯,竟构成了一幅古怪的对峙图 ……

春冰忍不住说:"你们喝了什么? …… 醉成了这样! ……"

80

远郊农村的一个庄户人家,还没有大富起来,推开大门进去,还是个传统形式平房院落。秋尽冬来,但是天气还很晴和。院子里的几株柿子树,叶片几乎落尽,但枝头还挂着些黄灿灿的大柿子;一侧的竹棚架上,瓜藤早已枯萎,却还挂着几条已经只剩筋瓤的丝瓜,以及已然变硬泛白的细腰葫芦。一些柴鸡正满院子用爪子和喙刨食,一只大狸猫趴伏在正房门边,与那些柴鸡相安无事。

院落的主人此时并不在家,可是院门口却停着辆吉普车,有客人老远地来造访,那正房靠东的里间也有人接待那客人。

那正房里间还是老式的格局布置。靠窗是一溜大炕,上头铺着大席。靠山墙堆着高高的被褥,以大红为主的色彩显得非常艳丽。炕上安放着方形木炕桌,很苗实,漆成了深棕色,泛着油光。炕对面,隔着相当宽敞的砖漫地面,是好木材打制的巨大躺柜;躺柜正中摆放着老式座钟,以及对称的插着尼龙假花的大瓷花瓶,两旁还有暖瓶茶具等种种家居的什物用品。凡露出的墙面下半截,都贴着些从去年大挂历上拆下来的大幅彩色照片，是世界各地的美景，有巴黎铁塔、纽约曼哈顿岛楼群鸟瞰、澳大利亚悉尼歌剧院、莫斯科红场一侧的蒜头顶大教堂、印度泰姬陵等等，令人眼花缭乱。墙面上半截，当中贴着大幅的"年年有余"新年画，画上抱大鲤鱼的胖娃娃笑得好喜幸！年画两边配贴着一副春联；两旁还有几张以"九大元帅"、"梁山伯与祝英台"、"沙家浜"为题材的年画。在对着屋门的山墙上则挂着一个大玻璃镜框，里头镶着若干大大小小的黑白彩色的家人照片。没有挂纸顶棚更没封灰顶，裸露着粗大的屋梁和屋瓦，使屋子显得格外阔朗。炕这边下面是一溜玻璃窗，上面是糊着雪白绵纸的可以朝里掀挂起来的木格窗。因为天气已冷，所以此时木格窗都合拢起来。下面的窗玻璃上贴着些红艳艳的剪纸。因为堂屋的灶上刚烧过开水，所以炕上暖暖和和的。

两个人，一个人坐在炕桌靠里一边，整个身子都在炕上，盘腿坐在一个大棉垫子上，那是"老豹"；另一个三四十岁的汉子，穿着件夹克衫，斜侧着身子坐在炕桌那边的炕沿上，左腿压着右腿，左脚落到地面上；炕桌上摆着一只大茶壶两杯热茶；他们表情都很严肃，显然是议论着一个不那么轻松的话题。

那来客是坐吉普车来的。自然是事先跟"老豹"约好到这个人家来见面的。吉普车的牌照打头是 GA 两个字母，但来人穿的是便衣。

来客告诉"老豹"，他们前几天抓获了一个盗窃豪华汽车的窃贼。是当场人赃俱获。那窃贼半夜里开着那车过这一地区的路面，恰好被巡逻的民警发现。那是辆全新的日产凌志轿车，还没有上牌照。据那窃贼交代，这辆车是他从北边的某市偷来的，打算开到南边的某市去销赃……

讲到这儿，自然只能算桩稀松平常的刑事案件。那窃贼难道是单枪匹马作案？他胸有成竹地往南边那市里去，可见那边必有人接应……这也都是不用多加推敲便可判定的事。"老豹"知道既来找他说这个事儿，其中必有大的蹊跷。那么，此案离奇之处在哪里呢？

来人跟"老豹"细说端详：据案犯交代，这辆车，是那个市下属的一个贫困县，买的走私货，用的是上级拨下来的"扶贫款"；本是想留作县太爷坐的，因为廉政的"风声"日紧，所以买来后一直没有上牌，存在县委大院一个暗库里；前些时，他们又打算将这辆车加价转卖给附近一个企业，但讨价还价一时还没谈妥；窃贼便是趁这个机会"先下手为强",窃出了这辆车;本以为半夜开过这里不成问题,没想到竟"阴沟里翻船"……

"你们有什么为难的呀?""老豹"蔼然地问。

"怪了不是!……"来人说,"我们审完贼,就跟他们县里联系……谁知那边回答说:我们这儿一辆车也没丢,大小卡吉普车都没丢,更没丢什么小轿车了……"

"老豹"淡淡地笑了:"藏起来的锣儿磕不得……"

来人说:"我们反复审了那贼,判定他说的是实话……我们就去了他们那儿一趟……那办公室主任态度十分强硬,让我们赶紧打道回府,说我们不仅办错了案,而且干扰了他们的正常工作……其实我们根本没提什么挪用扶贫款的事,只是请他们开好介绍信,派上人,来我们这儿领车……"

"老豹"说:"憨老二遇上奸老七了……"

来人说:"……我们等于是给轰出来了……他们连顿便饭都不招待……我们就在快出他们辖区的一个公路边的小饭铺里吃饭……除了司机,我们都喝了点酒,喝上几杯,我们就开骂了……他们那儿,明显的穷,周围的县里,自然条件跟他们有多大区别?怎么人家就没穷到这个份儿上?……可他们那里也有漂亮的小楼,集中成一片,其中一半是县里各级干部的'宿舍',一半是当地'企业家'的住宅,可据说那些'企业家'又多一半是各级干部的亲戚……我们就琢磨,既然他们是这么样抱成一团儿,干部又何必搞豪华车坐呢?他们用'借坐'的名义,白坐他们那些个'企业家'亲戚的进口豪华车不结啦?行政机关不让用进口豪华车,企业不受这个限制嘛!其实这号办法,咱们地面上也有个别人在用嘛!……"

"老豹"问:"你们琢磨出个道道了吗?"

来人说:"……我们先一顿地瞎琢磨……又赌气,说非把他们这个丢了车还赖账的事儿给捅出去不可!有的就说,到他们的上级市去告他们!有的说,咱们把那辆凌志直接开到中纪委院里去!有的说,找中央电视台《东方时空》节目,给他全国曝光!……谁知我们在那儿高谈阔论,旁听有耳,他耳热心动,便来跟我们坐到一桌……"

"老豹"笑了:"'洪洞县'里,也不是全无好人啊……"

来人说:"可是好人也无奈啊!……那人奔60岁去了的模样,满脸的褶子,可俩眼珠子往外喷火，一看就是个人物……他凑过来说：你们那些个办法，没一个是灵的！告到市里，那不是没有人去告过，可市里有保他们的人……就是乍一听气得不行，想捅他们那个马蜂窝的人，真牵扯进去，最后也只能是把气咽回去，甩手不再掺和……反映到监察部、中纪委，也有人试过，上头也来过联合调查组，可查来查去，账面上也查不出大号问题……为什么呢？好比说你查他挪用扶贫款的事……等你来查的时候，他那窟窿早用别的款子又补上了……去年他们挪用教育经费给自己的住宅区修路，弄得全县教师领不着工资，可真到联合调查组来的时候，他们承认是挪用了那笔经费，他们还振振有词呢！因为去年这儿突发了泥石流灾，上头本该到位的救灾款不到位，他们是万般无奈，这才暂时挪用了到位的教育经费……而且，调查组进驻的头两天，他们已经用到位的救灾款，补发了教师工资，你说能抓着他们多少错？……请中央电视台的人来曝光？也有电视台的人来过，他们阻挠，人家也愣拍了些素材，可拿回去也始终播不出来，因为你没抓到真凭实据啊！……就说你们今天说的这个事儿，人家说这儿没丢车，你能硬说那车是他们藏的吗？你们问：藏那车干什么？按规定自己不能公开地坐，要坐，'借'那'企业家'的豪华车坐不结啦？……这你们就不懂了！他们是用这个法子，挪用公款，低价买进走私车，然后再高价抛出，抛售给一些乡镇企业——他们一般并不卖给本地的企业——得来的钱不是比挪用的钱多吗？他们补上了那窟窿以后，剩下的，就底下私分了……你们以为他们的暗库里，就存着这一辆凌志吗？……唉，他们的花样多了！……依我说，你们干脆高高兴兴地回去算了，白捞一辆豪华车，这天上掉下的馅饼，嚼起来多香啊！……"

"老豹"听得很出神，问："那人的真主意是什么？"

来人说："他窗户纸捅得倒透，可也没给我们拿出什么真主意来……我们虽不是灰溜溜，也是憋着一肚子火打道回府……这下，那窃贼的案子结不了，总拘在我们这儿，移交不了司法，对我们来说也是个累赘……放了他，明明是个贼，又不甘心……那车，我们怎能留下？上交？怎么个名义？……想来想去，我们头儿就让我来找您……"

"老豹"换了下两只腿的位置，笑说："找我，我能效个什么劳？"

来人说："我们头儿说，这事跟他们没完！早晚得把他们那个马蜂窝捅了！……不过，一时不好办，急不得……你知道我们那儿哪有暗库，凡车库都是明的，没剩一个空位；那凌志车搁我们院里，日子久了，闲言不怕，谣言可畏……所以，头儿的意思，是先请您给找个地方放放……"

"老豹"说："怎么你们就不能往上反映，把车往上交呢？"

来人说："按说，那就是个办法……可是，往我们系统上头报，那不是显得我们头儿太无能吗？眼看到年底了，要交总结了，您说我们在报表上，这案子怎么个填法？只能先给搁'冰箱'里头，冻起来再说……这可不是我们贪赃枉法，对不？我们对得起天地良心，是不？……往咱们地面总头儿总班子那儿报，您还不知道，他们正都围绕着换届的事儿忙乎呢，这又是个牵扯到他们管不着的'兄弟地面'上的事儿，他们一时怕也没辙……再说，咱们不是外人，爽性说破吧，咱们现在这个'朝廷'里头，有一位主儿，他跟那边地面上的一位头儿，是'一担挑'的亲戚，听说他们俩的老婆，那俩姐妹，来往密切，经常凑一处'搓麻'……报上去，谁能估计到他那态度是什么？不是越搅和越复杂吗？……"

"老豹"面色严肃，且不做声。

来人便端起已然凉了的茶，喝着，等着"老豹"发话……

81

飞往法兰克福的中国国际航空公司班机总是坐得满满当当的，连头等舱也经常座无虚席。航班在起飞五分钟前要停止登机，有两个人却在前六分钟匆匆赶到活动通道的登机口。这两个人都是头等舱的旅客，随身都只带着简单的物品。他们进到机舱里，找到座位赶紧坐下。他们恰是邻座，落座时不免下意识地对望了一眼。

对望间，他们心里都不由得"哦"了一声："原来是……"

两位旅客，一位男士，一位女士。男士是位副部长；这回他的助手纪保安等已先期抵达德国，这个航班降落后，纪保安等将来接他；他是去参加一次两国间专业技术合作的前期洽谈。女士是吉虹；她是应邀去参加欧洲的一个小电影节。

吉虹一望那男士,便想起来曾看见纪保安跟他在一起的镜头……想必便是纪保安侃山时常提起的副部长了;可是吉虹并不想跟副部长搭话,坐稳后便系紧安全带,往机窗外望去;这时飞机已由牵引车拖向跑道,一时间仿佛这飞机并没动,而是外面的候机楼和其他飞机在缓缓朝后面旋转……

副部长在一瞥之间,也便认出身边是位电影明星……他这几年一部电影也没看过,不过他偶尔看几眼电视屏幕上的肥皂剧,依稀有点吉虹在那里面晃动的印象;他倒有点想跟身边这位靓丽的小姐搭搭话,但见对方了无兴致,也便淡然一笑……

这架波音757飞机从跑道上升空后,开始加速爬升……转瞬窗外已是一派云絮……两位身体靠得很近的乘客,他们的心却离得很远……

副部长在飞机平稳前驶后将坐椅调向后倾,倚在椅背上,将听音耳机的馈线顶端插入坐椅扶手上的插孔,并选择了古典交响乐一挡;他本想借此养神小憩,却不禁随着乐音的起伏,脑子里翻腾起种种平时顾不得细细咀嚼的思绪来……都说官场复杂,不仅有人际问题,更有"派系问题"……宦海浮沉,恩怨交织,谁可依赖?谁需提防?……都说他是一帆风顺,他也自认如此;但他不想谨小慎微,唯求擢升……于他来说,对什么最感兴趣?权力?威严?成就感?使命感?奉献的快乐?合理欲望的满足?……这些似乎都还排不到最前面……此刻他再一次感受到在地球村中与整个人类亲和的大快活……是的,于他来说,最浓酽的兴趣,是在民族对外开放的历史潮流中,充当一个大展聪明才智的好角色!……他曾在一次部属大学的报告会上,胸有成竹地推出自己的见解:改革、开放,关键是开放,从封闭半封闭转化为开放,这本身便是改革的最重要的一环……一方面要意识到我们是一个伟大的民族,有我们本民族的利益,并且在人类历史的现阶段,由于过去帝国主义搞殖民主义的创伤尚未痊愈,并且民族间的利益也还会发生这样那样的碰撞,因此维护民族利益往往还应放在考虑问题的首位;但另一方面,一定要意识到当今的世界,已容不得哪怕是一个伟大的民族关起门来过日子,各民族之间的沟通、交流,互通有无,联手对付笼罩在整个人类头顶上的问题,如环境污染问题,人口问题,等等,其必要性变得空前紧迫,因此一定要养成从人类各民族整体共存、和谐相处的角度考虑问题的思维习惯……最近他

和小纪讨论过，他提出了"人类共享文明"的概念，这概念不是凭空提出来的，
而是因为，像小纪父亲他们，包括部里的某些同僚，他们对开放态势下斑驳陆离
香腐交织的社会景观产生出一种由忧心忡忡发展为厌弃抵触的情绪，等于是已经
提出了"开放还能搞多久？还要不要再搞下去？"的问题……当然，纠缠在诸
如"三陪"女的出现、商品品牌洋味化、给孩子取洋名儿这类的事例上是没有
太大意思的，确实面对着更为重大的问题：怎么对待西方先我一步的先进科学
技术，特别是微电子技术？如果说这还好办，那么，如何对待西方行之有效的
使社会生活法制化的经验？如何对待西方那确能带来高效益的企业管理的理论
与实践？如何对待虽仍有若干不合理因素，但大体而言是对每一参加国都能带
来正面效应的世界贸易体系及其组织？如何对待今天的联合国？……他的想
法，现在逐渐凝聚成了一个概念："人类共享文明"，比如他就认为以上的那些
事物：先进的科学技术、法制手段、管理经验……以及世界贸易组织、联合国，
都已经，或正在，或已趋向于，是人类的共享文明，有的虽看起来是西方人首
先发展成型走在前面搞起来的，但因为其中其实也积淀着东方民族的经验与贡
献，并且即使是西方独创，因为基本上适用于全人类，所以也就是属于全人类
共享的文明……就好比历史上中国人所创造的丝绸、造纸术、印刷术曾传入西
方流布全球而人类共享之一样，现在西方人所创造的电子技术、高速公路、立交
桥、摩天楼等等，东方人坦然拿来为我所用，促进了生产发展，富裕了民众生活，
那么，也就都属于享用着人类共有的文明……小纪在赞同之余，也提出了质疑：
"像您这么说，除了糟粕，各民族所拥有的文明，全成共享的了……这范畴是不
是也太大了一点儿呢？"小纪问得好！这思路正需要这样的磨刀石来砥砺！……
他当时想了想，回答说："唔……恐怕还是有不能共享的文明……有重大的不能
人类共享的文明……比如，宗教文明！……基督教文明和伊斯兰教文明，怎么
能人类共享呢？只能各自分享……"所以，这想法倘若要上升为理论，那就还需
要再从学理上细抠！……

副部长此时满脑子里竟转悠着如此这般的思绪……当年他在上高级党校时，
就因为常在理论讨论会上高谈阔论，而给同学和教师们留下过深刻印象，校方
都曾有过请他留校任教的念头……现在他日理万机，几乎再没有时间细抠理论，

只能忙中偷闲地和小纪这样的谈伴扯上一扯，很像老牛吃草，头遍吃进去，粗糙不堪；也只有比如说今天这种情况，才有机会把那些"粗纤维"再反刍一番……这反刍真令他愉悦啊！还伴随着莫扎特与贝多芬的"天音"……

坐在副部长身边的吉虹呢？她在想什么？……她凝望着窗外一望无际的云海，晴阳把浑厚而蓬松的云海照成一派玫瑰色……她脑海中竟几乎全然没有形而上的东西……祝羽亮有一回嫌她在镜头面前连拍了三条胶片还"不到位"，出语粗鲁，她便也恶狠狠地说："你算什么大导演？我在你面前就是找不着感觉！"祝羽亮竟跺着脚说："感觉！感觉！你难道就一辈子吃'感觉饭'？！你心里头怎么就一点儿形而上也出不来？！但凡你有那么一丁点儿形而上撑着，你这个镜头也就早到位了！……"是的，她心里头真是一丁点儿形而上也出不来……她就是这么个性格，这么个气质嘛！连闪毅有一回也说："怎么引不出你的历史感和命运感呢？"那是闪毅又一次提起小学时，那几个臭流氓把她推到废品筐里，踢得在地上滚来滚去的事儿，见她很不乐意，忍不住说的……是呀，她还记得那时候的感觉，感觉简直糟糕透了！觉着气愤，也感到羞耻，身上很疼，头发晕，鼻子里有腥味儿，翻肠倒胃想吐……可是，"你不感到那是一个荒谬的时代吗？不为人性恶而战栗吗？跟现在的状况比，你不感觉到命运的诡谲莫测吗？"对闪毅从雍望辉那儿学来的这类形而上的提问，她只能是连点几个头，但说实在的，她自己心里头，是冒不出这些个"蘑菇云"来的……反正她就是这么个人，比如说，她一个人出国，她能说点英语，能应付一般的交往，她那英语水平就全凭感觉支撑，她脑子里是一点儿语法知识也没有的，并且她能发出那音，可绝对不能拼写……

吉虹此刻在想什么？她在埋怨闪毅……虽然人家没有邀请闪毅，但这种电影节，只要你不要对方承担费用，那是完全可以不请自到的……你闪毅不是跟司马山他们合资，搞到周转资金了吗？你怎么到头来还是不陪我？你说你们要在什么期货交易上搏一搏，那期货交易真够形而上的，你刚给我讲上十来句，我脑仁儿就疼起来了……得得得，你以为我不知道，你这些天又跟电视台的宁肯他们打得火热，说是正考虑包下电视里的一个板块，用那带起来的几分钟广告赚钱……你搞你的生意我不管，跟电视台你爱怎么合作怎么合作，可那宁肯总随着一个春冰，你跟春冰说说笑笑倒也罢了，怎么那天当着我说："春冰你为什么不拍电影？你最适合演青春片啦！"瞧春冰当时的那个眼神儿！什么叫"最适合"？这"最"字从何谈起？……咦，我这下是不是形而上起来了呢？……

空姐和空嫂送饮料来了……

82

《爷们儿歇菜》的导演把几场戏放在街头实拍，有场戏要采取偷拍的办法，来表现康杰所饰演的那一角逛商场。康杰便提议去漆铁宝卖"美国香甜爆米花"的那个商场偷拍。他觉得能让漆铁宝师傅跟他一起在一部故事片中出现在一个画面中，哪怕将来在银幕上只存在两三秒钟，也是很有意思的事儿。

谁知到了那个商场，一进门的地方倒是有那台爆玉米花的机器；可却是停业的状态。只好拍了些别的场面。事毕，康杰去跟爆玉米花机旁边的卖"和路雪"冰糕的人打听，人家告诉他："……那漆师傅，他老伴不是去世了吗？……总得办几天丧事儿，他才再能来顾这个买卖吧……"康杰听了大吃一惊。

这晚他便去那简易楼看望漆师傅。

他到了那里，径直奔二楼，可是漆师傅住的那个203单元锁着门。他便再到楼下，敲那回接待过他的那位老大妈家的门。门开，仍是那位老大妈迎着他，他一问，大妈认出了他，叹口气说："……就是那猪囊虫……虫子愣把大活人给弄死了！……惨啊！……"大妈又告诉他，漆师傅自己和老伴家都没什么亲戚，全靠单位来人和邻居们帮忙，算是办完了丧事。他问："漆师傅很悲痛吧？他身体怎么样？经得住吗？"大妈犹豫了一下，才说："他这人……咱们也摸不大透……没见他当着人流过眼泪……反正是一件件地把该办的事都办妥了……他这人！按说这丧期里头，心里怎么着先不说，他也那么个岁数了，有的事儿，你就先搁搁吧……他不！……好比说，你那衣服也不怎么脏，干吗那么急赤白脸地非马上脱下来洗它呢？……哎，人家的事儿，咱也不好说……这不，这几天，他又一个人刷房、拾掇，邻居要帮忙，他也不让帮……一个人一个性情，对不对？……

这会儿也不知道他哪儿去了 …… 这倒是，一个人待家里，闷得慌，出去散散心，
也好 …… 唉！ ……"

漆铁宝师傅的洁癖依然如故，对此康杰并不惊讶；可听大妈的描述，漆铁
宝对老伴的悲惨去世，似乎显得未免冷血了一些。康杰自从混入了影视圈，
又拼命往文化人的层次上够，也懂得了探究人的内心；那么，漆铁宝这样的老
管子工，这样一个现在下了岗，跑到一个中档百货商场卖爆米花的"社会填充
物"，他的内心世界里，究竟都涌动些什么？像他这号人，内心会是丰富的吗？
幽深的吗？ …… 而且，归根结底，像他这号人的内心，对于这个社会，对于发
展着的历史，具有意义吗？值得当做文学艺术的表现对象吗？有哪怕是潜在的
美学价值吗？ ……

康杰想起了拍摄《栖凤楼》的过程中，祝羽亮侮辱他的那个话；很明显，在
祝羽亮那样的人眼里，他康杰不过是一个展示肌肉和武功的活动道具，并不能
算在所谓真正的艺术家的那个范畴里；祝羽亮根本不关心他有没有一个内心世界，
那世界是否丰富而幽深，是否并不比任何一位人类公认的优秀艺术家，比如达斯
庭·霍夫曼或汤姆·汉克斯他们的心灵肤浅、粗夯 ……

被人视而不见，这还算不得多大的悲剧；明明被人看见了，却把你的价值忽
略不计 …… 这才是人生中最悲苦的事！

…… 康杰脑子里一边转动着这些个思绪，一边跟大妈告辞 ……

…… 他再上楼去碰碰运气；他发现 203 那扇门底下泄出了灯光；他很高兴，便
敲门；里面半晌才有脚步移过来的声音，并且听见漆师傅在里面问："谁啊？"那
口气倒不一定是不放心，不意味着安全考虑，而是很不情愿开门接待的意思。

他便大声说："漆师傅，我是小康！康杰啊！"

漆师傅这才把门打开，请他进去。

屋里灯光暗淡。只有屋顶上吊下来的电线上有一盏电灯，连个最朴素的灯罩
都没安；那灯泡估计只有 15 支光。在暗淡的灯光下，漆师傅那平板的无表情的脸，
映入康杰眼里，仿佛是个冰块，让他顿觉寒冷，并且那冷意一直渗到他的心底。

康杰便说些致悼的话 ……

栖 凤 楼

　　漆师傅甚至都没让他坐下，就那么站在他对面，跟他保持着两步的距离，默
默地听着。康杰不敢再望着漆师傅的脸，眼光便往漆师傅身上移 …… 漆师傅一
身中山装依然是极其陈旧却也依然是整整齐齐一尘不染，外衣领子系着风纪扣，
里面露出洗得雪白的衬衫领子 ……

　　康杰把所有的话都说完了，漆师傅才从容地对他说："谢谢您啦！"

　　康杰拿眼扫视四周。整个单元里还是那么素朴简单。墙壁和天花板看得出确
实是刚刚重新粉刷过一遍 …… 是用最古老的方式，用最便宜的白灰刷的；因为灯
光暗淡，所以粉刷的效果在这晚上并不明显，甚至于看上去还使得单元里的氛围
更其萧索 ……

　　康杰便把事先准备好的 500 元人民币拿了出来，他递过去，还没发话，漆师
傅便伸出手来坚决地推了回去："…… 不用！ …… 你这是干什么？ …… 谢谢你
啦！ …… 不用！ …… 用不着！ …… 如今我一个人，更没困难啦！ …… 我够
用！ …… 谢谢你！ …… 你收回去！ ……"

　　在手与手的强伸与强推之中，康杰感到漆师傅年岁虽大，那手劲却不见衰退 ……
康杰一时只好缩回手，暂且把钱搁回衣兜里。

　　"你请坐吧 ……"漆师傅这才说出这句本该是康杰一进门便应说的话。

　　康杰便寻找坐处。他记得有一对单人沙发本是放在迎门靠墙的地方的 ……
那里却改放了饭桌 …… 漆师傅似乎在把他引向那折叠饭桌边的折叠椅 …… 他的
眼光还在惯性移动 …… 于是他发现现在沙发和茶几都移到了那边墙边，正对着
相对应的那面墙的那个老式的躺柜；柜上的那台陈旧的黑白电视机不见了，取而
代之的是一台 21 英寸的平面直角遥控彩色电视机，显然是新买的 …… 这种俗
称"21 遥"的彩电在几年前曾是北京一般市民家庭所追求的物品，但如今又已"落
伍"，已属于许多家庭需加改换的项目了；如今动辄讲究 25、29 甚至 35 英寸的
大彩电，有的更追求宽银幕格局的、有"画中画"效果的彩电，并有多功能的
录放机等匹配，甚至要布置成"家庭影院"…… 可是康杰深知，以漆师傅的消
费习惯，购进这"21 遥"已是件石破天惊的事！想必是老伴故去后，他陷入了
深重难熬的寂寞，故而痛下决心，购进这样一个"伴侣"，来聊慰凄凉 …… 也
好也好，漆师傅能如此安排自己的生活，说明他并不是悲观绝望 ……

　　康杰注意到，那台"21遥"电视机正开启着；不知是哪个频道，正播放着一台戏曲晚会节目，画面很艳丽，只是漆师傅把那声音调得极小，以致刚才康杰都没注意到 …… 康杰不记得漆师傅爱看戏 …… 漆师傅好像只偶尔跟人下盘象棋，别的业余爱好从未发现他有过 ……

　　康杰朝沙发那边望去 …… 他看出来两只漆师傅多年前自己打制的沙发当中，那也是漆师傅自己打制的木头茶几上，搁放着很显眼的一样东西 …… 是个录音机？ …… 啊啊啊 …… 康杰很快恍然大悟——那是骨灰盒！ …… 漆师傅干吗把骨灰盒搁在那么个位置呢？ ……

　　康杰眼光再一扫，就发现茶几两边的沙发的面貌显得很不一样 …… 一边，还是老样子，绷着已经被人的后脊梁磨得发亮的浅褐色人造革；另一边呢，却覆盖着一块很新的大浴巾——这种用大浴巾当做沙发保护层的做法，十多年前在北京市民中颇为流行，但到今天早已被视为"土气"，现在的沙发都讲究真皮蒙面，如不是真皮的那就会用精心制作的花色雅致的沙发套，或者搁放些色彩和谐的腰枕——漆师傅在那只沙发上所披蒙的大浴巾是宝蓝色的底子，上头有褐色大老虎的图案，映入康杰的眼里，真把他吓了一跳——实在是"怯"得不能再"怯"！这样的大浴巾倘白送给他，他都不知该往哪儿藏，甚至都会觉得羞于拿出去送人——可是他却可以想见，漆师傅买下它，一定是确实喜欢，并且也一定是下了狠心，才掏的那份钱 ……

　　康杰下意识地朝沙发那边移动 …… 漆师傅好像是很不情愿地在说："…… 你坐吧 ……"他便去坐在了那张没铺大浴巾的沙发上。他发现漆师傅自己并没坐，便又站起来招呼漆师傅："您也坐呀 ……"

　　漆师傅还是没有坐。

　　康杰心下想：难道是他舍不得坐那大浴巾？ …… 漆师傅啊，您的消费、生活习惯，也未免太 …… 那个了吧！

　　康杰又往那铺大浴巾的沙发上看，这回他发现沙发上原来还放着东西 …… 啊，是 …… 一双手套 …… 一双——不像是真皮的，大概是人造革的吧——手套 …… 唔，是一双女用的手套，因为套口上有一圈人造毛 …… 是冬天用的手套，想必里面有毡子之类的御寒层 …… 这？ …… 他不禁抬眼望着漆师傅 ……

漆师傅的脸上，依然看不出什么特别的表情 …… 但他听见漆师傅在说:"……给她 …… 你嫂子她 …… 买的 …… 她不是在商场外头的停车场管看车吗? …… 一直戴着自己缝的大棉手套 …… 暖和那是真暖和 …… 可收费、给人撕票，实在不方便是吧? …… 就叨唠过 …… 商场柜台里就有这样的手套 …… 其实也要不了多少钱 …… 可临到那天出事儿,愣没买 …… 你说这 …… 唉! …… 她属虎 …… 最爱看个电视 …… 爱看个戏 …… 那黑白的，她看着就挺高兴 …… 我一直说,等那买爆玉米机的钱一赚回来，就给她买台'21遥'…… 谁知她就没等到那一天 …… 我们俩,你是看着我们 …… 怎么着 …… 一块儿的 …… 你 …… 你别 ……"

康杰虽是条硬汉子，听到这儿，不知怎么搞的，心尖一震，嗓子一热，鼻子一酸，眼睛就模糊了……

康杰觉得，他在此以前所拍的所有片子，包括正在拍的这部号称"刻画老北京人内心世界"的《爷们儿歇菜》，简直都一钱不值! ……

康杰心里翻涌出一波高过一波的热浪 …… 是的是的，他对自己说:也许，我真的能成为一个艺术家，因为我在这茶几和沙发前重新起步……

83

他本来无心去参加那个Party，但是潘藩告诉他，在那位沙龙女主人那儿，发现有本英文杂志上有篇他的译为了英文的小说;这令他很是吃惊，他问潘藩:是他的哪篇小说? 那是本什么杂志? 也不知潘藩是故意不说，以引诱他去参加Party，还是确实说不清，总之，这事给了他一个很大的悬念;现在中国也参加了世界版权公约，签署了"伯尔尼公约"，国外翻译他的作品，应该事先征求他的同意，并且付他酬金才对啊! 怎么他自己一点消息都没有? 那边竟连样刊也不寄赠给他! …… 不过，话虽如此说，他心里还是很高兴;因为国外翻译这边作家的作品刊载出版，并不是经常发生的事，更不是每个作家都能遇到的情况 …… 有这样的事落在他的身上，还是挺能满足他的虚荣心的。于是他答应跟潘藩一起去出席那个Party。

潘藩买了自己的私家车，虽比不上闪毅、矫捷一类的富商，买不起豪华进口

车，但在演艺圈中，潘藩所买的是金属漆的桑塔纳，也算"出手不凡"了。潘藩
并没有认真在驾校参加过培训，但凭借其知名度，以及灵气和勇气，竟通过了路考，
拿到了驾驶证。潘藩的宗旨是"在驾驶过程中学驾驶"，所以买了车后有事无事
总爱开着车满街跑，又特别喜欢为朋友熟人们"热情服务"。

　　他上了潘藩的车以后，才意识到整个儿仿佛是在参加某部警匪片的特技表演；
潘藩要么在几乎就要撞到前面车尾的情况下才紧急刹车，要么红灯早变绿灯，却
又愣发动不起来，差点让后头的车撞到自己的车尾 …… 车子上了二环路，潘藩
把车开得飞快，扭头跟他谈笑风生，还净拣些前些天险出车祸的事来说，吓得他
直攥拳头猛冒冷汗 ……

　　总算平安到达亚运村。在一栋塔楼门前停稳。下车后潘藩笑嘻嘻跟他说："……
多玩玩！ …… 晚点儿不要紧！反正咱们有车！我把你送回去！……"他心里说：
谢谢，领教啦！就是出来没了公共汽车也叫不到出租，那我宁愿腿儿走着回去，
也再不能接受您的"热情服务"了！

　　去乘电梯时，他又一次问："这位女士怎么称呼？"

　　潘藩跟他说过，他总记不准。潘藩再次告诉他："大家都管她叫'斯窝斯艺'！"

　　这听来实在古怪。他便问："中文怎么写？"

　　潘藩说："很容易 …… 第一个字，是沙漠的沙，加草字头；第二个字是东西南
北的西，也加草字头 …… 莎茜嘛！"

　　他想了想，便说："哎呀，这两个字，各有两种读音啊！如果写出来让我念，
那指不定念成什么呢！……"

　　在电梯里，他就想："莎"字，可以读成"缩"（"莎草"的"莎"），也可以读成"沙"
（"莎士比亚"的"莎"）；"茜"字可以读成"欠"（"茜草"的"茜"），也可以读成"西"（西
洋女人名字"西茜"的"茜"）…… 这样，"莎茜"两个字，便可以有下列数种读
法：沙西、缩西、沙欠、缩欠 …… 想到这儿，他不禁笑了。

　　事后，他觉得自己的这种推敲并不好笑。这里面似乎浓缩着莎茜这位女士特
有的不确定性。这种不确定性，20 年前是决不允许存在于这座都会中的 ……

　　在对讲器里报明了身份后，门开了，他随潘藩走了进去 …… 里面已经有若
干先到的来客 …… 潘藩给他介绍女主人，那女主人莎茜猛一看大出他的意料，并

非"徐娘"而显得出奇的年轻，完全是美国式的家常打扮，也就是说，那休闲服简单到极点，上身就是一件尖下摆的浅蓝色磨砂牛仔衬衫，领口下一连两个衣扣都没系；下身就是一条洗得已经露出些经纬线的深蓝色牛仔裤……头发样式完全像个中学生——短发在耳后扎成两个抓鬏……除此而外看不出一点装饰物……

女主人的穿着虽然简朴若此，但那住宅里面的景象，却令他大吃一惊——完全是美国纽约高档公寓大楼里那样的气派！

如今北京不少居民也很舍得在住宅装修上下工夫，甚至极尽豪华铺张之能事，但一是居室的空间感很难达到朗阔，二是终不免在模仿"西洋景"上暴露出酸气土气。莎茜女士这儿呢？首先，她的空间大。她是把这座高楼的第十五层整个儿买了下来，将六套单元打通，拆除了所有的承重墙，进行了一番地道纽约式的装修。她用来当做 Party 主要活动区的客厅近 80 平方米，地面是极光润的人字形地板，上面铺放着极精美的波斯地毯；由不同风格但总体望去又和谐的沙发与坐椅分割为大、中、小几个谈话区；在这客厅的尽头摆放着一架三角钢琴；墙面保持素白，上面恰到好处地悬挂着几幅大型的抽象派油画；顶棚竟也一派素白，不搞烦琐的吊顶装饰和吊灯；整个大客厅的光亮全由若干落地式朝上放光的黑色灯具，以及沙发旁台座上的大型台灯提供；点缀其中的是若干大型的盆栽观叶植物：凤尾竹、散尾葵、巴西木、大叶绿萝、朱蕉……所有窗户一律改成当中没有隔栅的铝合金边框的整体大玻璃窗，此时将帆布型百叶帘一律收缩在一侧，充分展示出这京城入夜后璀璨的万家灯火……

女主人跟潘藩和他打完招呼后，便消失在来客中。他感觉出，虽然潘藩把他介绍得很清楚，但女主人显然此前并没有听说过他，没有表示出一般礼貌以外的附加情绪，这多少令他有些扫兴……他本以为进来后便会被女主人哪怕是稍微单独招待一会儿，他也就可以问问那本英文杂志的事儿……没想到这个 Party 是地道美国式的，尤其是地道纽约式的；你进来以后一切自便，如果你谁也不理，那也行，你可以或在一旁沉思默想，或在主人开放的区域里游来逛去……如果你想跟谁对话，那你就走过去自我介绍；人家来找你，你可礼貌几句便走开；你找人家，人家若是跟你礼貌几句便离去了，你也不用介意……人们随意组合交谈，可坐可站；似乎乐于站着聊天的更多些，尤其是站在那三角

钢琴和大玻璃窗边 …… 也没有人来特意招待你,劝你吃喝;喝什么吃什么也都完
全是自助式 ……

潘藩先带他游逛。原来还有另一个中等大小的客厅,那就完全是另一种景象
了!那里面全是中式古典家具与摆设。潘藩指给他看,哪几样桌椅是真正的明代
家具,如何的价值连城;哪一些是晚清和民国初年的;还有哪些不过是仿古的当代
制品——但所用的红木可都是货真价实的 …… 那间客厅的墙面、顶棚就都装修
成很复杂的中国风格,墙上有若干多宝格,每一格都摆放着些文物和工艺品;顶
棚上吊下些非常雅致的宫灯 …… 有一面墙上挂满京剧脸谱、傩戏面具以及中国
少数民族的各式面雕;有一面墙上把一袭清朝妇女的衣裙撑开挂在那里,是充当
壁毯的意思;另两面墙上则挂着些水墨画和书法作品;地板上满铺着中国手织纯羊
毛毯;在中式书案边还有落地青花大瓷缸,里面插着若干卷画轴 …… 整个客厅用
大型的螺钿镶嵌出的《汉宫秋色》画屏间隔为两个区域 …… 总体而言,布置显
得有些堆砌,色彩也过分强烈琐碎 …… 有几位客人坐在太师椅上说话,显然并
不是为了舒适而仅只是出于有趣;有几位和他跟潘藩一样,走动着参观 …… 确实
大有细观静赏的必要,有的古瓷和紫砂壶一望而知是精品;但也有若干令他感到
观之不快的收藏品,比如象牙雕的鸦片烟枪、缎面已然陈旧的三寸金莲、花纹精
致的铜水烟壶、黄包车以及拖长辫子的黄包车夫的模型 ……

此外还有两个较小的客厅。一个里面挂着若干当代中国民间画家所制作的"政
治波普画"和"玩世现实主义"作品;比如一幅用极写实的笔法画着伟大领袖在
检阅"红卫兵",而所有对领袖欢呼的"红卫兵"手里挥动的,本应是"小红书",
画家却都给置换成了"可口可乐"易拉罐 …… 还有一幅画着几个青年人在喝"扎
啤",可是他们个个都成了三头六臂的样子 …… 另一个小客厅里面却保持着完全
没有装修的粗糙状态,一些工业用的电缆轴,大的竖放着当桌子,小的竖放着当
凳子;屋顶上有几个射灯,布出诡异的光影;相对而言,这里倒更是一个可以促膝
谈心的地方 ……

潘藩又将他引回到大客厅旁边的餐厅里,那是餐厅和厨房一体化的敞开式结
构;厨房设备是极端地现代化;可是长餐桌上所摆放出的 Party 饮食,却又极为

简单——只有一大钵用土豆、胡萝卜、豌豆、苹果制作的色拉；一大食盘夹着火腿、吉士、西红柿的三明治；一大盘从自选商场买来直接倒进去的炸土豆片；然后就是若干大瓶的可乐、雪碧和矿泉水；食具则都是一次性使用的纸盘纸杯塑料叉；再就放着几摞餐巾纸 …… 潘藩解释说："很多人都是开私家车来的，所以不提供酒 ……"其实更主要的原因应该是为了省钱。在吃上节省是美国人的习性，纽约人更是如此。

他饿了，便自己动手，拿了些东西开始吃喝起来。一时也顾不得跟别的人互相认识，他把潘藩引到那间用工业电缆轴当凳子的客厅，两个人坐在一处边吃边聊。反正主人不在跟前，到处人声杂沓，估计别人也不会来注意他们聊些什么，他便进一步打听起这主人的来历。

他先感叹道："哎呀 …… 我不能算孤陋寡闻的人了，可我也还是头一回到这么个人家来 …… 她怎么这么有钱？这个莎茜！……"

潘藩笑道："你以为这就算北京城里最有钱的人了吗？ …… 她这不也还是跟好多家共住在一栋楼里嘛！ …… 她这实在也还算不得什么！ …… 真正有钱的，那是至少要一家一栋楼，有自己的私家花园的 …… 下回我带你去一个那样的人家！ …… 不过，我觉得她这儿挺有品位的 …… 至少是颇有情趣嘛！比如这间屋 ……"

他便问："你上回告诉我，她是从美国回来，买下的这层楼 …… 她好像年纪不大嘛 …… 她怎么在美国发了这么大的财？……"

潘藩说："…… 我虽然来玩过好几次了，可从没听她自己透露过她的'前史' …… 我也不能直接问她，对不？ …… 来这儿的人，大都跟我一样，是辗转介绍而来的 …… 我也跟你一样，跟引我来的人打听过 …… 实际上来这儿的人，出了门也常互相拼凑各自所掌握的信息 …… 大体而言,她原是一个越剧演员 …… 唱过《孟丽君》什么的 …… 十来年前嫁了个美国商人，跟那人去了美国，住在纽约 …… 后来好像是,她那丈夫,在车祸里丧生了,她因而继承了一大笔财产 …… 她美国丈夫是个东方迷、中国迷、越剧迷 …… 听到这儿，你大概觉得也没什么稀奇 …… 可据说她弟弟在美国开着很大的公司 …… 是一家中国公司! …… 她的舅妈有一天在这儿露过一面 …… 据说是个局级干部，而她舅舅据说级别还要高……十来年前,中国人要跟外国人结婚,这边的手续可不是那么容易办的……
可来这儿的人也有别的说法……祝羽亮就跟我说过:她哪儿有什么背景!她父
母都是一般的小市民!那些个什么叔叔舅舅婶子舅妈,还有什么哥哥弟弟姐姐
妹妹,都是她去了美国,特别是有了钱以后,才陆陆续续有的……反正,她就
是她:莎茜!……"

他问:"莎茜是她的名字吧,那么,她姓什么呢?我说的是她的中国姓……"

潘藩说:"好像是姓唐,可是又听有人叫她莎茜·汤……她那死去的丈夫可
能姓汤姆……Tom……"

他笑了:"本来'莎茜'这两字就能有四种读法,如果再加上她的姓……又
可以是唐又可以是汤,那就该有……多少种读法了?唐缩西,唐沙欠,汤缩欠,
汤沙西……哎呀呀,真是太有趣了!……"他便又问:"那她现在算哪国人呢?
究竟是个什么身份呢?"

潘藩说:"当然是个美国人啦!……不过……前几天有个杂志上有篇好长的
文章,写她如何向家乡捐款,用来修复一个什么古迹,称她为爱国华侨……"

他说:"华侨?中国人,住在外国,才能称为华侨啊……她现在不应该算是
个美侨吗?……"

潘藩笑说:"现在谁还对这些个称呼较真?……你问她究竟算个什么身份?
说实在的,恐怕她自己也闹不清呢!……她肯定已入了美国籍,户口在美国;可
是她常住北京;当然她经常飞来飞去,国内国外,但是我的印象,起码我认识她
这二年,她待在北京、住在这个宅子里的时间还是最多的……她原来北京也没
户口……她好像在家乡开了个服装公司,还有美容院什么的,可据我所知她在
北京还没投资设点……她说她喜欢北京,喜欢这儿的文化氛围!……她几乎每
个周末,至少每个月,要在这儿开 Party,每次除了熟客,也总会出现新客……"

他说:"广交朋友啊……三教九流……"

潘藩纠正说:"No!她这儿可并不是三教九流什么人都容纳……她这儿基本
上是个热衷西方文化的中国人圈子……而且这儿不搞那些俗不可耐的名堂,这
儿标榜高雅,一切以西方本季,甚至本周的时髦文化为谈资……比如今天,就
有个大的话题……一会儿我们将集中到她这儿的视听间里,共同观赏本季巴黎

歌剧院新排的《俄狄浦斯王》，那是她一位朋友昨天刚从巴黎带来的光盘，这光盘据说前天才首次在巴黎出售，并且是限量发售……据说这回的演出是人偶同台，就是活人和大木偶一起在台上演出……一会儿看吧！……"

他感叹道："北京已经有这样的社群了吗？如此高雅的西方文化鉴赏圈！……这岂不是真的在进行'文化殖民主义'的渗透了吗？……"

潘藩笑道："你这人！动不动上纲上线干什么？……这总比挤在一个臭烘烘的屋子里看西方'毛片'、'黄带'强吧？也比那种唱点《莫斯科郊外的晚上》什么的卡拉OK更有意思对不？……"

他也笑了："我是在代卢仙娣上纲上线啊！……她是常客吧？这个'万国通宝'！她岂能放过这块肥肉！……"

潘藩说："她呀，我还真没带她来过……什么'万国通宝'，现在谁能'万国'亨通？山外青山天外天！北京这地方，如今是楼外有楼、池外有池啊！……卢仙娣她恐怕根本就不知道莎茜和这儿的 Party……我想莎茜对她这种人也不会感兴趣……莎茜说过，她的沙龙只向创造者开放，她欢迎能开花结果的树木，而不喜欢寄生在树木身上、靠吮吸树木血液生活的木耳！……哈……"

他便问："那么，来这儿的'树木'你大半都认识啦？"

潘藩说："认识不少……有民间画家，他们的画一般并不出现在公开的展览会、画廊或拍卖会上，而是通过这种沙龙，寻找知音和收藏者，也就是给予他们资助的人……莎茜除了自己偶尔收藏一些，也介绍给其他外国人一些……还有一些仍在搞手抄本的诗人，他们大都自称'后朦胧诗人'，偶尔也在有人赞助的情况下，用跟出版社'合作出书'的方式，印一点诗集出来，卖是卖不出几本的，他们主要是拿来送人……还有就是搞作曲的、美声唱法的歌唱者，搞器乐演奏的，跳舞的——跳芭蕾和跳平脚舞的都有……演话剧的，演电影的……对了，祝羽亮来过这儿……像你这样的写小说的，也有；不过我遇上的都很年轻，他们谈吐间一般都根本不会提到你这种人，他们公开发表作品不多，可是给人的印象却很高产……对了，这个沙龙有个自然形成的特点，就是不谈政治……"

他说："莫谈国事……"

潘藩很不以他的口气为然："……并没有人出来禁止，我也从没听莎茜

这么要求过 …… 是来这儿的人确实对政治不感兴趣 …… 也许他们的创作里难免有某些政治因素渗入，但我相信那也都是潜意识里的产物 …… 不是故意的！ ……"

他说："隔壁的那画儿 …… 不就是'政治波普'的画风吗？'玩世现实主义'也可以分析出政治隐喻来吧？"

潘藩说："我认识那两个画家，我觉得他们对现实政治并不感兴趣 …… 他们根本不懂政治！ …… 当然，你去分析它，那是另一回事了 ……"

他说："这真是个怪地方 ……"

潘藩便说："…… 走，转一转，我给你介绍几个有趣的人 ……"

他便随潘藩往外走，到了走廊里，这才发现还有挺大一间屋是专门的健身房，里面排列着不下七八种的健身器材，敞着门，显然是"对外开放"的；但跟着就发现那边有两扇门是紧闭的，那里面想必是这宅子的"非开放区"了 …… 这时人们陆续往那边的视听间里走去，他们便也随往 ……

那个视听间令他叹为观止。整套最高档的视听器材；光是放音设备就有很多种，有前置音箱、后置音箱、悬置音箱、超重低音音箱、回环立体声音箱 …… 那放像的屏幕极大，他都估计不出那尺寸来 ……

人们开始纷纷落座在室中的转角沙发椅上 ……

这时女主人走过来特意招呼他，他说："你这儿真棒！"

女主人笑得很泼洒，说："…… 你那篇小说挺有意思！不过结尾我不喜欢！ ……"

他这才想起所为何来。潘藩替他说："…… 他想借那本杂志看看 ……"

女主人对他说："你可以去钢琴边找 …… 如果你需要，我可以送给你 ……"

潘藩便陪他回到那个大客厅，三角钢琴边有个放乐谱和杂志的带万向轮的不锈钢什物架 …… 潘藩很快找出了那本杂志 …… 那是一本英国出版的《ENLOVNTER》杂志，他曾听人说起过，该杂志专门译载非英语的文学作品 …… 原来所译的是他5年前写的一个短篇小说 …… 细看期数，是头年出版的，那时我国尚未加入世界版权组织 …… 不过他还是很高兴，因为该杂志该期介绍了十多个非英语作家，他的那篇被放在了头条，后面的作者简介也还客观准确 …… 奇怪的是这样一本旧杂志怎么会被莎茜找出来翻看，并扔在了这里？

…… 那边视听间传出来巴黎歌剧院隆重上演新排《俄狄浦斯王》的序曲，声音浑厚雄奇……

这是何年何月何时何地？

他直起腰，朝窗外望去。马路上一边是相衔的汽车白色前灯，一边是相追的红色汽车尾灯，红白两条光影逆向扯动着；座座高楼的灯光窗影犹如凝固的焰火，其间有霓虹灯在闪烁扫描，有射灯将整栋建筑物赫然凸现……

他心中掠过这样的念头：这座大都会，在这同一时空中，还存在着林奇，存在着"老豹"，存在着纪保安和他的奶奶以及父亲，存在着王师傅…… 这些不同的存在，现在又都在做什么、想什么呢？……

他痴痴地倚窗凝望。万丈红尘，泱泱众生；明潮暗流，相激相荡；谁主浮沉？期盼无涯……

84

城里平房小院的那间书房没法使用了。天气越来越冷，他不愿费事生火炉，但不费事的电取暖器又并不能使整个屋子升温。于是他决定回到城郊的单元楼里去。

他本想把已写好的一些手稿带过去，可是临到出门时又决然放弃。整个夏、秋他可谓一事无成。他所写的那个开头，似乎积蓄着好强劲的动势，仿佛往下一泻，便可望形成一座壮观的瀑布；然而他那瀑布竟终没有形成 …… 为什么？ 因为他总是刚刚写到这里，心灵便忽然受到那里的刺激，于是他的情思便不得不因生存的具体困境而转移……

没有办法。这由他固有的气质使然。

固有的？ 为什么说是固有的？

难道说，是一种宿命？从父亲的精子与母亲的卵子相结合，从胚胎细胞的第一次分裂开始，也就是说，从遗传基因的呈现开始，个体生命的某些特性，不仅是生理上的，而且是人性的东西，便开始定向发展？

个体生命的早期心性发展，固然不能视为一种宿命，但是每个人童年生活环境及所被动遭逢的烙塑，又岂是能自我选择、主动逋逃的？

这样，当每一个体生命以成熟的身躯和定型的性格气质、心理结构、思维定式、情感取向 …… 走入社会时，他的人性是不是已然不可改变？

对于每一个体生命而言，最大的问题是他不能单独存在，他必得与另外的人，一起存在于这个世界。但自我与他人，永远构成着一对矛盾。宗教，社会革命，都是因为要试图解决这一矛盾，而出现的。宗教往往强调为他人牺牲自己，大体而言是试图用爱来弥合人际冲突。革命则往往强调对人性的改造，希望最后每一个体生命虽形态可以多样，但就人性而言则能达于一个统一的标准，当然是极其美好的标准；为此革命不惜使用强制手段。但令人惆怅的是，至今还没有一个宗教能使全人类共同信仰。也尚未有一个哪怕是在许多方面获得相当成绩的革命，能以宣告它对人性的改造已取得了完全的成功 ……

想到这里，他有一种悲怆感。为全人类。为多种值得尊重的宗教情怀。为多次以崇高的理想召唤过无数志士的社会革命 ……

…… 他什么手稿也没从那个平房小屋里带出来。他走出胡同，来到街上。他沉浸在大而无当的思绪里，忘记了招手叫出租车；他就那么在人行道上朝前走去。

寒风吹过来，他拉紧呢绒法兰西帽的帽檐，竖起羽绒服的领子，把手插到衣兜里，一边朝前走，一边继续他那大而无当，然而却贯通于他满腔热血的那个思绪 ……

是的，他需要重新开笔。他必须孜孜以求，来探索这个大而 ……（是无当？）的问题吗？

…… 他承认，不用去解剖比如说韩艳菊、司马山、印德钧、金殿臣、老霍 …… 即以他自己为例，在某种大的生存环境里，在某些个体生命不可抗拒的事态情势中，甚至在带威慑性、强制性的压力下，那已然成型的人性组合，或许，不，不是或许，而是几乎一定会：有的因素得以抑制、冷藏、淡化、分解；有的因素则得以释放、活跃、浓酽、升华 …… 这便是得到改造了吗？ 个体生命便融入到群体中不再有轩轾了吗？ …… 但为什么，一旦那外在的环境发生变化，一旦个体生命有可能与外在因素抗争，特别是在威慑性、强制性的压力消失后，那个体生命的人性组合，便往往复归原貌呢？ …… 人性，究竟是可改造的，还是到头来并不能重塑的呢？……

　　…… 他对所写出的东西，不能满意。怎么只写出了状态，而不能深入到那内里？什么是内里？心理活动？不仅写出人物的逻辑思维，还写出人物的形象思维；又不仅写出人物的理性，还写出他那非理性的意识流动；这便算写出了心灵？……然而心灵依然并不等于人性；比如说《石头记》里的林黛玉，她的心灵不消说是美的，然而，她的人性呢？…… 需要研究的还有，《石头记》往往并不是依赖直接的心理描写，更缺乏直指灵魂的精微解剖，它就主要依靠生存状态的描摹，甚至仅是白描，怎么竟也能使我们为人性的揭橥与拷问而战栗呢？…… 如何才能运用方块字的诸种奇妙组合，使现代中国人在阅读中，能为自己和他人的人性而产生出哪怕些微的颤抖呢？……

　　一股强劲的冷风扑了过来，钻进他衣衫鞋帽的每一微小空隙；这也使他联想到那涌动在每一个体生命深处（究竟在哪儿？）的人性，具有与这冷风同样的无孔不入的执拗与锋利 …… 人与人之间的矛盾冲撞，穷追其根源，最后的底牌，恐怕还是人性的搏击！……

　　…… 他到马路边，招手叫停了一辆出租车 ……

　　…… 他回到他那郊区的住所。他的邮箱爆满。他把满抱的邮件抱上楼，用钥匙打开他家的单元门 …… 他发现还有一封信是从门缝里塞到他家的 ……

　　…… 他坐到沙发上 …… 他首先看那封从门缝塞进来的信；信没有封口，是用电脑打出来的，内容很简单："芳邻：我家将于近日开始重新装修，届时将不可避免会发出种种噪音，这会给您的生活带来一定的干扰，先此深致歉意！当然我家会尽量 ……"他没有看完便撒了手，那张信纸飘落到了地面 ……

　　…… 怎么又要装修？在他记忆里，这家人已然装修过 …… 至少两回了；偶尔进去过，已似星级宾馆的景象 …… 怎么还要"更上一层楼"？非要达于"总统套房"水平才心满意足吗？……

　　…… 猛地有冲击钻钻孔的声音，把他吓了一跳 …… 他坐在那儿，任全身在噪音中酥痒暖和过来 ……

　　…… 他想，我将重新开笔！我将再次从 …… 从什么地方写起？…… 我曾写到过什么？在那未曾带过来的手稿上？……

······ 这时,那家人停止了使用冲击钻;然而又开始锤击起什么地方来 ······ 他听到一种遥远而又近迫、熟悉而又陌生的连续性声响——

砰!

砰砰!

砰砰砰砰!

······

1996 年 2 月 8 日写完于安定门绿叶居

刘心武文学活动大事记

1942 年

6 月 4 日生于四川省成都市育婴堂街。

后在重庆度过童年。

父母兄姊均热爱文学艺术,深受家庭熏陶。

1950 年

随父母迁居北京,从此定居北京。

在隆福寺小学上小学,在北京 21 中上初中。

1958 年

在北京 65 中上高中。

给若干报刊投稿,屡被退稿。

8 月,在《读书》杂志发表《谈〈第四十一〉》一文,是投稿第一次成功。

1959 年

在《北京晚报》"五色土"副刊陆续发表一些儿童诗、小小说。

为中央人民广播电台少儿部《小喇叭》(对学龄前儿童广播)编写若干节目;其中快板剧《咕咚》经编辑加工、录制后大受欢迎;"文革"中录音带被销毁;1991 年重新录制播出。

1961 年

毕业于北京师范专科学校,分配到北京 13 中任教。

至"文革"前,在《北京晚报》《中国青年报》《人民日报》《光明日报》《大公报》《北京日报》《体育报》《儿童时代》《大众电影》等报刊上发表了约 70 篇小小说、散文、杂文、评论等文章。

1966—1976 年

"文革"中,因 1964 年曾发表过一篇关于京剧的文章,以"反江青"罪名被冲击。

1974 年后再试写作,曾写一关于"教育革命"的长篇小说,由出版社联系获准脱产修改,但终未达到当时出版要求。

1976 年

写出一个大院里孩子们同坏蛋斗争的中篇小说《睁大你的眼睛》并得以出版(北京人民出版社)。

又按照当时政治要求写出一些短篇小说、散文,有的到次年才收入多人合集中出版。

调到北京人民出版社(后恢复"文革"前社名:北京出版社)文艺编辑室当编辑。

1977 年

11 月,在《人民文学》杂志发表短篇小说《班主任》,产生重大影响——被认为是"伤痕文学"的开山作,也是"新时期文学"的发端;从此成名。

从《班主任》后,写作冲破懵懂,沿着认定的方向跋涉,穿越风云,锲而不舍。

1978 年

参加《十月》杂志(开始以丛书名义出版)创刊工作,在创刊号上发表短篇小说《爱情的位置》,经转载和广播,影响巨大。

在《中国青年》杂志上发表短篇小说《醒来吧,弟弟》,反应亦极强烈。

《班主任》《爱情的位置》《醒来吧,弟弟》均被改编为广播剧,由中央人民广播电台多次广播,《醒来吧,弟弟》被搬上话剧舞台;此年发表的短篇小说《穿米黄色大衣的青年》亦由电台播出。

1979 年

在首届全国优秀短篇小说评奖中《班主任》获第一名。颁奖会上，从茅盾先生手中接过奖状。

参加中国作家协会第三次全国代表大会，被选为中国作家协会理事。

成为中华全国青年联合会常务委员，至 1993 年卸任。

9 月，参加中国作家代表团访问罗马尼亚，此系"文革"后第一个作家出访团。

在《人民文学》杂志发表短篇小说《我爱每一片绿叶》，写作技巧有长足进步。

1980 年

调至北京市文联当专业作家。

《我爱每一片绿叶》获 1979 年全国优秀短篇小说奖。

《看不见的朋友》获 1954—1979 年第二届全国少年儿童文学创作奖。

在《十月》杂志发表中篇小说《如意》，其弘扬人道主义的追求引起争议。

出版《刘心武短篇小说选》(北京出版社)。

1981 年

在《十月》杂志发表中篇小说《立体交叉桥》，引出更大争议，一些评论家认为"调子低沉"是步入了写作上的歧途，另有评论家则认为此作标志着刘心武的小说创作在反映现实、探索人性及艺术工力上均达到了新的水平。

5 月，应日本文艺春秋社邀请访问日本。

1982 年

应导演黄健中之请，改编《如意》；北京电影制片厂拍成彩色艺术片《如意》。

1983 年

11 月，参加中国电影代表团赴法国，在南特"三大洲电影节"上，《如意》在开幕式上放映，获好评；后陆续在法国、西德电视台播出。

1984 年

冬，应邀访问西德，参加"中德大学生会见活动"，并在波恩大学、波鸿大学与威尔兹堡大学介绍中国当代文学。

年底，参加中国作家协会第四次全国代表大会，再次当选为理事。

在《当代》文学双月刊第5、6期连载长篇小说《钟鼓楼》。

1985 年

出版长篇小说《钟鼓楼》(人民文学出版社)，并获第二届茅盾文学奖。

因《钟鼓楼》获北京市政府嘉奖。

7月，在《人民文学》杂志发表纪实小说《5·19长镜头》，反响强烈。

11月，又在《人民文学》杂志发表纪实小说《公共汽车咏叹调》，引起轰动。

1986 年

年初，应当代文艺出版社邀请访问香港。

6月，调中国作家协会人民文学杂志社，任常务副主编。

在《收获》杂志设《私人照相簿》专栏，进行图文交融的文本尝试。

散文集《垂柳集》出版，冰心为之作序。

1987 年

1月，被任命为《人民文学》杂志主编。

2月，《人民文学》杂志1、2期合刊发表马建写的小说《亮出你的舌苔或空空荡荡》违反民族政策，承担责任，停职检查。

9月，复职。

冬，应邀赴美国访问。参观美洲华侨日报；在哥伦比亚大学、三一学院、哈佛大学、麻省理工学院、康奈尔大学、芝加哥大学、旧金山大学、斯坦福大学、伯克利加州大学、洛杉矶加州大学、圣迭戈加州大学等处演讲，介绍中国当代文学，并参观耶鲁大学；参加爱荷华大学"作家写作中心"的纪念活动；游览华盛顿等地。

1988 年

3月，应香港《大公报》邀请，赴香港参加五十周年报庆活动；在《大公报》安排的大型报告会上作关于改革开放与文学创作的报告。

5月，应法国文化部邀请，参加中国作家代表团访问法国，除在巴黎活动外，还访问了西部港口城市圣·拉扎尔。

《私人照相簿》在香港出版（南粤出版社）。

《我可不怕十三岁》获 1980—1985 年全国优秀儿童文学奖。

以上数年中，若干小说、散文还分别获得过《当代》《十月》《小说月报》《小说选刊》《中篇小说选刊》《儿童文学》《北方文学》等杂志,《人民日报》《文汇报》等报纸副刊的奖;拍成电视剧播出的有《没工夫叹息》《熄灭》(电视剧名《火苗》)《今夏流行明黄色》《到远处去发信》《非重点》《公共汽车咏叹调》和八集连续剧《钟鼓楼》;若干作品被英国、美国、西德、苏联、日本、瑞士、瑞典、法国、意大利等国翻译为英、德、俄、日、法、意、瑞典等文字出版;自 1987 年起被世界上有威望的英国欧罗巴出版社《世界名人录》收入词条。

1989 年

春，应香港中文大学翻译中心邀请，与妻子吕晓歌赴香港访问。

1990 年

3 月，以任届期满，免去《人民文学》杂志主编职务。

香港中文大学翻译中心编译的英文小说集《黑墙与其他故事》出版。

秋，以"鱼山"笔名在《钟山》杂志发表中篇小说《曹叔》。

1991 年

出版小说集《一窗灯火》。

除小说外，开始发表大量散文、随笔。

1992 年

长篇小说《风过耳》在内地(中国青年出版社)、香港(勤＋缘出版社)分别出版，反响颇为强烈。

长篇小说《四牌楼》完稿，交上海文艺出版社出版。

《献给命运的紫罗兰——刘心武谈生存智慧》由上海人民出版社出版，受到读者欢迎。

在《收获》杂志发表中篇小说《小墩子》，后由中国电视剧制作中心改编拍摄为电视连续剧。

至该年，在海内外出版的个人专著按不同版本计已达 43 种。

在《红楼梦学刊》1992年第二辑上发表论文《秦可卿出身未必寒微》，在"红学"界和读者中均引起注意；另有若干《红楼梦》人物论和《红楼边角》专栏文章发表。

冬，应瑞典学院邀请（斯堪的纳维亚航空公司赞助）赴北欧访问；在挪威奥斯陆大学、瑞典斯德哥尔摩大学和隆德大学、丹麦哥本哈根大学和奥胡斯大学的东亚系汉学专业以《九十年代初的中国小说》为题作学术报告；12月7日，参加诺贝尔文学奖有关活动，听1992年得主德里克·沃尔科特发表受奖演说。

1993 年

华艺出版社出版《刘心武文集》（1—8卷）。

出版长篇小说《四牌楼》。

1994 年

1月，应台湾《中国时报》邀请赴台参加"两岸三地文学研讨会"。

《四牌楼》获上海优秀长篇小说大奖，到沪领奖。

1995 年

出版随笔集《人生非梦总难醒》（上海人民出版社）。

出版小说集《仙人承露盘》（华艺出版社）。

1996 年

出版长篇小说《栖凤楼》（人民文学出版社）。至此，由《钟鼓楼》《四牌楼》《栖凤楼》构成的"三楼"长篇小说系列竣工。

应《南洋商报》邀请赴马来西亚访问并顺访新加坡。

1997 年

应日本文化交流基金会邀请，与妻子吕晓歌访问日本。其长篇小说《钟鼓楼》、儿童文学作品《我是你的朋友》、短篇小说《王府井万花筒》等此前已相继译为日文在日本出版。

1998 年

建筑评论集《我眼中的建筑与环境》由中国建筑工业出版社出版，在建筑界产生影响。

应美国科罗拉多大学邀请，赴美参加金庸作品国际研讨会，在会上提交关于《鹿鼎记》的论文《失父：一种生存困境》。

1999 年

出版纪实性长篇小说《树与林同在》（山东画报出版社）。

出版《红楼三钗之谜》（华艺出版社）。

赴新加坡出席国际环境文学研讨会。

2000 年

应邀访问法国，并应英中协会和伦敦大学邀请，从巴黎赴伦敦讲《红楼梦》。

至此年底在海内外出版的个人专著（不含文集）按不同版本计达 101 种。

2001 年

出版包含建筑评论的随笔集《在忧郁中升华》（文汇出版社）。

在北京电视台录制播出《刘心武谈建筑》系列节目。

2002 年

出版小说集《京漂女》（中国文联出版社），自绘插图。

应澳大利亚雪梨华文写作协会邀请赴澳大利亚访问。

2003 年

以马来西亚《星洲日报》世界华人文学"花踪奖"评委身份赴吉隆坡参加相关活动。

台湾联经出版社出版小说集《人面鱼》。此前台湾已出版过刘心武多种作品，如皇冠出版社出版了《钟鼓楼》，幼狮文化事业公司出版了《四牌楼》《为他人默默许愿》（散文集）。

2004 年

赴法参加巴黎书展活动。书展上展出了译为法文的著作有小说《树与林同在》《护城河边的灰姑娘》《尘与汗》《人面鱼》《如意》与歌剧剧本《老舍之死》。

建筑评论集《材质之美》由中国建材工业出版社出版。

小说集《站冰》出版（人民文学出版社），自绘封面插图。

2005 年

出版集历年研红成果的《红楼望月》（书海出版社）。

应 CCTV-10（中央电视台科学教育频道）《百家讲坛》邀请，录制播出《刘心武揭秘〈红楼梦〉》系列节目 23 集，反响强烈，引出争议。

《刘心武揭秘〈红楼梦〉》第一、二部相继出版（东方出版社），畅销。

2006 年

应美国华美协会邀请，赴纽约在哥伦比亚大学讲《红楼梦》。

应邀参加香港书展。

出版《刘心武揭秘古本〈红楼梦〉》（人民出版社）。

2007 年

继续应邀到 CCTV-10《百家讲坛》录制节目，并出版《刘心武揭秘〈红楼梦〉》第三部、第四部（东方出版社）。

访问俄罗斯。

2008 年

出版随笔集《健康携梦人》（中国海关出版社）。

自 1986 年出版《垂柳集》，至此所出版的散文随笔集已逾 30 种。

2009 年

在《上海文学》杂志开《十二幅画》专栏，每期发表一篇写人物命运的大散文，并配发自己的画作。

4 月，妻子吕晓歌病逝，著长文《那边多美呀！》悼念。

2010 年

再应 CCTV-10《百家讲坛》邀请，录制播出《〈红楼梦〉的真故事》系列节目。至此在《百家讲坛》录制播出关于《红楼梦》的个人系列讲座累计达 61 集。

出版《〈红楼梦〉的真故事》（凤凰联动·江苏人民出版社），在争议声中畅销。

4 月，应台湾新地文学社邀请赴台参加"21 世纪世界华文文学高峰会议"。

出版《命中相遇——刘心武话里有画》（上海文艺出版社）。

　　加快《刘心武续〈红楼梦〉》的写作，次年完成推出。

　　至本年底，在海内外出版的个人专著，文集不算在内，重印亦不算，按不同版本计达 182 种（按不同书名计则为 141 种）。

　　年底，筹备编辑《刘心武文存》。

附录二 刘心武著作书目

只包括在中国大陆、台湾、香港和海外出版的书（同一著作每种版本单列）；不包括散发于报刊尚未出书的篇目，亦不包括多人合集中的篇目。第一个数字表示不同版本的排序；[ ]中的数字表示剔除同一书名的版本后的排序；注意：文集8卷不参加排序。

1976 年

1.[1]《睁大你的眼睛》[儿童文学·中篇小说]

北京人民出版社 1976 年 1 月第一版

1978 年

2.[2]《母校留念》[儿童文学·小说集]

中国少年儿童出版社 1978 年 7 月第一版

1979 年

3.[3]《小猴吃瓜果》[低幼读物·画册]

少年儿童出版社 1979 年 4 月第一版

1980 年 6 月第二次印刷

4.[4]《班主任》[短篇小说集]

中国青年出版社 1979 年 6 月第一版

1980 年

5.[5]《我是你的朋友》[儿童文学·中篇小说]

北京出版社 1980 年 7 月第一版

6.[6]《绿叶与黄金》[中短篇小说集]

広东人民出版社 1980 年 8 月第一版

7.[7]《刘心武短篇小说集》

北京出版社 1980 年 9 月第一版

1981 年

8.《这里有黄金》[中短篇小说集]

広东人民出版社 1981 年 4 月第二次印刷

有平装、软精装两种

9.[8]《大眼猫》[中短篇小说集]

浙江人民出版社 1981 年 8 月第一版

1982 年

10.[9]《如意》[中篇小说集]

北京出版社 1982 年 5 月第一版

1983 年

11.[10]《中国现代作家选（Ⅲ）刘心武〈我爱每一片绿叶〉〈深谷小溪默默流〉》

[日本]东方书店 1983 年第一版

12.[11]《同文学青年对话》

文化艺术出版社 1983 年 10 月第一版

1984 年

13.[12]《到远处去发信》[中短篇小说集]

四川人民出版社 1984 年 4 月第一版

有平装、软精装两种

14.[13]《如意》[电影文学剧本]（与戴宗安联合署名）

中国电影出版社 1984 年 6 月第一版

1985 年

15.[14]《嘉陵江流进血管》[中篇小说集]

陕西人民出版社 1985 年 2 月第一版

16.[15]《日程紧迫》[中短篇小说集]

群众出版社 1985 年 5 月第一版

17.[16]《我可不怕十三岁》[儿童文学集]

新世纪出版社 1985 年 8 月第一版

18.[17]《钟鼓楼》[长篇小说]

人民文学出版社 1985 年 11 月第一版

有平装、软精装两种

1986 年 5 月第二次印刷

1986 年

19.[18]《公共汽车咏叹调》[纪实小说]

湖南文艺出版社 1986 年 1 月第一版

20.[19]《都会咏叹调》[小说集]

作家出版社 1986 年 3 月第一版

21.[20]《垂柳集》[散文集]

陕西人民出版社 1986 年 4 月第一版

22.[21]《立体交叉桥》[中短篇小说集]

人民文学出版社 1986 年 6 月第一版

有平装、软精装两种

23.[22]《巴黎郁金香》[访法散文集]

群众出版社 1986 年 11 月第一版

24.[23]《木变石戒指》[中短篇小说集]

青海人民出版社 1986 年 12 月第一版

1987 年

25. *Little Monkey Triesto Eat Fruit*［科学童话・英文］

海豚出版社 1987 年第一版

有平装、精装两种

26.[24]《斜坡文谈》［文学理论］

上海文艺出版社 1987 年 4 月第一版

27.[25]《王府井万花筒》［中篇小说集］

湖南文艺出版社 1987 年 9 月第一版

有平装、精装两种

28.[26]《5・19 长镜头》［小说自选集］

四川文艺出版社 1987 年 11 月第一版

29.げくけきの友たちだ［《我是你的朋友》日译本］

［日本］福武书店 1987 年 12 月第一版

1989 年 3 月第二版

1991 年 2 月第三版

1988 年

30.[27]《她有一头披肩发》［中短篇小说集］

台湾林白出版社 1988 年 4 月第一版

31.《钟鼓楼》［长篇小说］

香港天地图书有限公司 1988 年第一版

1993 年第二版

32.[28]《私人照相簿》［纪实文学］

香港南粤出版社 1988 年 11 月第一版

33.[29]《刘心武代表作》

黄河文艺出版社 1988 年 12 月第一版

1989 年

34.《小猴吃瓜果》［科学童话］

开明出版社、海豚出版社 1989 年 3 月第一版

35.《钟鼓楼》[长篇小说]

台湾皇冠出版社 1989 年 4 月第一版

36.[30]《一片绿叶对你说》[文艺随笔集]

河北教育出版社 1989 年 12 月第一版

1990 年

37.[31]*BLACK WALLS AND OTHER STORIES*[小说集·英译本]

香港中文大学翻译中心出版社 1990 年第一版

38.[32]《王府井万花镜》[小说集·日译本]

[日本]德间书店 1990 年 9 月第一版

1991 年

39.《母校留念》[小说]

[日本]骏河台出版社 1991 年 4 月第一版

40.[33]《一窗灯火》[中短篇小说集]

华艺出版社 1991 年 10 月第一版

1993 年第二次印刷

1992 年

41.[34]《列奥纳多·达·芬奇》[传记]

江苏教育出版社 1992 年 5 月第一版

42.[35]《有家可归》[散文随笔集]

广东旅游出版社 1992 年 5 月第一版

43.[36]《风过耳》[长篇小说]

中国青年出版社 1992 年 6 月第一版

1992 年 12 月第二次印刷

1993 年 3 月第三次印刷

1995 年 8 月第五次印刷

1996 年 3 月第六次印刷

44.《风过耳》［长篇小说］

香港勤＋缘出版社 1992 年 6 月第一版

45.[37]《献给命运的紫罗兰——刘心武谈生存智慧》

上海人民出版社 1992 年 6 月第一版

1992 年 11 月第二次印刷

1995 年第三次印刷

1996 年 12 月第五次印刷

46.《刘心武代表作》

河南人民出版社 1992 年 6 月第二次印刷·精装本

47.[38]《蓝夜叉》［中篇小说集］

香港勤＋缘出版社 1992 年 9 月第一版

1993 年

48.《北京下町物语》［长篇小说·《钟鼓楼》日译本］

［日本］东京恒文社 1993 年 2 月第一版

1994 年第二版

49.[39]《为你自己高兴》［随笔集］

内蒙古人民出版社 1993 年 3 月第一版

50.[40]《杀星》［小说集］

香港勤＋缘出版社 1993 年 6 月第一版

51.《我是你的朋友》［儿童文学·中篇小说·增订本］

希望出版社 1993 年 6 月第一版

52.[41]《四牌楼》［长篇小说］

上海文艺出版社 1993 年 6 月第一版

1994 年 4 月第二次印刷

1996 年 11 月第三次印刷

53.[42]《我是怎样的一个瓶子》［随笔集］

成都出版社 1993 年 9 月第一版

54.[43]《沉默交流》[随笔集]

　　　　　　　　　　　中国华侨出版社 1993 年 11 月第一版

55.[44]《富心有术》[随笔集]

　　　　　　　　　　　群众出版社 1993 年 12 月第一版

　　　　　　　　　　　1995 年第二次印刷

56.[45]《中国当代名人随笔·刘心武卷》

　　　　　　　　　　　陕西人民出版社 1993 年 12 月第一版

☆《刘心武文集》[1—8 卷]

　　　　　　　　　　　华艺出版社 1993 年 12 月第一版

☆《刘心武文集·〈钟鼓楼〉〈风过耳〉》(简装本)

☆《刘心武文集·〈四牌楼〉〈无尽的长廊〉》(简装本)

　　　　　　　　　　　华艺出版社 1997 年 5 月第一版

1994 年

57.[46]《仰望苍天》[随笔集]

　　　　　　　　　　　知识出版社 1994 年 1 月第一版

　　　　　　　　　　　1995 年第二次印刷

　　　　　　　　　　　东方出版中心 1996 年 7 月第三次印刷

58.[47]《男扮女妆与女扮男妆》[随笔集]

　　　　　　　　　　　中原农民出版社 1994 年 2 月第一版

59.[48]《相对一笑》[小小说集]

　　　　　　　　　　　中共中央党校出版社 1994 年 2 月第一版

60.[49]《秦可卿之死》[专著]

　　　　　　　　　　　华艺出版社 1994 年 5 月第一版

61.《四牌楼》[长篇小说]

　　　　　　　　　　　台湾幼狮文化事业公司 1994 年 8 月第一版

62.[50]《为他人默默许愿》[散文集]

　　　　　　　　　　　台湾幼狮文化事业公司 1994 年 10 月第一版

63.[51]《中国小说名家新作丛书·刘心武卷》

　　　　　　　　　　海峡文艺出版社 1994 年 11 月第一版

64.[52]《红楼梦（缩写本）》

　　　　　　　　　　接力出版社 1994 年 12 月第一版

　　　　　　　　　　1995 年第二次印刷

　　　　　　　　　　1997 年 9 月第三次印刷

1995 年

65.[53]《人生非梦总难醒》[名人日记·随笔集]

　　　　　　　　　　上海人民出版社 1995 年 1 月第一版

　　　　　　　　　　1995 年 3 月第二次印刷

66.[54]《仙人承露盘》[中短篇小说集]

　　　　　　　　　　华艺出版社 1995 年 3 月第一版

67.[55]《女性与城市》[杂文集]

　　　　　　　　　　中国城市出版社 1995 年 6 月第一版

68.《我是你的朋友》[增订版·"小学生成才书架"系列之一]

　　　　　　　　　　希望出版社 1995 年 10 月第一版

69.《在胡同里转悠》[随笔集]

　　　　　　　　　　陕西人民出版社 1995 年 11 月第二次印刷

70.[56]《刘心武海外游记》

　　　　　　　　　　华文出版社 1995 年 12 月第一版

1996 年

71.[57]《刘心武小说精选》

　　　　　　　　　　太白文艺出版社 1996 年 2 月第一版

72.[58]《开发心大陆》[随笔集]

　　　　　　　　　　吉林人民出版社 1996 年 3 月第一版

　　　　　　　　　　1997 年 3 月第二次印刷

73.[59]《你哼的什么歌》[散文集]

湖南文艺出版社 1996 年 6 月第一版

74.[60]《刘心武张颐武对话录——"后世纪"的文化了望》

漓江出版社 1996 年 7 月第一版

75.[61]《边缘有光》[随笔集]

汉语大辞典出版社 1996 年 8 月第一版

76.[62]《刘心武怪诞小说自选集》

漓江出版社 1996 年 8 月第一版

有平装、精装两种

77.[63]《我是刘心武》

团结出版社 1996 年 9 月第一版

78.[64]《刘心武》[中国当代作家选集丛书]

人民文学出版社 1996 年 10 月第一版

79.[65]《刘心武杂文自选集》

百花文艺出版社 1996 年 11 月第一版

80.《秦可卿之死》[修订本]

华艺出版社 1996 年 11 月第二版

81.[66]《栖凤楼》[长篇小说]

人民文学出版社 1996 年 12 月第一版

1998 年 3 月第二次印刷

1997 年

82.[67]《封神演义（缩写本）》

接力出版社 1997 年 1 月第一版

1997 年 9 月第二次印刷

83.[68]《胡同串子》[中短篇小说集]

北京燕山出版社 1997 年 8 月第一版

84.《私人照相簿》

上海远东出版社 1997 年 9 月第一版

1998 年 2 月第二次印刷

2000 年换封面版权页称 2000 年 6 月第二次印刷

85.[69]《中国儿童文学名家作品精选丛书·刘心武作品精选》

河北少年儿童出版社 1997 年 8 月第一版

86.[70]《把嘴张圆》[随笔集]

上海远东出版社 1997 年 12 月第一版

1998 年

87.[71]《我眼中的建筑与环境》[建筑评论随笔集]

中国建筑工业出版 1998 年 5 月第一版

1999 年 5 月第二次印刷

2000 年 6 月第三次印刷

2001 年 6 月第四次印刷

88.《钟鼓楼》[茅盾文学奖获奖书系]

人民文学出版社 1998 年 3 月第一次印刷

1998 年 7 月第二次印刷

1998 年 8 月第三次印刷

1999 年 3 月第四次印刷

2000 年 1 月第五次印刷

2001 年 1 月第六次印刷

2001 年 8 月第七次印刷

2002 年 8 月第八次印刷

2003 年 1 月第九次印刷

1999 年

89.[72]《树与林同在》[非虚构长篇小说]

山东画报出版社 1999 年 3 月第一版

2006 年 7 月第二次印刷

90.[73]《八十六颗星星》(*The Eighty-Six Stars*)［儿童文学小说·汉英对照］

希望出版社 1999 年 6 月第一版

91.[74]《红楼三钗之谜》［刘心武红学探佚精品］

华艺出版社 1999 年 9 月第一版

92.[75]《蓝玫瑰》［中短篇小说集］

中国华侨出版社 1999 年 10 月第一版

93.[76]《过隧道的心情》［随笔集］

华东师范大学出版社 1999 年 12 月第一版

2000 年

94.[77]《一切都还来得及》［随笔集］

中国青年出版社 2000 年 1 月第一版

95.[78]《善的教育》［儿童文学］

辽宁少年儿童出版社 2000 年 2 月第一版

96.[79] Le Talisman (version bilingue)［《如意》中、法文对照版］

Librarie You Feng 2000 年 4 月第一版

97.[80]《作家刘心武〈班主任〉手迹》

线装书局 2000 年 5 月第一版

98.[81]《楼前白玉兰》［小小说集］

中国广播电视出版社 2000 年 7 月第一版

99.[82]《刘心武侃北京》

上海文艺出版社 2000 年 10 月第一版

100.[83]《我爱吃苦瓜》［茅盾文学奖获奖作家散文精品］

广州出版社 2000 年 10 月第一版

2002 年 10 月第二次印刷

101.[84]《了解高行健》

香港开益出版社 2000 年 12 月第一版

2001 年

102.[85]《亲近苍莽》

中国旅游出版社 2001 年 1 月第一版

103.[86]《在忧郁中升华》

文汇出版社 2001 年 2 月第一版

《刘心武谈建筑——在忧郁中升华》2007 年 8 月第二次印刷

104.[87]《人在风中》

作家出版社 2001 年 8 月第一版

105.《风过耳》

时代文艺出版社 2001 年 10 月第一版

有平装、精装两种

2002 年

106.[88]《京漂女》(自绘插图)

中国文联出版社 2002 年 1 月第一版

107.[89]《深夜月当花》

中国工人出版社 2002 年 1 月第一版

108.[90]《春梦随云散》

人民文学出版社 2002 年 4 月第一版

109.[91]《藤萝花饼》

台湾二鱼文化事业有限公司 2002 年 4 月第一版

110.[92]《刘心武自述》

大象出版社 2002 年 10 月第一版

2003 年

111.[93] L'arbre et la forêt [《树与林同在》法译本]

Bleu de Chine 2003 年 1 月第一版

112.[94]《人面鱼》

台湾联经出版事业股份有限公司 2003 年 2 月初版

113.[94] La Cendrillon Du Canal [《护城河边的灰姑娘》法译本]

Bleu de Chine 2003 年 4 月第一版

114.[95]《画梁春尽落香尘》["红学" 专著]

中国广播电视出版社 2003 年 6 月第一版

2003 年 9 月第二次印刷

2004 年 1 月第三次印刷

2005 年 6 月第四次印刷

115.[96]《眼角眉梢》

新华出版社 2003 年 8 月第一版

116.[97]《钟鼓楼》[初中生语文新课标必读]

人民日报出版社 2003 年 9 月第一版

117.[98]《天梯之声》

中国青年出版社 2003 年 10 月第一版

2004 年

118.[99] Poussiêre et sueur [《尘与汗》法译本]

Bleu de Chine 2004 年 1 月第一版

119.[100] La mort de Lao SHe [《老舍之死》歌剧剧本法译本]

Bleu de Chine 2004 年 3 月第一版

120.[101] Poisson à face humaine [《人面鱼》法译本]

Bleu de Chine 2004 年 3 月第一版

121.《如意》[电影伴读中国文学文库·附电影光盘]

中国青年出版社 2004 年 1 月第一版

122.[102]《泼妇鸡丁》

台湾二鱼文化事业有限公司 2004 年 4 月第一版

123.[103]《在柳树臂弯里——刘心武随笔》

　　　　　　　　　　　光明日报出版社 2004 年 5 月第一版

124.[104]《材质之美——刘心武城市文化酷评》

　　　　　　　　　　中国建材工业出版社 2004 年 5 月第一版

125.[105]《站冰——刘心武小说新作集》(自绘插图)

　　　　　　　　　　　人民文学出版社 2004 年 6 月第一版

126.《四牌楼》

　　　　　　　　　　　上海文艺出版社 2004 年 8 月第二版

127.[106]《大家文丛:刘心武》

　　　　　　　　　　　古吴轩出版社 2004 年 8 月第一版

2005 年

128.《钟鼓楼》(中国文库·文学类)

　　　　　　　人民文学出版社 2005 年 1 月第一版第一次印刷 (平装)

　　　　　　　　　　2005 年 1 月第一版第一次印刷 (精装)

129.《钟鼓楼》(茅盾文学奖获奖作品全集之一)

　　　　　　人民文学出版社 1985 年 11 月第一版、2005 年 1 月第一次印刷

　　　　　　　　　　　　2005 年 5 月第二次印刷

　　　　　　　　　　　　2005 年 7 月第三次印刷

　　　　　　　　　　　　2006 年 3 月第四次印刷

　　　　　　　　　　　　2008 年 4 月第七次印刷

　　　　　　　　　　　　2009 年 8 月第八次印刷

　　　　　　　　　　　　2010 年 1 月第九次印刷

　　　　　　　　　　　　2011 年 7 月第 15 次印刷

　　　　　　　　　　　　2011 年 9 月第 16 次印刷

　　　　　　　　　　　　2011 年 11 月第 17 次印刷

130.[107]《心灵体操》

　　　　　　　　　　　时代文艺出版社 2005 年 1 月第一版

131.[108]《刘心武作文示范》

                              少年儿童出版社 2005 年 1 月第一版

132.[109] La Démone bleue（《蓝夜叉》法译本）

                              Bleu de Chine 2005 年第一版

133.[110]《红楼望月》

                              书海出版社 2005 年 4 月第一版

                              2005 年 6 月第二次印刷

                              2005 年 7 月第三次印刷

                              2005 年 8 月第四次印刷

                              2005 年 9 月第五次印刷

                              2005 年 9 月第六次印刷

134.[111]《刘心武揭秘〈红楼梦〉》

                              东方出版社 2005 年 8 月第一版

                              至 2005 年 19 月共十三次印刷

                              2005 年 11 月第二版

                              至 2005 年 12 月已第十八次印刷

                              至 2007 年 7 月已第二十八次印刷

                              2007 年 12 月第三十次印刷

                              2008 年 4 月第三十二次印刷

135.《红楼解梦——画梁春尽落香尘》

                    中国广播电视出版社 2005 年 9 月第二版第五次印刷

136.《楼前白玉兰——刘心武最新小小说集》

                    中国广播电视出版社 2005 年 9 月第二版第二次印刷

137.[112]《刘心武揭秘〈红楼梦〉》[第二部]

                              东方出版社 2005 年 12 月第一版

                              至 2007 年 7 月已第十五次印刷

                              2007 年 12 月第十七次印刷

                              2008 年 4 月第十九次印刷

138.[113]《刘心武解读人世情》

时代文艺出版社 2005 年 12 月第一版

139.[114]《刘心武感悟平常心》

时代文艺出版社 2005 年 12 月第一版

2006 年

140.[115]《刘心武自选集》

云南人民出版社 2006 年 1 月第一版

141.[116]《刘心武点评〈红楼梦〉》

团结出版社 2006 年 1 月第一版

142,《刘心武精品集·第一卷·钟鼓楼》

东方出版社 2006 年 1 月第一版

143.《刘心武精品集·第二卷·四牌楼》

东方出版社 2006 年 1 月第一版

144.《刘心武精品集·第三卷·栖凤楼》

东方出版社 2006 年 1 月第一版

145.《刘心武精品集·第四卷·献给命运的紫罗兰》

东方出版社 2006 年 1 月第一版

146.[117]《戴敦邦绘刘心武评〈金瓶梅〉人物谱》

作家出版社 2006 年 4 月第一版

147.[118]《红楼拾珠》

云南人民出版社 2006 年 5 月第一版

148.[119]《藤萝花饼》

云南人民出版社 2006 年 5 月第一版

149.《刘心武揭秘〈红楼梦〉》[第一部]

台湾好读出版有限公司 2006 年 6 月初版

150.《刘心武揭秘〈红楼梦〉》[第二部]

台湾好读出版有限公司 2006 年 6 月初版

151.《我是刘心武》

天津人民出版社 2006 年 8 月第一版

152.[120]《刘心武揭秘古本〈红楼梦〉》

人民出版社 2006 年 12 月第一版

同月第二次印刷

2007 年

153.[121]《四棵树》

二十一世纪出版社 2007 年第一版

154.[122]《用心去游》

上海三联书店 2006 年 12 月第一版

2007 年 1 月第一次印刷

155.[123] Dés de poulet façon mégère [《泼妇鸡丁》法译本]

Bleu de Chine 2007 年 4 月第一版

156.《一切都还来得及》

中国青年出版社 2005 年 5 月第一版

157.[124]《刘心武揭秘〈红楼梦〉》[第三部·黛玉之谜及古本之秘]

东方出版社 2007 年 7 月第一版

至 2007 年 8 月已第四次印刷

2007 年 12 月第六次印刷

2008 年 3 月第七次印刷

158.[125]《刘心武说世道人心》

中国青年出版社 2007 年 7 月第一版

159.[126]《刘心武说寻美感悟》

中国青年出版社 2007 年 7 月第一版

160.[127]《刘心武说草根情怀》

中国青年出版社 2007 年 7 月第一版

161.[128]《长吻蜂》

上海人民出版社 2007 年 8 月第一版

162.《私人照相簿》

华龄出版社 2007 年 10 月第一版

163.《善的教育》

华龄出版社 2007 年 10 月第一版

164.[129]《刘心武揭秘〈红楼梦〉》[第四部·宝钗湘云之谜暨红楼心语]

东方出版社 2007 年 11 月第一版

2008 年 3 月第三次印刷

2008 年

165.[130]《健康携梦人》

中国海关出版社 2008 年 4 月第一版

166.[131]《刘心武小说》

吉林文史出版社 2008 年 5 月第一版

167.[132]《刘心武散文》

吉林文史出版社 2008 年 5 月第一版

2009 年

168.《钟鼓楼》(共和国作家文库)

作家出版社 2009 年 4 月第一版

169.《四牌楼》(共和国作家文库)

作家出版社 2009 年 4 月第一版

170.[133]《人在胡同第几槐》

中国文联出版社 2009 年 6 月第一版

171.《钟鼓楼》(新中国 60 年长篇小说典藏)

人民文学出版社 2009 年 7 月第一版

172.[134]《刘心武短篇小说》

现代教育出版社 2009 年 8 月第一版

173.[135]《刘心武中篇小说》

现代教育出版社 2009 年 8 月第一版

174.[136]《刘心武散文随笔》

　　　　　　　　　　　现代教育出版社 2009 年 8 月第一版

175.《刘心武揭秘〈红楼梦〉》上卷（共和国作家文库）

　　　　　　　　　　　　作家出版社 2009 年 8 月第一版

176.《刘心武揭秘〈红楼梦〉》下卷（共和国作家文库）

　　　　　　　　　　　　作家出版社 2009 年 8 月第一版

2010 年

177.[137]《人情似纸》

　　　　　　　　　　江苏文艺出版社 2010 年 1 月第一版

178.[138]《红楼梦八十回后真故事》

　　　　　　　　　　江苏人民出版社 2010 年 3 月第一版

179.[139]《刘心武小说精选集》

　　　[台湾] 新地文化艺术有限公司 2010 年 4 月第一版

180.《红楼望月》

　　　　　　　　　　江苏人民出版社 2010 年 6 月第一版

　　　　　　　　　　　　2010 年 9 月第二次印刷

181.[140]《命中相遇——刘心武话里有画》

　　　　　　　　　　上海文艺出版社 2010 年 7 月第一版

182.[141]《红楼眼神》

　　　　　　　　　　　重庆出版社 2010 年 9 月第一版

2011 年

183.[142]《刘心武续红楼梦》

　　　　　　　　　　江苏人民出版社 2011 年 3 月第一版

　　　　　　　　　　江苏人民出版社 2011 年 4 月第 4 次印刷

184.[143]《红楼梦》(曹雪芹著刘心武续)

　　　　　　　　　　江苏人民出版社 2011 年 3 月第一版

185.《刘心武续红楼梦》［繁体字竖排本］

香港明报出版社有限公司 2011 年 3 月初版

186.《刘心武揭秘〈红楼梦〉》精华本（一）

江苏人民出版社 2011 年 4 月第一版

187.《刘心武揭秘〈红楼梦〉》精华本（二）

江苏人民出版社 2011 年 4 月第一版

188.《刘心武揭秘〈红楼梦〉》精华本（三）

江苏人民出版社 2011 年 4 月第一版

189.《刘心武揭秘〈红楼梦〉》精华本（四）

江苏人民出版社 2011 年 4 月第一版

190.《刘心武续红楼梦》［繁体字竖排本］

台湾城邦文化事业股份有限公司商周出版 2011 年 4 月第一版

191.《〈红楼梦〉的真故事》

台湾人类智库数位科技股份有限公司 2011 年 6 月第一版

192.[144]《听刘心武说房子的事儿》

中国商业出版社 2011 年 8 月第一版

193.[145]《刘心武心灵随感》

时代文艺出版社 2011 年 11 月第一版

2012 年

194.[146]《刘心武种四棵树》

漓江出版社 2012 年 1 月第一版

195.[147]《风雪夜归正逢时——我是刘心武》

漓江出版社 2012 年 1 月第一版

196.《献给命运的紫罗兰》

漓江出版社 2012 年 1 月第一版

197.[148]《人生有信》

江苏人民出版社 2012 年 3 月第一版

198.Poussiêre et sueur [《尘与汗》法译本 folio 袖珍版]

Gallimard 2012 年 8 月出版

199.La Cendrillon du canal [《护城河边的灰姑娘》法译本 folio 袖珍版]

Gallimard 2012 年 8 月出版